ISRAEL

LES GUIDES FODOR

ISRAEL

364 Pages - 28 Photos - 5 Plans de villes - 10 Cartes historiques Carte générale - Dessins

ÉDITIONS VILO, PARIS
L. LARFILLON

ISBN 2-7191-0039-0

Déjà parus dans cette collection :

AFGHANISTAN
ALLEMAGNE
ANTILLES
ASIE DU SUD-EST
AUTRICHE
ESPAGNE
ETATS-UNIS
GRANDE-BRETAGNE
GRÈCE
HOLLANDE
INDE
IRAN
IRLANDE
ITALIE
JAPON
JAVA-BALI-SUMATRA
MAROC
MEXIQUE
PAKISTAN
PORTUGAL
SCANDINAVIE
SUISSE
TUNISIE
TURQUIE
U.R.S.S.
YOUGOSLAVIE

Textes principaux établis
sous la direction et par

NOËL CALEF

Dessins :
W. RONDAS

Jaquette :
MARC DESPLANQUE

**Photographies : Joseph Gross, Ministère Israélien du Tourisme,
Office National Israélien de Tourisme (Paris), El Al et Bernard Henry.**

TABLE DES MATIÈRES

LES ITINÉRAIRES

*

LES TERRITOIRES SOUS ADMINISTRATION ISRAÉLIENNE

*

AVANT-PROPOS

Après les deux derniers conflits israélo-arabes — la guerre des Six Jours (juin 1967) et celle du Kippour (octobre 1973) — et contrairement à certaines prévisions pessimistes, Israël est demeuré la principale attraction touristique du Moyen-Orient. Qu'une solution intervienne ou non dans le futur, c'est maintenant qu'il faut visiter la Terre Sainte puisque le voyageur n'y courra pas plus de risques qu'en n'importe quel autre pays du monde.

On trouvera en Israël un réseau routier commode, des cars et trains confortables; quant aux lignes aériennes, elles couvrent la majeure partie du territoire. Les hôtels, dans les villes, et les maisons d'accueil, dans les villages communautaires, se sont multipliés. Un effort constant est entrepris afin de recevoir un nombre croissant de touristes et ce, en toutes saisons. On sait que l'affrontement de 1967 a permis aux troupes israéliennes d'occuper la Cisjordanie, la bande de Gaza, le Sinaï et les hauteurs du Golan : ces quelques 70.000 km² constituent les « territoires placés sous administration militaire »; étant donné ce statut particulier et, qui sait, temporaire, ces régions sont traitées dans le présent guide au sein d'une section spécifique.

Les progrès accomplis par cette jeune nation, loin de gâter le paysage, ont au contraire rendu à la Terre de la Bible sa beauté d'antan : le reboisement systématique et l'impressionnant effort des collectivités agricoles n'y sont pas étrangers. Les millénaires ont accumulé en Israël des trésors archéologiques d'une grande diversité : monastères byzantins, châteaux des Croisés, synagogues anciennes, mosquées turques, sans oublier les glorieuses ruines de l'Antiquité.

Enfin il y a les Israéliens et leur amabilité, devenue proverbiale en peu d'années. Ce peuple, formé en grande partie d'immigrants revenus au pays des ancêtres de tous les coins du globe, est parfaitement polyglotte : le visiteur n'aura aucune difficulté à se faire comprendre.

* * *

Nous adressons nos remerciements sincères à l'Office National Israélien de Tourisme qui nous a apporté son aimable concours dans la révision de cet ouvrage.

PRÉLUDE A ISRAEL

A PETIT PAYS GRANDES TACHES

Aucune nation au monde ne supporte comme Israël le poids de l'histoire passée et présente. Sur un territoire grand comme la Provence, qu'un seul annuaire téléphonique suffit à couvrir, elle doit se maintenir et s'affirmer face à l'hostilité active de ses voisins. Toutes les frontières terrestres du pays sont fermées au commerce, aux transports, aux communications. Et dans cette situation il faut cependant résoudre simultanément trois problèmes vitaux : organiser la défense et observer en permanence l'état d'alerte, forger une nation cohérente à partir d'une population largement composée d'immigrants, et développer une économie capable tout à la fois de soutenir l'effort militaire et d'absorber le flot des nouveaux arrivants. Dès leur arrivée, tous sont pratiquement obligés d'apprendre l'hébreu, langue difficile pour la syntaxe et l'alphabet. Pour nourrir le pays et alimenter son commerce, il faut fertiliser les terres et en gagner de nouvelles sur le désert. Sur la moitié du sol israélien, l'irrigation commande les cultures, mais cette eau si nécessaire manque cruellement. Il faut encore créer une industrie où il n'y en avait aucune, capable de soutenir sur les marchés étrangers la concurrence des pays les plus avancés. Tout cela avec deux langues officielles, l'hébreu et l'arabe (sans parler de l'anglais d'utilisation courante), trois sortes de lois, l'ottomane, l'anglaise et la rabbinique, et deux sortes d'écoles, la religieuse et la laïque pour simplifier les choses.

La vie de tous les jours baigne dans un climat de lutte. On le retrouve sur tous les chantiers où poussent les bâtisses de béton; sur les visages tendus et appliqués des élèves d'un *oulpan* où les adultes de vingt pays apprennent l'hébreu en cinq mois; dans les baraquements où tous les citoyens de 18 ans, des deux sexes, viennent accomplir le service militaire. Et il se manifeste par les cheminées fumantes des usines de phosphates établies dans le désert du Néguev; par l'aspect sale et désordonné d'un village d'urgence où un immigrant basané, fraîchement débarqué de l'Inde, contemple fixement l'étrange paysage tandis que son voisin, surmontant son abattement, accroche au mur de sa baraque un panonceau de salon de coiffure à l'enseigne de Budapest.

L'accent de la lutte sonne aussi dans la voix du directeur

d'usine, du fonctionnaire ou du directeur d'école quand ils expliquent au visiteur où ils en étaient il y a dix ans et où ils en seront dans dix ans; il sonne encore, avec une énergie presque provocante, dans les chansons d'une troupe de jeunes en balade; partout les gens semblent répondre à un mystérieux appel de trompettes, et il n'est pas jusqu'aux jeunes plants de cyprès et de pins, alignés dans les pépinières, qui n'aient l'air de se préparer à une bataille, celle du reboisement des collines dénudées.

Rien de plus dramatique, par ailleurs, que le décor de la Terre Sainte. Ici, deux religions sont nées. On ne s'en étonne plus quand on voit ce désert sans rivages et ce ciel nocturne constellé d'étoiles énormes, composant un monde si vaste et si nu que l'homme se sentirait trop seul sans l'idée de Dieu. Puis ces monstrueux piliers de grès érodé sur les rives de la mer Morte, et les rouges montagnes d'Idumée, et les gouffres effrayants, les rocs et les cratères du Néguev, n'ont-ils pas été taillés par une main surhumaine ? Pour Abraham et ses descendants, le surnaturel était quotidien : c'était la trombe qui emportait soudain tout un village, bientôt suivie de l'arc-en-ciel qui d'un bord à l'autre de l'horizon inscrivait dans le ciel, dans tout leur éclat, les sept couleurs de l'Arche d'Alliance. Même le soleil, ici, ne semble pas conduit par le même aurige prudent que sous nos latitudes; à peine son bord inférieur a-t-il touché la Méditerranée qu'il y plonge en entier, en moins d'une minute. Et par le jeu mouvant des nuages il suscite les mirages à sa guise, isolant dans un faisceau de rayons tel village perché, tel château médiéval qui brille en plein ciel quelques secondes pour s'effacer et s'engloutir l'instant d'après dans la colline enténébrée. Une lumière profuse, tantôt d'un gris opalescent, tantôt presque blanche baigne toujours Jérusalem, et il suffit qu'un rayon de soleil ricoche sur le léger bouclier des nuages pour que l'on comprenne *de visu* le phénomène du halo.

Vestiges du passé

A chaque pas, l'on bute sur un souvenir du passé; il affleure partout et les Israéliens ont fait de l'archéologie un passe-temps et même une affaire de conscience nationale. Car pour avoir le sentiment d'exister en tant que nation, un peuple n'a pas seulement besoin d'un territoire indépendant; il lui faut aussi une histoire. Aux yeux des Israéliens si longtemps et si largement dispersés, le passé lointain, et plus encore le récent passé revêtent une importance considérable. Deux événements dramatiques, l'« holocauste » subi sous Hitler et la Guerre d'Indépendance en 1948 dominent la conscience nationale, sans compter les affrontements avec les Arabes; on en conserve avec piété les traces. Pour que reste vivace le souvenir des six millions de Juifs d'Europe exterminés par les Nazis, six millions d'arbres ont été plantés sur les collines de Judée. C'est la « Forêt des Martyrs », à quoi répond l'« Avenue des Justes » dont chaque arbre figure un des héroïques Gentils qui, au mépris de la Gestapo et au risque de leur vie cachèrent et sauvèrent des amis ou des voisins juifs.

Frontières en alerte

Les voisins arabes continuent à faire peser sur le pays une menace permanente. La plus grande partie des territoires qu'ils ont perdus en Palestine avaient en fait été vendus jadis comme inutilisables aux premiers colons sionistes qui surent drainer les sols marécageux en dépit de la malaria, bâtir sur le sable des dunes et rendre le pays vivable. Puis, en 1948, le monde entier assistait, stupéfait, à l'écrasement des forces conjointes de cinq états arabes par les colons juifs de Palestine qui non seulement conservaient leurs terres mais y proclamaient un état, confirmant huit ans plus tard le verdict des armes par la campagne de Suez. Et les Arabes de remâcher leur rancœur, tandis que les Israéliens se félicitaient du succès sans s'endormir sur des lauriers trompeurs. N'avaient-ils pas à la fin des fins récupéré le sol des lointains ancêtres ? Jamais plus ils ne s'en laisseraient chasser. Et au reste, disons que la Palestine de notre ère n'a jamais fait partie d'un état arabe, puisqu'elle est passée de la domination turque au mandat britannique.

Leur énorme supériorité numérique n'empêche pas les Arabes de craindre le pouvoir de riposte qui fait la force d'Israël; ils ne laissent pas, de plus, de se craindre les uns les autres, et à l'intérieur de leurs propres frontières, de redouter l'opposition toujours capable d'un coup d'état. Mais comme la constatation et l'acceptation de la réalité ne sont pas la donnée la plus sûre des relations internationales, Israël ne peut pas tenir pour assuré que le flot arabe ne va pas déferler sur son sol un jour ou l'autre, ni qu'un beau matin, tout le pays ne sera réveillé par le soudain vrombissement des avions ennemis. Il faut vivre avec cette idée, parer à cette éventualité. Les incidents qui se passent tous les jours gardent les esprits en état d'alerte. La vie quotidienne en est marquée.

Une génération nouvelle

Sur cette terre qu'ils ont transformée à force de travail et de sueur, les Juifs ont conquis un droit qu'on leur déniait dans les ghettos : celui d'être des cultivateurs et des soldats. Voilà qui a changé la figure d'un peuple au sens propre du terme. Remisée l'image d'Epinal d'Isaac Laquedem, le « Juif Errant » à l'échine courbe. Sans doute le soleil et le climat expliquent un teint plus hâlé. Quant aux yeux bleus, nous en laisserons l'explication aux généticiens. Mais le changement essentiel, fondamental, ne tient pas à ces signes extérieurs : il est dans l'expression des physionomies. Il est dans ces regards libérés, hardis et — ce qui est plus remarquable encore — souriants et gais. Nous ne parlons pas, évidemment, des immigrants de fraîche date dont les yeux expriment encore l'étonnement, le dépaysement et l'inquiétude, ni des gens de Tel-Aviv qui ressemblent par trop aux habitants de toutes les grandes métropoles.

Dans l'ensemble, donc, tout un peuple a changé de visage, et au premier rang des causes de cette transformation il faut mettre le fait qu'après tant de siècles d'une existence déracinée, transplantée tant bien que mal en terres étrangères, ce peuple a retrouvé son pays. Les Juifs sont maintenant chez eux, dans une patrie qu'ils ont dû péniblement restaurer, reconstruire. Jusqu'en 1900 et pendant mille ans, la Palestine était retournée à l'état nomade; laissée à l'abandon, cette terre était devenue comme le prédisait le prophète Isaïe « l'antre des dragons et des hiboux ». Le Fonds pour l'Exploration de la Palestine estimait en 1880 que pour rendre la vie au pays il faudrait y construire des routes carrossables, drainer les marais, irriguer les champs, restaurer les aqueducs et les citernes, planter des prairies et des forêts pour arrêter l'érosion des sols : exactement le programme que se fixèrent les premiers colons juifs sans perdre courage devant son ampleur.

Mais pas plus à ce moment-là qu'aujourd'hui l'urgence des tâches à remplir ne fit taire les querelles et les dissensions internes. Ces pionniers parvenaient tout juste à tirer du sol leur nourriture que s'engageait déjà une furieuse dispute à propos de l'année sabbatique, visant à rien de moins que de suspendre tout travail dans les champs et dans les fermes pendant une année (la dispute dure toujours). C'est un cas extrême, mais non pas isolé, et l'on peut dire que dans tout le pays, les règles d'une orthodoxie tatillonne pratiquée par un nombre infime de dévots, entravent le progrès et gênent la vie quotidienne de l'immense majorité des citoyens. Mais le parti orthodoxe assure l'équilibre politique du pouvoir, son emprise est officielle et frappe vivement le visiteur étranger, comme le plus absurde des problèmes suscités à Israël par son existence même.

La terre israélienne n'en fleurit pas moins, avec ses collines où s'étagent de précieux vergers, ses haies de romarin, ses jardins de bananiers et d'orangers que choisiraient les Hespérides. Les routes filent entre des mimosas et des tamaris empanachés que bouscule de place en place la pourpre exubérance d'une bougainvillée. Au large des concentrations urbaines, des installations industrielles et des cités d'urgence dont l'aspect laisse souvent à désirer, Israël est d'une extraordinaire beauté. Beauté méridionale des cyprès presque noirs sur le bleu plus que bleu du ciel, et des oliviers noueux sous leur frémissante couronne, si légère que le moindre souffle retourne mille feuilles doublées d'argent. Les palmiers, au bord du lac de Tibériade, ondulent comme des roseaux, et de la pointe occidentale de la Galilée l'on peut distinguer, dans la lointaine échancrure des collines, la blanche écume de la Méditerranée miroitant au soleil.

Parce que ce pays lui appartient, la face d'un peuple en a été changée. Ce qui ne veut pas dire que ce peuple y sera désormais toujours heureux — ni même qu'il y vit déjà heureux, car il est plus querelleur qu'aucun autre, et le problème religieux n'est pas le seul qui l'agite. Entre citoyens, les sujets de discorde sont innombrables, les injures sans retenue; et quand à l'intérieur d'un groupe naissent des divergences d'opinion, c'est la rupture, au lieu que la minorité se plie à l'opinion du plus grand nombre. Dans la vie politique, cette attitude engendre les factions. Les Israéliens s'en expliquent par la privation séculaire de tout pouvoir, de toute responsabilité politique. Et ils affirment que l'expérience du gouvernement ne peut manquer de les guérir.

Israël n'est pas une société de l'abondance; on y travaille dur et la semaine de six jours demeure dans toute sa rigueur. Mais l'individu a le sentiment d'y compter pour quelque chose, et rien ne peut le stimuler davantage, au point de lui donner de l'ardeur pour un travail qu'il n'aime pas. Les étudiants étrangers marquent une curiosité particulière pour cette singularité — surtout les Scandinaves qui bénéficient chez eux des facilités de l'état-providence — et viennent tous les étés se mettre au service d'un kibboutz.

Survivre avant tout

Malgré tous les problèmes qui l'agitent, Israël a l'avantage capital d'être dominé par un impératif catégorique : survivre! Israël est revenu. Israël a surmonté les persécutions et l'exil pour devenir la seule nation de la terre à se gouverner sur le même territoire, sous le même nom, avec la même religion et la même langue que trois mille ans plus tôt. Le pays a conscience d'avoir accompli son destin. Il sait qu'il ne doit pas succomber maintenant, il sait qu'il doit tenir. Les Israéliens, sans doute, ne connaissent pas l'opulence, ils ne jouissent pas d'une vie bien tranquille, mais ils possèdent quelque chose que l'abondance fait perdre de vue : une puissante motivation.

Tous ne se consacrent pas sans réserve au but poursuivi. Nombre d' « anciens » qui voient les préoccupations matérialistes repousser l'idéalisme des premiers temps, affirment que la foi des pionniers est en voie de disparition. Et il est certain que les Israéliens ne sont pas tous enthousiastes, fidèles et industrieux comme des boy-scouts. Une fraction non négligeable de la population (estimée à 80 000 personnes) a quitté le pays pour gagner davantage (en Israël les salaires sont bas et les impôts élevés), pour vivre une vie plus large, plus facile, ou pour d'autres raisons dont le désir d'échapper aux impératifs de la géographie. Mais dans l'ensemble, la nation sait pourquoi elle est là et où elle va. Le visiteur lui-même se prend à penser que l'histoire a peut-être ses desseins, après tout, et qu'un de ces desseins était la survie de ce peuple qui, depuis les temps lointains où Abraham répandit le monothéisme dans le pays de Canaan, n'a cessé d'enrichir la civilisation, de Moïse et Jésus à Marx, Freud et Einstein.

L'hostilité des Arabes a paradoxalement aidé Israël, en ce qu'elle l'a forcé à se tourner vers l'Occident pour établir de ce côté des rapports de commerce et de concurrence, jusqu'à conclure, en 1975, un accord d'union douanière avec le Marché Commun. Cela oblige l'entreprise israélienne à se développer plus largement, à « voir plus loin » que les problèmes immédiats. Il faut tout tirer de soi. Exemple : le Centre de recherches pour la Zone Aride de Beersheba a démontré qu'en utilisant judicieusement l'eau de ruissellement, dans la zone chaude et bien abritée de Wadi Araba, au sud du Néguev, on pouvait produire quatre récoltes par an. Et c'est ainsi que les stations d'hiver d'Europe reçoivent à la saison du ski des fraises aussi parfumées que vermeilles.

Plus ambitieuse, et d'une nécessité plus urgente, l'entreprise

« dry Suez » (« Suez à sec ») prend la forme d'un oléoduc assurant le transport du pétrole iranien depuis le port d'Eilat, sur la mer Rouge, jusqu'à Haifa sur la Méditerranée. Mises en place pour riposter à la décision de Nasser d'interdire le Canal de Suez aux Israéliens, les conduites actuellement en service ont respectivement vingt et quarante centimètres de diamètre, et un débit de 4,5 millions de tonnes par an. Une troisième conduite en cours d'installation coupe à travers le Néguev en direction du nouveau port d'Achdod, ouvert au sud de Tel-Aviv en 1965 aux bateaux de fort tonnage. Principalement utilisé par les compagnies pétrolières étrangères en supplément de leur trafic par le Canal de Suez, le nouveau « pipeline » israélien arrivera peut-être à concurrencer les tarifs du canal.

Le Néguev dompté

Le Néguev, c'est le Désert de Zin de la Bible, et pour les fondateurs d'Israël le premier « impossible ». Ce territoire qui couvre plus de 55 pour cent de la surface totale du pays, les enquêteurs de la Commission Peel, la plus sérieuse de toutes celles qui travaillèrent en Palestine durant le Mandat britannique, estimaient qu'il ne pourrait absorber aucun accroissement de population. Et pourtant, de 1948 à 1977 sa population est passée de 21 000 à 350 000 habitants, si l'on compte les villes de Béercheba et d'Achkelon qui ne sont pas à proprement parler dans le désert, mais sur sa frange septentrionale. En dehors de ces deux agglomérations, cent trente colonies ont essaimé dans le Néguev, dont le kibboutz Sde Boker où Ben Gourion se retira en 1965. Jusqu'au jour de sa mort, le 1er décembre 1973, il y écrivit ses mémoires ainsi que l'histoire du Sionisme. L'actuel peuplement dépasse donc de beaucoup les 30 à 60 000 habitants que le Néguev faisait vivre à l'époque romaine et byzantine, quand le drainage des eaux de pluie par tout un système de canaux et de citernes était à son point de perfection. Les Israéliens se jugent capables d'utiliser aussi bien, sinon mieux, toute l'eau que le ciel daigne faire pleuvoir. Mais nos contemporains ont besoin de plus d'eau que les Anciens : il s'agit donc de trouver de nouvelles ressources par tous les moyens que l'ingéniosité peuvent concevoir. Il y a les pluies artificielles, en cours d'étude; il y a surtout la désalinisation de l'eau de mer, et un réacteur nucléaire, qui produirait des billions de litres d'eau par an à un prix de revient raisonnable.

Peupler une patrie nouvelle

Le millionième immigrant touchant la Terre Promise depuis la création de l'état d'Israël débarqua en 1961. Sur ce million de nouveaux venus, 430 000 arrivaient d'Europe (à commencer par 100 000 rescapés des camps de concentration), avec une majorité de Roumains et de Polonais; 500 000 avaient quitté l'Asie et l'Afrique du Nord : 125 000 en provenance de l'Iraq, 45 000 du Yemen, 33 000 de Turquie, quelques milliers d'Iran, de l'Inde et de la Chine, 237 000 du Maroc, d'Algérie, de Tunisie et de Libye. D'Amérique du Nord et du Sud, il en émigra 15 000. Le flot ne fut jamais régulier ni prévisible; il déferlait en vagues plus ou moins fortes au gré des crises et des pressions politiques. Et depuis 1961, il a apporté un quart de million de citoyens supplémentaires.

Des bateaux touchent Haïfa chaque semaine. Les diverses opérations d'accueil (réception, examen sanitaire, contrôle d'identité, billets de transport et de logement, allocation de premier secours) se déroulent à bord. Tout Juif admis en Israël devient *ipso facto* un citoyen doté du droit de vote; l'immigrant non-Juif jouira du même statut après trois ans de résidence. Point n'est besoin d'un gros effort d'imagination pour se représenter ce qu'a signifié l'installation d'un million et demi d'étrangers requérant presque tous une aide financière et sociale, non seulement sur le plan pratique du logement, du travail et de la scolarité, mais sur le plan psychologique, les tensions, et les frictions qui surgirent entre les immigrants et les premiers résidents, aussi bien qu'entre les immigrants eux-mêmes.

L'effort consenti au bénéfice des immigrants n'est pas, cela va de soi, entièrement désintéressé. Israël avait besoin de tout ce monde pour emplir la nef de l'état. Depuis les premières arrivées, vingt et une villes et 400 villages ont poussé, et c'est grâce à l'accroissement de sa main d'œuvre qu'Israël produit maintenant plus des trois-quarts de sa nourriture. Sans compter que la défense nationale a besoin de bras.

La plus grande difficulté est de fournir une occupation rentable aux Juifs d'Afrique du Nord qui tiennent en mépris le travail manuel, au contraire des colons européens qui l'ont idéalisé et lui rendent dans les kibboutzim un véritable culte. Et puis ces colons-ci sont venus en Palestine par conviction, alors que les Orientaux des récentes cargaisons ont été les victimes plus ou moins passives des circonstances. Pour s'adapter, ils doivent apprendre un nouvel art de vivre, une nouvelle langue, des méthodes de culture, des procédés de travail dont ils n'ont jamais entendu parler. Pour les adolescents, toutefois, le service militaire qui consacre autant de temps au travail scolaire qu'à l'entraînement est la meilleure des écoles. Mêlés aux *sabras* nés sur le sol israélien, les jeunes recrues apprennent très vite l'hébreu et ne tardent pas à se sentir des citoyens à part entière.

On ne peut pas nier un antagonisme certain entre les Orientaux et les Européens. Ceux-ci ont eu l'initiative du retour, ils ont reconquis le pays et en dépit de la géographie, ils ont implanté en Israël, d'une manière prédominante, les idées et les habitudes de l'Occident. Aussi ne voient-ils pas d'un très bon œil déferler le flot de tous ces Juifs basanés qu'il faudrait pouvoir contre-balancer — et comme ils le souhaitent ! — par les trois millions de coreligionnaires toujours bloqués en Russie. Quant aux Orientaux, ils ne constatent pas sans irritation que ce sont les autres qui occupent les meilleurs logements, les meilleurs emplois et surtout, les postes de commande du pays. Le sentiment de leur infériorité pèse sur eux de tout son poids. Israël connaît donc un problème d'intégration sans avoir à compter, heureusement, avec un esprit de ségrégation enraciné et endurci. Armés de bonne volonté et poussés par la nécessité d'aboutir à une solution rapide, les Israéliens prétendent qu'en deux générations, leurs concitoyens orientaux seront complètement assimilés.

Comment on fait un Israélien

Toute leur attention se porte sur les enfants, qui posent de nombreux problèmes mais dont la transformation en citoyens d'Israël est aussi rapide que spectaculaire. Pour voir le processus à l'œuvre, il suffit de visiter les écoles de Beersheba, par exemple, où difficultés et progrès sont mis clairement en évidence. Comme l'explique volontiers telle directrice d'établissement primaire, l'absolutisme du père, toujours vivace chez les peuples d'Orient, a tôt fait de se dégrader dans les familles immigrées en Israël. A l'égard des parents désormais dénués de prestige, un sentiment de honte se développe chez les enfants qui doivent retrouver chaque soir le désordre et l'inconfort d'un logement surpeuplé, où souvent ils ne disposent ni d'une table, ni d'une lampe pour faire leurs devoirs et où leur manquent, surtout, l'aide et les encouragements de leurs père et mère. Malgré tout, l'idée de devenir un vrai Israélien fait vite son chemin dans les jeunes esprits.

L'éducation, c'est pour Israël la première des tâches, sur le plan des affaires intérieures; après la défense nationale, elle absorbe la plus grosse part du budget. Tout au sommet de la pyramide scolaire brille l'orgueil d'Israël : l'Université Hébraïque de Jérusalem. En 1925, un premier campus avait été ouvert sur le Mont Scopus, l'une des collines à l'est de la Vieille Ville que la guerre de 1948 laissa en territoire jordanien. En principe, les Israéliens conservaient la propriété de l'Université considérée, ainsi que l'Hôpital Hadassah qui l'avoisinait, comme une sorte d'enclave où ils avaient accès. En fait, les Jordaniens réduisirent ce droit d'accès à une visite rituelle bi-mensuelle, effectuée par quelques fonctionnaires israéliens dans une voiture hermétiquement fermée escortée par des forces des Nations-Unies. La guerre de 1967 fit rentrer les choses dans l'ordre, et les étudiants d'Israël dans leur campus restauré.

Au début de 1954, grâce à l'aide financière des Juifs de l'étranger, débutaient les travaux d'une nouvelle université sur la colline de Givat Ram, à l'ouest de la ville. Prévue pour accueillir 20 000 étudiants, elle forme aujourd'hui un bel ensemble de bâtiments dont l'aspect fonctionnel est heureusement contre-balancé par l'harmonieuse ordonnance de la vaste esplanade suspendue. A tous points de vue, l'Université Hébraïque semble dominer la situation; en fait, elle est en proie à des difficultés sans nombre, à commencer bien entendu par les problèmes financiers. Bataillant contre le déficit le plus lourd des annales universitaires mondiales, elle fonctionne parce qu'il le faut, parce qu'elle est la pompe à oxygène de la vie intellectuelle et professionnelle du pays.

Poussés par l'hostilité de leurs voisins arabes à chercher plus loin des amis et des relations, les Israéliens se sont lancés dans un programme d'assistance technique aux pays sous-développés dont l'ampleur peut surpendre. Des centaines de techniciens d'Israël ont offert leurs services à soixante-deux pays, et non seulement aux états africains en voie de développement mais à la Birmanie, à l'Équateur et à divers autres pays d'Asie et d'Amérique latine. Et de ces États techniquement assistés plusieurs milliers d'étudiants partent chaque année pour Israël où ils vont suivre les cours de l'enseignement supérieur ou professionnel. D'autre part, les accords signés depuis 1964 avec la CEE, semblent annoncer pour Israël les prémisses d'un épanouissement tant commercial qu'industriel.

INTRODUCTION

APERÇU GÉOGRAPHIQUE. La place occupée par Israël dans l'actualité mondiale depuis 1948, sa notoriété, sont sans commune mesure avec sa superficie réduite : 20 700 km², auxquels il faut néanmoins ajouter quelque 70 000 km² de territoires occupés à l'issue de la Guerre des Six Jours. La Guerre du Kippour, déclenchée le 6 octobre 1973 respectivement par les Égyptiens et les Syriens sur les fronts du Sinaï et du Golan, allait prendre les Israéliens totalement au dépourvu. Grâce à la mobilisation rapide de tous les réservistes, les Israéliens réussirent néanmoins à stabiliser les deux fronts. L'armée syrienne repoussée, les Égyptiens reprennent l'offensive; en vain. Le cessez-le-feu fut obtenu à la demande du Conseil de Sécurité de l'O.N.U. On assista aux premiers pourparlers entre Égyptiens et Israéliens. Suivront, le 6 juin 1975, la réouverture du Canal de Suez et quatre mois plus tard, le premier accord israélo-égyptien. Seul, le Liban, son voisin du nord, est plus petit. La Syrie et le Royaume Hachémite de Jordanie à l'est, et l'Égypte à l'ouest (sans parler de l'immense Arabie toute proche au sud-est, mais sans frontière commune) font figure de Goliaths devant le David israélien. Encore, le pays n'est-il vraiment peuplé et fertile qu'au nord et au centre, sa moitié sud, le Néguev, n'étant qu'un semi-désert en cours de peuplement et de mise en valeur par des pionniers. Au nord-est du Néguev s'étalent les eaux saturées de matières minérales de la mer Morte, le point le plus bas de notre globe : — 392 mètres.

La bande côtière prend le nom de plaine de Charon (ou Saron), jusqu'au fleuve Kichone et Haïfa, le principal port israélien. Encore plus au nord, le littoral et la plaine de Zabulon s'étendent jusqu'au Liban, tandis qu'à l'est, Israël s'étant à nouveau élargi, les collines de Galilée offrent un peu plus de fraîcheur, parmi des lieux célèbres de la Bible, comme Nazareth et le lac Kinnéret ou Génésareth (lac de Tibériade ou encore mer de Galilée). Venu du nord, le Jourdain l'alimente, puis, après avoir formé la frontière avec la Jordanie, y pénètre et, poursuivant son cours droit au sud, va se perdre dans la mer Morte.

Par suite de la Guerre des Six Jours, près de 70 000 km² de territoires se trouvent actuellement sous contrôle israélien. Il s'agit de la Judée-Samarie (Cisjordanie), de la Bande de Gaza, de la péninsule du Sinaï et du plateau du Golan.

LE CLIMAT, LES PLANTES ET LES BÊTES. Si Israël peut se targuer de jouir d'un climat méditerranéen : étés chauds et ensoleillés, hivers doux, entre-saisons chaudes et sèches, le contraste est quand même assez marqué entre la Haute Galilée, relativement fraîche et pluvieuse, et le Néguev, très sec et brûlant. Au printemps ou à la fin de l'été (octobre) peut souffler un vent chaud venu du désert : le *khamsine*, et quoiqu'il n'apparaisse que pendant de courtes périodes, il est plus pénible à supporter que la chaleur estivale.

Comme dans les temps bibliques, la terre d'Israël produit toujours le blé, la vigne, les figues et le miel, mais de modernes agriculteurs y font croître aussi les agrumes, les bananes, mangues et goyaves, le tabac, le coton, l'arachide, la betterave sucrière... On voit toujours l'olivier tordre vers le ciel ses membres tourmentés, mais le pin de Jérusalem, le tamaris, le caroubier et l'eucalyptus — importé d'Australie — servent largement le reboisement. Et le symbole de l'Israélien né dans le pays est le *sabra*, opiniâtre cactus épineux.

S'il y a peu de chances que vous rencontriez des animaux que l'on dit sauvages, nous voulons vous éviter toute surprise en vous révélant que plusieurs carnassiers hantent toujours certaines contrées : hyènes, chacals, chats sauvages, lynx, et même des loups en Galilée. Les gazelles de l'arche israélienne doivent bien se garder!

LA POPULATION, L'IMMIGRATION ET LES COMMUNAUTÉS. La population d'Israël approche les 3,5 millions d'habitants dont environ 2,8 millions de Juifs, 470 000 Arabes et Druzes, 100 000 Chrétiens, etc... Depuis la fondation de l'État (1948), la population juive a plus que triplé, surtout grâce à l'immigration en provenance d'une centaine de pays. Et le nombre des non-Juifs a doublé.

La guerre des Six Jours a laissé sous administration israélienne le million de Palestiniens des territoires occupés.

La population est répartie de façon très inégale; les régions du Nord et du Centre rassemblent 95 % des habitants (l'agglomération Tel Aviv/Jaffa est la plus peuplée), dans le Sud, le Néguev, il n'y a que quelques agglomérations et jusqu'ici, 15 % seulement du désert ont pu être livrés à la culture.

Vous admirerez l'extrême jeunesse des Israéliens : en 1977, la moyenne d'âge de 26 ans est un facteur de croissance économique rapide.

En 1882, 24 000 Juifs seulement vivaient en Palestine, qui faisait alors partie de l'empire Ottoman. Cette année, commença le grand mouvement de retour au pays des ancêtres. En 1919, à l'aube du mandat britannique, l'immigration prit vraiment son essor, et jusqu'en 1948, 650 000 Juifs débarquèrent en Palestine. Après l'indépendance, 700 000 encore vinrent s'établir en Israël, jusqu'en 1951, année où le mouvement se ralentit. En 1956, la révolution de Budapest ainsi que les émeutes qui eurent lieu à Poznan, poussèrent vers Israël les Juifs de Hongrie et de Pologne. A la même époque, la crise de Suez et la campagne du Sinaï furent suivies d'un afflux d'émigrants juifs d'Égypte, de Tunisie et du Maroc.

A l'issue de la guerre froide, on assista à une émigration massive de Juifs d'Union Soviétique. D'une manière générale, au cours de ces 20 dernières années, le nombre d'immigrants se chiffre à 1,5 millions.

Généralement, l'immigrant est sans ressources. L'Agence juive (dont nous parlons plus loin) et le gouvernement prennent des mesures pour l'intégrer dans la communauté : accueil, logement, formation professionnelle, création de villages, services publics, sociaux et éducatifs, offres d'emploi. Beaucoup d'immigrants ne connaissent pas l'hébreu : des cours leur sont donnés dans des internats ou des externats, ou dans leurs villages. En outre, des journaux et des émissions de radio en langue simplifiée sont publiés ou émis à leur intention.

La majorité des non-Juifs sont Arabes (musulmans et chrétiens). La plupart d'entre eux vivent dans la région centrale et en Galilée : vous en verrez beaucoup à Nazareth et à Akko (Acre), mais aussi dans les régions de Tel-Aviv et de Jérusalem, et l'on compte encore près de 44 000 Bédouins semi-nomades. Les autorités israéliennes leur assurent l'égalité avec le reste de la population, tout en leur donnant la possibilité de conserver leur culture et leurs traditions : ils siègent au Parlement, y parlent leur langue, tout comme, d'ailleurs, avec les autorités. Si vous pouvez distinguer l'hébreu de l'arabe, vous verrez les deux types de caractères sur les poteaux indicateurs, les pièces de monnaie, les billets de banque et les timbres-poste. Une vingtaine de journaux sont publiés en arabe, tandis que la radio émet aussi dans cette langue.

Depuis 1948, on a déployé de grands efforts pour élever leur niveau de vie : rendement agricole sextuplé, services multipliés : routes, eau, électricité, éducation, protection sociale, professionnelle et sanitaire. L'hostilité des États arabes voisins a cependant obligé Israël à prendre des mesures de sécurité dans les régions frontalières.

VILLES ET VILLAGES. Le paradoxe d'Israël est d'être à la fois une terre ancestrale et un État très récent. A côté de villes anciennes comme Jérusalem, Akko (Acre), Nazareth, s'élèvent des localités conçues et bâties en quelques années selon des plans d'ensemble, telles Arad et Dimona, dans le Néguev.

Mais si vous voulez toucher du doigt et comprendre l'âme d'Israël, n'hésitez pas : rendez-vous dans un *kibboutz*, et séjournez-y quelque temps. La vie collective de ses habitants, qu'on appelle *kibboutznik*, est unique au monde, parce que leur communisme complet (dans son sens social et non politique) procède d'un choix entièrement libre. Le premier *kibboutz*, Degania, fut fondé au début du siècle par de jeunes immigrants européens. Se doutaient-ils qu'ils traçaient ainsi les contours de la physionomie de l'actuel Israël?

A première vue, le collectivisme du kibboutz effraie un peu l'occidental jaloux de sa propriété privée. Mais la collectivité n'est rien d'autre que l'assemblée générale des individus, qui votent les décisions importantes à la majorité, et élisent chaque année les membres de la direction et les commissions : la démocratie à l'état pur! La vie culturelle des kibboutzim est active : instruction soignée, lecture, discussions, musique, musées, tout y concourt à faire des kibboutznik des campagnards cultivés. De nombreux Israéliens, célèbres dans les domaines les plus divers, sont issus des kibboutzim. Le plus souvent créés dans des régions incultes ou incertaines (près des frontières), ils sont de la sorte des microcosmes de la vie du pays, des centres de développement agricole, parfois industriel, des garants de la sécurité nationale, des foyers de culture et d'idéal. Chaque membre donne le meilleur de soi-même à la communauté, et en reçoit ce qu'il lui faut pour vivre.

Le collectivisme complet de la vie familiale dans les kibboutzim, jugé excessif par certains, est corrigé dans le *moshav shitoufi*, dont les habitants restent propriétaires de leur logement et assument eux-mêmes leurs travaux ménagers et l'éducation des enfants. Depuis la création de l'État, la forme de village le plus souvent adoptée est le *moshav ovdim*. C'est un village de type coopératif, où l'organisation communautaire achète ou loue l'outillage agricole lourd, et assure l'écoulement de la production. Enfin, certains villages sont tout simplement basés sur la seule entreprise privée. Beaucoup parmi eux se sont développés au point de former des villes.

LES RELIGIONS. Plusieurs religions coexistent en Israël, sans compter les sectes. Leur liberté est garantie par la Proclamation de l'Indépendance, et le ministre des Cultes veille notamment à la conservation des Lieux Saints. Il faudra vous habituer quelque peu aux arcanes des jours de fêtes, car chaque communauté peut observer son jour de repos hebdomadaire, bien que le Sabbath et les fêtes juives soient jours chômés officiels. Les communautés religieuses ont chacune leurs tribunaux dont dépendent mariages et divorces.

Les Juifs observent et étudient la *Thora* (loi de Moïse), la Bible et le *Talmud* (prescriptions morales et culturelles). Le Grand Rabbinat détient l'autorité religieuse suprême, il interprète la Loi juive, et supervise les tribunaux rabbiniques. Le *Judaïsme*, religion quelque peu diverse, se définit sommairement par les paroles de Micah (VI, 8) : « faire ce qui est juste, accorder miséricorde et être humble vis à vis de Dieu ».

Le *Sionisme*, doctrine ayant pour objet l'établissement en Palestine d'un état juif autonome, fait corps avec les croyances religieuses mais présente néanmoins un contenu beaucoup plus politique que religieux.

Le terme *kasher* signifie « purifié » et s'applique à la nourriture sélectionnée et préparée selon les lois alimentaires juives qui sont nombreuses et complexes. Les Juifs observent les lois de *kashrut* qui enseignent de ne pas manger des produits laitiers en même temps que de la viande ainsi que l'utilisation de plats différents pour ces deux genres de nourritures. En Israël, la plupart des restaurants observent le *kasher*.

Les Arabes sont, en majorité, musulmans. Leurs plus hauts dignitaires sont les Cadis, juges à la fois religieux et civils, et le clergé est rétribué par l'État. La mosquée la plus célèbre d'Israël est celle d'El Jazzar à Akko (St. Jean d'Acre). Les musulmans se considèrent comme les détenteurs de la vraie foi monothéiste et possèdent leur propre livre sacré, le *Coran*, écrit au 7e siècle.

Vous verrez probablement des Druzes en Galilée : originaires de Syrie, et dissidents de l'Islam depuis le onzième siècle, ils ont été reconnus, pour la première fois de leur histoire, comme une communauté religieuse autonome par Israël.

Les Chrétiens, enfin, sont surtout arabes. Les Catholiques sont les plus nombreux (rite grec), suivis par les Orthodoxes, les Catholiques romains, les Maronites, les Protestants, et les adeptes des rites orientaux. L'ensemble de la communauté chrétienne a seize tribunaux religieux, et le clergé comprend environ 2 200 membres, répartis dans 35 sectes différentes.

FONCTIONNEMENT DE L'ÉTAT. Israël est une démocratie parlementaire. Tous les quatre ans, le peuple élit les 120 députés de la Chambre unique : la *Knesseth*. Le Parlement détient l'autorité suprême, élit le président de l'État pour un terme de 5 ans, accorde ou retire sa confiance au gouvernement. Les débats parlementaires sont publics.

L'État moderne d'Israël compte plus de partis politiques que le Royaume hébreu de la Bible ne comportait de tribus. On en dénombrait vingt-deux lors de ces élections de mai 1977 qui ont révolutionné le profil politique du pays. Après 29 ans de pouvoir ininterrompu, les travaillistes se sont effondrés, victimes de la crise économique, des relents de plusieurs scandales et d'une politique étrangère assez nébuleuse. De 73 à 77, le *Maarakh* (Front travailliste) — fruit de l'union du *Parti Travailliste Israélien* (lui-même ayant résulté en 1968 d'une fusion entre le *Mapaï*, l'*Ahdouth Ha'avoda* et le *Rafi* qu'avait présidé David Ben Gourion) et du *Mapam* (Parti ouvrier unifié) — avait été à la tête de la Knesseth, bien secondé par les Religieux et les Libéraux indépendants.

Le dernier scrutin a tout bouleversé, se soldant par une forte poussée de la droite nationaliste dont le Rassemblement, le *Likoud* (41 sièges), a enfin accédé à ce pouvoir qui le boudait depuis la fondation d'Israël — si l'on excepte sa brève participation à un gouvernement d'union nationale (1967-1970). Dans son sillage, le *Parti National Religieux* (12 sièges) et le *Front de la Thora* (5 sièges) — tous deux prônant la consolidation des valeurs morales juives et l'adéquation des lois avec la Thora — mais surtout un nouveau venu qui, pour son coup d'essai, arrive en 3e position dans la hiérarchie des partis : le *Dash* (Mouvement démocratique pour le changement) dont les suffrages émanent des technocrates et de la nouvelle classe moyenne (14 sièges). A gauche, seul le *Rakah* (communistes non sionistes et nationalistes arabes) a progressé.

Sur le plan extérieur, ce revirement risque de compromettre les chances de négociation qui s'annonçaient : pour la droite, il ne sera jamais question de céder la Judée-Samarie (Cisjordanie), considérée comme « territoire historique » d'Israël.

On ne peut terminer ce paragraphe consacré au fonctionnement de l'État, sans parler de l'Institution qui fut à la base de la création de celui-ci : l'Organisation Sioniste mondiale, fondée en 1897, pour « créer un foyer en Palestine pour le peuple juif, garanti par la loi internationale ».

A l'Organisation s'est identifiée l'Agence Juive, qui représente les Juifs du monde entier, et organise pratiquement l'immigration, assiste l'État dans l'intégration des immigrants, participe aux projets de développement... L'Agence a assuré l'immigration de plus de un million de personnes depuis 1948. Elle dispose d'un fonds financier, le *Keren Hayessod*, Appel d'Israël unifié, alimenté par les contributions des Juifs du monde entier : depuis 1948, il a récolté près de 900 millions de dollars, surtout aux États Unis.

Le *Keren Kayemeth*, Fonds National, fondé au début du siècle pour acquérir des terres pour le peuple juif, s'occupe, en accord avec l'État, du défrichement, du drainage et du reboisement des terres, d'établissement de villages et de construction de routes.

Citons enfin l'*Aliyah des Jeunes* (immigration des jeunes), qui s'occupe depuis 1934, de faire venir des jeunes en Israël, et de former des enfants et jeunes gens dans le monde entier. Depuis sa fondation, cet organisme a permis l'immigration de 140 000 pupilles, qui ont fondé ensuite des établissements agricoles.

ÉCONOMIE. Le souci de ne plus dépendre des capitaux étrangers, longtemps indispensables pour accueillir, former et mettre au travail les immigrants, impose à Israël une économie en constante progression. Le pays s'était assigné un plan visant à soutenir et à accélérer l'essor économique, intégrer les immigrants, développer le Néguev et la Galilée centrale. L'assèchement des marécages de Galilée et l'irrigation des régions désertiques, autant de réalisations qui provoquèrent un véritable bond en avant de l'agriculture israélienne. En 1974, en vue de rééquilibrer la balance des paiements, le gouvernement dévalua la monnaie de 42 %. La balance commerciale, bien que toujours en déficit, s'équilibre peu à peu grâce aux exportations. Les importations continuent cependant à monter, mais parallèlement à la production et aux investissements. Enfin, le taux d'inflation reste très élevé.

Israël achète surtout aux États-Unis, traite avec le Marché Commun (le gouvernement israélien a signé en 1975 un accord d'union douanière avec la CEE), et vend principalement en Europe et aux États-Unis. Ses exportations sont constituées, pour leur plus grande part, par des produits industriels, en tête desquels, dans l'échelle des valeurs, se placent les diamants taillés. Israël exporte aussi des produits métallurgiques et chimiques, des vêtements, des textiles, des minéraux, des automobiles. Mais, toujours en valeur, ce sont les produits alimentaires, surtout les fruits et jus de fruits, qui prennent la deuxième place des exportations. Le tourisme vient ensuite en troisième position.

AGRICULTURE. L'agriculture couvre presque entièrement les besoins du pays. Elle produit toutes les denrées de consommation intérieure, sauf les céréales et les fourrages, et, en conséquence, les matières grasses, pour lesquelles les superficies sont trop réduites et l'eau trop rare.

Le retour à la terre est la base du sionisme moderne, et une marque de fidélité aux anciennes traditions juives de la Bible. Depuis le début de l'immigration, 1 000 kibboutzim, moshavim et coopératives agricoles de divers types ont été créés, leur nombre ne cessant d'augmenter. Les superficies irriguées et cultivées n'ont cessé de croître. Le sol appartient, pour 90 % à l'État ou au Fonds National, qui le louent « à perpétuité » aux collectivités ou aux individus.

Le problème capital de l'agriculture israélienne est l'irrigation. Nous avons vu plus haut que s'il pleut d'abondance dans le nord, l'eau ne tombe qu'en infimes quantités dans le sud. On a donc irrigué sur une grande échelle, et, actuellement, la plupart des ressources d'eau souterraines sont utilisées. Aussi faut-il pomper l'eau là où elle se trouve en abondance, c'est-à-dire dans les lacs ou les fleuves, et la conduire, par d'énormes canalisations, vers les terres trop sèches. Notons trois grandes réalisations de ce genre : l'adduction d'eau du Kichone vers la Galilée occidentale, et, vers le Néguev, deux œuvres de grande envergure : l'amenée des eaux du Yarkon, et, surtout, de celles du lac Kinnéret (lac de Tibériade).

INDUSTRIE. L'industrie d'Israël est bien diversifiée. Le secteur privé détient la majorité des fabriques, tandis que les entreprises d'État sont surtout engagées dans l'exploitation des ressources naturelles du Néguev. Enfin, certaines affaires sont gérées par des coopératives, contrôlées par l'*Histadrouth*, confédération générale des travailleurs, ou dirigées directement par le gouvernement.

La plupart des ressources minérales gisent dans le Néguev : cuivre, phosphates, marbre, manganèse, etc... La mer Morte regorge de potasse, de brome, de magnésium et de sel. Des gisements de fer ont été découverts en Galilée, tandis que du pétrole est extrait près d'Achkelon, non loin de la côte méditerranéenne. Les environs de la mer Morte recèlent du gaz naturel.

COMMUNICATIONS. En matière de communications avec l'extérieur, Israël ne peut compter que sur les transports maritimes et aériens, à cause de ses difficiles relations avec ses voisins. A l'intérieur, près de mille kilomètres de voies ferrées appartiennent à l'État, mais vous emprunterez surtout les autobus, principal moyen de transport pour les passagers. Le grand Sud est relié au cœur du pays par de fréquents services aériens.

Tout comme pour le rail, l'effort routier du pays porte avant tout, maintenant, sur la liaison avec le Néguev. Une route le traverse entièrement, et relie ainsi la Méditerranée à la mer Rouge : on l'a surnommée « le canal de Suez terrestre d'Israël ».

La marine marchande israélienne compte une centaine de navires. Le plus grand port du pays est Haïfa, qui, avec son port auxiliaire à l'embouchure du Kichone, peut manipuler trois millions de tonnes de marchandises par an. Autres ports : Tel-Aviv et Jaffa, Achdod, plus au sud, en cours de construction, et Eilat, qui donne accès à la mer Rouge.

Israël possède une compagnie maritime, la *Zim*, et une compagnie aérienne : *El-Al*, toutes deux d'envergure internationale.

SÉCURITÉ SOCIALE ET SANTÉ. Une loi d'assurance nationale organise les pensions de vieillesse et les pensions pour les victimes d'accidents du travail ainsi qu'un régime d'allocations familiales. Mais ce n'est là qu'un premier stade d'un plan plus étendu d'assurance sociale.

L'assurance-maladie n'est pas gérée par l'État : plusieurs associations existent, dont la principale groupe 70 % de la population : c'est la Caisse d'Assurance-maladie *(Koupath Holim)*, qui coopère, d'autre part, avec l'État et l'organisation médicale *Hadassa*, pour développer les services de la santé publique.

Le cas des Arabes qui nomadisent encore, tels que les Bédouins du Néguev, a retenu l'attention des services médicaux. Des dispensaires et centres sanitaires ont été créés à leur intention.

ENSEIGNEMENT — RECHERCHE. On a pu dire que la seule ressource naturelle dont Israël dispose en abondance est sa richesse en chercheurs, ingénieurs, médecins et techniciens hautement qualifiés. Parti de rien, Israël s'est vu acculé à créer un réseau d'enseignement de qualité, intimement mêlé à la recherche scientifique. L'État compense ainsi par la qualité ce qui lui manque en quantité.

Plus de 900 000 élèves et étudiants fréquentent les institutions d'enseignement, du jardin d'enfants à l'université. L'instruction primaire est gratuite et obligatoire, de 5 à 14 ans. Tant les écoles laïques que les établissements religieux sont financés conjointement par l'État et les autorités locales. Il existe aussi des écoles privées. Les études secondaires durent quatre ans, et sont, dans certains cas, couvertes au moins partiellement par des bourses.

Les cours sont donnés en hébreu ou en arabe, suivant les cas, l'un et l'autre pouvant, évidemment, être choisis comme seconde langue. Certaines écoles prodiguent leur enseignement en anglais ou en français.

Le plus ancien établissement d'enseignement supérieur du pays est le *Technion* à Haïfa, fondé en 1912. Il couvre les principaux domaines de la science et de la technologie modernes. L'université de Haïfa, avec ses 3 400 étudiants, est située sur le Mont Carmel.

L'Université Hébraïque, de son côté, créée en 1918, et rebâtie récemment à Guivat Ram (Jérusalem), abrite les facultés de Lettres, de Sciences, ainsi que les étudiants chargés de recherche. Quant aux facultés de droit et de sciences sociales, elles sont à Tel-Aviv, celle d'agriculture, à Rehovot, et celle de médecine, à Ein Karem, dans le cadre du centre médical de la *Hadassa*.

Citons encore, près de Tel-Aviv, l'université *Bar Ilan* (études juives, sciences naturelles et sociales, philologie), l'Université de Tel-Aviv, et quatre instituts, qualifiés d'universités populaires, organisés en collaboration par l'Université Hébraïque, les syndicats, et les villes de Jérusalem, Tel-Aviv, Haïfa et Béerchéba. Des écoles normales, des cours de vacances, du soir et de perfectionnement, complètent ce réseau d'enseignement.

L'Institut Weizmann de sciences, à Rehovot, s'occupe de recherche dans les domaines les plus variés : mathématiques appliquées, biochimie, électronique, génétique, physique nucléaire, etc... Dans le domaine de l'énergie atomique, précisément, les activités sont dirigées et contrôlées par la Commission de l'énergie atomique, qui s'occupe surtout des minerais radio-actifs du Néguev et d'eau lourde. Son but est d'établir une station nucléaire, notamment pour les besoins de la médecine et de l'industrie.

L'ensemble de la recherche scientifique israélienne contribue puissamment à la solution des problèmes bien particuliers au pays, à l'exploitation des ressources naturelles et au peuplement du Néguev. Il faut ajouter que la réputation de cette recherche vaut à Israël une large assistance de l'étranger.

En plus de l'instruction, l'État offre aux jeunes des moyens de délassement, en entretenant des clubs de jeunesse, des terrains de jeux, des colonies de vacances, des bibliothèques publiques, etc... Les mouvements de jeunesse poursuivent des buts récréatifs, mais aussi éducatifs. L'accent y est mis sur le sentiment national et le développement agricole.

L'ARCHÉOLOGIE. Nous avons dit que le paradoxe d'Israël est d'être à la fois un pays vieux comme le monde, et cependant récemment mis en valeur par d'authentiques pionniers. Défrichant leur terre, ceux-ci ont mis à jour de si nombreux vestiges, qu'ils sont devenus des passionnés d'archéologie.

L'État, des organisations nationales et des missions étrangères mènent des fouilles, organisent des conférences et des congrès archéologiques très suivis.

Des découvertes de ces dernières années, citons, parmi les plus intéressantes, les lettres de Bar Kokhba, chef de la dernière révolte juive contre les Romains, dans des grottes près de la mer Morte, des vestiges humains vieux de 500 000 ans dans la vallée du Jourdain, les restes d'une agglomération du 4e ou 3e millénaire avant J.-C. à Tel Gat, de nombreuses tombes de l'époque patriarcale, une cité cananéenne, à Hazor (nord du pays), détruite par Josué, de très nombreux vestiges hellénistiques et romains : Ein Guédi, Césarée, Beit Chéane... sans oublier les fameux manuscrits de la mer Morte, qui suscitèrent tant d'intérêt dans le monde, pour la lumière qu'ils projettent sur le développement de la religion en Terre Sainte pendant environ deux siècles. Les rouleaux les mieux conservés de ces manuscrits sont exposés au Temple du Livre, près du Musée d'Israël à Jérusalem.

LA LANGUE. Il a fallu deux générations d'érudits et d'éducateurs pour faire de l'hébreu un instrument moderne, d'usage courant, littéraire et scientifique. L'Académie de la langue hébraïque a été fondée dans le but « d'assurer le développement de la langue, grâce aux recherches faites à travers diverses périodes et ramifications. » Elle publie des dictionnaires et des mémoires, ainsi qu'un journal trimestriel de recherches. Elle poursuit le travail entrepris le siècle dernier par le Conseil de la langue hébraïque.

Une nouvelle génération d'écrivains est née. L'hébreu est leur langue maternelle, et certaines de leurs œuvres sont traduites et bien accueillies à l'étranger. A côté d'œuvres originales, paraissent de nouvelles éditions de la Bible, du Talmud et d'ouvrages rabbiniques, des encyclopédies, etc... Moins d'un siècle a suffi à la littérature hébraïque moderne pour se forger une personnalité propre. Actuellement, de jeunes auteurs d'avant-garde enrichissent cette littérature de satires, drames et romans en nombre sans cesse croissant.

LES ARTS. A côté de quatre grandes compagnies théâtrales : *Habimah*, *Ohel*, le théâtre de chambre *Caméri*, et le théâtre de Haïfa, vivent quelque deux cents troupes d'amateurs. Et les autorités patronnent l'organisation *Telem*, qui donne des représentations dans les villages d'immigrants.

Le goût des Israéliens pour la musique est attesté par les nombreux abonnés aux concerts de l'Orchestre Philharmonique d'Israël, dont le siège est l'auditorium Frédéric Mann, à Tel-Aviv : proportionnellement au nombre d'habitants, c'est un record mondial. L'orchestre de la radio d'Israël a pour fonction principale de créer et de faire connaître les œuvres des compositeurs nationaux. La vie musicale du pays est encore animée par l'Opéra National, et le festival qui a lieu tous les ans au kibboutz de Ein Guev, sur les bords du lac de Tibériade. L'enseignement de la musique est largement répandu dans les écoles, et par une vingtaine de conservatoires. Près de deux mille jeunes gens et jeunes filles sont membres de la section israélienne des« Jeunesses Musicales ».

Les danses folkloriques brillent de tout leur éclat au festival qui se tient tous les trois ou quatre ans au kibboutz de Daliyat. La troupe *Inbal* a sauvegardé l'art folklorique des Juifs yéménites, et a fait plusieurs tournées en Europe et en Amérique. Enfin, la pratique de la musique et des danses folkloriques dans les villages d'immigrants, est largement encouragée.

Quant aux arts plastiques, ils sont dominés par les écoles européennes : tous les styles coexistent en Israël. Des artistes ont recréé un village abandonné, Ein Hod, près de Haïfa, et l'administrent eux-mêmes. De nombreux peintres et sculpteurs se sont également établis à Safed. Plusieurs écoles prodiguent un enseignement artistique, dont celle de *Betsalel*, à Jérusalem. Vous trouverez la liste des musées dans les chapitres géographiques respectifs.

PRESSE. La presse est libre de toute censure, bien qu'un certain contrôle soit exercé en matière d'informations militaires. A l'image d'une population venue des quatre coins du monde, elle est extrêmement diversifiée, tant par ses opinions que par les nombreuses langues (une douzaine) dans lesquelles elle s'exprime. Plus de 24 quotidiens et près de 350 périodiques paraissent. Parmi les plus importants quotidiens en hébreu citons : *Ha'arets* (Le Pays), indépendant de tendance libérale, fondé en 1915; *Davar* (Les Choses), organe de l'Histadrouth, fondé en 1925; le journal du soir *Ma'ariv*, sans tendance accusée, date de 1947. Le *Jerusalem Post*, fondé en 1932 fait penser au vénérable « Times » de Londres, et enfin le Yediot Aharonot (les Dernières Nouvelles) qui est tiré à environ 130 000 exemplaires.

Le Magazine d'Israël, mensuel international, indépendant lui aussi, présente les nouvelles d'une manière intéressante à bien des égards. En outre, on dénombre 4 publications arabes, allant du bi-hebdomadaire au mensuel.

La radio israélienne, *Kol Israël*, diffuse des bulletins quotidiens d'information en hébreu, arabe, anglais et français, ainsi qu'en d'autres langues, à l'intention des nouveaux immigrants. De plus, un poste spécial émettant en arabe, est très écouté, notamment dans les pays voisins. Les émissions de télévision ont débuté en 1966.

Si vous désirez meubler une soirée de loisirs en allant au cinéma, sachez qu'il en existe environ 300 salles en Israël, où l'on projette beaucoup de films importés.

SPORTS. Quelques mots des sports, qui, tous, sont pratiqués par les amateurs. Des championnats de football, natation, tennis, gymnastique, etc... ont lieu chaque année, tandis que l'Union internationale *Maccabi* patronne la Maccabiade mondiale, qui a lieu tous les 4 ans en Israël. Le plus grand stade se trouve à Ramat Gan, à côté de Tel-Aviv, et peut contenir 60 000 spectateurs.

A l'étranger, les sportifs israéliens ne sont pas des inconnus : on les voit participer aux Jeux Olympiques, (dont ceux de 1972 à Munich, de triste mémoire), à des championnats européens et mondiaux de football et, surtout, de basket-ball, discipline dans laquelle les formations nationales jouissent d'une grande notoriété.

RENSEIGNEMENTS PRATIQUES

RENSEIGNEMENTS PRATIQUES

La préparation du voyage

CHOIX D'UNE DATE. En Israël, la grande saison touristique commence au mois d'avril et se termine vers la mi-octobre. A ce moment les plages reçoivent des flots de visiteurs jusqu'à la fin des vacances estivales. Si l'été est parfaitement supportable au bord de l'eau et surtout sur la côte méditerranéenne, il est accablant à l'intérieur, sauf en montagne. L'arrière-saison dure tout l'hiver et présente de multiples avantages. On peut vivre dehors, même en plein hiver, dans la région de Tibériade (lac de Galilée) et à Eilat, sur la Mer Rouge, où le thermomètre oscille entre 15° et 27° de novembre à mars. En ce qui concerne les sports d'hiver, un télé-siège fonctionne actuellement sur le sommet enneigé du Mont Hermon, à la frontière nord.

COMMENT CONCILIER LES CALENDRIERS. Votre perplexité risque d'être grande en Israël si vous oubliez que deux calendriers s'y côtoient : le grégorien et l'hébraïque (sans compter le musulman et le julien dont nous parlons plus loin). Des deux dates figurant sur les journaux, l'une vous est familière, celle du calendrier grégorien, l'autre fait partie de l'ère israélite, qui commence le jour de la création du monde, date mythique fixée par la tradition en 3760 avant notre ère. En 1977-78, le calendrier juif avait ainsi le millésime 5738.

PRINCIPALES FÊTES ET MANIFESTATIONS. Puisque vous voilà maintenant au fait des caractéristiques du calendrier hébraïque, vous pouvez vous initier aux grandes fêtes qui le jalonnent, sans oublier les principales fêtes chrétiennes et musulmanes. Le 1er janvier (Thebet) : *Jour de l'An*, services religieux dans les églises protestantes et catholiques, et le 6. *Epiphanie*, fêtée dans ces dernières seulement. Le deuxième dimanche après l'Épiphanie, pèlerinage franciscain de Nazareth à Cana. Les 7 et 8, les Chrétiens des Eglises d'Orient fêtent Noël, et le 14 célèbrent à leur tour le Nouvel An. En janvier-février (Chevath), Noël des Arméniens et Epiphanie des Chrétiens d'Orient. Une bien jolie coutume est le *Tou B' Chevath*, nouvel-an des arbres, au début de février (deuxième quinzaine de Chevath). Au cours de cérémonies accompagnées de chants et de danses, les écoliers plantent des milliers de jeunes arbres sur les collines. Fin Adar (début mars), Jour de Tel Haï, du nom d'un *kibboutz* que Joseph Trumpeldor et ses compagnons défendirent au prix de leur vie en 1920. Ce jour-là, des mouvements de jeunesse visitent Tel Haï, en hommage aux héros de l'œuvre pionnière. Peu après, les fêtes du *Pourim* rappellent qu'Esther sauva les Juifs babyloniens du péril que leur faisait courir le premier ministre Haman. Lecture du Livre d'Esther dans les synagogues, bals costumés sur les places publiques mais le point culminant des réjouissances demeure le joyeux repas du Pourim. Le *Michloah Manote*, ancienne coutume du *Pourim* qui consiste à échanger des cadeaux avec ses voisins et amis, demeure très populaire, et les pensionnaires des hôtels ne sont pas oubliés. Le 25 mars, messe pontificale en l'église de l'Annonciation à Nazareth. Début mars (Nissane), fête musulmane de l'*Id el Adha*.

Le *Vendredi Saint* et *Pâques* sont célébrés dans toutes les églises chrétiennes. A la même époque ont lieu les fêtes de la Pâque juive, qui commémore l'Exode des Juifs hors d'Égypte. Elles commencent par l'office nocturne de *Sédère*, au cours duquel sont racontées les péripéties de cet

Exode. Des cérémonies ont notamment lieu dans tous les grands hôtels et les *kibboutzim;* vous pourrez peut-être assister à un tel service dans un kibboutz si vous vous adressez à un bureau de l'Office National du Tourisme. Le lendemain, c'est le premier jour de *Pessakh* (Pâques). Puis, uniquement pour les touristes, seconde nuit de *Sédère*, dans les principaux hôtels et restaurants. Le dernier jour de *Pessakh* a lieu une semaine plus tard. A la fin de Nissane, services religieux dans les synagogues en l'honneur des victimes du nazisme, Yom Hashoa. Quelques jours après, début d'Iyar, c'est le jour du Souvenir pour les soldats tombés pour la patrie. Le lendemain, fête de l'Indépendance. Défilé militaire dans une des grandes villes. Il est prudent de s'adresser longtemps à l'avance à une agence de voyages pour y organiser son déplacement. Le mouvement travailliste israélien célèbre dignement le 1er mai. A la même époque a lieu le pittoresque festival druze de 3 jours à Hittine, près du lac de Tibériade, en l'honneur du beau-père de Moïse, Jethro, saint homme vénéré par la communauté : c'est la fête de *Nebi Choueïb.* Toujours en Iyar (début mai), *Lag Bag' omer :* pèlerinage traditionnel sur la tombe de Rabbi Siméon Bar Yokhaï, auteur probable du *Zohar*, célèbre ouvrage mystique. Des milliers de pèlerins s'assemblent devant sa tombe, au Mont Mérone, près de Safed, pour danser autour d'un gigantesque feu de joie. En mai-juin (Sivane), *Chevouoth* (Pentecôte juive) ou fête des Semaines, en souvenir de la remise du Décalogue à Moïse. Dans les temps bibliques, les cultivateurs offraient leurs prémices au Temple de sérusalem. Cette fête en a conservé une signification agricole, et on la célèbre dans toutes les fermes par diverses manifestations. A la même époque, *Pentecôte* chrétienne fêtée par les Églises occidentales et orientale de Tel Aviv. Le 24 juin : service en l'église Saint Jean de la Montagne, à Ein Karem, où naquit Saint Jean Baptiste. Le 20 Tamouz, anniversaire de la mort de Théodore Herzl, fondateur du sionisme.

Deuxième quinzaine de juillet : fête en l'honneur du prophète Élie, Mont Carmel (Haïfa) et procession catholique à la statue de Notre-Dame du Carmel. Juillet-août (Av) voit se dérouler la principale manifestation musicale et théâtrale de l'année : le Festival d'Israël, avec le concours d'orchestres et d'artistes de réputation internationale. Représentations à Jérusalem, Césarée, Tel Aviv, Haïfa et en d'autres villes. Le 9e jour de Av : commémoration de la destruction du 1er Temple, en 587 av. J.-C., et du second, en 70 de notre ère : c'est le *Tich' a Be' av* (jeûne). Pèlerinage sur la tombe du roi David, (août) au mont Sion à Jérusalem. Tous les trois ans, durant le mois d'août : la *Zimria*, festival international des chorales. Le 6 août : fête de la *Transfiguration*, messe pontificale en l'église franciscaine du mont Thabor. Le 15 août : *Assomption*, messe pontificale en l'église de la Dormition, au mont Sion.

En septembre-octobre, les 1 et 2 Tichri, Nouvel An hébraïque ou *Roche Hachanah*, suivi, le 10 du même mois, de la plus solennelle des fêtes religieuses juives : le *Yom Kippour*, jour des Propitiations, tout au long duquel on jeûne et on récite des prières. Le *Souccoth*, ou fête des Tabernacles, quelques jours plus tard, dure une semaine. C'est à la fois une fête des moissons et un anniversaire religieux, rappelant le séjour des Enfants d'Israël dans le désert. Dans les jardins ou sur les balcons, on dresse de petites cabanes décorées de feuillages et de fleurs, où les familles se réunissent pour prendre leur repas. Souccoth est la période idéale pour séjourner dans un kibboutz; une attention toute particulière est vouée à cette fête agricole. Le lendemain de la fin du *Souccoth*, c'est le *Simhath Thora* (fête de la Loi) : on termine et on recommence immédiatement la lecture du Pentateuque (Thora) dans les synagogues. Les fidèles dansent dans les rues en brandissant les rouleaux de la Loi. En octobre-novembre (Hechevane), festival du lac Kinnéret (lac de Tibériade) à Ein Guev. En novembre-décembre (Kisslève), commémoration des victoires de Judas Maccabée contre Antiochus Epiphane — qui voulut convertir par la force les Juifs au paganisme (2e siècle av. J.-C.) — et de la redédicace du Temple qui s'ensuivit : c'est *Khanoucca*, la fête des Lumières : elle dure 8 jours, et on allume chaque soir une nouvelle lumière au candélabre à sept branches. *Id-el-Fitr*, les 3 jours du festival de Moslem qui marque la fin du mois de jeûne du Ramadan, tombe en général en novembre. Le 8 décembre, fête de l'*Immaculée Conception :* services religieux en l'église de la Dormition, au mont Sion. *Noël*, enfin, est célébrée dans toutes les églises catholiques et protestantes dès le 24 décembre. Messe de minuit à Nazareth et Bethléhem.

COMMENT VOYAGER. Vous avez maintenant fixé la date de votre départ. Il est temps de consulter un agent de voyages. Même un voyageur très expérimenté sera bien avisé de faire appel à ce spécialiste qui ne revient pas cher. Les services qu'il vous rendra en réservant vos billets d'avion, votre voiture de louage et vos chambres dans les hôtels lui seront payés sous forme de commission sans augmentation de prix. Souvent les agences de voyages peuvent vous obtenir des places qui sont refusées aux particuliers; elles ont des arrangements permanents avec les hôtels, les compagnies de navigation, etc.

A Paris, c'est l'*Office National Israélien de Tourisme* 14, Rue de la Paix, 75002, tél. 261.01.97 & 261.03.67, qui peut vous fournir des brochures et divers renseignements. Pour la Belgique il n'existe momentanément plus de bureau; en Suisse à Zurich, City Haus, Talacker 50, tél. 321323, 321322. A Rome la délégation a comme adresse : 96 Via Vittorio Veneto, tél. 460-301, à Montréal (2), 1118 Rue Ste Catherine Ouest.

Dans les renseignements pratiques qui précèdent la description de chaque région, nous donnons les adresses des bureaux de tourisme ouverts dans les principales villes israéliennes.

PÈLERINAGES. Le pèlerinage en Terre Sainte a perdu son caractère d'aventure périlleuse, longue et épuisante de jadis, pour n'être plus qu'un émouvant et passionnant voyage, relativement facile et peu dispendieux. Encore faut-il que, tout en conservant son but essentiel : la visite des Lieux Saints, il soit aussi l'occasion d'une détente. Nous pensons que, livré à lui-même, le pèlerin isolé, risque de passer à côté de bien des choses intéressantes sans les voir, s'il n'est correctement orienté par des guides compétents. La formule du voyage organisé, même si elle ne rencontre pas l'adhésion des tempéraments très individualistes, offre cependant plusieurs avantages : la possibilité de grouper les participants selon leurs goûts ou leur formation, des conférences concrètement adaptées aux sites visités, une participation communautaire à la liturgie et aux évocations bibliques, sur les lieux mêmes où vécut le Christ.

Pour participer à un pèlerinage, adressez-vous à un des organismes suivants, tous à Paris :

Voyages Missions
10, Rue de Mezières (75006)
(tél. 222.48-50)

N.-D. du Salut
70 Bis, Rue Bonaparte (75006)
(tél. 326.55-79)

Pèlerinages de Paris
6, Cité du Sacré Cœur (75018)
(tél. 606.26-07)

Centre Richelieu
8, Place de la Sorbonne (75005)
(tél. 033.36-90)

Bible & Terre Sainte
60, Bd. Vauban
59, Lille (tél. 54.91.59)

Service International des Pèlerinages
40, Rue du Chevalier
de la Barre (75018)

Pèlerinages du Rosaire
228, Fbg. St. Honoré (75008)
(tél. 924.01-48)

ainsi qu'à :

Pèlerinages de N.-.D de Salut
62-64, Rue de la Montagne
1000 Bruxelles (tél. 02/511.75.60)

Le gouvernement israélien entretient un service d'information : Comité Israélien des Pèlerinages, dont le directeur est Mr. Haya Fischer. Ce comité organise des excursions, des forums, offre diverses réceptions et distribue même des décorations et médailles à qui de droit. Pour tous renseignements adressez-vous à Jérusalem, B.P. 1018, tél. 20.171.

VÊTEMENTS. Pour les dames : l'hiver, des vêtements comme pour les pays tempérés européens, soit jupes et pulls, tailleurs et manteaux, robes de jersey de laine. On supporte une petite fourrure. Chaussures à talons plats et supportant la pluie. Au printemps, l'idéal est le petit tailleur en jersey et le manteau demi-saison ou un bon imperméable, car il pleut parfois. L'ensemble de laine, chaud et léger, sera nécessaire surtout à Jérusalem où le climat est assez frais et venteux. Il ne faut cependant pas oublier une ou deux robes légères pour les journées chaudes ainsi qu'un foulard, chapeau de toile ou de paille. On supporte des bas jusqu'à fin mars. En été, qui dure du mois de mai à la fin octobre, il faut surtout des robes légères et lavables, shorts et costume de bain, lunettes solaires et chapeaux. Ne jamais oublier, en excursion, de se munir d'une écharpe ou d'un foulard car les Lieux Saints se visitent toujours la tête couverte ainsi d'ailleurs que les épaules et les bras et aussi les jambes (donc pas de short dans ces cas-là). Pour les soirées en montagne, un lainage ou un manteau léger. L'automne est court (novembre-décembre) et nécessite les mêmes vêtements qu'au printemps.

Pour les Messieurs : outre la garde-robe habituelle qui comprendra plusieurs chemises lavables à la main et ne se repassant pas, une casquette ou chapeau de toile car, outre le soleil brûlant, les Lieux Saints juifs se visitent la tête couverte et en tenue décente. On conseillera de robustes chaussures à semelles de caoutchouc pour les longues promenades.

Remarque spéciale : il peut faire très froid, au printemps, le matin tôt quand on part faire une excursion dans le désert, à partir de Neot Hakikar, surtout dans les voitures ouvertes « tous terrains ». Le bonnet de bain, lui, est indispensable pour les baignades dans la Mer Morte vu la salinité de celle-ci, 30 %, qui poisse les cheveux. Tant pour hommes que pour femmes, les jeans sont devenus très à la mode. C'est d'ailleurs la tenue idéale pour faire du tourisme.

171.5
13.0
201.0
385.5

VOTRE BUDGET. Tout dépend de la manière dont vous voyagez, de votre train de vie en vacances et des distractions que vous prévoyez. En la matière, vous êtes seul juge. Nous nous proposons, pour guider vos calculs, de vous donner une liste de prix correspondant en gros à quatre catégories de voyages : de luxe, confortable, économique et... sportif. La catégorie de luxe comprend les touristes qui descendent dans les meilleurs hôtels, voyagent en avion 1re classe, louent une voiture avec chauffeur et consacrent plusieurs soirées aux boîtes de nuit. Les voyages confortables se passent dans de bons hôtels (avec salle de bain), de bons restaurants, en avion, classe économique, une voiture particulière et permettent de consacrer plusieurs soirées à diverses manifestations. La catégorie économique englobe les voyageurs qui se contentent d'hôtels confortables (avec douche), déjeunent et dînent dans de bons restaurants mais souvent bondés car leurs prix avantageux attirent une nombreuse clientèle. Le soir, ils vont au cinéma et se déplacent par bateau en classe touriste, en autocar ou par train 2e classe. Les sportifs enfin sont les campeurs et les habitués des auberges de jeunesse. Ils font eux-mêmes leurs repas et, de temps en temps, pour se reposer des corvées ménagères, vont dîner à une auberge; ils se déplacent en auto-stop; pour se distraire le soir ils choisissent la terrasse des cafés.

Les prix que nous indiquons pour chacune de ces quatre catégories comprennent les transports, sujet que la plupart des guides touristiques préfèrent éviter. Nous avons pris comme base des vacances d'un mois *(voyage aller-retour compris)*, les distractions et les excursions les plus typiques.

Pour suivre ce programme, il en coûtera 300 fr. français par jour et par personne dans la catégorie de luxe; 200 ff. dans la catégorie confortable; 135 dans l'économique et 100 ff. au régime dit « sportif ».

Voici quelques-uns des prix pratiqués en Israël (approximatifs) : hôtels de luxe (5 étoiles) : 270 à 380 L.I. pour une personne, 360 à 450 L.I. pour un couple; 1re classe (4 étoiles) : 155 à 210 L.I. pour une pers., 245 à 290 L.I. pour un couple; 3 étoiles : 115 à 155 L.I. pour une pers., 175 à 220 L.I. pour un couple. Dans un établissement de catégorie modérée, ces prix varieront respectivement de 55 à 125 L.I. et de 100 à 175 L.I. (sensiblement moins cher sans douche ou bain privé). Le service, non compris, est de 15 %.

Un petit déjeuner vaut de 10 L.I. (simple) à 25 L.I. (copieux, à l'israélienne). En ce qui concerne les retaurants, on paiera de 70 à 120 L.I. le repas servi dans un établissement de 1er ordre, de 25 à 50 L.I. dans une taverne « moyenne », à peine plus de 15 à 35 L.I. à l'auberge ou au snack-bar. Un café coûte de 2 à 5 L.I., la bière consommée pendant le repas de 2 à 6 L.I. la demi-bouteille, le vin de 25 à 75 L.I. le litre.

Vingt cigarettes israéliennes valent au minimum 5 L.I., les cigarettes anglaises et américaines coûtent plus cher : environ 8 L.I. La coupe de cheveux homme/dame vaut entre 30 et 50 L.I. Le blanchissage d'une chemise se paie 6 L.I., le nettoyage à sec d'une robe ou d'un complet de 20 à 30 L.I.

Le prix d'une place de cinéma est de 15 L.I., alors qu'au théâtre on peut débourser jusqu'à 50 L.I. Comptez 30 L.I. pour la moindre halte dans une boîte de nuit.

RÉÉVALUATION OU INFLATION

Il est bien entendu qu'une prévision budgétaire est impossible à établir exactement, étant donné la réévaluation pratiquée dans certains pays d'Europe et les conséquences qui s'en suivent : hausse des coûts, des taxes et tendance inflationniste. Les crises monétaires internationales causent, elles aussi, de larges fluctuations dans les taux de change. Il est évident que les prix mentionnés dans ce chapitre sont ceux qui étaient applicables lors de l'impression du guide. Dès lors, il serait bon de les vérifier auprès de votre agence de voyage au moment de votre départ.

Réservation : Si vous décidez de voyager en Israël pendant la saison touristique, entre avril et octobre et plus précisément aux alentours de Pâques et de Pessakh, il est indispensable d'effectuer vos réservations plusieurs mois d'avance. Notons que les tarifs d'hôtels sont, comme partout, plus élevés en saison.

VILLAGES DE VACANCES. Établissements destinés principalement aux visiteurs étrangers. Certains proposent aux touristes des vacances organisées comprenant le voyage aller-retour en avion au départ de l'Europe. Le logement se fait en huttes ou bungalows à deux lits. Les distractions sont nombreuses : orchestre de danse, excursions, yachting, pêche sous-marine, etc. Prix et conditions se valent ou se suivent de fort près. Voici la liste des villages de vacances les mieux connus :

Village d'Achkelon. Ouvert d'avril à octobre. Dirigé par le *Histadrouth* (GGT Israélien). Situé aux portes du Parc National d'Achkelon, bâti sur des falaises dominant la mer. Logement en maisonnettes de pierre entourées de cours bordées de murets. Cuisine française. Sports nombreux. L'on danse tous les soirs. Excursions dans tout le pays moyennant supplément. Renseignements : Histour, 14 Bvd. Montmartre, 75009 Paris, tél. 770.86.20 ou en Israël, village de vacances d'Achkelon, Achkelon.

Club Méditerranée. 2 possibilités : *Akhziv*, près de Nahariya, peut recevoir jusque 700 visiteurs dans des cases prévues pour deux personnes. Night-club, orchestre, restaurant, bibliothèque, bridge, récitals par des groupes folkloriques israéliens, tir à l'arc, natation, yoga et équitation.

Le village-hôtel d'Eilat est le point de départ d'inoubliables excursions. Les chambres à deux lits sont pourvues de bain, douche, lavabo et w.c. Les sports sont nombreux : voile, plongée (libre et scaphandre), tennis, ping-pong, yoga, volley-ball, pétanque, piscine. Pour les soirées : night-club, bridge, concerts de musique enregistrée et jeux divers. Siège à Paris, place de la Bourse, 75002 Paris et 86, avenue des Champs-Élysées, 75008 Paris, tél. 266.52.52. A Bruxelles, 50, rue Ravenstein, tél. 513.94.22.

Le village de Roche Hanikra en Galilée, à 800 m des grottes de la mer de Rosh Hanigra. Vous y trouverez 76 chambres à air conditionné construites en pierre ou en bois. La salle à manger est également pourvue de l'air conditionné. Nombreux divertissements pour les enfants, théâtre, piscine. Pour plus de détails, écrivez au village de Rosh Hanigra B.P. 350.

Moins chers (mais il faut y arriver) :

Village de Césarée. Le bungalow-motel *Kayit Veshayit* (mai à fin octobre) se trouve près de la baie de Césarée et consiste en 60 chalets de bois à chambre unique à deux lits. Toilettes et douches dans bâtiment séparé. Plusieurs maisons en dur avec douches attenantes. Les repas se prennent au restaurant, self-service; également snack bar. Jeux de plage, rame, canotage à moteur (petit supplément) et programmes six soirées par semaine. Renseignements : Kibboutz Guest Houses, 100 Rehov Allenby, Tel-Aviv, ou Kayit Veshavit, Kibboutz Sdot Yam.

Dor Beach village, près de Haïfa, situé sur la plus belle plage du pays. La mer est entièrement protégée par la baie. 65 chambres soit en bois soit en béton. Des divertissements sont organisés le soir. Chaque vendredi soir les touristes sont invités en groupes dans les *kibboutzim*. Si vous désirez réserver pour les mois de juillet et août, il serait sage de vous y prendre plusieurs mois à l'avance. Adresse : Dor Beach, Nahsholim, Mobile Post Office, Hof Hacarmel.

Green Beach, sur la côte près de Natanya (à Moshav Udim, prenez la direction de la mer). Splendide plage, piscine (chauffée en hiver), basket-ball, volley-ball, tennis, sauna, équitation, night-club. 150 chambres, chacune pourvue de 4 lits, et ce, à des prix très raisonnables.

Sea Star à Eilat, situé sur la plage. 99 bungalows de forme hexagonale, la plupart avec douche. Salle à manger avec vue sur la mer. Ouvert toute l'année. Possède également un camping.

Motel Agaman, à Acre. 54 chambres à air conditionné. Très belle plage et cuisine excellente.

Blue sky Caravan, dans le golfe d'Eilat. 80 chambres à air conditionné.

Caravan Resort village, près de Sharm-el-Sheikh et Ophira, vient d'être complètement remis à neuf. Natation, plongée, voile, promenades dans le désert à dos de chameau. Tarifs uniquement sur demande.

Le village de Nueiba à 80 km au sud d'Eilat, au bord de la Mer Rouge. Faisant partie intégrante du kibboutz de Nueiba, vous y vivrez une vie nouvelle à la mode du kibboutz. 50 chambres climatisées avec salle de bain privée et 30 paillottes-bungalows, non moins confortables. Activités culturelles et sportives, plongée.

Le village de Maccabia dans la région de Tel-Aviv, à Ramat Gan, et le *Judean Hills Recreation Center*, dans la forêt de Jérusalem (tarifs sur demande).

Korazim/Verad-Hagali en Galilée.

Il y a de nombreux autres villages qui s'étirent de Nahariya dans le Nord jusqu'à Sharm-el-Sheik dans le Sinaï. Se renseigner auprès de l'Office Israélien de Tourisme de votre pays.

TRAVAILLER DANS UN KIBBOUTZ. Les camps internationaux de travail pour étudiants ont lieu comme d'habitude en juillet-août dans les kibboutzim. Des volontaires appartenant à différents pays vivent ensemble pendant trois à six semaines env., au nombre d'une quinzaine ou d'une trentaine. Le travail est de nature agricole, à raison de 36 heures par semaine et un jour de congé, le samedi ou le dimanche, au choix. Les volontaires sont nourris et logés gratuitement et reçoivent même des cigarettes. Ils dorment le plus souvent dans des huttes de bois. Les kibboutzim organisent des excursions dans les régions avoisinantes et une randonnée de plusieurs jours en fin de séjour. Des services aériens sont organisés en fonction de ces activités. Quant aux étudiants choisissant la voie maritime, les compagnies ZIM, Française de Navigation et Typaldos leur offrent de sensibles réductions.

Par l'entremise d'ISTA les étudiants jouissent de réductions intéressantes sur les voyages avion d'Arkia (au Néguev, etc.), profitent d'un service d'assurances, de voyages d'intérêt spécial, de logement dans des maisons d'étudiants, de comités de réception, etc. Pour renseignements et documentation, s'adresser à ISTA, Israel Student Tourist Association, 2, Pinsker Street, Tel Aviv. Courrier : B.P. 4451, Tel-Aviv. Également : *Amitié Mondiale Inter-Jeunesse*, 9 rue de Hanovre, 75002 Paris, tél. 742.82-68; En France : *Arce-France*, 9 Rue Richepanse, 75008 Paris, tél. 742.16-87; Marseille, 38 Rue de la République, tél. 503-513. En Belgique : *Caravanes de la Jeunesse Belge*, 6 Rue Mercelis, 1050-Bruxelles, tél. 02/512.45.58.

Pour non-étudiants ce sont les organismes suivants qui facilitent le travail dans les kibboutzim : *Ichoud Hakibboutzim* (travaillistes modérés) 53 A, Hayarkon à Tel-Aviv; *Kibboutz Haartzi* (socialistes de gauche) 15, Rehov Leonardo da Vinci, Tel-Aviv; *Kibboutz Hadati* (religieux), 7 Rehov Dubnov, Tel-Aviv.

Maisons d'accueil des kibboutzim. Façon très originale d'observer la vie d'un kibboutz. Ce sont de véritables hôtels ayant de 2 à 4 étoiles, les prix étant en rapport. Les chambres tout comme les salles à manger sont très confortables et ultra-modernes. La plupart possèdent une piscine, une bibliothèque, des films et diapositives. Sur les 225 kibboutzim, 20 possèdent ces maisons d'accueil. Principalement en Galilée, celles-ci sont, en général, situées dans les régions rurales du pays.

En Galilée : Haute Galilée : Ayelet Hashahar; Hagoshrim; Kfar Giladi; Kfar Blum. Ouest de la Galilée : Haziv; Hanita. Basse Galilée : Lavi. Près de Tiberias : Nof Ginossar.

Près de Haïfa. Beit Oren (Mt Carmel); Neve Yam et Nir Etzion (plage de Carmel).

Netanya. Beit Yehoshua (Netanya) et Beit Chava (Shave-Zion).

Dans la région de Tel Aviv : Beit Yesha (Givat Brenner); Hafetz Hayim; Shfayim.

Dans les collines de Judée, près de Jérusalem : Ma'ale Hahamisha; Kiryat Anavim; Shoresh.

La plupart de ces maisons d'accueil sont ouvertes toute l'année. Les prix sont, en général, modérés — 34-38 L.I. à 56-60 L.I. par personne en chambre double. Pour tous renseignements, s'adressez B.P. 1139, 100 Allenby St., Tel-Aviv.

PASSEPORTS ET VISAS. Pour pénétrer en Israël il vous faut un passeport validé. Les citoyens de France, pays du Benelux, Suisse, Canada sont dispensés de faire la demande d'un visa d'entrée ou de transit avant le départ. Les permis de séjour (cartons munis d'un cachet lors de l'arrivée) doivent être prolongés après trois mois passés dans le pays à l'une des adresses suivantes du Ministère de l'Intérieur, à Jérusalem : Bldg. Generali, rue Shlomzion Hamalka; à Tel-Aviv : Tour Shalom, 9 Ahad Ha'am St.; à Haïfa : Biniane Hamemchala (face à la Municipalité).

Un certificat international de vaccination antivariolique pourrait être exigé au retour par les autorités françaises (se renseigner).

Des groupes venant des pays cités plus haut (pas moins de 5 personnes et pas plus de 50) qui présentent un passeport collectif, recevront un visa collectif à l'arrivée en Israël. Les organisateurs de ces voyages en groupe feront bien, avant le départ, de s'adresser au consulat israélien le plus proche afin d'obtenir des renseignements plus complets.

Comment se rendre en Israël

PAR AIR. Pratiquement tous les grands aéroports d'Europe Occidentale sont reliés par voie aérienne à Israël (Lod, près de Tel-Aviv). Les liaisons qui nous intéressent sont *El-Al* (la ligne nationale israélienne) au départ de Paris, Bruxelles, Amsterdam, Zurich, *Air France*, *Sabena*, *KLM*, *Swissair*, *Olympic Airways*, etc.

Séjour forfaitaire en Israël. Pour moins que le prix du billet aller-retour, les diverses compagnies aériennes offrent des séjours de deux semaines dans des hôtels confortables, au bord de la mer et à l'intérieur du pays. Renseignements : votre agent de voyages.

Voyages en groupes. Si vous faites partie d'un groupe d'au moins douze personnes, vous partez en avion avec une réduction de 20 à 30 %.

PAR MER. Un corollaire inattendu de l'avion à réaction est la faveur dont jouit le transport par mer, plus lent, mais reposant. Le nombre de lignes maritimes desservant Israël en témoigne. La concurrence entre les compagnies joue à l'avantage du touriste, et avec l'introduction de bacs transportant, à des prix très raisonnables, les automobiles, les services maritimes ne laissent plus rien à désirer. La plupart des navires sont équipés de stabilisateurs et de climatisation. Renseignements plus détaillés auprès des agences de voyages.

L'arrivée en Israël

DOUANE. La seule chose dont il faille se préoccuper en se présentant à la douane israélienne, ce sont les devises (voir paragraphe « Argent et Change »). Vous pouvez entrer en Israël avec tous vos objets d'usage personnel, à condition d'être raisonnable. Peut-être, en tant que touriste, ne devrez-vous même pas ouvrir vos bagages. Si vous n'avez rien à déclarer, passez immédiatement de l'autre côté de la *Ligne Verte*. Outre les vêtements et effets personnels, vous pouvez importer temporairement et par personne : un appareil photographique et un appareil cinématographique, jumelles, une machine à écrire, équipement sportif, transistor ou poste de radio portatif, ainsi que tout équipement professionnel : dans ce cas, vous devrez vous rendre derrière la *Ligne Rouge* et déclarer ces objets. Vous pouvez également apporter des pellicules en quantité raisonnable. En outre : 1/4 de l. d'eau de Cologne ou de parfum, une bouteille de vin et trois quarts de litre d'autres boissons alcoolisées, 250 grammes de tabac ou 250 cigarettes.

Par ailleurs, vous pouvez librement apporter des cadeaux pour une valeur totale n'excédant pas 300 Livres israéliennes.

ARGENT ET CHANGE. Vous pouvez introduire dans le pays autant de devises étrangères que vous le désirez, en billets et en chèques de voyage. Vous pouvez également apporter jusqu'à 200 Livres israéliennes en billets de 5 livres. Les devises étrangères et chèques de voyage peuvent être convertis en Livres israéliennes (LI) auprès des banques, bureaux de change, agences de voyages et hôtels autorisés.

Vous pouvez payer tous les services et achats en devises. Lorsque vous quittez Israël, vous pouvez reconvertir vos L.I. jusqu'à $ 30 (env. 150 FF) dans la devise de votre choix.

La livre israélienne est divisée en 100 agorots. Cours moyens actuels (sujets à fluctuations) :

1 L.I. = 0,56 FF (T.C.)	10 francs français	=	17.95 (T.C.)	L.I.
= 4,13 FB	100 francs belges	=	24,20	L.I.
= 0,28 FS	10 francs suisses	=	35,90	L.I.
= 0,11 US $	1 dollar américain	=	8,95	L.I.

L'HEURE EN ISRAËL avance sur l'heure européenne de 2 heures (12 h à Paris correspond à 14 h à Tel-Aviv).

Le séjour en Israël

LE TEMPS QU'IL FERA. Le climat d'Israël est tempéré et salubre, semblable à celui de la Côte d'Azur. Ce climat varie d'ailleurs beaucoup selon l'endroit et la saison. En hiver il y a une courte période de temps pluvieux, qui permet au pays de reverdir et de reconstituer ses précieuses réserves d'eau, mais il fait suffisamment chaud à Tibériade (209 m en dessous du niveau de la mer) et à Eilat pour se baigner. Pendant le long été il peut faire torride, mais même alors les nuits dans les régions des collines sont limpides et fraîches, et le littoral est tempéré par la brise qui vient de la mer. Après le court printemps, une bonne partie du paysage prend une teinte brune, sauf dans les champs irrigués et les régions que les Israéliens reboisent assidûment. Les températures extrêmes dans quelques villes-clefs sont les suivantes :

	janvier	juillet
Jérusalem	7 — 14°C	19 — 28°C
Tel Aviv	9 — 19	22 — 31
Haïfa	10 — 17	22 — 28
Tibériade	12 — 21	26 — 37
Eilat	11 — 22	29 — 40

HOTELS. En dehors des grands centres où les milieux intéressés se sont vite mis à la page, le développement du tourisme a pris Israël au dépourvu. L'extension a été telle qu'en peu d'années cette industrie a pris la deuxième place dans la liste des rentrées de devises. Mais la structure hôtelière demeure assez faible. Des spécialistes sont aujourd'hui attelés au problème. En attendant qu'ils l'aient résolu, mieux vaut préparer son voyage bien à temps. Les hôtels sont relativement chers mais pour la plupart très modernes (voir paragraphe « Votre budget »). La nourriture est presque toujours *kasher* (voir chapitre « La table »).

Classement : Les hôtels de luxe sont indiqués dans l'annuaire de l'Association Hôtelière d'Israël par 5 étoiles. Puis viennent les hôtels de 4 et 3 étoiles que ce guide évalue selon leurs qualités et prix comme étant de première classe « supérieure » ou « raisonnable ». Puis, viennent les hôtels *** et **, de classe modérée. Enfin les hôtels à une étoile qui, à moins d'en avoir une recommandation par votre agence de voyages ou par un autochtone, sont à éviter.

Dans nos renseignements régionaux, section hôtelière, le code qui suit le nom d'un établissement signifie : C : climatisation, K : kasher, P : piscine, T : tennis.

Si on veut séjourner en Israël en saison, c'est-à-dire d'avril à octobre et surtout aux alentours des fêtes de Pâques et du Jour de l'Indépendance, il est à conseiller de réserver ses chambres des semaines et même des mois à l'avance. Dans cette même période, il est peu probable qu'on vous donne une chambre avec petit déjeuner seulement. On exigera que vous preniez au moins la demi-pension. Mangez le soir à l'hôtel plutôt qu'à midi, car le petit déjeuner est très copieux et vous voudrez peut-être faire une excursion, etc., etc.

HOSPICES POUR PÈLERINS. Répartis dans plusieurs villes et bourgades de la Terre-Sainte, quelque 30 hospices offrent aux pèlerins gîte et couvert à des conditions particulièrement avantageuses. Quoique la préférence soit donnée aux groupes, ces établissements n'en accueillent pas moins les touristes individuels, pèlerins ou non, dans la mesure de la place disponible. En moyenne, les coûts sont peu élevés : une chambre et 3 repas coûtent, par personne, de 28 à 57 L.I. Si vous ne désirez qu'un lit sans repas, de 6 à 20 L.I. et un lit + petit déjeuner vous coûtera de 9 à 33 L.I.

Jérusalem-Ouest. Pour les Catholiques : Sœurs de Notre-Dame de Sion, Ein Karem, tél. (02) 35738.

Hospice St Charles, Allemand.

Dom Polski, Rehov Shivtei Yisrael, Polonais.

Hospice St Andrew, Rehov Harakevet (près de la station du chemin de fer), Eglise d'Ecosse.

Sœurs de Notre-Dame de Sion de Ratisbonne, 26 Rehov Shmuel Hanagid, (02) 27068, Français.

Notre Dame de France, 6 Rehov Shivtei Israël, (02) 86537, Français.

Sœurs du Rosaire, 14 Rehov Agron, (02) 28529, Arabe.

Monastère de Ratisbonne, 26 Rehov Shmuel Hanagid, (02) 23837, n'accueille que les prêtres, on parle français.

Pour les protestants : Jérusalem YMCA, Rehov David Hamelech, (02) 24531. Hôtel 3 étoiles, on parle anglais.

Jérusalem-Est. Casa Nova P.P. B.P. 1321. Frères Franciscains, catholique.

Filles de la Charité, Bethanu Shiya, P.O.B. 19080, catholique, on y parle français.

Franciscaines de Marie, « White Sisters », Nablous Road, (02) 82433, catholique, Français.

Hôtel de l'Église du Christ, Jaffa Gate, P.O.B. 14037. Anglican, on y parle anglais.

Couvent Ecce Homo (Notre-Dame de Sion), Via Dolorosa, catholique.

Hôtel St Georges, Nablus Road et Saladin Str., Anglican.

Evang. Lutheran Hostel, St Mark's Str., Allemand.

Maison d'Abraham (pour pèlerins pauvres seulement, s'adresser au Directeur Mr l'Abbé J. Gelin), Mount of Offence, P.O.B. 19689.

Les Sœurs de Nigrizia, Bethany Shiya, P.O.B. 19504, catholique. Italien.

Haifa. Les Sœurs de Saint Charles (de l'ordre de St Charles de Borromée), 105 Jaffa Road. Catholique. Allemand. Réserver à l'avance, possibilité de repas pour les groupes.

Monastère Stella Maris, Rehov Stella Maris, P.O.B. 9047, catholique.

Jaffa. Hôpital Français, 36 Rehov Yefet, (03) 822545, catholique, Français.

St. Peter's Monastery, Mifraz Shlomo Street, (02) 822871, pour prêtres uniquement, on parle anglais, retenir d'avance.

Mont Thabor. Couvent Franciscain de la Transfiguration, (065) 37219, on parle italien, catholique.

Nazareth. Monastère de St Charles de Borromée, 316 Rehov 12. Sœurs allemandes, catholique (clergé et pèlerins seulement).

Séminaire Théologique St Joseph, catholique, Grec, P.O.B. 99.

Les Religieuses de Nazareth, Casa Nova Str., catholique.

Casa Nova, P.O.B. 198. Franciscain, catholique.

Tibériade. Mount of Beatitudes, P.O.B. 87, (067) 20878, on parle italien, catholique Franciscain.

Peniel-by-Galilee YMCA, P.O.B. 294. Prix très élevés : demi-pension, de 38 à 110 L.I.; pension complète, de 49 à 140 L.I.

Terra Sancta, P.O.B. 179. Franciscain, catholique (pas de possibilité de repas).

Les Sœurs Franciscaines, P.O.B. 207, catholique, Italien.

Franciscaines de Marie, P.O.B. 41, catholique, Français (tous les invités doivent être accompagnés par un membre du clergé).

STATIONS THERMALES — SANTÉ. A Tibériade, depuis les temps bibliques, on fait des cures pour soigner les rhumatismes, les maladies de la peau et les maladies de la femme. Des bains très modernes ainsi que plusieurs cliniques ont été aménagés à cet effets. Sur la Mer Morte, bains similaires prévus pour le traitement de la calvitie et cures dermatologiques de 3 semaines (consultez votre agence de voyages).

AUBERGES DE JEUNESSE. Les auberges de jeunesse sont dirigées par l'Association Israélienne des Auberges de Jeunesse. On y trouve des lits en dortoirs avec couvertures (supplément pour draps). La plupart servent des repas, toutes permettent l'utilisation de la cuisine. Les réservations pour les groupes doivent se faire à l'avance en payant par chèque la moitié des frais de logement et de repas. Adresse : *Israel Youth Hostels Association*, B.P. 1075, Jérusalem. Bureau : 3 Doroth Rishonim, tél. 22-073; heures de 9 à 14 h., sauf le samedi. Vous pouvez contacter l'Association pour l'organisation de circuits individuels ou en groupes, de 14 à 21 jours, à des prix allant de 97 $ à 186 $. Les prix pour passer une nuit oscillent entre 10 et 16 L.I., repas de 5 à 10 L.I.

Région de Jérusalem : *Auberge Louise Waterman Wise*, Bayit ve'Gan, Jérusalem, tél. 35-610. Du centre de la ville, prendre les bus nº 12, 18, 20, 24 ou 27 (arrêt du Mt. Herzl). *Haezrahi*, Kiryat Anavim (11 km à l'ouest de Jérusalem) tél. Jérusalem 53-770. *Bar Giora* (20 km à l'est de Jérusalem), au village Bar Giora. *Ein Karem*, 66-282, bus 27; *Kfar Etzion*, à 22 km au sud de sérusalem, entre Bethléem et Hebron; bus. *Ramat Rachel*, 60-323, bus 7. *Hôtel des collines de Judée*, à 2,5 km du Mt Herzl, bus 33. *Beit Meir*, à Ramat Chapira, à 19 km à l'ouest de Jérusalem. *Beit Atid*, au centre de la ville, 1, rue Keren Hayesod à l'opposé de Terra Sancta : bus 4, 7, 9, 17, 22.

Galilée : *Tel Haï* (tél. Kiryat Chemone 40-043), dans un grand parc, près de Kfar Giladi. *Beit Benyamin*, à Safed. *Taiber*, à Poria (tél. Kinnéret 50-050), juste au-dessus de la mer de Galilée, à une demi-heure seulement en autobus de Tibériade. *Yoram*, à Karei Deshe (Tabgha) (tél. Tibériade 20-601), sur les rives de la mer de Galilée. *Roche Pina* (37086), arrêt bus au km 26 au nord de Tibériade. *L'Hôtel de Tibériade*, au centre de la ville.

Région de Haïfa : Le plus récent de tous est l'*Hôtel Acco*, situé à Acre. *Hankin*, à la Source Harod (44 km au sud-est d'Haïfa, dans la Vallée de Jezréel (tél. (065) 77660. Arrêt du bus à Gidona). *Yehuda Hatzair*, Ramat Yohanan (15 km au nord-est de Haïfa, tél. 722-976). La caractéristique de cette auberge est la grande salle commune, autrefois partie de l'ancienne forteresse turque. Arrêt du bus à Ramat Yohanan. *Yad Layad*, à Gesher Haziv (tél. 922976) en Galilée Occidentale, à 35 km au nord d'Haïfa. Bains de mer tout près de l'auberge. *Kiryat Tivon* (931482) (17 km à l'est d'Haïfa), bus 73, 74, 75 (environ 15 mn. de trajet pour Haïfa). *Carmel Hostel*, à Haïfa, bus urbain nº 43.

Région de Tel-Aviv : *Emek Hefer*, à Kfar Vitkin dans la Vallée de Saron à 45 km au nord de Tel-Aviv. On peut se baigner presque toute l'année à la plage toute proche. *Tel-Aviv :* 32 rue Bnei Dan, au nord de Tel Aviv. Bus 5 ou 25. *Yad Labanim Hostel,* à Petah Tikva, à 11 km du centre de Tel-Aviv, bus 51 ou 62. *Petah Tikva* (913121), bus 51 ou 62 de T. A.

Le Néguev : *Beit Yatziv,* Béerchéba (tél. 2444). Trois bâtiments en béton contiennent 200 lits. *Beit,* à Mitspeh Ramone (98 043) dans le désert. *Eilat* (tél. 2358) B.P. 152, Eilat. *Beit Sara* à Ein Guédi, une auberge du désert à 2 km 1/2 au nord du kibboutz de Ein Guédi. (Autobus venant de Béerchéba). *Massada* (96016), bus de Jérusalem, d'Arad ou Béerchéba. *Arad,* Beit Blau-Weiss (97150) : s'adresse à ceux qui désirent escalader le Massada par son versant ouest.

POUR LES ÉTUDIANTS. Voici quelques renseignements utiles : en arrivant par bateau à Haïfa, les étudiants peuvent s'adresser au Comité de Réception de l'Association Estudiantine du « Technion » ou au bureau de l'ISTA (Israel Students Tourist Association), Beit Hakranot, rue Herzl, appartement 245; à Jérusalem, 5, rue Eliashar; à Tel-Aviv (siège central) 109, rue Ben Yehuda, ou encore à l'Office de Tourisme, qui les logera dans une des Maisons d'Étudiants de la ville. ISTA offre aux étudiants diverses possibilités de circuits dans le pays et ce, à des prix très abordables. Par exemple : un circuit de 3 jours en Galilée et dans la région du désert d'Eilat coûte entre 49 $ et 59 $. Chaque année ISTA propose de nouvelles possibilités de circuits. Renseignements dans les différents bureaux de l'ISTA. Pour ceux qui désirent travailler dans un kibboutz, l'ISTA organise un camp de Travail International pour étudiants dans lequel les groupes d'étudiants étrangers s'engagent généralement pour une période de 3 semaines. Un autre avantage de l'ISTA réside dans les vols étudiants basés sur un système de charters en partance d'Europe. Des réductions allant jusqu'à 50 % sont accordées sur les vols pour Israël venant de la plupart des pays européens.

CAMPING. Tous les camps offrent les services suivants : prix variant de 15 à 16 L.I. par personne; les huttes, équipées à l'électricité, coûtent de 7 à 9 L.I. par jour et peuvent abriter de 2 à 4 personnes — les enfants de moins de 13 ans payent moitié prix. Les camps sont gardés, équipés d'installations sanitaires, éclairées le soir; on peut y louer le matériel de camping (l'équipement complet, pour 4 à 6 personnes coûte de 30 à 72 L.I. par jour) et dans certains on peut acheter des denrées fraîches. Il vaut mieux réserver à l'avance, surtout en juillet-août. Écrivez à Israël Camping, Boîte Postale 154, Haïfa.

Achkelon, dans le Parc National des Antiquités, entouré de statues romaines et d'anciens temples. La mer est toute proche et le centre commercial de la ville à quelques minutes de marche. Emplacement pour 50 tentes, restaurant, kiosque à boissons. Ouvert toute l'année. Bungalows.

Akhziv. Ville phénicienne changée en terrain de camping, à 100 m. de la Méditerranée; 2 ha de terrain ombragé, à une demi-heure de voiture au nord de Haïfa et à quelques minutes seulement de Nahariya et de Saint Jean d'Acre. Emplacement pour 50 tentes, 40 huttes, petit restaurant, kiosque à boissons, boutique. Ouvert d'avril à décembre.

Ein Guev et Ma'agan. Terrain sous les eucalyptus, en bordure du lac de Galilée et face à la ville de Tibériade, à laquelle il est relié par bateau et par autobus. Ski nautique, promenades en barques, pêche. Emplacement pour 50 tentes, 25 huttes, restaurant réputé, boutique. Ouvert d'avril à novembre.

Harod. Dans les monts de Judée, au pied des Monts de Guilboa, fait maintenant partie du Parc National. Alternance de montagnes et de vallées fertiles, natation dans la piscine naturelle du camp et dans celle de Gan Hachlocha. Afoula est à 15 minutes en voiture. Emplacement pour 30 tentes et plus. Restaurant et kiosque à boissons. Ouvert toute l'année.

Tal (près de la frontière libanaise). Les bois qui entourent la source du Jourdain ont été aménagés en terrain de camping de 4 ha. Piscine naturelle, promenade, équitation et excursions. Tout près de Safed. Emplacement pour 100 tentes, restaurant et kiosque à boissons. Ouvert toute l'année.

Lehman. En Galilée occidentale, à 350 m de la Méditerranée. Emplacement pour 75 tentes, 20 huttes, cinéma, restaurant, plage, garderie d'enfants. Ouvert toute l'année.

Cabri. Au sud-est d'Akhziv. Entièrement équipé, restaurant et bungalows. Ouvert d'avril à décembre.

Tiron. A 19 km à l'est d'Haïfa. Restaurant, bungalows, natation. Ouvert d'avril à décembre.

Bitan-Aharon. Près de la Méditerranée et aussi près d'Alexander River entre Natanya et Michmoret. Vente de denrées mais ni restaurant, ni bungalows. Ouvert toute l'année.

Neveh Zohar. A 9,5 km au nord de Sodom, sur la Mer Morte. Natation, bateau, bungalows et restaurant. Excursions à Ein Gedi et à la forteresse de Masada. Ouvert toute l'année.

Eilat. Sur les bords de la Mer Rouge. Bungalows et restaurant. Natation, voile, pêche, plongée sous-marine, ski nautique. Ouvert toute l'année.

Neveh Yam. A 28 km au sud d'Haïfa. Restaurant et bungalows. Ouvert d'avril à novembre.

Ein-Hemed. Près de Jérusalem, offre beaucoup de facilités. Bungalows. Très bien situé pour des excursions à la Ville Sainte, à Jericho et à la Mer Morte.

Ha'on. Dans la Vallée du Jourdain. Bien situé pour visiter Tibériade et la Galilée. Bon nombre de facilités telles que natation, plongée, pêche.

Ilanoth. Également situé dans la région rêvée pour visiter Tibériade et la Galilée. Bungalows, bateau, restaurant, natation et pêche.

EMPLETTES. Dans les nombreuses boutiques à souvenirs d'Israël on trouve une infinité d'objets : bijoux israéliens modernes ou yéménites, délicatement travaillés, belles couvertures tissées par des immigrants d'Afrique du Nord, blouses ornées de broderies orientales et une grande variété d'articles en métal ciselé, en céramique ancienne et moderne, et bien sûr tout un choix d'articles religieux et de livres. Les industries de la fourrure et du vêtement offrent des modèles de la dernière mode à des prix inférieurs à ceux pratiqués en Europe. Les dames trouveront des pulls très fins, des tailleurs tricotés ultra-chics et les messieurs des complets sur mesure en beaux lainages. (Marques de tricots : *Aled*, *Elanit*, *Dorina*, *Jercoli*, *Lahav*). Les produits de beauté, par contre, coûtent le double de leurs homonymes occidentaux. Vous trouverez dans chaque grande ville un magasin à rayons multiples qui fait partie de la chaîne *Hamashbir Latzarhan* (articles de sports nautiques etc.).

L'Office National de Tourisme recommande aux visiteurs certains magasins dignes de confiance. Ceux-ci affichent l'emblème officiel de la Corporation dans leur vitrine ou sur leur comptoir. Ce sigle représente une grappe géante de raisin portée par deux hommes des temps bibliques.

La plupart des magasins d'habillement accordent une réduction de 15 % sur les achats payés en chèques de voyage. Vous pouvez également acheter toutes sortes d'articles détaxés dans les boutiques des grands hôtels et à l'aéroport de Lod : montres, appareils photographiques, parfums, alcools ainsi que des produits israéliens. Ces achats doivent être payés en devises étrangères. N'oubliez pas que les magasins sont fermés le samedi.

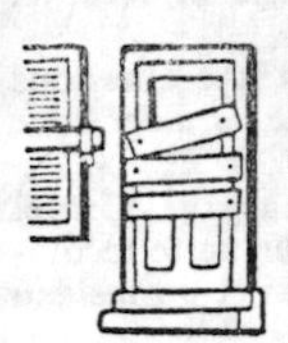

HEURES ET JOURS DE FERMETURE. Le *sabbath*. septième jour de la semaine, est le dimanche israélien, Il commence à l'apparition de la première étoile au firmament. Le vendredi, vers 14 heures, tout ferme, quelques magasins d'alimentation restent ouverts jusqu'à 15 h. Cela peut vous paraître un peu tôt mais il ne faut pas oublier qu'il faut rentrer chez soi, préparer le repas du soir, celui du lendemain (la religion juive interdisant de cuisiner le jour du Sabbath), se changer et se rendre à la synagogue. La vie reprend — en partie — 27 heures plus tard. Pour le Nouvel An juif, le Jour du Grand Pardon, Fête de la Moisson, Journée de l'Indépendance, les 1er et dernier jours des Pâques juives (voir « Principales Fêtes et Manifestations ») il est impossible de donner des dates précises : Israël s'en tient du point de vue religieux et férié au calendrier biblique.

Voici dans les grandes lignes les heures d'ouverture : bureaux de l'Office Gouvernemental du Tourisme : du dimanche au jeudi de 8 à 18 h (hiver 17 h). Vendredi : 8 à 15 h (hiver 14 h) sauf à Nazareth et Bethléem où il reste ouvert le samedi et ferme le dim. Magasins : dimanche-jeudi de 8 à 13 h. et de 16 h à 19 h. Vendredi et veille de fête : 8 à 15 h. Bureaux : de 8 à 15 h. Vendredi et veille de fête : 8 à 13 h. Banques : du dimanche au jeudi de 8 h 30 à 12 h 30 et de 16 h à 17 h 30. Vendredi et veille de fête : 8 h 30 à 12 h (depuis récemment fermées les mercredi après-midi). Bureaux de poste : de 8 à 18 h, certains bureaux jusqu'à 20 h; vendredi de 8 à 14 h.

JAMAIS LE SAMEDI ! Selon la prescription, c'est la première étoile du samedi soir qui met fin au sabbath. Entre les deux astres fatidiques, une paralysie partielle s'empare du pays : il n'y a pratiquement pas de transports publics, sauf à Haïfa, Nazareth et Jérusalem-Est, théâtres et cinémas sont fermés, les musées et les zoos, eux, sont ouverts, mais on n'y délivre pas de billets d'entrée : il faut vous en procurer le vendredi. Attention si vous roulez en voiture : la traversée des quartiers très religieux, comme celui de Méa Chéa'rim à Jérusalem, par exemple, pourrait vous valoir quelques petits ennuis.

Le jour du sabbath, la cigarette, tout innocente qu'elle paraisse, est impie dans les restaurants et dans la plupart des hôtels : d'ailleurs, un écriteau y rappelle généralement la prescription; ne l'enfreignez pas, ce serait manquer de courtoisie envers les gens pieux.

EXCURSIONS. Les agences de voyages organisent des excursions depuis un demi-jour jusqu'à cinq jours partout dans le pays. La plupart de ces tours, dirigés par des guides patentés en plusieurs langues, partent de Tel Aviv mais il y en a d'autres qui ont comme point de départ Jérusalem et Haïfa. Les cars sont grands et confortables. Les itinéraires ont été établis par l'Association des Bureaux de Voyages en coopération avec l'Office Gouvernemental du Tourisme. Egged Tours, United Tours, Egged-Dan et Arkia,

Israel Inland Airlines, sont les agences les plus importantes. Kanif/Arkia organise même des excursions en bimoteurs. Bureaux dans toutes les grandes villes.

ACTIVITES ORGANISEES. L'Office National de Tourisme vous offre plusieurs occasions de rendre votre séjour en Israël plus vivant.

Rencontrez les Israéliens : vous serez les bienvenus dans une famille israélienne parlant le français et ayant des sphères d'intérêt similaires aux vôtres.

Soirées folkloriques : de mars à octobre, jours fixes selon localité. Autres mois, se renseigner.

Forum des visiteurs : des experts répondent aux mille et une questions que les visiteurs ont à poser; ces meetings se tiennent toute l'année. Pour les dates fixes, se renseigner à l'Office du Tourisme.

Plantez un arbre : vous contribuerez ainsi à embellir le paysage d'Israël et à lui rendre son ancienne fertilité, tout en accomplissant un geste recommandé par la Bible. En souvenir, vous recevrez un certificat et un insigne (l'arbre se paie environ 12 Livres).

SOIRÉES FOLKLORIQUES. Ne quittez pas Israël sans avoir assisté à une soirée de folklore. Vous ferez connaissance avec les coutumes anciennes et pittoresques des diverses communautés dispersées de par le monde — et surtout celles du Moyen-Orient — et avec l'esprit d'Israël contemporain qui s'exprime dans ses chants et ses danses. Certains kibboutzim ont des groupements folkloriques. Vous pourrez assister à de semblables manifestations dans chaque ville et ce, pratiquement toute l'année. Pour de plus amples détails, s'adresser au bureau local de l'Office Gouvernemental du Tourisme.

CINÉMAS. Ils ne sont pas permanents; louez vos places (numérotées) à l'avance pour les bons films. Séances vers 15 h 30, 19 h et 21 h (vérifiez). Les films sont toujours en version originale : sous-titres hébreux et anglais si le film n'est pas en anglais; s'il l'est, sous-titres hébreux et français.

POURBOIRES. En principe, Israël ignorait le pourboire. Les touristes ont contribué, hélas, à l'introduire. Hôtels, cafés, restaurants, ajoutent d'office 15 % à la note qu'il est d'usage d'arrondir. Le garçon d'hôtel qui monte vos bagages ne refusera pas une petite gratification (1 L.I. par valise), ni le personnel à la fin de votre séjour, selon les services rendus, mais l'on n'est pas trop exigeant (1 L.I. ou 2 L.I. par jour). Les chauffeurs de taxi, sauf s'ils ont porté vos bagages ou qu'ils se sont offerts comme guides (ce qu'ils ne sont d'ailleurs pas) n'attendent pas de pourboires. A l'aéroport de Lod (Lydda), les porteurs prennent 1 L.I. par colis; idem dans les gares. Guides dans les autocars, env. 6 L.I. par personne ou 10 L.I. par couple pour voyage de plusieurs jours. Chez le coiffeur 10 % suffiront. Au concert et au théâtre, comme vous vous placez seul, vous ne devez rien à personne. Dans les églises et aux sites touristiques où il n'y a pas de droit d'entrée, donnez 1 L.I. au gardien.

P.T.T. Leur emblème est une gazelle blanche sur fond bleu marine. Les boîtes aux lettres, qui ne sont pas très nombreuses, sont peintes en rouge vif et le plus souvent adossées à un mur ou plantées au bord d'un trottoir. En dehors des bureaux de poste, on peut acheter des timbres dans les magasins qui affichent une petite enseigne représentant la gazelle souvent accompagnée de quelques mots en hébreu et parfois en français. Pour la correspondance, les tarifs s'échelonnent de 50 Agorots pour la correspondance intérieure à 1,8 L.I. pour les envois à destination de l'Europe. Demandez l'affranchissement adéquat au guichet.

Le réseau téléphonique d'Israël est entièrement automatique et tous les abonnés sont reliés directement au réseau interurbain. Le pays est partagé en 11 régions, à chacune desquelles un indicatif a été attribué. Cet indicatif doit être formé pour toute communication entre deux régions. 067 Tibériade; 04 Haïfa; 065 Afula; 063 Hadera; 053 Natanya; 03 Tel-Aviv; 02 Jérusalem; 055 Achdod; 051 Achkelon; 057 Béerchéba; 059 Eilat. La taxe varie selon la distance et l'heure de la journée. Une nomenclature des localités d'Israël avec indication du numéro de leur région figure à la page IX de l'annuaire du téléphone.

Si vous cherchez à téléphoner, il est d'usage d'entrer dans n'importe quelle épicerie ou pharmacie, et bien entendu dans tous les cafés. Le tarif est de 70-80 Ag. Les cabines téléphoniques sont rares et les appareils difficiles à manier. Il faut un jeton *(asimon)* de 40 Ag. qu'on achète dans les bureaux de poste. L'annuaire est publié en hébreu et en anglais.

Il y a un service radio-téléphonique avec plus de 100 pays et — bien entendu — un service télégraphique avec le monde entier.

Service Philatélique. Les bureaux de poste suivants sont spécialement équipés pour servir le visiteur : à Tel-Aviv, 2 rue Pinsker; à Jérusalem, 19 rue Yafo; à Haïfa, rue Hanevi'im. Il y a également de nombreux marchands de timbres, comme le *Stamp Centre* au 94 rue Allenby à Tel-Aviv, etc.

PHOTOGRAPHIE. Par le pittoresque, la beauté de ses paysages, Israël est un des pays rêvés du photographe amateur. Mais ne perdez pas de vue qu'une partie de la population israélite est orthodoxe et qu'il y a une forte minorité musulmane et druze qui n'aime pas être photographiée; une discrétion extrême s'impose dans ce domaine.

Il y a en Israël de nombreux magasins pour photographes qui connaissent leur métier, développent, agrandissent les films en noir et blanc. Les films en couleur — d'ailleurs rares et chers — peuvent être développés dans le pays. Les conditions climatiques varient d'une région à l'autre et selon la saison. Pour obtenir les meilleurs résultats il faut se rappeler qu'Israël présente pendant le printemps-été les contrastes habituels aux pays chauds : chaleur et humidité dans les régions côtières, chaleur et sécheresse dans le Néguev.

Protégez votre équipement contre soleil et chaleur. Ne filmez pas entre 12 et 15 heures, surtout en été. Au Néguev, évitez également les prises de vues en couleur tôt le matin et tard dans l'après-midi : vos pellicules seront rougeâtres. Munissez-vous d'une fine brosse et d'une peau de chamois : il y a beaucoup de poussière, surtout dans le Néguev et le Sinaï.

ARCHÉOLOGIE. Ceux qui désirent participer à des fouilles annuelles dans divers endroits du pays, s'adresseront au Département des Antiquités, Musée d'Israël, B.P. 586, Jérusalem, tél. (02)38-241 ou à la section « jeunes et étudiants » à l'Office de Tourisme, B.P. 1018, Jérusalem. Archéologues en herbe : pour visiter *à fond* les sites fascinants du Néguev et d'autres régions d'Israël, munissez-vous du guide archéologique d'Israël (en langue anglaise), richement illustré, de Zev Vilnay, qu'on peut se procurer dans toutes les librairies du pays.

N.B. Le mot *tel* qui précède si souvent un nom de ville, village ou lieu-dit, signifie une butte archéologique.

COURANT ÉLECTRIQUE. Israël est équipé en courant alternatif de 220 volts, 50 périodes.

JOURNAUX. Les journaux de Paris sont en vente à Tel-Aviv et d'autres grandes villes le lendemain de leur publication. Il existe un quotidien israélien de langue française, *L'Information*, que vous trouverez dans tous les kiosques.

Les Sports

PLAISIRS DE L'EAU. Ils sont variés en Israël : natation, pêche sous-marine et au filet, ski nautique, surfing, voile. Baignades au long des nombreuses plages de la Méditerranée, mais la mer y est dangereuse : conformez-vous strictement aux interdits. Beaucoup d'hôtels ont une piscine, ainsi que la plupart des kibboutzim. La *pêche sous-marine* se pratique dans certains coins rocheux de la Méditerranée, dans le lac de Tibériade et surtout à Eilat. Mikhmoret, près de Nathanya, est le coin idéal pour la pêche au filet. On fait du *ski nautique* sur le lac de Tibériade et à Eilat, du surfing à Achkelon, de la voile à Eilat.

POLLUTION

En général, les plages israéliennes sont propres mais lorsqu'il y a une alerte à la pollution, il est interdit de s'y baigner jusqu'à ce qu'elles aient retrouvé leur état initial. Il serait donc bon de vous renseigner lors de votre visite en Israël. Néanmoins, avec un éventail de 63 plages officielles sur la côte méditerranéenne, 12 le long du lac de Tibériade, 2 à Eilat et la protection naturelle du Golfe de la Mer Rouge, il est peu probable que les adeptes des sports aquatiques soient frustrés.

PECHE SOUS-MARINE. La chasse sous-marine compte aujourd'hui des milliers d'adeptes. Partout, la mer invite à la plongée. La Méditerranée et le Golfe d'Eilat, qui se prolonge jusqu'à l'extrême pointe de la Péninsule du Sinaï, offrent un déchaînement de couleurs et de vie luxuriante qui attire les plongeurs du monde entier, professionnels et amateurs. La plongée s'effectue toute l'année en Méditerranée quoique l'automne et le printemps soient les deux meilleures saisons. Les sites les plus célèbres comportent Akhziv (au nord), la baie d'Acre, le port de Shiqmona (près de Haïfa), Césarée, Apollonia (Arsouf), Yavné et Ashkelon.

Dans le Golfe d'Eilat, la plongée se pratique également toute l'année à l'exception cependant de quelques rares journées de tempête. Vous trouverez les principaux centres à Eilat, Taba, l'île du Corail, Shaham (Ras Burka), Néviot et à Di Zahav. Plus au sud, Nabek, Rass Nasrani, Naama, Sharm-el-Sheikh, et Rass Muhamad.

Pour tous renseignements contactez : le centre de plongée *Andromeda*, Vieux Port de Jaffa; *Snapir*, 1 Rue Hagalil, Tel Aviv; Club de plongée *Shiqmona*, Port de Kinshon, Haïfa; *Centre de plongée Méditerranéenne* B.P. 420, Herzliya Beth, opérant aussi à Na'ama, Sharm-el-Sheikh; *Aqua Sport*, B.P. 300 Eilat; Centre de Plongée *Hugey*, Ophira; Centre de plongée *Di-Zahav*; Centre de plongée *Néviot*, Do'ar Eilat; Moon Valley

Hotel, Eilat. Vous pouvez également contacter : l'Office National Israélien de Tourisme ou le Bureau d'*El Al* dans votre pays.

Pour ceux qui préfèrent rester au sec, le Musée maritime d'Eilat présente une collection de coquillages et de coraux étranges de la Mer Rouge et offre au visiteur la magnificence d'un spectacle toujours renouvelé.

POUR FAIRE DE LA VOILE. Le Yachting Club du Carmel à Haïfa accueille avec plaisir des collègues en visite en Israël et les membres les emmènent volontiers sur leurs bateaux. La saison va de mi-mai à mi-octobre, très animée les samedis et jours fériés. Le club-house est au port du Kichone. Régates une fois par mois. Renseignements auprès du secrétaire du club, M. M. Bilik, B.P. 1615, Haïfa ou l'avocat J. Solomon, 64 Sderot Hameginim, Haïfa, tél. 525-187.

ÉQUITATION. Elle est organisée au *Village Club* à Achkelon (12 chevaux, leçons, promenades et randonnées d'une journée), au *Ranch de la Rose* (Vered Hagahil, sur la route de Tibériade à Roche Pina — près de Korazim) qui possède 10 chevaux. Excursions de 1 à 2 jours. Un moniteur accompagne toujours les groupes de 4 à 10 personnes, qui emportent leur pique-nique. (Au ranch même, il y a un restaurant et un hôtel pavillonaire.) Une des excursions au départ du Ranch de la Rose : sur les traces de Jésus, jusqu'au Mont des Béatitudes. On monte encore à cheval à Césarée, à Nahariya, à Herzliya et à Natanya (Moshav Udim). A Tel-Aviv, au *Gordon's Riding Sport Club* (près de l'hôtel Ramat Aviv, tél. 414045). Près de Natanya, le Ranch Einhorn Moshov Udim. Près de Savion, le Riding Center d'Israël, Ganei Yehuda.

TENNIS-GOLF-CHASSE. Le *tennis* est moins populaire en Israël qu'en Europe, à cause du climat. Plusieurs grands hôtels ont néanmoins des courts. On joue aussi au Country Club à Tel-Aviv. Quant au *golf*, il n'y a qu'un, à Césarée (18 trous). La *chasse* au sanglier, dans la vallée de Houla, au nord du lac de Tibériade, est la plus intéressante. Il ne faut, en principe, pas de permis de chasse, mais un permis de port d'arme. Dans les circonstances actuelles l'obtention d'un permis peut durer des mois, et il est nettement plus simple de s'adresser à l'Association israélienne des Chasseurs, 83 rue Nahlat Benhamin, à Tel-Aviv.

Pour la *pêche*, s'adresser localement au Bureau de Tourisme.

MARCHE. C'est le sport national. Les gens marchent en général beaucoup pour leur plaisir. Les manifestations nationales de cette activité sont la « Marche autour du lac de Tibériade » (pour l'annonce du printemps), la « Marche des 4 jours à Jérusalem », pour laquelle on s'entraîne des mois à l'avance (la réception des marcheurs dans la capitale donne lieu à des festivités), la « Course autour du Mont Thabor », la « Marche de nuit dans le Néguev », etc...

Si vous désirez participer à des excursions à pied pendant votre séjour en Israël, adressez-vous au *Comité National des Amis de la Nature*, B.P. 4142 à Haïfa qui vous enverra son programme. Adresses des différentes sections : 7 rue Arlorosoff à Tel-Aviv; 16 St-Martin, à Jérusalem; 21 rue Hechalutz à Haïfa et « les amis de la Nature » B.P. 4475, à Haïfa également.

Les déplacements en Israël

PAR TRAIN. C'est la façon la plus économique de voyager. Les chemins de fer de l'État (classe unique) desservent Haïfa, Tel-Aviv, Jérusalem, Dimona, Nahariya et les stations intermédiaires. Traction diesel, matériel moderne mais non chauffé en hiver. Tel-Aviv-Haïfa est la ligne la plus rapide et Tel-Aviv-Jérusalem la plus belle. Éviter l'affluence des vendredis et veilles de jours fériés. Quelques tarifs (sujets à modification) Haïfa-Jérusalem 13,30 L.I.; Tel-Aviv-Béerchéba 8.70 L.I.; Tel-Aviv-Haïfa 9 L.I.

PAR AUTOCAR. Les lignes urbaines et interurbaines (réseau très dense) sont exploitées par des sociétés coopératives, dont la plus connue se nomme *Egged-Dan.* Sauf à Haïfa où un maire socialiste s'est entêté, ils ne circulent pas le samedi. Le matériel utilisé est souvent flambant neuf et à climatisation parfaite. Il y a une règle générale à observer : Ne tentez jamais de prendre un car intervilles vers 4 h de l'après-midi, car ces autobus sont bondés, et la discipline des aspirants-voyageurs laisse souvent fort à désirer.

Pour avoir une idée des tarifs, très raisonnables, voici une petite liste exprimée en livres israéliennes : Haïfa-Tel-Aviv 11; Tel-Aviv-Jérusalem 9.50; Jérusalem-Eilat 33.

PAR TAXI-CHEROUTH. Ce qui est original en Israël, c'est le taxi. Un certain nombre d'entre eux, dans les villes, sont pourvus de compteurs : ils ne nous intéressent pas. Mais les autres! Le plus clair de leur temps se passe à faire le *chérouth* — un mot qui signifie : service — résidu attardé de l'époque où régnait la pénurie des transports. Les taxis-chérouth assurent les *transports en commun.* L'usage, depuis les débuts, a fixé les parcours, les horaires — forcément approximatifs — et les tarifs. Les voitures, d'immenses tacots américains aménagés ou des minibus rouges récents peuvent recevoir jusqu'à 8-10 voyageurs. Ils assurent la liaison entre les villes et leur grande banlieue. Ils font également le service de ville à ville, d'une extrémité du pays à l'autre. Leurs tarifs sont environ 10 % plus élevés que ceux des autobus mais vous ne pouvez quitter Israël sans avoir fait au moins un parcours en taxi-chérouth . Leurs numéros de téléphone sont indiqués dans chaque section des renseignements régionaux. (On peut les arrêter n'importe où en route. Signe distinctif, panneau blanc avec destination en hébreu, hélas!).

Taxis-guides. Les grosses voitures portant l'emblème du Tourisme sont des taxis placés sous contrôle de l'Office du Tourisme. Leurs chauffeurs sont qualifiés pour véhiculer le touriste et lui donner des explications. Ils suivent annuellement un cours à cet effet. Étant sélectionnés et contrôlés, leurs prix sont, en principe, légaux. Vous payerez 323 L.I. pour les premiers 200 km et environ 1.25 L.I. par km supplémentaire. Ceci pour 4 touristes et une journée de 10 h. Chaque personne supplémentaire payera 23 L.I. Il faut compter 60 L.I. en plus si le conducteur reste toute la nuit + 25 % le samedi et jours fériés. Toutes les voitures possèdent l'air conditionné.

PAR AVION. En raison des courtes distances qui séparent ses régions touristiques, Israël n'est pas un pays qu'on visite en avion — d'ailleurs, il y a trop à voir en route. Mais pour gagner rapidement Eilat ou Sharm-el-Sheikh, on utilisera les services d'*Isravia* à partir de Jérusalem et d'*Arkia* à partir de Tel-Aviv. Autres localités desservies par ces lignes intérieures : Béerchéba, Roche Pina, le monastère de Ste-Catherine dans le

Sinaï et le site archéologique de Massada. Les tarifs sont très raisonnables. Il y a des voyages combinés air-autocar vers Eilat et Sharm-el-Sheikh en collaboration avec la société coopérative Egged-Dan Tours. On aura ainsi un double aspect de ces deux extraordinaires déserts que sont le Néguev et le Sinaï.

AUTOMOBILISME. Routes. Disons-le tout de suite : elles sont excellentes, surtout les autoroutes Tel-Aviv-Jérusalem (sauf l'ancien corridor de Latroun) et Tel-Aviv-Haïfa, et les nouvelles routes qui longent la mer Morte et la mer Rouge (Eilat-Sharm-el-Sheikh). Vous trouverez de bonnes cartes gratuites dans les Offices Gouvernementaux du Tourisme, dans certaines banques, et d'autres, plus détaillées, chez les libraires.

Essence. Il y a suffisamment de stations dans tout le pays pour ne pas risquer de tomber en panne sèche. C'est-à-dire qu'il n'y a pratiquement pas de région où l'on risque de rouler plus de 50 à 60 kilomètres sans trouver de l'essence.

Ceci dit, un petit bidon de 5 litres de réserve est toujours utile (bien que l'automobiliste et la population en général soient prêts à rendre service). Il y a 3 marques d'essence qui vous sont inconnues : PAZ = Shell; SONOL = Socony Vacuum; Delek = production locale.

Les pompes à essence ont une double indication : Super (Octane R 94); Normal (Octane R 83).

Le prix de l'essence — au moment où nous mettons sous presse — est de : Normale : 3,80 L.I. au litre; Super : 4,20 L.I. au litre. On ne donne pas de pourboire. Prix approximatif d'un graissage complet : 25 L.I.

Eau. Il est fortement à conseiller, à un automobiliste qui n'est pas habitué aux pays chauds, de se munir d'un bidon d'eau et de vérifier souvent le niveau d'eau. Vous serez étonné à quel point elle s'évapore même sans rouler.

Généralités. La circulation se fait à droite et le dépassement à gauche. La priorité de droite est appliquée, sauf indication contraire par panneaux de type international. La limitation de vitesse est de 80 km sur *toutes* les routes; 50 km dans les agglomérations. Les indications routières sont à peu de chose près les mêmes qu'en Europe. Tous les signaux et indications sont marqués en hébreu, arabe et anglais. Ne vous étonnez pas aux carrefours de voir la circulation bloquée par des feux rouges de tous les côtés. Elle se débloquera complètement et ainsi de suite. On s'y fait. Les distances sont toujours indiquées en kilomètres. La priorité est *partout* à la route principale. Petit panneau indicateur avec la mention « PROBLEM? » indique une station de police. Le caducée indiquant — chez nous — la voiture d'un médecin est remplacé par une Étoile de David rouge sur fond blanc.

Ne pas s'amuser à outre-passer le panneau jaune marqué « Frontière, danger. » Ce serait une bravade inutile.

L'auto-stoppeur ne fait pas le signe traditionnel que nous avons adopté. En Israël, il indique de son index la route devant lui, un geste qui pourrait se comparer à celui que vous feriez pour appeler votre chien (Ici, Médor, ici...). On prend volontiers les auto-stoppeurs et, jusqu'à ce jour, aucun ennui ou désagrément y afférents à signaler.

Dans le signe de « No Parking » vous verrez quelquefois une inscription en hébreu. Cela signifie qu'il est interdit de s'arrêter sous quelque prétexte que ce soit; même pas pour laisser descendre quelqu'un.

Si votre voiture est munie d'une radio : les nouvelles en français passent à 13 h 30 et 20 h 30.

Auto-Location. Diverses agences locales et internationales louent des voitures à des prix très variables allant de 69 L.I. à 200 L.I. par jour + assurance (24 L.I.) + de 57 agorots à 1,38 L.I. au km. Vous trouverez à votre disposition une large gamme de voitures allant de la Simca à la Mustang en passant par la Volkswagen, à l'Opel, la Taunus et la Cortina. Vous devrez, naturellement, être en possession d'un permis de conduire valable.

La compagnie la plus importante est l'agence *Hertz International* qui possède à elle seule 330 voitures. Tout de suite après, leur concurrent *Avis*.

Avis, à Tel Aviv au 32 rue Ben-Yehuda et à l'hôtel Plaza; à l'aéroport David Ben Gourion. A Jérusalem, au 202 rue Jaffa. A Natanya, 6 Shmuel Hanaziv et à l'hôtel Goldar. A Haïfa, 20, Derekh Azmaut. A Eilat, à Derekh Arava et à Bat Yam, au Pan-American Hôtel.

Hertz possède des bureaux à Tel Aviv au Hilton, au 10 rue Carlebach (siège central), au 98 rue Hayarkon, à l'hôtel Sharon et à l'aéroport David Ben Gourion. A Jérusalem, 18 rue Roi David et à l'hôtel Intercontinental. A Haïfa, 1, rue Palmer.

Parmi les autres agences de location de voitures, vous trouverez à Tel-Aviv : *V.I.P. Drive Yourself Service Ltd*, 118 Allenby qui ne loue que des Mercedes; *Center Rent-A-Car*, Tour Shalom; *The Promised Land, Ltd.*, 5 Shalom Aleichem; *Sharet Transportation & Touring Co Ltd.*, 100 Hayarkon; *Kopel Drive Your-Self*, 6 Tchernichovsky.

Notons que la plupart des petites villes possèdent des agences de location locales, souvent à des prix moins élevés que celles des villes plus importantes. Mais les unes comme les autres font des prix spéciaux pour des locations de 2 à 3 jours, 1 semaine ou 1 mois.

QUELQUES DISTANCES EN KILOMÈTRES

	Jérusalem	Tel-Aviv	Haïfa	Tibériade	Nazareth	Béerchéba
Jérusalem	—	61	161	188 (165)	169 (142)	122 (85)
Tel-Aviv	61	—	97	134	105	107
Haïfa	161	97	—	70	39	201
Eilat	370 (320)	342	439	(410)	443	235

LA TOILE DE FOND

« Je vous rassemblerai, vous ramenant d'entre les peuples, je vous recueillerai des pays où vous avez été dispersés, et je vous donnerai la terre d'Israël ».

(*Livre d'Ézéchiel* 11-17)

HISTOIRE ANCIENNE D'ISRAËL

TABLEAU SYNOPTIQUE
avec dates approximatives

Le peuple hébreu

Vers 1800 av. J.-C., **Abraham.** Commencement des migrations.

Les enfants de **Jacob** en Égypte. Vers 1240, l'Exode; **Moïse.**

Entre 1200 et 1180, **Josué.** Conquête progressive du pays de Canaan par les 12 tribus.

De 1160 à 1020, les **Juges.**

Vers 1050, **Samuel;** vers 1020, **Saül;** vers 1000, **David.**

Vers 971, **Salomon** construit le Temple.

Histoire extérieure

Vers 1700 av. J.-C., apogée de l'empire babylonien; **Hammourabi.** En Égypte, invasion et domination des rois **Hyksos,** d'origine sémitique.

Au XIIIe siècle, en Égypte, les Pharaons **Ramsès II** et **Ménéphtah I.** Les Philistins s'établissent sur la côte sud-ouest de Canaan.

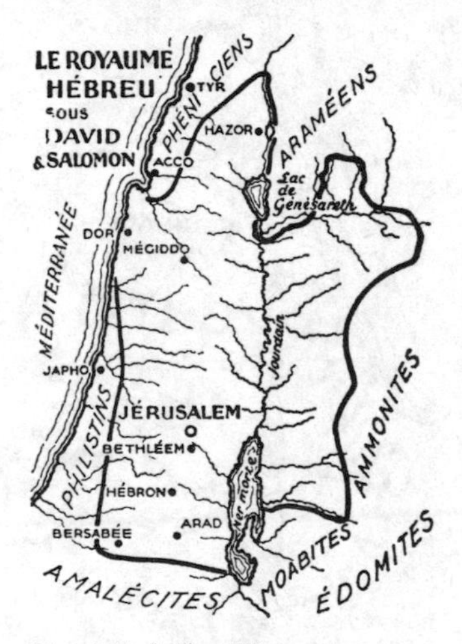

Vers 930, dix tribus se détachent de Juda pour former le royaume d'Israël.

Vers 950, à Tyr, **Hiram.**

Royaume de Juda

Roboam (931-915); **Abiam** (914-912); **Asa** (911-871).

Royaume d'Israël

Jéroboam I (930-910); **Nadab** (910-909); **Baëscha** (909-886).

Omri (885-874) fonde une brillante dynastie. Samarie devient la capitale du royaume. **Achab** (874-852).

Histoire extérieure

Chéchonq I (ou Chichaq), roi d'Égypte envahit le Royaume de Juda.

Royaume de Juda	Royaume d'Israël	Histoire extérieure
Josaphat (870-848).	Les prophètes **Élie** et **Élisée.**	**Salmanasar III,** roi d'Assyrie (860-825).

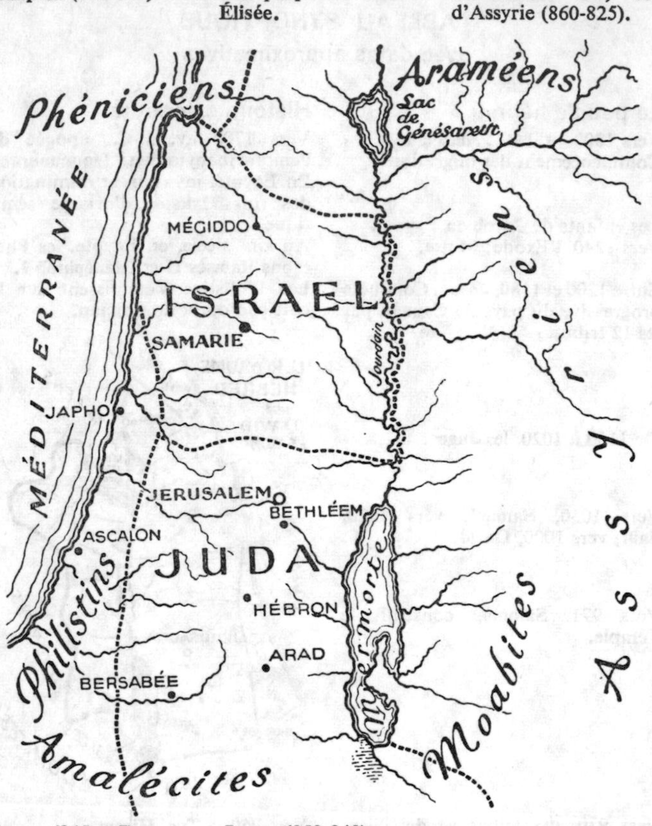

Royaume de Juda	Royaume d'Israël	Histoire extérieure
Joram (845-847). **Ochozias** (846). **Athalie** (846-841).	**Joram** (852-848).	
	Jéhu (848-819) met à mort Joram d'Israël et Ochozias de Juda. Il fonde une nouvelle dynastie.	Salmanasar impose un tribut à Jéhu.
Joas, fils d'Ochozias (841-802). **Amazias** (803-802-775). **Ozias** (775-736).	**Joachaz** (820-805). **Joas** (804-789). **Jéroboam II** (789-749). Apogée du royaume du Nord. Victoire sur les Assyriens.	Sous Joas, Israël vainc l'Assyrie en trois campagnes.

Royaume de Juda	Royaume d'Israël	Histoire extérieure
	Les prophères **Amos**, **Osée**.	
Le prophète **Isaïe**.	**Manahem** (747-738).	**Téglath-Phalasar III**, roi d'Assyrie (745-727), impose un tribut à Manahem. Il s'empare de la Galilée.
Joatham (736-732).	**Phacéia** (737-736).	
Achaz (731-728), attaqué par Rasin et Phacée, appelle les Assyriens à son secours.	**Phacée** (736-731) tue Phacéia. Il s'unit à Rasin de Damas contre Achaz.	
Ezéchias (727-699). Réformes religieuses. Le prophète **Michée**.	**Osée** (730-722). Il tue Phacée et règne à sa place comme vice-roi des Assyriens. Se révolte contre Salmanasar IV.	**Salmanasar IV**, roi d'Assyrie (727-722).
	En 721, prise de Samarie et *fin du royaume d'Israël*.	Siège de Samarie. **Sargon II**, roi d'Assyrie (722-705), achève la campagne contre les Israélites.

Royaume de Juda	Histoire extérieure
Ezéchias entre dans la ligne des états juifs contre Sennachérib.	**Sennachérib**, roi d'Assyrie (705-681) fait campagne contre l'Asie occidentale et l'Égypte. Siège et délivrance miraculeuse de Jérusalem (701).
Manassé (698-644).	**Assarhaddon**, roi d'Assyrie (681-669).
Amon (643-642).	**Assurbanipal**, roi d'Assyrie (668-627).
Josias (641-610). Premiers essais de réforme religieuse.	Apogée de la puissance assyrienne.
Vers 628, début du prophète **Jérémie**.	A partir de 627, déclin rapide de Ninive.
	Vers 625, **Nabopolasar**, roi de Babylone.
Vers 622, réforme de Josias. Le prophète **Nahum**.	En 612, prise de Ninive par Nabopolasar, aidé des Mèdes et des Scythes.
Josias est tué à Megiddo (610).	En 610, **Néchao II** conduit les Égyptiens en Asie; rencontre de Megiddo.
Joachaz (610) est emmené en Égypte par Néchao.	

Royaume de Juda	Histoire extérieure
Joachim (609-599) est établi roi par Néchao. Le prophète **Habacuc.**	
Vers 606, Joachim devient vassal de Babylone. En 599, il se révolte.	**Nabuchodonosor II,** roi de Babylone (604-561).
Joachim (599-598) est emmené à Babylone; première déportation (598). **Ézéchiel** commence à prophétiser sur la terre d'exil.	Nabuchodonosor s'empare de Jérusalem.
En 589, le roi **Sédécias** se révolte contre Nabuchodonosor.	En 589, nouvelle campagne de Nabuchodonosor contre la Judée.
De 589 à 587, siège de Jérusalem; prise de la ville; nouvelle déportation.	
Captivité de Babylone (587-538).	**Nabonide,** dernier roi de Babylone (555-538).
	Cyrus, roi de Perse (553-529) s'empare de Babylone en 538.

La Judée	
En 538, les Juifs sont autorisés par Cyrus à regagner leur pays, contrôlé par la Perse.	Extension rapide de l'empire perse.
En 536, fondements du Temple. Interruption des travaux.	
	Cambyse, roi perse (529-522). **Darius I,** roi perse (521-486).
En 520, **Zorobabel** reprend les travaux du Temple, aidé par le grand prêtre **Josué,** les prophètes **Aggée** et **Zacharie.**	
En 515, dédicace du second Temple.	Les Perses en guerre contre les Grecs. Bataille de Marathon (490).
	Xerxès I, roi perse (485-465). Les Perses battus par les Grecs à Salamine (480) et à Platée (479).
	Artaxerxès I, roi perse (464-424).
Le prophète **Malachie.** Vers 445, **Néhémie** relève les murs de Jérusalem.	
	Darius II, roi perse (423-405).
	Artaxerxès II, roi perse (405-359).
	Alexandre le Grand (334-323). En 331, bataille d'Arbèles et ruine de l'empire perse.

La Judée	Histoire extérieure
En 323, la Judée passe sous la domination égyptienne. Établissement en Égypte de nouvelles colonies juives.	En 323, partage de l'empire d'Alexandre. **Ptolémée I** devient roi d'Égypte.
Commencement de la traduction en grec de la Loi juive : version des Septante. Apparition des *Hassidim* (les pieux). **Onias II,** grand prêtre.	En Égypte, **Ptolémée II Philadelphe** (285-247). Hellénisme.
	En Syrie, **Antiochus II le Grand** (223-187). Hellénisme.
En 198, la Judée passe sous la domination syrienne. Antiochus III est favorable aux Juifs. **Héliodore** le Syrien à Jérusalem.	
	En Syrie, **Séleucus IV Philopator** (187-176).
L'hellénisme en Judée. Rivalités entre grands prêtres. **Jason, Ménélas, Lysimaque.**	En Syrie, **Antiochus IV Épiphane** (175-164).
En 169, le Temple est violé par Antiochus IV à son retour d'Égypte. Création de sectes ascétiques : *Essènes* et autres.	En 169, campagne d'Antiochus IV en Égypte.
Apollonius, général syrien, à Jérusalem. Profanation de l'autel (décembre 167). Persécution générale. Révolte des Asmonéens : **Mattathias** (167-166) organise la résistance. Un de ses fils, **Judas Maccabée** (166-160) victorieux des Syriens. Purification du Temple.	En Syrie, **Antiochus V Epiphane** (164-162).
	En Syrie, **Démétrius I Soter** (162-153).
Jonathan (160-143) frère cadet de Judas Maccabée et chef du parti national devient grand prêtre (en 152) et régent *de facto* du pays.	En 153, **Alexandre Balas** élimine **Antioche VI** et prend le titre de roi de Syrie.
Son frère, **Simon Maccabée** (143-134) fait reconnaître l'indépendance de la Judée (142).	En Syrie, **Démétrius II Nicator** (146-142). **Antioche VII** (141-129), dernier roi séleucide de Syrie.
Fils de Simon, **Hyrcan I** (134-105) détruit le temple samaritain schismatique du mont Garizim (109). Conflit des doctrines saducéenne et pharisienne.	
Aristobule I (105-104) prend le titre de roi des Juifs. **Alexandre Jannée** (104-77). **Aristobule II** (68-64).	
Hyrcan II (64-40), déposé par les Romains, devient grand prêtre. En 63, **Pompée** envahit la Judée	

LA PALESTINE
AU TEMPS
DU
CHRIST
VILLES
VISITÉES PAR JÉSUS
PISTES
TYR
Arzhiv
Akko
HAIFA
Mt Carmel
Safed
Kuneitra
Mer
de Merom
(ou de Houlé)
BETHSAIDA-
JULIAS
Golan
CAPHARNAÜM
BETHSAIDA
MAGDALA
Mer de Galilée
CANA
Nazareth
Mont Thabor
Mont Gamala
Naïn
Mégiddo
Bethabara
Jézréel
Pella
Caesarea
Engannim
Abel Meholah
Samarie
Mt Ebal
SICHEM
Archelaïs
Apollonia
Mt Gerizim
Arimathie
Joppé
Lydda
Mt Ephraïm
Béthel
EPHRAIM
Béthanie
Jabnai
JÉRICHO
EMMAÜS
JÉRUSALEM
Béthanie
Mont Pisgah
Achdod
Migdal Gad
Bethléem
Askalon
Mer Morte
Hébron
Gaza
Engeddi
Ziph
Massada
Beth Zaharia
Jattir
Zoar
Arad
Bersabée
Moladah

La Judée

qui passe sous la domination romaine. **César** confère des privilèges aux Juifs.

En 37, prise de Jérusalem par Hérode, préfet de Galilée. Il devient **Hérode le Grand** (37-4), roi des Juifs par la faveur des Romains; reconstruit Samarie (25) et commence la réédification du Temple (19). Divise son royaume en tétrarchies vers l'an 4 av. J.-C. Après sa mort, ingérence croissante de Rome.

Naissance de **Jésus.**

En Judée et en Samarie, **Archélaüs,** ethnarque (déposé par les Romains). En Galilée **Hérode-Antipas,** et dans le nord-est, **Philippe,** tétrarques.

En 6 de notre ère, un procurateur nommé par Rome gouverne la Judée.

Caïphe, grand prêtre (de 18 à 36). Nationalisme renaissant des Juifs. Premiers résistants : la secte des *Zélotes*.

Ponce Pilate, procurateur de Judée (de 26 à 36) provoque le mécontentement avec ses ordonnances.

Histoire extérieure

Après la bataille de Philippes, **Marc-Antoine** devient maître de l'Asie (42 av. J.-C.).

En 31, bataille d'Actium; défaite **d'Antoine et Cleopâtre.**

Auguste (27 av. J.-C.-14 ap. J.-C.) empereur romain.

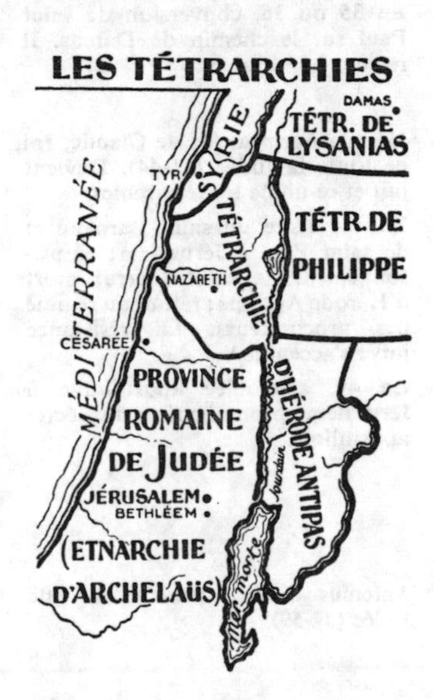

Lysanias, tétrarque de Damas.

Tibère (14-37), empereur romain.

Le peuple juif et l'Église chrétienne	Histoire extérieure
Vers janvier de l'an 28, baptême et commencement du ministère public de Jésus.	
En avril 30, mort de Jésus.	
A partir de l'an 33 l'Évangile est prêché en Samarie et à Antioche.	**Caligula** (37-41), empereur romain.
En 35 ou 36, conversion de **saint Paul** sur le chemin de Damas. Il revient à Jérusalem.	
	De 36 à 42, séjour de saint Paul en Cilicie (Asie Mineure).
Hérode Agrippa, fils de Claude, roi de toute la Judée (41-44). Devient juif et ré-unifie les tétrarchies.	**Claude** (41-54), empereur romain.
En 44, visite de **saint Barnabé** et de **saint Paul** à Jérusalem; emprisonnement de **saint Pierre;** mort d'Hérode Agrippa; retour au régime des procurateurs. La résistance juive s'accentue.	De 45 à 48, premier voyage missionnaire de saint Paul (Chypre et Asie Mineure).
En 49, assemblée apostolique à Jérusalem; promulgation du décret apostolique.	En 49 ou 50, saint Pierre à Antioche; conflit avec saint Paul.
	En 50, édit de Claude expulsant les Juifs de Rome. De 50 à 52, second voyage missionnaire de saint Paul (Galatie, Macédoine, Grèce).
Antonius Félix, procurateur de Judée (52-59).	**Néron** (54-68), empereur romain. De 53 à 57, troisième voyage missionnaire de saint Paul (Asie Mineure, Grèce, Macédoine).
En 57, arrestation de saint Paul à Jérusalem. Captivité à Césarée (57-59).	
Porcius Festus, procurateur de Judée (59-62).	
En 59, transfert de saint Paul à Rome.	De 60 à 62, première captivité de saint Paul à Rome et retour en Orient.
Albinus, procurateur de Judée (62-64). **Gessius Florus,** procurateur de Judée (64-66). La révolte gronde contre leurs sacrilèges et exactions.	En juillet 64, incendie de Rome. Persécution des Chrétiens par Néron. Martyre de saint Pierre à Rome.
En 66, soulèvement des Juifs contre les Romains : la grande guerre d'extermination.	

Le peuple juif et l'Église chrétienne

En 67-68, révolte nouvelle contre les Romains.

En 70, siège et prise de Jérusalem par Titus. Destruction du Temple (août 70) et *Judaea Capta*. 70-73, siège et prise de Massada par Silva.

Dispersion de la nation juive dans l'empire romain et séparation définitive du christianisme et du judaïsme.

95-100 : dernières années de l'apôtre **saint Jean.**

132-135, révolte juive sous **Bar-Kokhba** supprimée par les Romains. La Judée devient *Palestine* et Jérusalem une cité romaine, *Aelia Capitolina* interdite aux Juifs.

Histoire extérieure

En 67, seconde captivité et martyre de saint Paul à Rome.

Galba (68-69), **Vespasien** (69-79), empereurs romains.

Titus (79-81), empereur romain.

Domitien (81-96), empereur romain. Il persécute les Chrétiens et les Juifs.

Nerva (96-98), **Trajan** (98-117), **Hadrien** (117-138), empereurs romains.

Des soldats romains enlèvent du Temple de Jérusalem le chandelier à sept branches (détail d'un relief sur l'arc de Titus à Rome).

ISRAEL, HIER ET AUJOURD'HUI

Une tentative de compréhension

par

NOËL CALEF

HIER

Il est une histoire juive qui s'impose en tête de ce chapitre. Le vieux Shlomo, arrivé au Paradis, reste inconsolable malgré les efforts des chérubins et séraphins chargés de le distraire. En désespoir de cause, Dieu-le-Père se dérange en personne. Et Shlomo de raconter son malheur.

— J'avais un fils, Seigneur, la lumière de mes yeux. Toute ma vie, j'ai trimé, vécu pour lui et lui seul. Il était grand, il était beau, il était fort, il était intelligent. Et voilà que ce magnifique garçon, élevé dans le culte de ses ancêtres, s'est fait chrétien. J'en suis mort de crève-cœur.

Dieu-le-Père pousse un profond soupir.

— Mon pauvre Shlomo ! Je te comprends. Il m'est arrivé la même aventure.

L'autre sursaute :

— Mais c'est vrai, Seigneur ! Et alors, Toi, qu'as-Tu fait ?

— Moi ? dit le Tout-Puissant, J'ai fait un Nouveau Testament.

Il est difficile d'imaginer qu'une personne sachant lire ne se soit pas, au moins une fois dans sa vie, plongée dans les délices de la Bible. C'est le *best-seller* de tous les temps.

L'Ancien Testament, vivant et grave, charmant, facile, profond, envoûtant, représente l'unique source d'information historique et spirituelle dont nous disposons sur une époque qui coïncide approximativement avec les débuts du *néolithique*. C'est une mouvante frontière que celle qui se place entre « avant » et « après ». C'est aussi une révolution marquant la fin d'une ère et le commencement d'une autre : l'homme passe de l'état nomade à l'état sédentaire. Il y a six mille ans de cela. Le calendrier juif, en 1980 aura le millésime 5740. Mais tout compte fait, la poésie de l'Ancien Testament importe plus que la Chronologie.

L'histoire proprement dite du peuple juif commence avec l'appel de Dieu au patriarche Abraham qu'Il invite à aller « s'établir » sur cette Terre de lait et de miel choisie pour lui et les siens.

Ce qui se déroule auparavant, c'est ce qui précède la formation d'un peuple lié par une idée commune. L'explication nous est donnée de la création du monde dans la Genèse. Que le lecteur ajoute foi à cette version ou non, il est sensible à la notion du temps, telle qu'elle y est exprimée, parce que celle-ci ne coïncide pas avec notre notion actuelle, exacte, du temps. Il est également émerveillé de constater qu'à l'origine, l'événement se confond avec la révélation. Les relations entre le Créateur et ses créatures ont beau lui sembler naïves, puériles, au regard d'un minimum de ses connaissances, aujourd'hui, il se prête au texte en éprouvant une sourde nostalgie : c'était quand même l'âge d'or! Dans l'incertitude, on pouvait frapper à la Porte Céleste, consulter l'Autorité Suprême. Ensuite, il n'y avait plus qu'à suivre les instructions divines. L'action humaine était dictée par Yahweh. L'homme conversait avec son Père, discutait parfois avec Lui, marchandait à l'occasion. C'est bien plus tard que le dialogue devient intérieur, que la conscience se substitue à la Présence, que le conflit est confiné dans les méandres secrets du cœur et de l'esprit de l'individu.

Naissance d'un peuple

L'histoire, en tant que déroulement véritable des événements, commence avec l'injonction de Dieu à Abraham, d'avoir à se transférer ailleurs. Le patriarche obéit et quitte Ur en Chaldée pour cette nouvelle terre inconnue. Ainsi se forme le premier noyau spirituel dont le principal apport à l'humanité est le concept du monothéisme, s'opposant, dans le milieu de l'époque, à la foule des dieux divers adorés par d'autres. L'homme, jusque-là, vénérait un ensemble suprahumain. Abraham, lui, fut informé qu'il n'y avait qu'un dieu unique.

Il ne saurait être question de concurrencer littérairement ce chef-d'œuvre qu'est le Pentateuque, les cinq Livres attribués à Moïse : Genèse, Exode, Lévitique, Nombres et Deutéronome. Les Guides Fodor renvoient ceux qui désirent en savoir davantage au Tableau Synoptique dressé à leur intention dans cet ouvrage et leur conseillent vivement la lecture de la Bible. Aussi bien, la plupart des légendes et des événements historiques du peuple juif sont-ils évoqués au fur et à mesure dans les chapitres géographiques, sur les lieux où ils se seraient déroulés.

Notre propos est d'examiner plus attentivement un double phénomène sur lequel le profane ne dispose que de sources d'information moins accessibles : la *diaspora*, c'est-à-dire, la dispersion du peuple juif, et l'*aliyah* (la remontée), c'est-à-dire : son retour en Terre Promise.

Le premier, la diaspora, est également connu comme le Grand Exil de 2 000 ans et représente le plus souvent un trou dans la mémoire humaine. Il est, entre la Genèse et l'Exode, un autre trou allant de 4 à 6 siècles. A la fin de la Genèse, Jacob meurt. Avec les siens, il est venu rejoindre son fils Joseph en Égypte et s'est établi à Goshen, « à l'écart du peuple égyptien ». Nulle mention n'est faite d'un esclavage. Or, l'Exode s'ouvre sur l'esclavage des descendants de ces hommes libres. Le pharaon qui n'a apparemment aucun souvenir des services autrefois rendus par Joseph, contraint les Juifs, sous le fouet, à bâtir ses villes. C'est la prédiction de Dieu à Abraham qui rend possible certains calculs : « Ton peuple sera esclave en Égypte pendant 400 ans. » Des savants parlent de 600 ans. Que se passa-t-il entre temps ?

Le second phénomène, le Retour, est inséparable de la colonisation sioniste à partir de la fin du siècle dernier, de la Résistance (1945-1948) et de la Guerre d'Indépendance (1948-1949).

Après la captivité de Babylone et la reconstruction du Temple de Jérusalem, la Palestine fut envahie par les Grecs et leurs alliés ou satellites syriens. Sous l'énergique impulsion de Mattatias, puis, après sa mort, de son fils Juda, surnommé le Maccabée — le Marteau — les Juifs se révoltèrent (167 av. J.-C.) et fondèrent le deuxième Royaume. Ce fut la période asmonéenne, glorieuse, héroïque, qui ne dura guère : de 140 à 63 av. J.-C. Vinrent les Romains au faîte de leur puissance et, de nouveau, les Juifs furent asservis. Jésus naquit sous l'occupation et le règne d'Hérode, nommé par Rome. Les tribulations de Marie et Joseph étaient imposées par un cruel édit du roi, le Massacre des Innocents. Pour complaire à ses maîtres romains et sauvegarder son trône, Hérode le Grand ordonnait de tuer tous les enfants mâles afin d'atteindre celui qui, selon une prédiction, règnerait sur le monde entier.

Une trentaine d'années après la crucifixion de Jésus, éclata la grande révolte des Juifs. Elle s'acheva dans un effroyable carnage. Titus — son père, Vespasien, étant empereur — mit accidentellement le feu au Temple et le détruisit. Massada, l'ultime forteresse zélote succomba à son tour.

Moins d'un siècle plus tard — entre 132 et 135 av. J.-C. — il y eut un dernier soulèvement. L'empereur Hadrien, pour en finir une bonne fois avec les Juifs, interdisait la pratique de leur religion et la circoncision. Bar Kokhba brandit l'étendard de la révolte, courut d'abord de victoire en victoire, mais fut incapable de prendre Jérusalem. (La plus haute autorité spirituelle, Rabbi Akiba, le secondait, le suivait en qualité de porte-épée. Pris par le général romain Jules Sévère, il fut écorché vif à Césarée). La chute de Bethar, dernier bastion de la rebellion, la mort de Bar Kokhba, donnèrent le coup de grâce à l'espoir juif : beaucoup tenaient l'insurgé pour le Messie. Le rêve messianique devenait abstraction, le judaïsme n'était désormais plus qu'une religion.

Accrochons-nous, pour la durée d'un alinéa, à cette terre gorgée de sang plutôt qu'aux hommes. Au IVe siècle intervient la division du monde « civilisé » en Empire d'Occident et Empire d'Orient. Lentement, les Byzantins remplacent les occupants romains en Palestine. Au VIIe, sur la route d'Afrique du Nord et d'Europe, le conquérant islamique balaie le Moyen et le Proche-Orient. La Palestine est intégrée à l'Asie et subit les fortunes diverses des peuples qui l'ont occupée. Une interruption : les Croisades. Elles font, dans cet ouvrage, l'objet d'un chapitre séparé. Déjà, les Croisés ont affaire, tour à tour, souvent en même temps, aux Arabes et aux Turcs. Ces deux derniers trouvent un modus vivendi pour coexister sur cette terre qu'ils négligent. Tout au long des siècles, nul ne s'avise de sa mise en valeur. Le contrôle du pays équivaut simplement à celui des échanges Asie-Afrique. Lorsque, au cours de la première guerre mondiale, la stratégie britannique inclut la Palestine dans ses opérations contre la Turquie, c'est un véritable désert que conquiert Allenby en 1917. Un désert çà et là saupoudré de quelques oasis : celles fondées depuis une quarantaine d'années par les pionniers sionistes.

Mais que sont devenus les vaincus de Jérusalem, de Massada, de Bethar ? En 70, détruit le Temple, matée la révolte, les Romains ne furent guère tendres pour ces coriaces adversaires. Ils exercèrent de terribles représailles dont les moindres furent l'expulsion, la déportation, l'esclavage. La chose se répète deux générations plus tard, compliquée de l'interdiction aux Juifs, sous peine de mort, de pénétrer à Jérusalem. Ceux qui demeurent en Palestine se groupent dans les centres culturels, s'adonnent à l'étude des textes sacrés, à la rédaction de ceux-ci pour l'édification de la postérité; ils poursuivent leurs dévotions. En 135, disparu Bar Kokhba, ils n'ont plus de rôle politique à jouer dans leur pays.

La diaspora

Disséminés dans l'Empire, puis dans les deux Empires, leurs frères s'établissaient en communautés, s'exilaient parfois plus loin encore, s'aventuraient au-delà des limites de la *pax romana.* Ça et là, il arrivait qu'un prince avisé se prît d'intérêt pour eux, à travers l'amitié, ou même le respect d'un de leurs représentants : médecin, savant, financier. Ces relations finissaient presque toujours assez mal. Le seigneur bien disposé se faisait assassiner par quelque descendant pressé d'occuper le trône, ou bien, incapable de rembourser les dettes contractées, il se sentait soudain moins bien disposé. A cet égard, l'Occident se montra particulièrement dur, sans aller toutefois jusqu'à la règle du massacre systématique. Au Moyen Age, l'Angleterre et la France se contentaient de refouler les indésirables. Les Juifs, baluchon sur l'épaule, prenaient donc la route de l'Est. Lorsque les Allemands ne voulaient pas d'eux, ils poursuivaient leur chemin. Aux confins de la Pologne, dans ces régions que Prussiens, Autrichiens et Russes se disputèrent si longtemps, en Pologne même, en Russie, la place ne manquait pas.

Allemands, Polonais, Autrichiens, Russes, ne faisaient pas le détail : ils parquaient les « infidèles » dans un ghetto. Au moins, on savait où les trouver pour les assassiner. Le Littré ignore le mot *pogrom* — ou pogrome, — Le Petit Larousse ne lui consacre que quelques lignes : « n. m. (mot russe). Mouvement populaire conduit par les autorités tsaristes et visant à l'extermination des Juifs ». Le dictionnaire encyclopédique Quillet (édition de 1935) en donne une définition plus longue : « (mot russe). Nom donné en Russie aux massacres de Juifs déclenchés par des mouvements populaires souvent soutenus plus ou moins ouvertement par l'armée ou la police. Il y eut de nombreux et cruels exemples de pogroms en Pologne et dans les villes de la Russie de l'Ouest, au début du 20e siècle. » Ce qui devait se passer entre 1935 et 1945 est encore présent dans la mémoire de tous.

Il n'était peut-être pas inutile de s'attarder un instant sur la persécution. Elle fera mieux comprendre l'héroïsme insensé, inhumain, des révoltés du ghetto de Varsovie, des résistants palestiniens, des guerriers de l'indépendance. Lorsque les Juifs, exaspérés, firent face, le monde ne leur avait plus rien laissé à perdre.

En règle générale, la descendance de la dispersion romaine est dite *ashkenaze.* Elle fut, de tout temps, vouée à l'errance et au malheur. Les juifs ashkenazes parlent le *yiddisch,* qui n'est autre que l'allemand du Moyen Age, mêlé de vocables empruntés à l'hébreu du livre de prières, ou à la langue du pays dans lequel ils se sont établis : russe, polonais, roumain.

Les *Sépharades* (le mot signifie « espagnol » en hébreu) sont les Juifs qui, attachés aux pas des Musulmans, s'établirent en Espagne et y demeurèrent jusqu'au 15e s. Plus heureux que leurs coreligionnaires, ils ne connurent que sporadiquement la persécution. Protégés par l'Islam, bien plus tolérant que la Chrétienté en matière religieuse, partis plus tard et accoutumés à la fréquentation des Gentils, ils éprouvaient moins de difficultés à s'assimiler. Peut-être aussi leur zèle religieux s'était-il émoussé en ces siècles de relative sécurité. Toujours est-il qu'ils prospérèrent huit siècles en Espagne. Chassés par l'intransigeance des Rois Catholiques, disséminés autour de la Méditerranée, ils eurent affaire à des populations mélangées par définition, comportant de nombreuses minorités sous la férule turque. Sauf exception, ils ne firent connaissance avec les pogroms et les ghettos, qu'à l'heure hitlérienne. Ils parlent le *ladino*, qui n'est, à son tour, que l'espagnol du Moyen Age, figé, emporté par les Sépharades dans leurs bagages. Eux aussi mêlent des vocables hébreux, turcs, grecs, italiens, à la plus pure langue de Cervantès.

A la veille de la seconde guerre mondiale, on recensait 16 millions de Juifs au total, dont 1,5 million de Sépharades pour plus de 14 millions d'Ashkenazes. Six millions devaient périr entre 1940 et 1945. Pour fixer un autre chiffre, en mai 1948, lors de la proclamation d'indépendance, l'État d'Israël comptait 650 000 Juifs.

La diaspora ne date pas nécessairement de la réaction romaine aux soulèvements juifs. Auparavant déjà, des Juifs avaient émigré. En arrivant au Maroc, au 7e s. les Arabes trouvèrent, installés dans la place depuis des temps immémoriaux, d'importantes communautés juives. Alexandre le Grand, lorsqu'il fonda Alexandrie au 4e s. av. J.-C., s'efforça de peupler sa ville en y attirant les étrangers. La colonie juive y était active et prospère; elle rayonnait en Afrique par le commerce des marchandises et des idées. Contemporain de Jésus, Philon d'Alexandrie fut le premier penseur à distinguer entre les notions de révélation et de raison. Il enseignait dans les synagogues qu'il était *raisonnable* de *croire*, les fondements de l'autorité divine appartenant à une saine philosophie universelle. Au début de notre ère, il y a des Juifs à Rome, en Gaule, en Espagne, en Afrique du Nord. Des voyageurs juifs poussent des pointes jusqu'aux limites de l'Empire, les dépassent parfois, installent des comptoirs selon le modèle de l'époque, y laissent un fils, un parent, qui fait souche.

La communauté juive en exil se groupe forcément, pour la

manifestation de son rite. Ce sont les Juifs, au départ, qui repoussent l'égalité des droits dans une citoyenneté qui risque de les contraindre à des obligations incompatibles avec leur foi. Ils sont farouchements monothéistes au milieu des païens. Cela ne les empêche pas de se mêler dans une certaine mesure à la vie publique. Jules César a exempté les Juifs des devoirs pour eux religieusement inacceptables. Cela fait murmurer. L'homme de corvée appelé à remplacer l'« objecteur de conscience » en veut à la communauté étrangère tout entière. Le sentiment d'hostilité se retrouve dans les hautes sphères : les familles riches contribuent à l'entretien des temples; les Juifs monothéistes ne participent pas à ces frais.

Un conflit éclate en 19 av. J.-C. Rome considère qu'un Juif est celui qui, né juif, pratique le judaïsme. Cette disposition exclut la conversion. Une noble dame ayant embrassé cette étrange religion, Tibère sévit en déportant 4 000 Juifs en Sardaigne. (Ce qui donne naissance à la légende selon laquelle les Sardes sont d'ascendance juive). Paradoxalement, l'hostilité croît avec les progrès du christianisme. On n'aime pas les Chrétiens et on accuse les Juifs de complicité avec eux. C'est que les premiers missionnaires de la Croix et du Poisson prêchent dans les synagogues. C'est au 2e s. seulement que les deux pratiques religieuses monothéistes s'écartent définitivement l'une de l'autre.

Pax Romana

Entre 66 et 135, la hiérarchie politico-religieuse, les sectes les plus combatives, Esséniens, Zélotes, Qumran, ont été anéanties. Le Judaïsme, privé de ses chefs, banni de sa ville sainte, Jérusalem (rebaptisée *Aelia Capitolina*) n'a plus de refuge que dans la foi. La nation n'existe plus. Les rabbins, les érudits placés à la tête de la communauté, n'ont d'autre autorité que morale. Tout Juif est parfaitement libre de renier le culte de ses pères, aucune sanction ne saurait lui être appliquée.

Parallèlement, les relations avec les Romains se détériorent. Dans l'ensemble, la prétention des Juifs à vivre groupés à part dans les villes n'a rien d'inhabituel. Les autres minorités en font autant : Grecs, Africains, Perses. Mais seuls les Juifs — et plus tard, les Chrétiens — adorent un Dieu unique. Enfin, la coexistence idyllique des débuts ne résistera pas à l'antagonisme créé par les soulèvements de Palestine. La première guerre dure sept ans; la deuxième, trois. Les conditions d'existence sont à présent dures pour les Juifs.

Il en est qui n'y tiennent plus et passent la barrière. Mais l'immense majorité reste immuablement attachée à « la loi ».

Durant les premiers siècles de notre ère, la diaspora est orientale et occidentale. Des communautés juives existent dans le Proche et Moyen-Orient aussi bien que dans la partie de l'Europe qui deviendra l'Empire Romain d'Occident. A l'est, apaisés les tumultes des séditions, les Juifs vivent en bonne intelligence avec leurs voisins palestiniens : Syriens, Byzantins, Arabes. Il y a même des tribus arabes qui se convertissent au Judaïsme. Les rapports sont très amicaux et c'est justement ce qui perdra les Juifs. Arrive Mahomet. Il est déçu, puis irrité de voir que ces « frères » sur qui il comptait, refusent d'embrasser *sa* nouvelle religion, l'Islam. Il leur déclare la Guerre Sainte au même titre qu'aux tribus arabes qui repoussent ses avances. Les survivants seront vendus comme esclaves. Les califes, successeurs de Mahomet, poursuivent son œuvre de persuasion par le glaive. Ces fureurs mortelles ne se calment qu'environ un siècle plus tard, lorsque les Musulmans se sont taillé un empire méditerranéen.

Parmi eux, les Juifs sont désormais traités en étrangers et paient de lourdes taxes. Néanmoins, les communautés de Babylonie reprennent vie (VIIIe s.) Un *exilarque* — prince de l'exil — sert d'intermédiaire entre le gouvernement mahométan et le peuple juif. Ce représentant de l'oppresseur est en même temps collecteur d'impôts. Par réaction bien compréhensible, la colonie juive élit son chef spirituel, un savant talmudiste le plus souvent : le *gaon*. Les Gaonim de Soura et Poumbedita ont réputation de sagesse dans le monde entier. On prend donc l'habitude de soumettre les cas litigieux à l'arbitrage de ces rabbins.

Soura et Poumbedita disparaissent à la suite des inévitables querelles entre exilarques et gaonim, ainsi que des bouleversements dans l'empire arabe. Mais la coutume persiste de consulter les érudits de renom, indépendamment de l'importance atteinte par leur communauté. Avec la constitution du nouveau Califat fatimide en Égypte et en Palestine, les centres juifs demeurés en Terre Sainte connaissent une brève période d'épanouissement au début de notre millénaire. Les Croisades mettent un terme brutal aux espoirs.

A l'ouest, Caracalla, en 212 de notre ère, a reconnu aux Juifs la qualité de citoyens. L'Église la leur enlèvera quelques siècles plus tard... L'Empire d'Occident n'a plus sa puissance d'autrefois. Les Barbares mettent plusieurs fois à sac la ville de Rome. Parfois, les papes en profitent pour les convertir.

Avec le zèle des néophytes, le païen baptisé trouve agaçant que le Juif, lui, ne se soit pas laissé détourner de sa foi. Le drame éclate en Gaule dans les premières années du VIe siècle. Le pays a été conquis par les Francs. Clovis s'est converti après Tolbiac, ses soldats, son peuple en ont fait autant. Pas les Juifs. Les évêques alors, ordonnent aux fidèles de se tenir à l'écart de ces entêtés. Ces mesures ne suffisent bientôt pas. A Clermont, l'évêque Aritus contraint 550 Juifs au baptême. Ils se soumettent provisoirement.

En 629, Dagobert — le bon roi Dagobert — expulse de France tous les Juifs rebelles à la Croix. Un lamentable exode traverse le Rhin. Plus bas, il y en a un autre, qui pénètre en France par les cols pyrénéens : en Espagne, la persécution est pire. Les hasards de la politique, au VIIe siècle contraignent le roi wisigoth Reccared à s'appuyer sur les évêques pour pouvoir régner. Ceux-ci commencent par décréter le baptême obligatoire pour tous. La population, terrorisée, fait la queue devant les baptistères, pêle-mêle, païens et juifs, qui ne tiennent pas à mourir. Pour les premiers, la conversion représente un progrès sur le plan spirituel. Le Juif, lui, garde l'impression brûlante d'avoir renié sa foi pour sauver sa vie. Et c'est à juste titre que l'on se méfie de sa sincérité. Des châtiments terribles sont appliqués aux faux-Chrétiens. Rien d'étonnant à ce qu'ils fuient; rien d'étonnant à ce que la conquête arabe soit, pour eux, une libération.

Avec Charlemagne, roi des Francs à partir de 768 et couronné empereur en 800, les Juifs d'Occident respirent. Il a réuni sous sa juridiction la France, la Germanie et l'Italie. Le pouvoir se dégage de l'emprise des évêques. Des relations s'établissent avec l'Afrique, l'Asie; l'Égypte, la Palestine. Ce sont, pour la plupart, les voyageurs juifs, qui les assurent. Leurs communautés prospèrent. Elles dépendent d'un *magister des Juifs*. Succédant à son père, Louis le Débonnaire continue à protéger ses minorités. Mais l'Église s'agite et l'évêque Agobard, de Lyon, se montre déjà particulièrement violent. A la mort de Louis, l'Empire est morcelé entre ses trois fils qui, désormais, délèguent leurs pouvoirs aux seigneurs féodaux. De nouveau, le sort des Juifs dépend du fait du prince. Ici, ils étaient bien traités; là-bas, on les raillait, on les méprisait; à l'occasion, on les égorgeait. Une fois par an, le comte de Toulouse souffletait publiquement le président de la communauté juive pour rappeler « les souffrances infligées à Notre-Seigneur ». L'humiliation, cependant, pouvait être évitée moyennant un impôt spécial.

Couronné empereur en 962, Othon le Grand instaure par contre en Allemagne un régime de tolérance. Certes, les féodaux y vendent ou échangent des terres « Juifs compris ». Bien sûr, les communautés de Worms, Mayence, Cologne, paient de lourds tributs pour leur tranquillité, mais du moins ne sont-elles pas l'objet de mesures sanglantes. A Mayence, Gershon *Meor Hagola* (lumière de l'exil) fonde une École Talmudique et parvient à accommoder « la loi » aux nouvelles conditions de vie.

En Italie aussi, cette période est faste. Au nord, Vérone, Pavie, dépendaient de l'empereur d'Allemagne. Les communautés méridionales, Salerne, Bari, n'avaient pas, elles non plus, à se plaindre des souverains byzantins. Les Juifs de Messine, de Palerme, n'ont qu'à se louer de la tolérance que les Arabes montrent en Sicile. Même à Rome, les papes se désintéressent des Juifs.

Dans la péninsule ibérique, où l'Islam tient fermement la moitié sud du pays, Musulmans, Chrétiens et Juifs ont trouvé un modus vivendi.

La grande peur de l'An Mille

Nous approchons de l'An Mille et « la grande peur » s'empare de l'humanité. Le Xe et le XIe siècles sont dominés par cette panique superstitieuse. L'annonce d'une éclipse par les astrologues est interprétée comme une mise en garde. La croyance populaire l'associe aux signes précurseurs de la fin du monde. Sincères ou heureux de l'aubaine, les prédicateurs mettent le comble à l'effroi en tonnant de leur chaire, en menaçant l'impiété, en agitant l'épouvantail du Jugement Dernier.

La peur gagne le Nord et le roi de Suède, Olaf III se fait baptiser en hâte. En chemin, elle pousse les païens de Hongrie à embrasser la foi d'Étienne. Othon III, à tout hasard, se rend en pèlerin au tombeau de saint Aldebert, l'évêque de Prague. L'Europe tremble. L'An Mille arrive et il ne se passe rien. Et les Juifs ? L'expérience leur a appris à se faire tout petits; ils n'ont nulle envie d'être à nouveau pourchassés. Ils ne savent pas encore que bientôt, on les rendra responsables de tous les maux dont souffre l'humanité.

De cette inactivité occidentale au XIe siècle, l'Orient profite. 1009 : le calife Hakkem détruit l'Église du Saint-Sépulcre. Cette fois, des murmures accusent les Juifs : ils ont dû conseiller le maudit. Les voyageurs venus d'Espagne affirment que là-bas, Juifs et Musulmans s'entendent comme larrons en foire. 1012 : le calife d'Égypte porte l'indignation à son paroxysme en pillant Jérusalem, en expulsant les prêtres chrétiens. Les années s'étirent en palabres. Il faut attendre le Concile de Clermont, à la fin du siècle, (1095) pour que le pape Urbain II décide la Croisade. Et alors s'élève une grande voix, celle de Pierre l'Ermite, pour prêcher la guerre sainte. Une clameur lui répond : « Les assassins du Christ sont parmi nous ! » La ruée est immédiate. En attendant l'étripage des infidèles et la reconquête du Tombeau Sacré, ici, sur place, on égorge les descendants de ceux que l'on tient pour responsables de Son supplice.

Les Manuels d'Histoire survolent volontiers les massacres qui se confondirent avec les préparatifs de la première Croisade. Elle eut lieu en deux expéditions. Les « pauvres » partirent d'abord. Les pauvres, c'était la misérable horde de malheureux démunis de tout, pillards civils emmenés par le fougueux Pierre l'Ermite et Gautier Sans Avoir. Sur leur passage, ils recommencent, vengent sempiternellement la mort du Christ sur les Juifs qu'ils rencontrent. Godefroid de Bouillon mènera la seconde expédition de la Première Croisade. Il atteindra et prendra Jérusalem. Mais en chemin, ses hommes auront fait holocauste des survivants oubliés par les « pauvres ».

Le pli est pris. La Deuxième Croisade suivra l'exemple de la précédente. De nombreux Juifs gagnent l'Angleterre, plus tranquille, y élargissent les communautés de Londres, Oxford, Cambridge, York. Le répit n'est pas bien long. Voilà que Richard Cœur de Lion participe à la Troisième Croisade, en compagnie de Philippe-Auguste, roi de France et de Frédéric Barberousse, empereur d'Allemagne. Comme la communauté juive vient porter ses vœux à Richard, l'évêque de Londres s'indigne que « ces chiens » aient osé « pénétrer dans une église chrétienne ! » Il n'en faut pas davantage. Incendies, pillages, massacres. Le plus affreux est le carnage d'York. Assiégés pendant six jours dans une forteresse, les Juifs se donnent la mort plutôt que de se rendre à leurs persécuteurs.

L'histoire se répète pour les Croisades suivantes. Et comme elles subiront des échecs, elles se paieront au retour sur les Juifs. La haine du Juif a désormais pris racine. Pour justifier les meurtres commis, des histoires commencent à circuler, ramassis d'inventions jaillies de l'ignorance et de la superstition, où « le diable », fascinant et terrifiant, joue le rôle principal. Et qui donc le représente sur terre, sinon le Juif, cet impie coupable d'avoir crucifié le Seigneur ? Le *shabbat* — qui signifie en hébreu : repos — se mue insensiblement en *sabbat*, réunion de sorciers et sorcières, présidée par Satan, Belzébuth, Lucifer. Maintenant, on peut parler d'antisémitisme : on ne s'en prend plus à l'homme que l'on déteste, mais à son appartenance.

Trois reproches principaux sont formulés : le meurtre rituel, la profanation de l'hostie, le complot universel tendant à la destruction de la Chrétienté par l'empoisonnement des puits. Accessoirement, on fait grief au Juif de pratiquer l'usure.

La première de ces accusations prend corps en Angleterre, à Norwich. Un converti, Théobald de Cambridge, lance l'horrible fable : le sang d'un enfant chrétien est nécessaire à l'exercice du culte juif. Le sang est une denrée indispensable à l'époque dans toutes les recettes de magie; donc, les Juifs sont, parce que juifs, des sorciers. C'est plus tard que la légende précisera : le sang de l'enfant chrétien serait nécessaire à la cuisson du pain azyme de Pâques. Un siècle plus tard, à Valréas, dans le comtat Venaissin, en 1247, deux Juifs accusés de meurtre rituel, affreusement torturés, avouent tout ce que l'on veut. Ils sont brûlés sur la place publique. Le pape désavoue les deux moines qui ont mené tambour battant ce hideux procès. En vain. En 1488, comme par hasard, à la veille de l'expulsion définitive des Juifs, un grand cri glace l'Espagne : meurtre rituel!

Il faut le dire : quelles que soient leur ferveur chrétienne et leur haine de l'impiété, les autorités ecclésiastiques sont révoltées par de telles calomnies. Innocent IV, à propos de l'affaire de Valréas, va jusqu'à émettre une bulle. Le fanatisme l'ignore et la fable se fraie un sanglant chemin jusque dans les temps modernes. Elle fait rage au XIXe siècle encore, dans l'Est et les Balkans. Les Nazis la ressortent au XXe siècle.

La profanation de l'hostie par les Juifs, vengeance tirée du Christ sur Sa chair et Son sang, voit le jour plus tardivement : au XIIIe siècle. Il va de soi que tous les magiciens, liseurs d'astres et autres alchimistes, recherchent l'hostie consacrée à des fins inavouables. Mais chaque fois qu'il en manque une, ce sont les Juifs qui l'ont volée. La pensée que l'hostie, pour le Juif, ne représente a priori qu'une gaufre, n'effleure même pas les furieux.

Les accusateurs les plus acharnés sont les Juifs convertis, impatients de faire oublier leur récente appartenance au monde chrétien. A Chinon, en 1361, accablés par leurs anciens coreligionnaires, 160 Juifs sont brûlés en grande pompe. Vers le milieu du XIVe siècle un quart de la population européenne périt, victime de la peste noire. Venu d'Asie, le fléau sème la mort sur le continent, traverse la Manche, opère des coupes sombres dans les îles britanniques. Partout, les conditions sanitaires, déplorables, favorisent la diffusion de l'épidémie. Les Juifs, tenus religieusement à de vieux préceptes inspirés par un souci d'hygiène, s'en tirent moins mal que leurs voisins. Satan les protège donc! Voilà le résultat de l'empoisonnement des puits! Des dizaines de milliers de pauvres bougres sont assassinés, torturés, brûlés.

Il n'est bientôt plus, à l'échelle individuelle ou universelle, une catastrophe, un cataclysme, une maladie, une guerre, qui ne soient attribués aux Juifs.

Ils sont, par dessus le marché, coupables de prêter de l'argent contre intérêts. Et ceci est toute une histoire. D'une part, de très nombreux métiers leur sont interdits; le plus souvent, eux-mêmes font partie des biens d'un domaine, d'un fief. D'autre part, l'Église est contre le prêt à « usure ». « Il est aussi stupide d'imaginer que l'interdiction de l'Église arrête les Chrétiens qui ont des capitaux à placer, que de croire qu'ils ne commettent jamais d'adultère sous prétexte que c'est également interdit. » (James Parker, *A History of the Jewish People.*) Il y a, on le sait, des accommodements avec le ciel. Le Juif en l'occurrence est l'homme de paille providentiel, paravent commode derrière lequel le véritable prêteur compte son magot, paratonnerre qui attire sur soi la colère du peuple. Que ces « maudits » négocient des transactions pour leur propre compte, quoi de plus naturel ? Aux vertus qu'on exige d'un Juif, quel Chrétien est donc digne du Christ ? Shakespeare crée le personnage de Shylock qui, à défaut de « liquide », veut se rembourser d'une livre de chair humaine. La scène se passe à Venise. La législation de la République des Doges prévoit effectivement à l'époque un tel échange. On le considère comme un châtiment du débiteur défaillant, sans allusion aux Juifs. C'est bel et bien une coutume chrétienne. Luther et Calvin qui débarrasseront ce champ d'action des tutelles de l'hypocrisie, n'ont pas encore imposé la Réforme. Un dernier mot : lorsque le Juif prête pour son propre compte, il est tenu de verser une part de ses bénéfices, c'est-à-dire des intérêts, de « l'usure », à son seigneur. En règle générale, les Juifs ne sont autorisés à pratiquer que le petit commerce, l'artisanat et le prêt.

Les Sépharades

Ce que nous ne saurions nous expliquer vraiment aujourd'hui, c'est la coexistence des Chrétiens, Musulmans

Symbole héraldique d'Israël, le chandelier à sept branches y demeure un thème-clé de l'art moderne : il apparaît très simple dans ce vitrail de Chagall à l'hôpital Hadassa de Jérusalem, tandis qu'il se dresse, géant et ouvragé, devant le Parlement.

Lieu sacré parmi les lieux sacrés, où se sont déversées toutes les larmes de la ferveur juive : le Mur des Lamentations.

et Juifs en Espagne, là où l'Islam a pu prendre pied. Ils œuvrent en commun pour la plus grande gloire du pays. Ils préparent son âge d'or. Des Chrétiens embrassent la foi de Mahomet, des mahométans se font baptiser. Les Juifs, eux, du moment qu'on ne les persécute pas, restent juifs. L'Islam, là où il acquiert la primauté, n'y voit aucun inconvénient majeur, pourvu que les Juifs ne s'opposent pas politiquement à son gouvernement. Abd-el-Rahman, calife de Cordoue, a un ministre juif : Hasdraï ben Saprouth. A Séville, à Saragosse, d'autres Juifs sont appelés à de hautes fonctions. Cette tolérance n'est pas l'apanage du seul Midi de l'Espagne. En Castille restée chrétienne, Alphonse VI confie à des diplomates juifs les négociations avec ses voisins arabes.

Savants, penseurs, poètes, écrivent en hébreu et en arabe. Les Juifs s'évadent du corset talmudique; les Chrétiens, les Arabes s'intéressent aux Livres sacrés, apprennent l'hébreu. La philosophie, la poésie, l'art, se discutent ouvertement sur les plans religieux et profane, dans une totale liberté de pensée et d'expression.

Le plus connu des intellectuels juifs reste Moïse ben Maïmon, Maïmonidès (1139-1209) élève d'Averroës l'Arabe. Le Musulman Avicenne avait accordé la philosophie d'Aristote à la pensée arabe. Dans son *Guide des Egarés*, Maïmonidès l'adapte à la Thorah. A en croire Casaubon, le bibliothécaire d'Henri IV, « Maïmonidès est le premier des rabbins qui ait cessé d'écrire des balivernes. » Il est l'auteur des *Treize articles de la foi* qui sont encore lus dans les synagogues. Citons encore deux noms célèbres de cette période : Abraham ben Ezra, poète, philosophe et mathématicien, ainsi que Benjamin de Tudela, l'infatigable voyageur qui, de 1160 à 1173, parcourut l'Europe, l'Asie et l'Afrique, visitant les communautés juives et décrivant leur existence dans son *Itinéraire de Benjamin*, précieux bréviaire de tous ceux qui s'intéressent à la seconde moitié du XIIe siècle.

Lorsque, deux siècles plus tard, Henri le Navigateur, infant du Portugal, (1394-1460) créera sa célèbre Académie de Sagres, véritable *brains-trust* de l'exploration et de l'astronomie, Chrétiens, Arabes et Juifs y siégeront encore côte à côte.

Au XVe siècle, Ferdinand, par son mariage avec Isabelle, allie la couronne de Castille à celle d'Aragon. Les époux régneront la main dans la main et feront tous leurs efforts pour mériter le surnom de Rois Catholiques. En 1492, le dernier bastion de l'Islam tombe sous leurs coups et les Musulmans abandonnent Grenade. La même année, les Rois Catholiques, expulsent de l'Espagne unifiée les Juifs qui n'acceptent pas le baptême. On est généreux avec eux : ils ont trois mois pour vendre ou donner leurs biens; ils peuvent tout emporter, sauf l'or et l'argent.

C'en est également fini de la communauté juive la plus grande, prospère et libre, la plus célèbre d'Europe. Les Juifs s'en vont. Certains, persuadés qu'ils seront bientôt autorisés à revenir, verrouillent leur porte et emportent la clé de la maison. Tout aussi inconsciente, l'Espagne chasse son élite intellectuelle, ses savants, ses grands commerçants. Selon Salvador de Madariaga, la péninsule ibérique, pour les Juifs, avait été une patrie à l'ancienneté. La tradition ferait remonter les premiers établissements juifs à l'époque de Salomon. La fondation de Tolède leur serait due. « Entre la vague d'immigration qui suivit la destruction du Temple en 73, et leur expulsion en 1492, les Juifs ont été mêlés si profondément à la vie du pays, que l'Histoire d'Espagne ne saurait s'écrire sans eux. »

La mort dans l'âme, ils émigrent dans les pays qui bordent la Méditerranée. L'Italie, la Turquie, les Balkans les accueillent. Quelques-uns marchent vers le nord et demandent l'hospitalité des Pays-Bas. En 1939, on y comptera une colonie de 10 000 Sépharades. (Ils ont aujourd'hui pratiquement disparu.) D'autres sont reçus au Portugal, moyennant finances. En 1498, le Portugal imite sa grande sœur l'Espagne et les Juifs doivent aller plus loin; par delà les mers parfois, dans ce Nouveau Monde qui ne porte pas encore son nom d'Amérique. Ils n'étaient pas obligés de s'expatrier. Voici des siècles que l'oppression religieuse, l'Inquisition, leur offre le choix, périodiquement, entre la conversion et la mort ou l'expulsion. Les plus acharnés, comme toujours, sont les *conversos*, les convertis, qui ne pardonnent pas à leurs anciens coreligionnaires de ne point suivre leur exemple.

En ce début du XVIe siècle, la bête noire de l'Église est moins le Juif que le *marrano*, le converti de force qui pratique toujours, en secret, le rite juif. Il est traqué sans pitié. Le nombre de marranes qui occupent néanmoins de hautes positions est ahurissant. On s'efforce de croire fermement que si l'on brûle les corps, du moins, on sauve les âmes. Lorsque Ferdinand et Isabelle prennent les rênes du pouvoir, la fièvre évangélisatrice est déjà à son comble. Le plus extraordinaire est que le royal mariage ait été négocié, préparé et réalisé par un converso : Mosén Pedro de la Caballeria, et deux Juifs non-baptisés, Don Abraham le Vieux de Castille et Don Selomo d'Aragon.

Les autorités spirituelles juives lancèrent alors le *cherem*, l'anathème, contre l'Espagne. Entre 1940 et 1945, le régime de Franco ouvrit toutes grandes les portes de l'Espagne aux réfugiés sépharades. Il en fut qui préférèrent les risques de la Gestapo plutôt que de retourner dans leur pays d'origine : le cherem n'avait pas été rapporté.

En France, en Angleterre, en Allemagne...

En France et en Angleterre, après les massacres itinérants des Croisades, les Juifs dressent leurs quartiers dans les villes à l'écart des Chrétiens. Ceux qui vivent à la campagne, fuyant l'isolement qui risque de leur coûter la vie, viennent les rejoindre. Ils avaient jusque-là été les intermédiaires entre l'Europe et l'Asie. Désormais, les Chrétiens commerçaient directement avec l'Orient. Trois métiers restaient ouverts aux Juifs : l'artisanat, le petit commerce et le prêt à intérêt. Encore, cette dernière activité, forcément réservée aux riches, n'était-elle autorisée que contre paiement d'impôts spéciaux.

Une assemblée d'évêques réunie en 1215 par le pape Innocent III a décidé que les Juifs devaient se reconnaître extérieurement par l'habillement. Ils se distinguent dorénavant par une pièce d'étoffe jaune — *la rouelle* — sur leur manteau ou leur coiffure. La coutume se répand, gagne l'Allemagne. C'est vers cette époque aussi que s'instaure l'institution des *disputes*. Rabbins et prêtres se rencontrent, parfois en public, pour discuter de points précis de leurs doctrines respectives. Il est évident qu'à ce jeu, le Juif ne peut jamais être vainqueur. Si ses arguments l'emportent, il encourt, ainsi que sa communauté, de sévères représailles : ne lui reproche-t-on pas avant tout d'être déicide ? S'il est battu, les moqueries dont on l'accable se terminent généralement fort mal pour lui et les siens.

Philippe le Bel renouvela en 1306 le geste de Philippe-Auguste et chassa les Juifs de Paris en confisquant leurs biens. Son fils, Louis X, dit le Hutin, les rappela parce que, prétendait-il, « le cri de notre peuple l'exige ». Un refrain populaire de l'époque nous permet de mesurer ce que furent les quarantes années pendant lesquelles la population, bon gré, mal gré, était livrée aux prêteurs non-juifs :

« Rendez-nous nos Juifs si bons et débonnaires... »

Vinrent ensuite pour les Juifs les permis de séjour temporaires qu'il convenait de renouveler en payant des sommes exorbitantes. Enfin, en 1394, Charles VI, dit, à la fois, le Bien-aimé et l'Insensé, publia l'édit d'expulsion perpétuelle des Juifs. C'est à peine si quelques communautés subsistèrent dans les provinces indépendantes de Provence et d'Avignon. Cent ans plus tôt, la même mesure avait frappé les 16 000 Juifs d'Angleterre. Là aussi, ils avaient trois mois pour « réaliser » leurs biens.

Transplantés, les Sépharades tentent de s'accommoder de leurs nouvelles conditions de vie. Leurs frères ashkénazes se regroupent : leur centre principal est en Allemagne à présent. Ils dépendent directement des seigneurs ou de l'empereur à qui ils paient des redevances pour exercer les seules activités permises, toujours les mêmes : artisanat, petit commerce, change. Ils sont astreints le plus souvent à un habillement distinctif, volontiers ridicule. Mais la persécution n'est que sporadique. Certes, les superstitions ont la vie dure et les histoires de meurtre rituel, d'hostie profanée, circulent toujours.

En 1348, la peste arrive d'Asie. Les Juifs ont sûrement empoisonné les puits. 2 000 d'entre eux sont brûlés vifs à Strasbourg. A Cologne, Mayence, Worms, Francfort, des milliers de rescapés chrétiens de la *mort noire*, égorgent des milliers de Juifs qui ont survécu à la peste. Les routes se couvrent de fuyards qui se dirigent vers l'Est.

A l'Est de l'Europe

En Pologne, dès 1264, le prince Boleslas a établi un statut relativement libéral des Juifs. Rien de nouveau sous le soleil : le petit commerce, le prêt d'argent, l'artisanat, contre de substantiels impôts. En revanche, ils administrent leurs communautés et ont droit à la protection des autorités. Son successeur, Casimir le Grand, (1333-1370) continue sa politique de tolérance. Des centres importants se développent à Poznan, Cracovie, Lwow. Le duc de Lithuanie, Vitold, suit l'exemple polonais. Quelques alertes, cependant, comme le massacre à Cracovie, en 1406.

La Russie demeure fermée aux étrangers en général et aux Juifs en particulier. Un incident assez étrange : un certain Zacharie, de Kiev, convertit au judaïsme des prêtres chrétiens de Novgorod. Ceux-ci se rendent à Moscou et y font des adeptes qui créent la secte des « Chrétiens judaïsants » (1480). Dès 1504, Ivan III le Grand fait brûler les chefs de cette bizarre déviation spirituelle. En 1563, Ivan le Terrible, ayant conquis la ville de Polotsk et se souvenant vraisemblablement de la subversion vieille d'un demi-siècle, ordonne de noyer dans la Dvina tous les Juifs, hommes, femmes, enfants, veillards, « sauf ceux qui recevront le baptême ».

En 1648, cela devient beaucoup plus sérieux. Le chef cosaque ukrainien Khmielnitzki prend la tête d'une révolte contre les propriétaires fonciers polonais. Pendant trois ans, les Juifs font les frais de l'opération. Le sang n'a pas le temps de sécher vraiment qu'éclate le soulèvement des Cosaques paysans : les *Haïdamaks*. Cette fois encore, le mouvement est dirigé contre les seigneurs et les prêtres. On y ajoute le Juif pour faire bonne mesure. La grosse plaisanterie consiste à pendre un prêtre, un Juif et un chien à un seul arbre, avec un écriteau explicatif : tous de la même religion.

Le vingtième siècle entend plus que de raison des accusations de meurtre rituel qui, pourtant apparaîtraient impensables aux esprits d'aujourd'hui. Elles sont le fait des régions intellectuellement arriérées de l'Europe, bien sûr. Les nations évoluées, elles, reviennent au « déicide ». Le Concile Œcuménique met le point final, théoriquement, à ce grief en votant à une immense majorité le texte qui lave les Juifs de ce crime : 1965.

Le judaïsme connaît encore quelques sursauts. Les Sépharades ne se sont ni résignés ni enfermés dans l'étude des Livres Saints. Dans le présent ouvrage, le paragraphe consacré à Safed relate l'effort des érudits pour ouvrir des voies mystiques à l'enseignement talmudique. Celui sur Tibériade rappelle la généreuse tentative de Joseph Nassi et de sa belle-mère, Doña Gracia de Luna pour y établir, avec l'assentiment du sultan, une colonne juive. Il y a aussi la série des prophètes, des illuminés. Le plus célèbre d'entre eux, Sabetaï Zwi, est né à Smyrne. Il se proclame Messie en 1648. En 1666, il exige, à Constantinople, « la restauration de son peuple ». Une brusque flambée d'espoir embrase les esprits (mouvement *deunmé*). L'enthousiasme tourne court : plutôt que d'affronter la mort promise par le sultan, le pseudo-messie se fait musulman.

Ensuite, il y eut le mouvement *frankiste*, pendant ashkenaze au deunmé sépharade. Un Juif d'Ukraine, Jacob Frank, reprit et élargit les théories de Zwi, en les adaptant à la vie quotidienne en milieu chrétien. Condamnés sévèrement par les autorités spirituelles juives, les Frankistes n'hésitent pas à se tourner vers l'évêque Dembrowski, en accusant le Talmud, — une fois de plus, — d'hostilité envers le christianisme. Aussi, après des controverses publiques mouvementées, le Talmud fut-il solennellement brûlé. Mais le résultat le plus évident est encore le dilemne offert aux Frankistes : la Croix ou la vie. Ils se firent baptiser. Jacob Frank mourut en Allemagne en 1791, laissant quelques adeptes.

Il y eut aussi l'enseignement du rabbin Becht, qui, à la fin du XVIIIe s. créa le mouvement dit des *Hassidim* (les fervents). Il tenta d'imprégner de joie la présence de Dieu dans le cœur de l'homme et la nature qui l'entoure. Mais cet élément positif de bonheur disparaît bien vite parmi les querelles qui s'ensuivent. Méprisés ici où ils sont en minorité, par les Juifs non-Hassidim, affectant, là où ils sont les plus nombreux, des airs de supériorité, les « fervents » sont bientôt confondus avec les bigots de la religion juive.

Ces ultimes désillusions emportent l'espoir. On peut dire que le poignant désespoir des Juifs date de cette époque. Sans renoncer, le Sépharade se résigne provisoirement à vivre dans le siècle; l'Ashkenaze se réfugie dans l'étude des Livres Saints. Lorsque le mysticisme ne les cloue pas sur place, l'un et l'autre émigrent, accourant vers le coin du monde où l'homme se montre tolérant.

Le Juif de Cour

En Europe Centrale, le « bon Juif » a fait son apparition. C'est le *Hofjude*, le Juif de Cour. On le retrouvera au début du XXe siècle, devenu *Hausjude* — le Juif de la maison — dans l'intimité des pires antisémites qui s'exclameront, avec quel regret : « Ah! Si tous les Juifs étaient comme vous! »

Le Hofjude naît de l'alternative devant laquelle se trouve placé le petit prince « moyen », en Allemagne. Pris entre le désir de son peuple, de retrouver la tranquillité d'avant la Guerre de Trente Ans, et sa propre envie d'égaler les fastes de Versailles; entre sa volonté de régner et ses obligations envers les nobles, il adopte un moyen terme : il emploie un Juif qui fera le travail et servira de tampon. La solution n'est pas mauvaise. Débrouillard, courtois, intelligent, le Hofjude expédie les affaires courantes sur instructions de son maître et trouve les accents qu'il faut pour apaiser d'éventuelles colères chez les courtisans. Surtout, il ne leur porte pas ombrage : il ne saurait, étant juif, monter assez haut.

La formule fait florès. Que risque-t-on ? Les privilèges dont il jouit, individuellement, sont révocables à vue. Sa fortune dépend exclusivement du bon plaisir de son employeur, de l'adresse qu'il apporte à lui obéir. Le Hofjude est un simple exécutant des suggestions approuvées par son maître, sans pouvoir personnel, uniquement susceptible de conseiller.

C'est par là qu'il est à ménager. Il va sans dire qu'un Juif étant en place, ses coreligionnaires respirent. Lentement, timidement dirait-on, on revient, on reconstitue des communautés discrètes. On se fait tout petit au début, pour ne pas gêner le grand frère. Insensiblement, comme rien ne se passe, la vie reprend. Cette relative accalmie semble paradisiaque. D'Allemagne, elle s'étend à l'Empire austro-hongrois. Lessing, cœur généreux, peut impunément prendre la défense des Juifs dans *Nathan der Weise*, (Natan le sage), et publier les œuvres de son ami le philosophe Moses Mendelssohn. Celui-ci renouvelle l'éternelle tentative d'adapter la culture et la vie juives à la culture et la vie européennes. Sa fille Dorothée épousera l'écrivain allemand Schlegel; son fils Abraham se fait baptiser; son petit-fils Félix sera un compositeur célèbre. L'institution du Hofjude débouche sur l'assimilation.

Ashkenazes et Sépharades ont été jusqu'ici géographiquement séparés. Ils vont se rencontrer, mais ne fusionneront pas. Une centaine de milliers de réfugiés, Ashkenazes descendus du nord, venus de l'est, Sépharades montés du sud, s'installent dans les deux provinces sous domination turque qui vont être, plus tard, intégrées au royaume de Roumanie. Le pays est encore plus primitif que la Pologne déchirée entre ses voisins. Tout est à créer. Des siècles après, les Gardes de Fer se vengeront sur les Juifs de ce que l'orgueil national leur doit l'extraordinaire prospérité dont jouit la Roumanie. On est en droit de dire que l'économie roumaine tout entière au XIXe siècle est l'œuvre des Juifs de Valachie et de Moldavie. La Bulgarie est dans le même cas, à cela près que le pays est moins riche.

En Russie, en Pologne, l'existence est à la fois plus douce et plus rude. A jeun, hobereau et paysan réagissent chacun à sa façon vis-à-vis du Juif. Le premier exige avec morgue, le second n'ose trop montrer son hostilité. Tous deux ont besoin de lui : l'un de son entremise, de son argent, l'autre des marchandises qu'il est seul à apporter dans les coins les plus reculés, de crédit pour les acquérir, de services qu'il peut rendre. Avec un verre dans le nez, ils frappent; au palais c'est le knout, dans les champs c'est un fléau. A partir de deux verres, ils sont prêts à tuer; sabre par-ci, fourche par-là. Il arrive même que l'ivresse de l'alcool ou de la haine comble le fossé social. La mort d'un Juif n'est qu'un incident banal; l'assassinat de plusieurs Juifs au cours d'un joyeux bain de sang, avec femmes et filles violées puis éventrées, a désormais les honneurs du vocabulaire : c'est un pogrom.

On pourrait croire que le malheur commun unit les Juifs. Les Chrétiens bien intentionnés ont coutume de dire : ce que nous admirons chez les Juifs, c'est leur sens de la famille, leur solidarité. C'est mal connaître l'homme en général. L'Est est le fief des Ashkenazes; la Méditerranée, les Balkans, celui des Sépharades. Là où ils se rencontrent, en Roumanie, en Hollande, un peu partout par la suite, une rupture se produit entre eux, sociale et rituelle. Pour avoir été moins humilié, plus rarement massacré, pour avoir malgré tout connu les splendeurs de la Renaissance après huit siècles de citoyenneté à part quasi-entière, pour avoir trouvé un havre après la catastrophe du XVe siècle, le Sépharade se sent supérieur à l'Ashkenaze enfermé dans son ghetto, étudiant sempiternellement son Talmud à la lueur d'une maigre chandelle. En outre, ils parlent deux langues différentes, l'espagnol et l'allemand, paralysés dans leur forme moyenâgeuse. Lorsqu'ils lisent les mêmes textes hébraïques, immuables, de la prière ancestrale, chaque mot est prononcé différemment. Le mépris de l'Ashkenaze pour le Sépharade prend sa source dans la foi inébranlable qui est la sienne, bien moins rigoureuse chez l'ancien frère. Les synagogues se séparent, les rites aussi.

Emancipation et antisémitisme

Le XVIIIe siècle sépare encore une fois les Juifs. L'Occident les émancipe enfin. La Russie, après les partages de la Pologne, les asservit davantage. Au sud, les mouvements de libération des peuples sous le joug turc se dessinent : les Juifs s'y trouvent entre le marteau et l'enclume.

En Europe Centrale, le fils de la grande Marie-Thérèse, Joseph II, publie en 1782 l'Édit de Tolérance qui incorpore les Juifs à la société austro-hongroise. C'est l'officialisation des Hofjuden, la récompense de leurs longs et loyaux services. Si les nouveaux citoyens sont désormais à considérer comme des êtres à part plus ou moins entière, il leur faut cependant adopter un nom de famille. Ils se présentent en foule aux bureaux d'État-Civil. Sauf lorsqu'ils ont de la chance et ont une proposition « acceptable » à formuler, c'est l'employé qui choisit. Généralement, il est neutre, indifférent et se rabat sur la ville d'origine : l'habitant de Wien (Vienne) s'appellera Wiener, celui de Neustadt, Neustädter. Le cas échéant, la profession servira de base. Schneider est un tailleur, Singer, un chanteur. Mais ce fonctionnaire est parfois aigri, ou plus simplement antisémite. Il affublera alors le postulant d'un nom propre à éveiller la moquerie : *Veilchenduft*, (parfum de la violette), *Sonnenschein* (rayon de soleil). Les trouvailles les plus courantes s'inspirent assez naïvement de la nature et sont formés de mots-base *Berg*, (montagne) *Feld* (champ), en combinaison avec des fleurs, Blumenfeld, Rosenberg, avec des couleurs, Grünberg, avec le rêve éternel de l'or : Goldberg, etc.

En France, la Révolution abolira d'un trait de plume toute différence entre les diverses confessions. On connaît la célèbre apostrophe de l'Abbé Grégoire à l'Assemblée Nationale qui venait d'adopter la Déclaration des Droits de l'Homme : « Cinquante mille Français s'endorment ce soir comme serfs, faites en sorte qu'ils se réveillent demain citoyens libres ! » Le comte de Clermont-Tonnerre résume l'opinion générale par ces mots : « Nous n'accordons rien au peuple juif, tout au citoyen juif. »

Depuis Cromwell, les Juifs pouvaient retourner en Angleterre (1649). Mais leur émancipation totale ne se fit qu'au XIXe siècle. De grandes familles jouissaient depuis longtemps de leurs droits civiques. Il n'en allait pas de même pour les droits politiques. Élus, par exemple, conseillers municipaux ou députés, ils ne pouvaient évidemment pas prêter serment selon la rigide formule consacrée : « Je jure par la foi d'un Chrétien. » Les débats pour l'abolition de cette loi du serment durèrent une trentaine d'années et n'aboutirent qu'en 1858. En 1874, un Juif, Disraeli, devenu Lord Beaconsfield, est l'ami de la reine Victoria et son Premier Ministre.

Les Juifs étaient revenus, en petit nombre d'abord, un peu partout en Europe. Les « idées avancées » lancées par les Encyclopédistes commençaient à ranger l'intellectuel parmi les défenseurs naturels des minorités, au fur et à mesure que l'instruction libérait les esprits de la main-mise théologique. Après la Révolution Française, les armées de Napoléon imposèrent aux nations vaincues les mesures de tolérance votées en France. Mais à l'échelle individuelle, l'hostilité demeurait ancrée dans les cœurs : elle avait duré trop longtemps pour être effacée du jour au lendemain. De leur côté, les communautés juives avaient de bonnes raisons pour continuer à se méfier de leurs voisins. Elles restèrent groupées. Les ghettos où on parquait obligatoirement les indésirables demeuraient à présent volontairement clos. Conservant leur administration intérieure autonome, ils se soumettaient aux décisions de leurs sages qui se réunissaient régulièrement. Le « Conseil des Quatre Pays » (Pologne :

Poznan; Petite Pologne : Cracovie; Podolie-Galicie : Lwow-Lemberg; Volhynie : Ludmir) représentait à peu près l'équivalent d'un Parlement juif. Il y avait également le « Conseil des Grandes Communautés » : Grodno, Pinsk, Vilna, etc.

La régression, assez discrète, se produisit au début du XIXe siècle après le Congrès de Vienne, en Europe Centrale et Orientale. Des entraves à la liberté des Juifs ressurgirent, moins sérieuses qu'autrefois, mais qui freinaient l'épanouissement de leur activité, sitôt qu'ils désiraient s'intégrer à la vie sociale du pays. *Numerus clausus* restreignant leur admission dans les universités, barrières, avouées ou non, dans les professions libérales, plafonds dans les hiérarchies des Services Publics, interdictions de résidence dans certains districts, vexations de toutes sortes.

En Occident, les populations s'étaient habituées à la présence des Juifs depuis que ceux-ci arrivaient sous l'étiquette de « néo-Chrétiens », marranes fuyant les rigueurs de l'Inquisition. C'est ainsi que purent se reconstituer dans le Midi de la France de prospères communautés réintégrant le Judaïsme après avoir, sous la contrainte, apparemment embrassé la foi chrétienne. A son tour, l'Alsace, conquise par l'Allemagne, reçut des contingents juifs venus de l'Est, dès la fin du XVIIe siècle. Dans la France d'alors, une dizaine de milliers de Juifs sépharades vivaient au sud, et quelque quarante mille au nord, essentiellement en Alsace.

Au fur et à mesure que s'exerce maintenant la pression spirituelle du libéralisme occidental, les barrières qui endiguent encore l'émancipation juive sautent l'une après l'autre au XIXe. Ce siècle ne connaît encore qu'accessoirement les passeports. Beaucoup d'hommes se rendent aux États-Unis, y gagnent d'abord de quoi payer la traversée à leur famille et, une fois celle-ci réunie, se mettent furieusement au travail. Ils sont sauvés. Les irréductibles restent, soit qu'ils soient attachés à une terre ingrate, soit qu'ils n'acceptent pas l'idée physique de l'injustice possible, soit encore qu'ils fassent confiance à l'homme, à ce sens de libération qu'ils interprètent dans le sens d'une assimilation totale, c'est-à-dire d'une conversion librement consentie. Marx et Heine naîtront de parents déjà chrétiens. Le sociologue, dégagé de toute attache confessionnelle, jettera parfois la pierre à ceux qui s'encroûtent dans les voies sans issue de la contemplation mystique. Le poète avouera souvent ses regrets.

Il faut enfin dire que, dans l'ensemble, le Juif polonais se sent polonais, même traité en minorité, le Juif russe se sent russe, même lorsqu'il milite dans les groupes révolutionnaires, le Juif anglais se fait du souci à propos des Indes et le Juif français se préoccupe du salut de la République.

Délaissant les *yeshivoth* talmudiques, les enfants juifs fréquentent les écoles, primaires, secondaires, éventuellement, les universités. Bloqués à l'Est par le *numerus clausus*, des étudiants viennent chercher leurs diplômes là où ils sont accessibles. Chez eux, hélas, la fureur populaire se déchaîne encore. En Roumanie, à Bucarest et Jassy, en 1866, dans d'autres villes en 1870, 1873, des pogroms endeuillent les communautés juives. En Russie, un décret de Nicolas Ier (1827) a instauré le service militaire de 25 ans pour les Juifs, espérant par là les amener au baptême. Son successeur, Alexandre II, en abolissant le servage des paysans, apporte quelque soulagement au sort des Juifs (1861). L'Administration commence à les admettre dans ses rangs. Puis, la renaissance en Allemagne du vieux mythe du meurtre rituel, les procès scandaleux de Xanten (1892), de Konitz (1900), mettent le feu aux poudres, déclenchent de nouveaux pogroms. Un autre procès de meurtre rituel s'ouvre en Hongrie (1884) : les accusés sont tous reconnus innocents. Vienne, indignée, élit un maire antisémite, Lueger. L'Occident n'est pas épargné : l'affaire Dreyfus éclate en France à la fin du XIXe siècle. Et ce n'est pas la dernière vague. L'Europe devait encore connaître Hitler.

Les couches réactionnaires de la société de façon avouée, les autres en s'en défendant, continuent à s'opposer à ce qu'elles appellent, ouvertement ou en secret : l'envahissement juif. Ils sont, avant le Troisième Reich, seize millions de par le monde entier, sur deux milliards et demi d'habitants du globe. Si véritablement, pourrait-on raisonner, ces seize millions sont capables, à eux seuls, de dominer le reste des populations terrestres, c'est que ces deux milliards, quatre cent quatre-vingt-quatre millions d'individus ne méritent pas mieux. Mais l'idée qui circule dorénavant est que le Juif bénéficie d'une intelligence innée, spéciale, lui permettant d'accumuler argent et honneurs, puissance et autorité, au détriment des nationaux; que, sitôt le pied à l'étrier, il s'empresse d'introduire ses coreligionnaires dans les postes-clé. On accuse les Juifs de conspiration pour l'hégémonie mondiale. Le *Protocole des Sages de Sion* est le prétendu compte-rendu des réunions au cours desquelles ont été jetées les bases du complot. On se l'arrache malgré les mises en garde de tout ce qui compte dans la pensée de chaque nation. Des procès retentissants aboutissent à la sévère condamnation de ce faux. Rien n'y fait. L'ouvrage calomnieux est réimprimé plusieurs fois. On le trouve toujours chez les bouquinistes, condamné, interdit, mais encore apte à semer la haine.

En guise d'avantage sur les autres peuples, le Juif n'a jamais bénéficié — si l'on peut dire — que d'un sol brûlant sous les pieds. Jusqu'à la proclamation de l'État d'Israël, il s'est toujours senti condamné à fuir et fuir encore l'absurde antagonisme de ses compatriotes anciens et nouveaux. Il savait que le temps de prendre son temps lui manquait. Il savait qu'un jour où l'autre, il aurait besoin d'argent pour racheter sa liberté, sa vie, celles des siens. Ce sont là des sentiments, des sensations qui donnent des ailes. C'est la persécution, l'intolérance, qui affinent la perception de cet éternel transplanté.

Sionisme et mandat britannique

La fin du XIXe siècle est marquée par la naissance du Sionisme. Un journaliste austro-hongrois, né à Budapest, Théodore Herzl, concrétise dans un livre inspiré, *L'État Juif* (publié en 1896), l'aspiration de tout un peuple, que tant d'écrivains avant lui avaient tenté d'exprimer : Hess, Ahad-Haam, Alkalay, Pinsker. Soudain prenait forme la nostalgie qui n'avait jamais cessé de brûler dans tous les cœurs : Jérusalem.

On manque de courage pour parler du XXe. Une nation consomma un crime à tel point démesuré que la postérité forgea un mot pour le désigner : génocide. L'un et l'autre phénomène, sionisme et génocide, sont suffisamment connus pour que l'on ne s'attarde pas aux détails.

Le mouvement de libération juive naquit dans les sphères culturelles. La deuxième moitié du XIXe siècle vit un renouveau des lettres hébraïques en Europe orientale, patrie de la majorité juive. Un sentiment se développait tendant à la création — ou plutôt la re-création — d'un peuple uni, d'une nation. Le seul des attributs traditionnels qui manquait aux Juifs était une terre à eux. Possédés par cette conviction, des groupuscules d'idéalistes partirent s'installer sur les territoires de leurs anciens aïeux, placés alors sous la domination turque. Une pensée-maîtresse les soutenait : mériter la rédemption de leur peuple à travers celle de ce sol abandonné depuis deux millénaires. Des hommes nés dans les villes, qui n'avaient jamais pratiqué de travail manuel, devinrent des paysans. Ni la malaria, ni l'hostilité croissante des populations qui les entouraient, n'avaient raison de leur obstination. A force de patience, de ténacité, d'invention, d'efforts surhumains, ils réussirent à créer des centres agricoles dans ce qui n'était que désolation avant eux.

Août 1914 : les 43 colonies juives totalisent 12 000 âmes en Palestine. Leur apport atteint 90 % de la production vinicole, 30 % de celle des agrumes. Les villes suivent le mouvement. A Jérusalem, les Juifs sont en majorité : 45 000 (contre 14 000 en 1881). Dans le pays, il y a 85 000 Juifs.

Novembre 1917 : le Gouvernement Britannique publie la Déclaration Balfour. Il s'engage à « employer tous ses efforts dans le but de faciliter l'établissement en Palestine d'un Foyer pour le peuple juif. » Il s'agit d'un « acte de réparation historique », ainsi qu'il est dit dans le préambule au Mandat, rédigé par les services anglais eux-mêmes. On reconnaît sans ambiguïté les attaches du peuple juif et de la terre palestinienne.

Juillet 1922 : la Société des Nations approuve le Mandat et confie à la Grande-Bretagne la mission « d'établir dans le pays les conditions politiques, administratives et économiques propres à garantir la formation d'un Foyer National Juif » (Art. 2) ainsi que « d'encourager l'immigration juive » (Art. 6).

Les efforts dans ce sens ne sont nullement ménagés. Tandis que des pionniers accourent de toutes parts, que des milliers de citadins retournent à la terre, on dresse les structures pour un régime administratif provisoire. Les dispositions arrêtées n'ont pas de précédent dans la législation internationale; le mandat britannique ne saurait se comparer à aucun autre mandat. *L'Agence Juive*, — organisation sioniste — reconnue d'utilité publique, est appelée à collaborer avec l'Administration « à l'instauration du Foyer National Juif dans l'intérêt des populations juives » (Art. 4).

Tout est pour le mieux dans le meilleur des mondes. Cela va changer.

La tâche qui consiste à absorber une masse d'immigrants sans porter préjudice aux habitants établis dans le pays, n'est, certes, pas aisée. Elle n'a pas non plus de précédent et le *Colonial Office*, à Londres n'est lié par aucune tradition en la matière. Les anciens officiers de l'Armée anglaise recrutés par l'Administration ont l'habitude de populations arriérées. Ils ne parviennent pas à créer un contact avec ce peuple ancien et futur, supercivilisé et parfois attaché à des coutumes frisant la superstition, complexe, à la fois servile et fier, placé dans une situation unique. Dans ces conditions, tout ce qui dépend de l'impulsion technique, l'agrandissement du port de Haïfa, le percement de routes, l'approvisionnement en eau potable, etc. connaît un soudain essor. On sait s'occuper des contrées sous-développées. Mais l'Administration anglaise et les immigrants restent de part et d'autre d'un mur.

Les dirigeants sionistes de leur côté, le docteur Chaïm Weizmann en tête, se préoccupent activement de maintenir les meilleures relations avec le monde arabe. Les attaques des pillards, les provocations de féodaux qui voient d'un œil soucieux le *fellah* faire connaissance avec des salaires plus réguliers et plus élevés, qui excitent les masses contre les nouveaux venus, rien ne les détourne de ce principe fondamental de leur politique : collaboration à tout prix avec les Arabes. Ils l'affirment publiquement après les massacres de 1932; ils le répètent après ceux de 1936. La terreur, l'animosité, ne sauraient détruire les liens créés par une origine commune, des siècles de civilisation commune ni, surtout, la communauté d'intérêts dans le renouveau palestinien. C'est dans cet ordre d'idées que s'associent les plantations juives et arabes d'orangers, pour s'ouvrir des débouchés communs; que les syndicats juifs fixent les normes de travail pour ouvriers juifs et arabes sans discrimination; que les écoles juives enseignent la langue arabe; que l'une des premières chaires créées à l'Université Hébraïque est celle des Études Orientales, destinée à pourvoir en professeurs d'arabe les écoles primaires et secondaires. En un mot : il n'y a pas, au départ, d'hostilité innée entre les deux peuples. Si les pillards bédouins attaquent les colonies juives, c'est, principalement parce qu'il n'y en a pas d'autres à offrir les mêmes perspectives de butin facile.

Pour les dirigeants arabes le problème est de sauver les meubles. Ils ont eu jusqu'ici une autorité féodale sur les populations et celle-ci se trouve menacée par l'introduction de mesures sociales. Ils fanatisent les masses en répandant les peurs irrationnelles, en réveillant les vieilles haines religieuses. Une aide extérieure substantielle leur est fournie par les gouvernements fascistes qui ne demandent qu'à compliquer la tâche des diplomates britanniques. Ils exploitent le manque d'enthousiasme de l'Administration débordée, prête à apaiser les explosions de violence par des concessions politiques. Or, celles-ci ne peuvent s'accorder sans trahir l'esprit de la Déclaration Balfour.

Pour commencer, on cède à la pression arabe : la Transjordanie est exclue des effets du Mandat quant à la création d'un Foyer National Juif, ce qui ferme à l'immigration et au défrichement, la plus grande partie du territoire alloué. Ensuite, au fur et à mesure que l'effort juif crée des possibilités d'absorption pour de nouveaux immigrants, l'Administration, pour calmer l'agitation arabe, multiplie les difficultés : les systèmes agraire et fiscal sont à présent tels qu'ils découragent la colonisation. L'activité juive qui a soulevé tant d'approbations au début, est bientôt tolérée, puis délibérément freinée.

Une Commission Royale, en 1936, conclut à la nécessité d'un État Juif souverain, mais limite celui-ci, *grosso modo*, à un vingtième des terres primitivement concédées. Le projet est adopté. Cette acceptation met l'Administration mal à l'aise; elle se méfie sans savoir pourquoi exactement. Sur ce feu qui couve, les Arabes répandent de l'huile. Les fonctionnaires en fin de compte se montrent à tel point tâtillons que le plan débouche sur l'absurde. C'est alors qu'est asséné le coup mortel.

Dans l'intention de détourner les masses arabes de l'axe Rome-Berlin, le Gouvernement britannique publie son Livre Blanc qui réduit l'émigration à 75 000 têtes par an. Pour mettre le comble à l'insatisfaction générale, le Haut-Commissaire reçoit pouvoir d'interdire le transfert de Juifs dans certaines régions, de créer les conditions d'établissement, dans les dix années à venir, d'un gouvernement palestinien basé sur la « population actuelle » du pays. Elle est aux deux tiers arabe! 63 % du territoire palestinien sont fermés aux Juifs. Dans les 37 % du restant, d'importantes restrictions sont apportées à l'acquisition de terres par l'Agence Juive. L'émigration bloquée, les Juifs palestiniens se voient condamnés, dans leur « Foyer National », à n'avoir jamais qu'un statut de minorité.

La Commission des Mandats déclare le Livre Blanc incompatible avec la mission assumée par la Grande Bretagne en Palestine, alors que celle-ci a été formulée par elle-même. Churchill et Amery, pour le Parti Conservateur, les dirigeants travaillistes dans leur ensemble, dénoncent cette trahison au Parlement de Londres. Rien n'y fait.

Les effets psychologiques du Livre Blanc sur les intéressés sont particulièrement graves. La turbulence arabe est primée, la patience, la compréhension juives pénalisées. Ainsi tous les efforts prodigués ne serviraient même pas à arracher aux persécutions hitlériennes les Juifs allemands qui souffrent dans leur chair. Tous les espoirs sont détruits! Et pourquoi? La deuxième guerre éclate et le Mufti de Jérusalem ne cesse de clamer que les Musulmans sont aux côtés de l'Allemagne!

Les Juifs n'en décident pas moins d'observer une trêve à l'égard de l'Angleterre. Pourtant, cette barrière qu'elle dresse sur les côtes de Palestine est un arrêt de mort pour des centaines de milliers de malheureux que traquent les Nazis. On serre les dents; on patiente; on aide la Grande Bretagne dans son effort de guerre, on s'engage dans son armée. A la fin des hostilités, chacun s'attend à voir la Palestine accueillir tout au moins les rescapés de l'effroyable hécatombe : les élections en Grande-Bretagne donnent le pouvoir aux travaillistes, défenseurs par définition des minorités en tous genres.

Sorry. La politique du Livre Blanc est maintenue. L'Angleterre a sûrement ses raisons, même si la raison les ignore. Elle regrette de ne pouvoir tenir compte ni des pertes effroyables subies par le peuple juif, ni des précaires conditions d'existence des survivants. L'amertume pousse alors les populations juives de Palestine dans « l'illégalité ». L'émigration clandestine essayant de forcer le blocus anglais, il est naturel que l'on en arrive à des heurts dont l'aboutissement, tout aussi naturel, est une résistance armée contre la puissance mandataire.

Résistance et Libération

Ce que fut cette Résistance, d'autres l'ont écrit, l'écriront encore. Elle prendra plusieurs formes, depuis la position officielle qui évite le choc de front, qui négocie sans cesse, prêche le calme et se préoccupe essentiellement de l'introduction secrète dans le pays de réfugiés juifs, jusqu'au terrorisme de groupes extrémistes qui ont juré d'écœurer le lion britannique.

Fin avril 1946, une Commission d'Enquête anglo-américaine publie son rapport. Il rejette sans équivoque le Livre Blanc et recommande l'admission dans le courant de l'année suivante de 100 000 personnes. En outre, les conclusions mettent l'accent sur la nécessité de libérer l'acquisition des terres incultes, alors que celle-ci a été artificiellement limitée à un vingtième du territoire disponible. L'État Palestinien ne devra pas être plus juif qu'arabe ou arabe que juif : son gouvernement s'engagera sous garantie internationale, à protéger et préserver les intérêts des trois grandes religions.

peut voir cette mosaïque dans l'église de la Multiplication à Tabgha, le Christ rassasia miraculeusement la foule. — Non loin, il annonça Béatitudes, à l'emplacement de cette basilique.

Images galiléennes : la fertile vallée du Jourdain et les vestiges de synagogue de Capharnaüm qui, au 3e siècle, remplaça probableme celle où Jésus prêcha.

Enfin, les efforts de la puissance mandataire tendront à combler le fossé entre les niveaux de vie juif et arabe.

Le Premier Ministre britannique ne dit ni oui ni non; il exige qu'au préalable, « les armées illégales de Palestine soient dissoutes et les armes rendues ». Pratiquement, c'est un refus très net. Comment rendre les armes, alors que les Arabes reçoivent ouvertement des fusils, tandis que les Juifs ont été obligés de courir mille périls pour se les procurer ? Même si une majorité juive se résigne à faire confiance à l'Angleterre, il est impensable que les groupes extrémistes s'inclinent devant pareille injonction.

La trêve observée pendant l'enquête de la Commission est aussitôt rompue. Des actes de violence, de terrorisme, ravagent le pays, suivis de représailles sévères qui, à leur tour, crient vengeance. Nous l'avons vu, nous en avons fait la triste expérience durant la guerre d'Algérie : les faits de sang font descendre les causes d'un conflit au niveau de la haine individuelle. Dans cette tourmente, la Grande-Bretagne, pour maintenir l'ordre ou ce qui en tient lieu, investit l'armée et la police de pouvoirs arbitraires illimités.

Février 1947 : Bevin et Morrison soumettent des plans que Juifs et Arabes, pour une fois d'accord, repoussent. L'Angleterre soumet alors le cas aux Nations-Unies, « son mandat étant impraticable et les obligations contractées envers les deux communautés inconciliables ».

Deux mois après, une nouvelle Commission d'Enquête est envoyée en Palestine par les Nations-Unies. Elle est composée de délégués de onze nations. Son rapport recommande de mettre fin au mandat britannique et d'accorder l'indépendance à la Palestine le plus tôt possible. La conclusion prévoit une partition du pays et, entre les deux États, arabe et juif, une Union Économique. Les délégués iranien et indien y ajoutent un plan, dit minoritaire, préconisant un État Fédéral.

C'est le projet de partition qui est adopté par l'Assemblée Générale des Nations-Unies le 29 Novembre 1947, par 33 voix contre 13. Une commission formée de représentants de cinq nations doit superviser les opérations. La suite est connue. Le Mandat britannique expire en Mai 1948. Tandis que les Tommies rembarquent, les voisins arabes attaquent de toutes parts et les Juifs proclament la création d'Israël. Une population de 650 000 hommes, femmes et enfants, repousse l'agression de pays totalisant 45 000 000 d'habitants, soutenue de l'intérieur par les 800 000 Arabes palestiniens.

Contrairement aux prévisions des stratèges, l'État Israélien sort vainqueur du conflit. Un armistice intervient. Les Arabes refusent obstinément de discuter un Traité de Paix et continuent à menacer l'existence de « l'usurpateur ».

En 1956, pour mettre fin aux raids continuels des *feddayin* (commandos égyptiens), Israël déclenche — avec l'accord de la France et de l'Angleterre — la campagne-éclair du Sinaï qui amène ses troupes, en peu de jours, jusque sur les rives du Canal de Suez. Il n'en faut pas davantage pour que l'U.R.S.S. et les U.S.A. s'entendent dans le but de mettre fin aux hostilités. On retourne au statu-quo.

Onze ans plus tard, en mai 1967, le Moyen Orient entrait de nouveau en ébullition. La Syrie déclenchait une violente campagne contre Israël. L'Égypte se mit à concentrer des troupes le long de la frontière. Peu après, Nasser demandait aux Nations Unies de retirer leurs forces du territoire de Gaza et du Sinaï. A l'étonnement général, les Nations Unies obtempérèrent. Ses préparatifs militaires, Nasser les justifiait en alléguant qu'Israël avait l'intention d'attaquer la Syrie. Prétexte que le Secrétaire général de l'ONU déclara sans fondement, ce qui n'empêcha pas Nasser, le 22 mai, d'interdire le Détroit de Tiran aux navires israéliens, fermant ainsi à Israël la porte de l'Afrique et de l'Asie.

Toutes les solutions diplomatiques amorcées par le gouvernement israélien aboutissaient à une impasse. La guerre éclata le 5 juin au matin. Dans l'avant-midi, l'artillerie jordanienne se mit à pilonner le secteur juif de Jérusalem. Israël propose au roi Hussein un cessez-le-feu qui éviterait au conflit de s'étendre; la Jordanie répond par un redoublement de canonnade. Cependant, les batteries syriennes établies sur les hauteurs de Golan entraient à leur tour en action contre les kibboutzim installés dans la plaine. Le 7 juin, la Jordanie acceptait le cessez-le-feu. Le lendemain, refoulés sur l'autre rive du Canal de Suez, les Égyptiens suivaient leur exemple. Le 9 juin, les Israéliens pouvaient reporter tout leur effort sur le front syrien. A l'aube du 10 juin, la route de Damas était pratiquement ouverte, la Syrie s'avouait battue à son tour : la guerre avait duré six jours.

Au lendemain de la guerre, on crut à une paix de compromis possible.

Mais l'illusion fut de courte durée. Le 6 octobre 1973, Égyptiens et Syriens assaillent le Sinaï et le Golan. De lourdes pertes sont infligées à Israël qui réussit néanmoins à repousser les Syriens et à arrêter l'offensive égyptienne. Cette fois, les

Arabes utiliseront la menace de réduire la production de pétrole comme moyen de pression. Le 25 octobre, le Conseil de Sécurité de l'O.N.U. obtint le cessez-le-feu et les premiers pourparlers entre Israël et l'Égypte s'engagèrent. La réouverture du Canal de Suez en 1975 allait permettre le premier accord israélo-égyptien et l'abandon partiel du Golan par Israël. C'est donc avec surprise que fut accueilli à Jérusalem le projet de résolution adopté par l'Assemblée Générale proclamant le droit des réfugiés palestiniens à rentrer chez eux et à créer un État Palestinien sous l'égide de l'Organisation de Libération de la Palestine. Le gouvernement Israélien n'éprouva néanmoins aucune émotion particulière, convaincu que ce projet ne sera suivi d'aucun effet.

Mosaïque dans la synagogue de Beit Alfa (VIe siècle).

AUJOURD'HUI

Ils sont fous.

Est-ce que cela existe une nation dont les composants sont originaires de cent deux pays différents ? Est-il viable, un Parlement où les réformes sociales sont proposées par la droite traditionnelle et repoussées par la gauche non moins traditionnelle ? Peut-on imaginer un Syndicat tout-puissant, réunissant la quasi-totalité des travailleurs, dont les tendances se confondraient avec celles du Gouvernement résolument progressiste, et qui serait, en même temps, entrepreneur, industriel, financier, distributeur, importateur, exportateur, commerçant, bref, le principal employeur de ses membres ? Et qu'est-ce que c'est que cette agriculture consistant à mettre des sables en valeur, alors que, par dessus le marché, il n'y a pas d'eau ? Et cette industrie qui exporte jusqu'aux États-Unis, alors que toute la machinerie et l'équipement doivent être importés ?

Pis encore : que peut signifier un lien national d'essence religieuse, alors que l'attachement aux pratiques de piété n'est le fait que de 15 % de la population ? Peut-on être à la fois un des États les plus récents du globe et revendiquer un passé qui remonte à la Création du Monde ? Ils sont incontestablement fous, ces quelque 3,5 millions d'hommes qui tiennent tête depuis près de trente ans à des dizaines de millions de voisins qui ont juré leur extermination !

Ils sont fous. Ils ont des villes flambant neuves dans le désert et d'autres, dans les plaines, qui comptent parmi les plus anciennes. Ils ont participé à presque toutes les civilisations élaborées par l'humanité occidentale et n'en ont pas une qui leur soit propre. Des Anglais, ils ont adopté le sens de la persévérance; au premier signe d'énervement, ils disent : *sablanouth !* — patience — qui prend l'allure d'un *wait and see* revu et corrigé par la Méditerranée. Car ces Orientaux d'Occident sont aussi impatients de *see* qu'incapables de *wait*. Des Allemands, ils ont rapporté dans leurs bagages la notion de profondeur, la minutie tâtillonne. Ils tiennent à épuiser les possibilités offertes ou à créer de toutes pièces. C'est le temps qui les presse, les empêche d'aller jusqu'au bout. De la Russie, de l'Orient, ils ont hérité l'alternance des joies et des peines intérieures, la gaîté exubérante et la remuante lamentation; l'audace aussi; on serait tenté d'écrire l'inconscience; la confiance dans l'homme tout en sachant de quoi il est capable dans le bien comme dans le mal.

Si le Septentrion leur a légué le concept de durée, ils avaient d'ores et déjà celui de pérennité; et à présent, le Midi leur inculque les méditations teintées de mélancolie. Soucieux d'avenir, ils sont contraints de parer au plus pressé, ce qui rend réalistes ces incorrigibles contemplatifs. Soleil et brumes jouent encore à cache-cache en eux. Ils conservent les qualités des 102 pays par où ils sont passés, ainsi que les défauts attrapés au cours des siècles à l'étranger. Ils se les repassent, utilisent les uns et les autres en les adaptant aux circonstances, aux exigences d'un milieu nouveau, ce cent-troisième pays où ils ont la ferme intention de s'établir définitivement, et qui, à son tour, leur impose ses qualités et ses défauts. Sans l'avoir jamais vu, ce pays, ils le reconnaissent, pour l'avoir connu dans un bouquin emporté avec eux, il y a deux mille ans. Tout cela s'assimile, se mêle, donne un produit ahurissant et inattendu : le *sabra*, la figue de Barbarie : douceur et tendresse protégées par des piquants. La génération née en Israël, les sabras, est à tel point différente, moralement et physiquement, de celle qui l'a engendrée, que l'on en reste ébahi. L'Israélien ne donne nullement l'impression de descendre de l'Israélite. Autre phénomène inexplicable : les vieux eux-mêmes changent, extérieurement et intérieurement, sitôt le pied posé *chez soi*.

Vous ne comprenez pas? Sablanouth! On recommencera à vous expliquer ce que vous ne comprendrez jamais : vous ne venez pas de passer deux millénaires à vous faire tolérer ou assassiner aux quatre coins de l'Europe. Car c'est cela le plus fou : Israël n'a jamais existé, toujours survécu.

Figurez-vous qu'ils sont parmi les rares habitants de la planète, aujourd'hui, à savoir pourquoi et pour quoi ils œuvrent. Ce qui fait que nous ne saurions mesurer leurs efforts à la lueur de nos critères.

Cela fait longtemps qu'ils sont fous. Ils l'étaient incontestablement, alors que depuis cent ans — eux-mêmee en tête — l'intelligence universelle décrétait la prochains déchéance des nationalismes, l'abolition des frontières, de s'acharner à fonder un nouvel État avec des limites encore plus précaires qu'ailleurs. Et le plus fou, c'est qu'ils aient réussi. En soi, c'est évidemment absurde. Il s'est simplement trouvé que cette absurdité était l'unique réponse possible à une absurdité encore plus grande des nations évoluées qui ne voulaient pas d'eux, tout en condamnant sévèrement leur extermination.

Jetez un coup d'œil sur la carte. Le pays a l'aspect d'une femme — selon les conceptions de la statuaire moderne — la taille serrée dans un corset, la tête, les pieds et un bras dans l'étau arabe, l'autre bras baignant dans la mer. Un peuple peut-il respirer dans cette conjoncture géographique ? Celui-ci s'y est fait. Il s'offre en outre le luxe du niveau de vie le plus élevé du Moyen-Orient. Les Israéliens disent : « Chez nous, celui qui ne croit pas au miracle, n'est pas réaliste. »

Ils parlaient tous plusieurs langues en arrivant. Ils avaient, pour la plupart, fait le tour de l'Europe avant d'échouer en Palestine. L'Est possédait le *yiddisch* qui est une déformation de l'allemand. Les Sépharades introduisaient le *ladino*, qui est à l'espagnol, ce que le yiddisch est à l'allemand. Si le yiddisch s'enorgueillit d'une riche littérature, il est inouï de penser que le ladino n'en a jamais eu aucune. Ashkenazes ou Sépharades, les intellectuels possédaient le français. (A cette époque, le contingent nord-africain n'était pas encore en Palestine.) Le contact avec les autorités de la puissance mandataire familiarisa à peu près toute la population avec l'anglais. L'anglais paraissait particulièrement indiqué, qui leur aurait permis d'utiliser une langue universelle. Ils avaient donc le choix. Alors ? Le russe ? L'allemand ? Le français, langue diplomatique par excellence ? *Niet !* Ces fous choisirent la langue qui était de l'hébreu pour l'humanité entière, eux compris ! Ce qui obligeait les petits Israéliens à apprendre une deuxième langue et contraignait les anciens à retourner à l'école. C'est peut-être l'exemple le plus caractéristique de leur folie car, à l'usage, ce lien s'est révélé l'un des plus fermes entre les éléments disparates de la nation.

Dans un brillant essai sur Israël *(Red, Black, Blond and Olive)*, Edmund Wilson tente d'établir un rapprochement entre l'extraordinaire survivance du peuple en dépit des circonstances adverses, et le sens totalement différent du nôtre qu'il a du temps. Sa conception se reflète — selon Wilson — dans la langue qui ignore modes et temps dans la conjugaison, par rapport aux notions occidentales. Les verbes, en hébreu, exprimeraient moins le présent, le passé, le futur, voire le conditionnel, que le parfait et l'imparfait, l'action complétée, incomplète ou à compléter et ce qu'il appelle : le parfait prophétique. Dans cet ordre d'idées, la race « élue » n'accepte à aucun moment de son histoire, ne conçoit pas, qu'elle puisse cesser d'exister. Si l'explication ne satisfait pas tout le monde, l'interprétation du génie propre à un langage mort et ressuscité est incontestablement intéressante.

Que le touriste ne s'en émeuve pas outre mesure. Non seulement les panneaux indicateurs sont bilingues ou trilingues (arabes) mais il se trouve toujours dans le coin un habitant, jeune ou vieux, qui parle sa langue. La moindre standardiste dans les Administrations, les bureaux, répondra indifféremment en français, anglais ou allemand.

Vous trouverez des gens pour vous démontrer par a + b que ce pays progressiste est en réalité raciste et militariste. Ils n'ont pas tout à fait tort. Mais c'est peut-être le seul pays aussi où ces tendances sont historiquement justifiées, dans la mesure même où elles se sont développées.

Israël est militarisé à la limite du supportable, mais son Armée ne répond à aucune tradition militaire. Nuance. Elle remporte ses victoires avec un minimum de généraux d'ailleurs. La conscription touche hommes et femmes également, mais on n'y sert pas de père en fils : le temps a manqué pour cela. S'il est impossible à tout Israélien de bonne foi d'être pacifiste et antimilitariste comme chez nous, cela tient : à ce que l'Armée est indispensable à cause des voisins. Secundo : à ce qu'elle assume une fonction sociale qu'elle ne remplit nulle part ailleurs et qu'elle est seule à pouvoir exercer. L'Armée israélienne est le creuset où, par osmose, s'effectue la fusion, l'assimilation, de tous les éléments si divers qui composent la nation.

Racisme ? Les minorités — principalement les Arabes — ont doublé depuis la fondation de l'État. Il y a près d'un million d'Arabes palestiniens réfugiés chez les voisins. Ils sont partis de leur plein gré, victimes de leur propre propagande. Si ces malheureux sont encore dans des camps, en Jordanie, en Égypte, c'est qu'ils y servent des buts politiques. Israël avait proposé de fournir les moniteurs, les cadres, l'équipement, pour la mise en valeur des immenses terres incultes dans les pays où elles sont à l'abandon. Mais nous revenons toujours à ce refus obstiné des pays arabes de discuter.

Attitude communautaire

Sur 3 500 000 habitants, près de 103 000 vivent dans les 240 *kibboutzim*, c'est-à-dire, en renonçant à toute espèce de propriété personnelle; plus de 129 000 sont groupés dans les *moshavim*, avec un minimum de propriété individuelle; aujourd'hui, la population urbaine représente près de 85 % du total de la population. Sans disposer de statistiques précises, on est en droit d'estimer à 250 000 le nombre de jeunes gens sous les armes ou immédiatement mobilisables. Voilà qui nous donne près de 20 % de citoyens et citoyennes au service de la communauté. Et on peut ajouter à ce pourcentage les fonctionnaires — ministres en tête — et les enseignants, qui sont parmi les plus mal payés du monde.

Mal payés, ils le sont à peu près tous. La vie est chère et le cadre supérieur plafonne aux environs de 4 500 francs par mois, sur lesquels le fisc prélève un bon quart. L'austérité est la règle générale. Il n'y a pas si longtemps d'ailleurs que les Israéliens mangent à leur faim. Pendant les années qui ont suivi l'indépendance, ils ont connu la *zena*, auprès de laquelle les pires moments de nos rationnements apparaissent comme des périodes fastes. Ils en ont conservé une incontestable sobriété. La nourriture est revenue sur les tables, mais l'esprit d'austérité s'est implanté dans les cœurs.

Les industriels vivent comme notre classe moyenne, possèdent des voitures de série, habitent des maisons confortables, sans plus. La domesticité est quasi-inexistante. L'épouse du millionnaire se contentera d'une femme de ménage. Le luxe tel que nous l'entendons, est inconnu. Vous ne verrez pas ces jeunes gens au volant de voitures de sport, pétaradant dans les ruelles et semant la terreur sur les routes.

Partagés avec l'État, les bénéfices des entreprises sont aussitôt réinvestis de part et d'autre. La plupart des Israéliens rougiraient d'une grosse dépense dictée par l'égoïsme. C'est le malheur, un malheur encore frais dans les mémoires, qui les a unis; ils ne sont pas près de l'oublier. La solidarité est pour eux une condition *sine qua non* de la survie, elle est le prix de cette indépendance si chèrement payée. Les normes de l'éthique sont établies par ceux qui ont fait, littéralement, « don de leur personne au pays » : les kibboutzniks.

Or, cet esprit de dévouement, cette conviction profondément enracinée que, vertu ou pas, seule une attitude communautaire leur assurera leur place au soleil, ce sens du sacrifice, sont toujours vivants. A partir de 1948, 650 000 Juifs, en prenant le nom d'Israéliens, ouvraient grandes leurs portes à un nombre double d'immigrants, alors que le nouvel État, pauvre comme Job, était en guerre par surcroît. Pratiquement, chaque Israélien devait subvenir aux besoins de deux nouvelles bouches, jusqu'à ce que les nouveaux-venus fussent parvenus à s'alimenter seuls. Pratiquement, cela signifiait pour cette minuscule nation à peine éclose, un immigrant toutes les cinq minutes, pendant huit ans ! Il n'y eut pas une plainte. De la rouspétance, certes.

Des jeunes gens de familles aisées, munis de diplômes universitaires, promis aux honneurs, aux voyages, aux situations flatteuses, quittent tout pour aller fonder un kibboutz dans le désert. Ayant bon lit, bon toit, table mise et les distractions de la ville, ils s'en vont, sac au dos, coucher sous la tente, faire à l'occasion le coup de feu lors d'une attaque, essuyer les balles venues de l'autre côté, passer leurs journées à dépierrer une terre ingrate, sans recevoir un sou, contre la nourriture commune, la chemise et le short qu'ils ont sur le dos. Pourquoi le font-ils ?

Encore convient-il de se rendre compte de ce qu'est un kibboutz à ses débuts ! On commence par enlever les pierres. La terre est aussi basse en Israël qu'en France ; seule différence, là-bas, c'est du sable. Parfois, des camions apportent du terreau qu'on étale parcimonieusement en mince couche, pour de fragiles plantations. Il faut défendre tout cela minute par minute, contre le vent, le soleil, le froid. Il est une expression qui donne une excellente idée de cet effort collectif immense. Devant certains kibboutzim dont les difficultés sont évidentes, l'Israélien hoche la tête, apitoyé et fraternel, en commentant : « Ceux-là, ils ont pleuré le premier soir ! »

Il en est d'autres, nés au kibboutz, dont on pourrait prétendre qu'ils sont conditionnés par cette rude existence. Après le service militaire, ils ont une option à exercer : rentrer dans la communauté qui les a vu naître et qui, en trente ans et plus, a pu acquérir une relative prospérité, ou aller ailleurs : ville, campagne, emploi, entreprise individuelle. Le plus souvent, ils choisissent un autre kibboutz, plus pauvre.

Mais, dans l'ensemble, qu'est-ce donc qui les pousse vers ce pari inhumain ? La nouvelle génération en a-t-elle assez d'entendre l'ancienne narrer ses prouesses et veut-elle démontrer qu'elle a autant de cœur au ventre que papa et maman ? Ce doit être plus simple que ça. Car il n'y a pas d'exaltation, aucune soif mystique de sacrifice. Il faut se mettre dans la tête que le *sabra* n'est ni compliqué, ni complexé. Son choix s'explique en peu de mots : il y a un sale boulot à faire et il faut bien que quelqu'un y aille. Le désespoir ne le talonne plus, l'espoir s'est réalisé. Le moteur du sabra est fonctionnel. On n'en revient pas de le trouver si différent du Juif de la *diaspora*, qui avait fini par acquérir les caractéristiques d'extrême souplesse ou même de servilité exigées par les conditions de son existence précaire. Le sabra est, à l'inverse, sûr de lui, indépendant, volontiers brusque et rude. Mais c'est qu'il est né avec la responsabilité de construire sa patrie et, simultanément, de la défendre.

La structure du pays

Israël n'a pas de Constitution. Le *Knesseth* (Parlement) vote au fur et à mesure les textes constitutionnels. Ils couvriront un jour toute la matière et formeront la Constitution. En attendant, le principe des libertés fondamentales, confession, parole, association, presse, etc. est admis et respecté. Une des premières lois votées, celle dite « du retour » (1950), prévoit l'admission en Israël, de tout Juif qui désire immigrer à condition qu'il n'ait pas de casier judiciaire dans son pays d'origine. Ils étaient 650 000 lors de la proclamation de l'État. Ils sont 3 500 000. Pas tous de la même eau, pas non plus tous juifs.

Israël compte près de 500 000 Arabes, dont environ 100 000 Chrétiens. L'Arabe se distingue du Juif par le fait que, visiblement, il a le temps. Le Juif, même arabisé, ne perd rien de sa hâte. Le premier somnole sur une chaise bancale à quelque terrasse, en sirotant paresseusement son café, ou médite dans son échoppe, ou flâne non sans majesté dans la démarche. Le second s'arrête une fraction de seconde pour vider sa tasse d'un trait, a toujours quelque chose à dire, ou à faire, et repart d'un pas pressé.

Ceux que l'on nomme les Latins — Catholiques Romains d'origine européenne — sont au nombre de 22 000 : ils possèdent et administrent les Institutions Chrétiennes d'éducation et de charité, et comptent plusieurs centaines de religieux ainsi que 1200 nonnes, appartenant à 45 ordres ou congrégations. Les Franciscains dominent le lot depuis qu'ils furent appelés à la *Custodia Terræ Sanctæ*, ce qui fait remonter leur présence en Palestine à l'époque des Croisades. La tradition veut que le Custos à leur tête soit italien. Bénédictins, Carmélites, Salésiens, Jésuites, Frères des Écoles Chrétiennes, Sœurs de Nazareth, de Saint-Joseph, Saint-Charles, Saint-Vincent-de-Paul, Clarisses et autres, travaillent dans leur ombre.

Les Melchites (grecs-catholiques), groupés en Galilée, arrivent au double : 26 000 (comme les Bédouins). L'Église orthodoxe a 40 000 fidèles, eux aussi en majorité arabes. Les moines sont de souche grecque, ainsi que l'archevêque. Le Patriarcat de Moscou, évidemment, est moins représenté. Les autres communautés spirituelles, Maronites, Monophysites, Arméniens-grégoriens, Coptes, membres de l'Église Éthiopienne, ne sont guère nombreux. Il y a, au total, près de 2 500 protestants.

Les Druzes (env. 38 000 en Israël sur les 200 000 qui vivent dans le Proche-Orient) bénéficient d'un statut spécial. Leur foi reste mystérieuse. C'est tout juste si l'on peut affirmer qu'ils sont monothéistes et que leur doctrine allie des éléments chrétiens et musulmans. Le mot « druze » serait une contraction du nom de celui qui provoqua le schisme avec l'Islam : Mohammed Ben Ismaël Eddarazi. Eux-mêmes se disent *muwachidim*, « croyants de l'Unité », et descendants du beau-père de Moïse, Jethro (qui accueillit Moïse lorsque celui-ci fuyait, après avoir tué un Égyptien, et lui donna sa fille). Les Druzes se divisent en initiés *(uggal)* et non-initiés. Les premiers seuls connaissent les secrets de l'enseignement religieux. Ils se distinguent par le turban blanc et la longue robe, s'abstiennent de boire et de fumer. Les femmes admises à l'initiation portent le voile.

Ce sont de farouches guerriers qui, en Syrie et au Liban, donnèrent du fil à retordre aux Français. Lors de la guerre de libération, la plupart d'entre eux combattirent aux côtés des Juifs; partiellement, en raison des liens établis autrefois entre eux et les anciennes tribus d'Israël. Aujourd'hui, l'Armée Israélienne comporte des unités druzes.

Voilà pour les principales minorités. Et les autres ? En gros, si l'on excepte la poignée de Juifs résidant en Palestine dès avant la naissance du sionisme, ils sont venus en quatre vagues successives.

La première, qualitativement la plus importante, émigra dès la fin du XIXe siècle, enflammée par l'idée du « retour ». Elle accepta tous les sacrifices pour s'établir en Terre Promise. Les Turcs se montraient assez compréhensifs. L'élan mystique conférait à ces pionniers noblesse et dignité. L'installation dans les colonies n'allait pas sans danger. La Nature ne faisait pas plus de quartier que le rezzou. Les nouveaux-venus tinrent bon malgré l'immense effort, la malaria, l'hostilité environnante, vivant d'utopie sans eau fraîche et préparant le terrain pour cette première étape que fut la Déclaration Balfour, vers la fin de la guerre 1914-1918.

La portée de ce geste allait-il dans l'esprit des Britanniques au-delà de l'obtention d'un Mandat en Proche-Orient? C'est difficile à dire. Il semble bien pourtant que l'enthousiasme et l'émotion aient été exclusivement juifs. La passation des pouvoirs entre militaires et civils anglais fut consignée sur un bout de papier. « Remis, ce jour, une (1) Palestine en bon état de marche ». Ce document est authentique.

D'autres idéalistes affluèrent alors. Pas longtemps. Les Juifs n'avaient pas atteint le demi-million (pour un million d'Arabes) que la Grande-Bretagne commença à freiner l'émigration. Les cris de protestation se confondaient avec ceux que poussaient alors les victimes de l'hitlérisme en Europe. Là se place la frontière entre les deux premières et la troisième vague. Jusqu'ici, ceux qui entraient apportaient tout et ne demandaient rien. Ils étaient transportés par une mystique qui ne prenait pas racine dans un fond religieux, mais engendrait déjà un nationalisme inexprimé, balbutiant.

Après eux vinrent ceux à qui le Nazisme enlevait le droit de vivre. Fuyant un sol brûlant, ils partageaient avec leurs devanciers l'existence palestinienne et baisaient en arrivant cette terre bénie qui pouvait devenir la leur. Leur bonne volonté, leur allant, leurs connaissances et souvent leur érudition, étaient un précieux apport au pays.

Ce sont ces deux vagues qui ont imaginé, pensé, créé, construit Israël. Les premiers pionniers venaient pour la plus grande part de l'Est : Russie, Pologne. Ils occupent aujourd'hui les postes-clé politiques. Leurs successeurs étaient principalement originaires d'Europe Centrale et d'Allemagne : ce sont les techniciens. Les uns et les autres participèrent largement à la fondation et au développement des kibboutzim.

Les troisième et quatrième vagues sont plus hétéroclites. Elles se composent d'éléments positifs, indifférents ou même négatifs. L'une affrontait les périls de l'immigration clandestine d'après-guerre, l'autre est postérieure à la proclamation de l'État.

La politique avait fait de ces derniers des indésirables dans les pays arabes qu'ils habitaient. Mais ils ne connaissaient pas la persécution. Pour la plupart, ils vivaient sous des régimes de tolérance. Beaucoup commencèrent à réclamer en débarquant. Avant eux, les immigrants étaient dirigés sur des camps d'accueil, parfois rudimentaires, sans le moindre confort. Depuis, des villages, des quartiers dans les villes, avaient été aménagés à leur intention. L'organisation, désormais, est irréprochable, tout a été prévu, de l'hôtesse parlant la langue du nouvel-arrivant jusqu'aux garderies d'enfants, aux cours accélérés d'assimilation et à une législation qui lui facilite l'importation, sans frais de douane, d'une automobile, de meubles, de tous objets ménagers, etc.; gracieusetés de l'Administration que de nombreux immigrants monnayent volontiers. Ceux-là venaient conscients de leurs obligations; ceux-ci ne parlent que de leurs droits.

Car il n'est pas vrai que tout soit rose en Israël. Si, dans cette dernière vague d'immigration, Yéménites et Irakiens ne récoltent que des louanges pour leur comportement, il en est qui attirent un peu trop l'attention sur eux. Ils ne sont pas prêts à abandonner les mauvaises habitudes contractées en plusieurs siècles de sous-développement. Pas tous, heureusement. Peut-être parce qu'elles y retrouvent leur climat propre, certaines populations d'Afrique du Nord, établies à Béerchéba et dans ses environs, se sont courageusement attelées à la besogne.

Et maintenant, voici plusieurs années que le flot est quasiment tari. Israël a absorbé les familles juives qui cherchaient un foyer. Celles qui demeurent dans la *diaspora*, — la dispersion — à l'étranger, sont généralement pourvues et attachées à leur patrie au point de ne pas vouloir la quitter. Restent des millions de coreligionnaires derrière le Rideau de Fer, pour qui le départ vers la Terre Promise n'est qu'un rêve irréalisable. Les autorités soviétiques s'opposent à l'émigration des Juifs. Les pays qui subissent son influence suivent son exemple. Les Républiques Populaires n'ont jamais vu d'un bon œil la défection de leurs citoyens, heureux par définition. De plus, on ne veut pas mécontenter les Arabes. Néanmoins, depuis peu, certaines dispositions contre l'émigration ont été allégées.

Les détours de la politique ont amené l'U.R.S.S. à reconnaître la première l'État d'Israël, à le renier ensuite. Les grandes nations occidentales font, à leur tour, une cour assidue aux Musulmans. Le nombre de votes arabes à l'O.N.U. les impressionne. Que les U.S.A., la Grande-Bretagne, la France, ne filent pas doux, et les précieux barils de pétrole changent du jour au lendemain de destinataire.

Certes, des Juifs sortent de Roumanie, de Bulgarie, par exemple. Mais pas *les* Juifs. Si le visa de sortie est accordé après un an ou deux, il faut encore qu'il paie, ou que quelqu'un, du dehors, paie pour lui une « caution ».

Ainsi, l'apport actuel de l'émigration est insignifiant et cet état des choses recèle un danger pour Israël. La partie de la population qui comporte des éléments… contemplatifs, détient d'ores et déjà la majorité numérique. Elle se démène en conséquence, revendique les « places ». L'équilibre est maintenu par la sagesse d'un certain pourcentage d'entre eux qui votent résolument pour des candidats actifs. Mais en sera-t-il de même demain ? Démographiquement, le phénomène est bien connu, les dits éléments contemplatifs croissent et se multiplient beaucoup plus rapidement que les autres. Si des élections, un jour, leur donnaient le pouvoir, Israël risquerait d'y perdre son élan, son esprit d'entreprise et ne serait plus, en fin de compte, qu'un pays stagnant de l'Orient que rien ne distinguerait plus des autres.

L'armée

Contre ce péril dont ils sont conscients, les Israéliens disposent, démocratiquement, d'une seule et unique parade. L'Armée. Même si aux yeux de certains Occidentaux, les deux termes : armée et démocratie, paraissent incompatibles. C'est que l'armée israélienne n'est pas une armée comme les autres.

Elle n'a pas de tradition militaire propre, mais des traditions techniques et… anglaises. Paradoxalement, puisque son court et déjà glorieux passé date de l'époque où elle n'existait que clandestinement, sous le nom de *Hagana*, et combattait justement les Anglais. Deux raisons à cet étrange héritage. La plupart de ses officiers avaient fait leurs classes dans les troupes britanniques entre 1940 et 1945. En outre, pendant la dernière guerre, l'Angleterre tira provisoirement la Hagana de la clandestinité aux heures critiques pour elle. (On fut, ensuite, fort discret à ce sujet et Van Paassen, dans l'*Alliée oubliée*, écrit pertinemment : « La contribution des Juifs de Palestine aux victoires de nos armes dans le Proche-Orient est un des secrets les mieux gardés de la Seconde Guerre Mondiale ».) Bref, sortie du néant par miracle, toute prête, à la Proclamation de l'Indépendance, devenue l'armée officielle, la Hagana défendit héroïquement la patrie toute neuve contre l'invasion arabe.

Elle ne fut pas seule, cependant. Les hommes des groupes extrémistes, *Irgoun*, *Stern*, étaient à ses côtés pour repousser l'envahisseur. C'est plus tard que ces unités furent dissoutes, de leur propre volonté, et les hommes rendus à leurs occupations. Il faut d'ailleurs ajouter que cette dissolution volontaire fut l'un des actes de courage civique les plus frappants qui soient.

Ce qui distingue le champ d'honneur israélien, c'est qu'il est toujours labouré. Le fusil est inséparable de la charrue. Et ce qui distingue l'Armée israélienne, c'est qu'elle se rend utile en temps de paix en remplissant une fonction purement sociale.

Garçons et filles vivent dans l'insouciance jusqu'à l'âge de la conscription. 36 mois pour les premiers, 18 pour les secondes. Les effectifs militaires se chiffrent à plus de 400 000 hommes, prêts à combattre dès la moindre alerte. Tous les ans, le réserviste jusqu'à sa quarantième, la réserviste jusqu'à sa trente-quatrième année, doivent soixante jours de service à l'Armée. Entre 40 et 49 ans, les hommes, ensuite, ne sont plus rappelés que pour deux semaines annuellement. Officiers et sous-officiers sont tenus de faire une semaine de plus.

Bien avant de revêtir l'uniforme, entre 14 et 18 ans, le jeune Israélien a déjà fait connaissance avec la vie para-militaire, en s'engageant dans la *Gadna*. Cette unité dépend à la fois de l'Éducation Nationale et de la Défense. Contrairement à ce que l'on pourrait penser, le plus clair du temps n'y est pas voué au maniement d'armes, mais à l'étude, à de longues excursions à travers le pays et, surtout, à l'enseignement de base de l'agriculture. À 18 ans, c'est l'appel sous les drapeaux. Jusque-là, neuf fois sur dix, l'enfant ne s'est pas préoccupé de son avenir.

Si l'on demande aux jeunes gens ce qu'ils comptent devenir plus tard, ils répondent généralement qu'ils n'en savent rien : ils verront cela pendant leur service militaire. C'est en effet l'Armée qui les oriente, détecte et suscite les vocations civiles. Plus exactement encore : c'est l'Armée qui fait d'eux des citoyens. C'est à l'Armée que les illettrés reçoivent un minimum d'instruction, que les autres apprennent un métier ou poursuivent leurs études. Les élèves des kibboutzim ne vont pas jusqu'au baccalauréat : ils se soumettent à cet examen pendant leur service.

Trois mois d'entraînement militaire intensif; puis la recrue n'est plus astreinte qu'à quelques heures de présence quotidienne au corps. Le reste de son temps peut être consacré à l'étude. L'échelon hiérarchique prodigue ses encouragements dans ce sens en accordant des facilités aux étudiants sérieux. Il est même rare qu'un sujet brillant ne soit pas démobilisé après avoir passé avec succès les concours d'admission dans les Grandes Écoles. Les soldats-étudiants sont déplacés pour servir à proximité de leurs Facultés; ils sont exemptés de certaines corvées pour pouvoir fréquenter l'Université.

Un grand nombre de ceux qui se destinent à l'agriculture sont versés dans la *Nahal* (jeunes pionniers combattants). Par groupes, ils vont rejoindre les kibboutzim les plus exposés où ils s'adonnent alternativement aux travaux des champs et à la garde des frontières.

La discipline est assez rigide; l'instruction militaire dure et rude; pourtant, les cas d'insubordination sont assez rares. L'habituel conflit entre deuxième classe et gradé ou galonné est jusqu'ici inconnu. Le tire-au-flanc est l'exception et les rapports entre soldats, sous-officiers et officiers, des plus démocratiques. Cette rupture avec l'étroitesse d'esprit que l'on a coutume de prêter à l'armée, vient de ce que la caste militaire n'existe pas, n'a pas encore eu le temps de se former. Sur un plan plus trivial, le tutoiement archaïque de l'hébreu, le péril constant couru par le pays, aident évidemment à combler les fossés sociaux et hiérarchiques.

La loi a prévu l'objection de conscience. Il est des Juifs particulièrement dévots, qui ne reconnaissent pas l'État d'Israël et le considèrent comme une hérésie, puisqu'il ne s'appuie pas sur l'intervention du Messie. D'autres motifs d'objection peuvent également être admis. Les services auxiliaires leur ouvrent les bras.

Nul, en tout cas, ne discute le service militaire obligatoire pour les deux sexes : Israël est en état de crise permanente et la défense du territoire contre des voisins qui ont juré sa perte, est une impérieuse nécessité. L'innovation réside dans le souci du législateur qui profite du séjour de la jeunesse dans les camps, pour combler les éventuelles lacunes de son éducation civile et civique, niveler les fossés creusés par les diverses origines des futurs citoyens.

Les collectivités agricoles

Comme pour appuyer, renforcer cette conviction acquise, le premier choc de l'envahisseur, en 1948, fut contenu par les kibboutzim, ces pépinières du désintéressement total. A chaque détour d'une quelconque enquête sur Israël, on retrouve ce pilier, ce modèle de la société nouvelle. Si, en Europe, tous les chemins mènent à Rome, c'est au kibboutz qu'ils conduisent directement en Israël.

Au premier coup d'œil, c'est un village. Par définition, un village est agricole. Ce n'est plus tout à fait vrai, nous verrons pourquoi. Les maisons ne sont pas éparpillées comme chez nous, en dehors de l'agglomération proprement dite. Elles sont groupées par quartiers autour des bâtiments communs, plus ou moins grands, selon le nombre de membres et l'importance de la production : réfectoire, maisons d'enfants, granges, silos, écuries, étables, etc.

Il est intéressant de signaler que le terme : kibboutz, que rien ne rattache aux traditions linguistiques de l'Occident, s'est pourtant imposé hors d'Israël, alors que les autres formes de collectivités israéliennes, totalisant une population supérieure, n'ont pas connu le même succès à l'étranger. Ainsi du *moshav*, qu'il soit *ovedim* ou *shitufi*. Il s'agit là, plus exactement, de coopératives réunissant de petits propriétaires qui, soumis à des règles communes, cultivent chacun son bien avec sa famille, mais possèdent ensemble des services d'achats : matières premières, outillage agricole, ainsi qu'une organisation de vente des produits. A ces principes de base viennent s'ajouter, selon le cas, des dispositions collectivistes. En règle générale, la main d'œuvre du dehors — c'est-à-dire : rémunérée — est exclue, les membres se devant entr'aide et assistance. L'exploitation restant individuelle, la solidarité absolue n'en règne pas moins. Qu'un fermier tombe malade ou doive partir pour une période militaire de 31 jours, et il appartient au village de pourvoir à son remplacement pour les travaux indispensables. La récolte vendue, chacun touche sa part et en dispose à son gré. Il peut également céder sa parcelle à un nouveau membre, à condition que l'acheteur soit agréé par la communauté. La veuve, à moins d'avoir des fils en âge d'assurer la relève, ne saurait demeurer à la charge de tous. On l'aidera pendant un certain temps. Mais à la longue, elle n'a que deux solutions : se remarier et continuer, ou vendre et s'en aller. Ceci pour le moshav ovedim.

Le moshav shitufi va plus loin et se rapproche davantage du kibboutz. Ici, l'exploitation est collective et la terre n'est pas morcelée en propriétés individuelles : elle appartient déjà au village. Néanmoins, le produit du travail, le bénéfice, est réparti.

A la différence du kibboutz, la maison familiale est plus vaste; chacun a sa basse-cour, sa grange, son étable. Par contre, le réfectoire n'existe plus, ni les autres bâtiments communs. Il suffit de visiter deux ou trois villages, moshavim et kibboutzim, pour s'habituer à les distinguer les uns des autres.

Le membre d'un kibboutz ne possède rien en propre; théoriquement, car de nombreuses communautés ont mis de l'eau dans leur vin. Après tout, les temps héroïques sont loin. Les raisons ont disparu qui militaient autrefois en faveur d'un complet renoncement. Il était indispensable, alors, que les hommes appelés à défendre la terre sioniste, fussent purs et détachés de tout ce qui ne représentait pas la cause. Les circonstances ont évolué, les conditions d'existence se sont améliorées, Israël est devenu une nation.

Aujourd'hui, un grand nombre de kibboutzim disposent même d'une piscine. Rien n'est jamais trop cher pour les enfants. D'ailleurs, l'eau est réemployée pour l'arrosage. Dans les débuts, les kibboutzniks avaient des dortoirs, tentes, baraques de planches ou de tôle. Ils portaient les vêtements qu'on leur distribuait. Ils disposent à présent — sauf les membres célibataires nouvellement admis, et encore — de pavillons d'une ou deux pièces, avec salle d'eau. Ils touchent une allocation au moment de leur installation et se procurent l'ameublement qui leur convient; ils se voient remettre périodiquement une somme destinée à l'habillement et achètent les vêtements de leur goût. Ils font quotidiennement leurs huit heures de travail, ont droit aux congés-payés, sont syndiqués. Mais ils ne perdent jamais de vue l'idée-maîtresse qui les a amenés là : la liberté. Le dur labeur non rétribué auquel ils se soumettent volontairement est la contrepartie d'une indépendance totale à l'égard de l'argent. Avec un discernement parfaitement lucide, ils exercent leur droit, s'inclinent sans récriminer devant les décisions des comités directeurs par eux élus. Ce qui fait la grandeur du kibboutz, c'est qu'on est libre d'y entrer, d'y rester, d'en repartir, les mains vides. Pour une fois, il n'y a pas d'exploitation de l'homme par l'homme ou par l'État. L'individu offre son bien naturel : le travail qu'il peut fournir; sa famille d'élection lui offre en échange un salaire naturel : toit, couvert, protection. L'expression de cette liberté tant chérie se traduit à tous les stades de la vie et de la production collectives, par l'exercice du droit suprême de l'homme : le choix.

Cette expérience réussie qui réalise le rêve le plus évolué de la pensée moderne pour une société future, qui va, dans le détachement, au-delà du communisme, en se réduisant à l'échelle du groupe et en bannissant la contrainte, rejoint la conception initiale de la république platonicienne.

Avant de reconstituer l'historique du kibboutz, peut-être convient-il de rappeler le mécanisme de la colonisation palestinienne. A partir du sionisme, plusieurs organisations furent créées. Certaines collectaient auprès des Juifs du monde entier les sommes nécessaires à l'émigration et l'installation des pionniers. Parmi les investissements divers, le plus important était le rachat à leurs propriétaires, — pour la plupart des *effendis* arabes, — des terres incultes. Celles-ci étaient ensuite offertes en fermage aux cultivateurs qui en faisaient la demande. On leur fournissait en outre l'outillage agricole indispensable. De sorte que la terre israélienne appartient aujourd'hui pour 90 % à l'ensemble de la nation. L'État, dans ce sens, est lui-même un kibboutz.

Le premier kibboutz, Degania, dans la vallée du Jourdain, fut fondé en 1909-1910 par une poignée de jeunes gens qui entendaient instituer une forme de société nouvelle reposant sur le travail commun et l'égalité absolue entre ses membres. Ils s'interdisaient l'emploi d'une main-d'œuvre salariée venue du dehors. C'était de leurs seules mains qu'ils comptaient cultiver les terrains mis à leur disposition par le *Keren Kayemeth Leisrael* (Fonds National Juif). Le fruit de leurs efforts devait servir à la communauté. A celle-ci incombait, en revanche, de pourvoir aux besoins essentiels des travailleurs et de leurs familles.

L'exemple fut suivi. La terre était aride, l'eau manquait souvent, les communications n'existaient pratiquement pas. Dans leurs villages rudimentaires, à la fois isolés et exposés aux dangers de toutes sortes, ils étaient livrés à eux-mêmes, tant pour le travail que pour la défense. Car, déjà, les voisins se dressaient en ennemis, soit que le rezzou fît partie de leurs mœurs, soit que le vendeur de la terre voulût la récupérer en constatant qu'elle pouvait rendre. Ces communautés devinrent donc, par la force des choses, des avant-postes stratégiques sur le plan militaire.

Actuellement, le nombre des kibboutzim dépasse 240. Environ 103 000 Israéliens — sur une population de 3 500 000 habitants — ont opté pour ce mode de vie. (Un pourcentage légèrement supérieur a choisi le moshav.) Mais le rôle du kibboutz dans la création et le développement d'Israël est bien plus important que ne le laissent prévoir ces proportions. Matériellement, il assure un tiers de la production agricole. Moralement, son influence a été incalculable. Sur le plan culturel, le kibboutz bouleverse l'idée que partout ailleurs dans le monde on se fait de la paysannerie. Le retour à la terre d'un peuple qui, deux mille ans durant, s'est vu interdire la propriété foncière, a eu les conséquences les plus inattendues. Entre autres, la formation de l'élite intellectuelle du pays. Les membres des kibboutzim sont aujourd'hui partie intégrante de la vie publique. On les retrouve au Parlement, au sein du gouvernement, dans les comités directeurs des partis politiques, dans la diplomatie, dans la hiérarchie militaire et, surtout, dans l'*Histadrouth*, la C.G.T. israélienne.

A ce point, il faut bien dire quelques mots de l'Histadrouth aussi. Elle a autant d'originalité que le kibboutz. Ce syndicat ouvrier, organisation de défense d'une classe sociale, est en même temps un État dans l'État. Il représente, d'une part, le prolétariat industriel, mais il a fait, dès ses débuts, du retour à la terre, un de ses buts principaux. La présence de nombreux kibboutzniks parmi ses fondateurs garantissait dès l'origine l'ampleur de ses aspirations.

En dehors de son rôle purement syndical, l'Histadrouth remplit dans les structures israéliennes de multiples fonctions. En créant des coopératives dans tous les secteurs de l'économie, il est devenu concurrent du commerce et de l'industrie privés. Les complexes industriels les plus vastes; les compagnies de transports, *Egged* en tête; la *Tnouva*, la plus puissante des sociétés distributrices de produits laitiers et agricoles; la première entreprise des Travaux Publics; les coopératives d'achat, de vente, de répartition, tout cela c'est l'Histadrouth.

Mais si les conditions d'existence se sont améliorées, les circonstances de la vie moderne ont exigé une extension des activités du kibboutz. De nombreux villages ont multiplié les cordes à leur arc en ajoutant l'exploitation industrielle à la culture de la terre et à l'élevage. C'est ainsi que furent créées des usines de contreplaqué, des ateliers de ferronnerie, des hôtels. Un tel élargissement des visées initiales tient également compte de l'augmentation d'une communauté, de l'éclosion de vocations parmi ses jeunes. Le mot d'ordre, en pareil cas, est toujours : pourquoi pas ?

Le centre nerveux du kibboutz, c'est le réfectoire. On s'y rencontre à l'heure des repas. On s'y réunit pour les assemblées, on y organise les festivités, les distractions. La nourriture est préparée dans la cuisine commune, par les membres — hommes ou femmes — servie à tour de rôle par tous. Il en va de même pour le blanchissage, le raccomodage, l'intendance en général, l'entretien des bâtiments, etc. Tous ces services sont assurés gratuitement.

Les kibboutzniks sont friands de lecture, de musique, et disposent de salles pour les jeux, de bibliothèques, de discothèques. En dehors des compagnies théâtrales ou musicales qui viennent donner des représentations, ils forment des troupes, des orchestres, des chorales. Il leur arrive de grouper les éléments les plus doués de plusieurs communautés, pour dépasser le niveau des amateurs. Ils s'abonnent aux journaux, louent des films, fréquentent des cours du soir, financent les études des sujets doués, des artistes qui font preuve de dispositions. Sur ce terrain, nul n'est lié envers tous; tous sont liés envers chacun.

L'éducation des enfants est leur souci primordial. Ils s'en sentent solidairement responsables. Dès leur plus jeune âge, les nouvelles pousses vivent et dorment dans des maisons communes. Des monitrices s'occupent du bébé, de l'enfant, de l'adolescent. Les parents ne retrouvent leurs enfants qu'après le travail quotidien, pour quelques heures. Ils mangent à part. On serait tenté de penser à une rupture des liens familiaux traditionnels entre les générations. C'est exactement le contraire qui se produit et l'explication psychologique qu'on en donne est des plus simples. L'enfant n'a plus l'occasion d'accuser ses parents des frustrations qui lui sont imposées. S'il doit en tenir rigueur à quelqu'un, c'est à l'éducateur qui dispense les interdictions à tous ses égaux et à qui ne l'attache aucun sentiment naturel. Très vite, d'ailleurs, il apprend que celui-ci, comme le maître d'école, le professeur, fait son métier. Quant à papa et maman, les quelques heures passées quotidiennement avec eux sont dédiées à la détente, aux jeux, aux bavardages, à la tendresse.

L'école est dans le kibboutz même ou dans le voisinage. Les études se terminent pendant le service militaire. Après, à vingt ans, s'il le désire, l'adulte demande son admission dans le kibboutz où il a grandi, dans celui où il a servi en tant que nahal, ou dans tel autre qui le séduit davantage : amour, amitié, milieu, communauté de pensée religieuse ou politique. Il peut tout aussi bien choisir un moshav, la ville, l'armée : il est libre par essence.

L'administration du kibboutz aussi est l'affaire de tous, sous le signe de l'égalité. L'autorité est exercée par l'Assemblée Générale qui se réunit hebdomadairement. Chaque année, un Comité Exécutif est élu. Il comprend un président, lequel ne porte que le titre de secrétaire, un trésorier, un économe, et d'autres fonctionnaires. Ces « ministres » ne jouissent d'aucun privilège. Le seul avantage des anciens est la priorité du logement. Les droits du retraité ne sont nullement diminués; pas plus que ceux du malade, de l'infirme. Les charges de famille de chacun des membres sont entièrement assumées par la communauté.

Ce désintéressement que nous serions tentés de qualifier d'inhumain, a gagné au kibboutz et, par ricochet, à Israël, la sympathie, le respect, l'admiration universels.

La vie quotidienne

Avec ce romantisme propre à l'homme, nous imaginons volontiers que tous les Israéliens vivent dans des kibboutzim et moshavim. Il n'en est rien, nous l'avons vu. Les habitants de ces communautés sont à peine un peu plus de 10 %. Quelle est donc l'existence quotidienne des autres 90 % ?

Eh bien, l'Israélien moyen commence par se lever aux aurores. Nombre de bureaux, magasins, commerce et industrie, administration, sont ouverts à partir de 7 heures 30. Les distances sont courtes, mais encore faut-il les parcourir à l'heure du coup de feu. Souvent, l'horaire est « continu », c'est-à-dire que les heures de travail se font d'affilée et qu'à 13 heures 30 ou 14 heures la journée est terminée. On déjeune de ce fait assez tard, mais après, on est libre. En hiver — du moins, ce qui est hiver là-bas, avec, comme point de repère, le calendrier, bien plus qu'un ciel gris — les heures reculent légèrement, une pause est intercalée pour un frugal déjeuner, mais on est quand même rentré vers 17 heures.

Les distractions sont nombreuses. On fait de la musique, on va au concert. Ça et là, on peut aller au théâtre. Au cinéma, anglais, français ou hébreu, les films passent avec des sous-titres en deux langues. On loue ses places, — dans une agence, le cas échéant. Il n'y a pas de « permanent » et le spectacle ne compte pas sur les à-côtés : confiserie, ouvreuse, programme. Nul n'attend un pourboire. Pendant l'entr'acte, on se rafraîchit au bar. Ne vous étonnez pas de voir un soldat passer avant vous comme s'il en avait le droit : il en a le droit. L'armée a priorité au spectacle de même que dans l'autobus.

Sauf pour ce qui touche à la musique, où l'on a affaire à un public des plus avertis, la production artistique est de qualité plutôt médiocre. Le sens critique des Israéliens est vif, dès qu'il s'agit d'une œuvre importée; l'artiste local les touche avant même de présenter la sienne. Le sentiment leur enlève alors toute objectivité et ils sont prêts à encourager d'avance, coûte que coûte.

On lit énormément; surtout des traductions. Israël bat le record mondial pour l'importation de la matière imprimée.

Traduits en nos langues, les livres hébreux modernes se ressentent d'un lyrisme qui, pour nous, appartient au passé. Le langage archaïque s'accommode difficilement, à nos yeux, des conflits actuels. Beaucoup de jeunes — jusqu'à quarante ans — emploient leurs loisirs à étudier, pour le plaisir, ou pour décrocher quelque diplôme qui améliorerait leur situation.

On se rend visite; on se reçoit; assez frugalement.

La télévision nationale est encore jeune et un peu inexpérimentée. Rien ne vous empêche de recevoir les émissions jordanienne, libanaise ou syrienne. La propagande forcenée que les ennemis d'Israël font sur leurs émetteurs ne gêne personne, même pas les minorités.

Qu'on ne s'y trompe pas. L'indifférence à l'égard du mortel danger que présente l'hostilité arabe n'est qu'apparente. Ils sont obligés d'être constamment prêts et le déplorent. Les fonds gaspillés en armements dont l'efficacité est dépassée dès leur livraison, pourraient être plus utilement investis. Les énergies sans cesse mobilisées aussi. L'état d'alerte ne profite à personne. Ils sont conscients de l'essor qui pourrait couronner leurs efforts en temps de paix et se considèrent avec infiniment de sincérité, comme une tête de pont du progrès en Asie. Les pays arabes sont leur débouché naturel. La paix est attendue avec impatience.

Leur économie est un miracle de stable instabilité. Le budget a été jusqu'ici plus ou moins équilibré grâce aux dons, subventions, emprunts étrangers, généralement en provenance d'Amérique. Ces dernières années l'Allemagne Fédérale a versé de substantielles réparations à Israël et des indemnités aux individus lésés entre 1933 et 1945. Pour le Trésor israélien, ces devises étaient les bienvenues. Pour l'homme de la rue d'un certain âge il n'en alla pas nécessairement de même. Les Allemands lui avaient fait trop de mal.

Un certain nombre d'Israéliens pourchassent sur la surface de la terre les émules d'Eichmann et y sacrifient parfois leur vie. D'autres, — en Europe également — évitent soigneusement tout contact, quel qu'il soit, avec des Allemands. Il en est enfin quelques-uns, les *hassidim* — les pieux — qui planent au dessus de ces méprisables contingences humaines.

Lorsque le voyageur découvre Méa Chéarim à Jérusalem, ou Bené Berak aux portes de Tel-Aviv, il est stupéfait par la constatation que des êtres si « rétrogrades » puissent appartenir à un peuple tellement évolué. De retour dans la Terre Promise, les Juifs pieux s'y montrent aussi intransigeants et intolérants que ceux-là même qui, deux millénaires durant, les ont persécutés. S'ils n'ont pas tiré la leçon du malheur, c'est que, retranchés du monde, avant, pendant et après l'ère chrétienne, ils ne pouvaient être touchés par les événements. Catarivas écrit : « Pour les Juifs religieux, l'absence de Patrie matérielle n'était pas un malheur insupportable, tant qu'il restait la Trilogie : Dieu, Israël, la Thorah (la loi). » Farouchement, exclusivement, ils se sont voulus les représentants d'une idée, d'une philosophie, d'une éthique, et rien d'autre. Leur attitude, dédaigneuse des vicissitudes d'ici-bas, explique l'avidité du sacrifice chez les premiers Chrétiens. Les fauves pouvaient détruire les corps, mais non éteindre cette flamme qui les brûlait et pour laquelle nous avons trouvé un mot : le fanatisme.

L'Israélien s'irrite de cet îlot de stagnation au sein du pays. L'universalité de la cuisine *kasher* rebute de nombreux visiteurs et, parmi ceux-ci, beaucoup de Juifs. Le vendredi soir, à l'apparition de la première étoile annonçant le *shabbath*, le cœur physique d'Israël s'arrête de battre : pas de transports, pas de divertissements, pas d'échanges, pas de travail. Seule vit l'âme de quelques-uns, tournée vers Dieu. L'Israélien est furieux alors. Le spectacle de ces visages pâlis par l'étude, encadrés de boucles par la soumission à une règle antique sans justification d'hygiène, de ces vêtements (lévite, pantalon à la française) hérités du XVIIIe et non des ancêtres, la vue de tout ce qui touche à ce ghetto volontaire l'agace prodigieusement. Il s'insurge contre la réalité des sommes considérables prodiguées pour soutenir ce nocif immobilisme. Il dit : « Les Juifs américains paient pour qu'en Israël on mange kasher et qu'on n'y circule pas le samedi, afin de se faire pardonner la dégustation du *ham and eggs* et les matches de base-ball où ils se rendent en voiture pendant le shabbath. » C'est vrai dans une large mesure et cet antagonisme se termine parfois par des bagarres où, pour peu qu'on ne soit pas un samedi, les bons Juifs pieux ne se font pas faute de tomber à bras raccourcis sur les mécréants.

Mais ce même Israélien que le *hassid* « encroûté » met hors de lui, éprouve également une curieuse indulgence à son endroit : il lui doit l'existence de l'État d'Israël. Sans lui, le judaïsme aurait depuis longtemps été balayé de la surface de la terre. Attachés à la langue biblique, tenue pour morte, ces fanatiques, sans but visible, ont préparé la voie et fait du sionisme l'expression d'un rêve caressé pendant 2 000 ans, l'aboutissement d'une nostalgie atavique que l'on retrouve dans chaque note, dans chaque mot du rituel, aussi bien que dans le folklore du ghetto.

Quand arrive le *shabbath*, Israël s'endimanche; pas seulement les hommes; le ciel, la terre, les maisons. Fleurs, candélabres de une à sept branches, tout brille et s'illumine. C'est une manifestation de foi qui n'est pas toujours liée à la religion. Les seules traditions de ce peuple datent d'une époque où le social, le politique et le religieux ne faisaient qu'un. Dévote ou impie, la pensée israélienne a recours à ces traditions pour rétablir des usages. Les lacunes provisoires de la législation civile, comblées par les emprunts aux normes établies hier, respectées sinon imposées aujourd'hui par le clergé, concourent à faire des célébrations religieuses autant de fêtes populaires. Le Jour du Seigneur, le samedi, est donc universellement respecté : cinémas, théâtres, stades, sont fermés. Mais le pays est à tous. On sort. On va se promener, rendre visite à des parents ou amis dans une autre ville, un village, un kibboutz. On en profite pour se livrer au péché mignon, à l'épidémie qui touche la population tout entière : « l'archéologite ». On va fouiller les ruines, trier les parpaings, dégager les urnes, ramasser et nettoyer les pièces de monnaie ancienne. Car il est rare de rencontrer une agglomération où Juifs, Romains, Grecs, Byzantins, Arabes, Croisés, Turcs, Napoléon, n'aient pas, à un moment ou à un autre, établi leur capitale, leur centre administratif, leur Quartier Général. Cela tient à la coutume qui voulait qu'une ville conquise fût rasée et les raisons de son importance transférées ailleurs.

Bref, tout Israël, ou presque, est dehors ce jour-là. En voiture, la sienne ou celle d'autrui, puisque les chemins de fer ne roulent pas. Egged, l'entreprise des transports publics est également arrêtée, en principe. En fait, ses accords avec le gouvernement passent sous silence certains accommodements avec le ciel. Ainsi, il lui est loisible, sans remords de conscience, de « louer » ses cars à des organisations, collectivités, clubs, cercles, groupes. A défaut, des nuées de touristes indigènes se fient à la bonne volonté de leurs compatriotes. L'auto-stop, élevé à la dignité d'institution nationale, est affaire de solidarité. Mais le pouce agité dans la direction que l'on désirerait prendre, n'a pas cours. L'Israélien prie plus simplement le chauffeur de stopper « ici » en désignant la chaussée à ses pieds d'un index qui ignore les salamalecs.

L'archéologie, l'auto-stop; il est une troisième institution nationale : le pique-nique. Dans les parcs publics, des bancs et des tables sont disposés à l'intention des campeurs du samedi. On prépare un panier et on se rend en pique-nique en amoureux, en famille, en groupe. On roule énormément. On marche encore davantage. C'est un exercice sain et utile, qui confine au sport de masse, qui coïncide avec la plupart des explosions de liesse populaire, lesquelles se terminent immanquablement par des chants et des danses. On chante du folklore ou des chansons modernes (il en est qui ont fait le tour du monde : Hava Naguila, Dona-Dona-Dona), on danse tout de qui se danse ailleurs et la *hora* par dessus le marché. Et on marche, on remarche. Ce festival du mollet culmine annuellement dans la Marche des Quatre Jours sur Jérusalem, immense rallye auquel participe la population tout entière. Des semaines auparavant, les voitures s'arrêtent sur la route pour laisser passer soldats et soldates qui s'entraînent. Personne ne rouspète. Des couples plus âgés suivent, essayant de tenir le pas cadencé de la troupe. L'événement bouleverse la vie du pays. On pavoise sur le parcours des marcheurs, c'est-à-dire partout, puisqu'ils partent des quatre coins du pays. Des buffets, sont dressés à leur intention, des lits dans les granges sont préparés pour les plus âgés, car on voit des vieillards se joindre aux nouvelles couches. Jérusalem les accueille avec une telle pompe, une gloire si vénérable, que l'on ne sait plus s'il s'agit d'une manifestation rituelle ou profane. Et c'est l'occasion de se réunir encore, de se sentir les coudes, de s'émerveiller du miracle de leur existence nationale, sans déploiement de moyens coûteux dont les Israéliens ne disposent pas.

La distraction est essentiellement naïve ou austère. La jeunesse est à la fois très libre et assez puritaine; les mariages se contractent tôt et sont l'aboutissement naturel des amitiés nouées dans l'enfance ou à l'armée.

Puritanisme à usage interne, car le Juif n'est pas porté sur le prosélytisme. A l'inverse de ce qui est demandé au Chrétien ou au Musulman par sa religion, le credo israélite ne fait à personne un devoir de sauver l'âme du voisin infidèle. Chacun fait son salut comme il l'entend, cela ne regarde que lui. Si quelqu'un offense Dieu, l'affaire est entre lui et sa conscience. Le *hassid* lui-même ne cherche pas à forcer l'impie dans la seule voie juste à ses yeux; tout ce qu'il demande, c'est qu'on ne vienne pas promener le Veau d'Or sous son nez. Et si les circonstances lui permettent d'exiger actuellement que l'on respecte le shabbath à sa manière, c'est l'effet d'une conviction profonde qu'il ne saurait en être autrement en Terre Promise. Caractéristique à cet égard est la chaîne symbolique dont les Hassidim se servent pour clore leurs quartiers dès qu'arrive l'*Erev-Shabbath* (la veille du samedi).

Par exemple, le passé religieux appartient au Juste autant qu'au pire mécréant. Aux Concours Bibliques organisés tous les deux ans se présentent des candidats à qui nul ne demande leur appartenance. Ce jeu radiophonique des colles sur un sujet limité, l'Ancien Testament en l'occurrence, mobilise l'attention générale.

Les quartiers neufs ne sont pas jolis, en dépit du souci floral. C'est comme pour les routes. On a paré au plus pressé qui était de loger les gens d'urgence et non de faire plaisir aux yeux. Par ailleurs, en Israël, il faut toujours s'attendre à la parcimonie des moyens. L'argent manque; on s'efforce de ne l'employer qu'à bon escient. Le fonctionnel l'emporte. A la Kirya de Jérusalem, les bâtiments de l'Administration sont extérieurement imposants. Surprise en entrant : un hall insignifiant de commissariat provincial, des bureaux exigus.

Cette économie se reflète dans les maisons d'habitation. Il est rare qu'une famille dispose d'un nombre suffisant de pièces. On pallie le manque de place par la multiplication des lits pliants et divans transformables. L'Israélien moyen rêve de pouvoir se coucher sans avoir à faire son lit. Souvent, la terrasse, indispensable en pays chaud, est munie de rideaux semi-rigides, amovibles, qui la protègent du soleil, le jour et, la nuit, la muent en chambre à coucher supplémentaire.

Certes, ces immeubles fonctionnels, laids, économiques, ont au début la fraîcheur du diable. Cela ne dure pas. La chaleur, la poussière, les émanations d'essence, craquèlent la façade, ont raison des peintures bon marché, auréolent de gris sale les fissures, recouvrent pierre et béton d'une patine d'usure précoce. Le défaut d'entretien est peut-être le plus sérieux reproche que l'on puisse faire aux Israéliens. Ils s'en rendent compte, s'excusent : on n'a pas le temps. En fait, leur tempérament, en ce sens américanisé, les porterait plutôt à démolir avant usure pour reconstruire. Le durable, dans leur esprit, c'est pour demain, à la suite du provisoire actuel. L'épée dans les reins, ils se ruent à la tâche immédiate et la bâclent en soupirant : on fera mieux la prochaine fois.

En guise d'épilogue

Après cette hâtive esquisse, et sous certains aspects, l'Israélien risque d'apparaître comme un vertueux paladin moderne, sorti tout cru de quelque poussiéreux livre d'images. Cet homme austère, ennemi de la gaudriole, sur qui ses compatriotes peuvent compter en n'importe quelles circonstances, pourrait fort bien nous être antipathique. Nous dirions même : c'est un enquiquineur. Que sont donc ces discussions, ces prises de position, ces abnégations qui dépassent le stade de l'argent, celui de l'intérêt et même du confort matériel au niveau de l'individu. Comment ? Ils ne pensent pas à se remplir les poches ?

Ceux qui y vont se rendent compte que c'est pourtant vrai. Mais c'est bien ennuyeux, non ? Nous sommes vraisemblablement jaloux de découvrir que l'idéalisme patriotique et social s'est laissé domestiquer par d'autres. Et cette jeunesse forte, calme, pondérée, toujours adaptée aux exigences du moment ?

Deux détails bouleversent un tel pronostic. D'abord, les Israéliens nous émeuvent comme nous émeut le souvenir de nos vingt ans. Nos peuples étaient ainsi, eux aussi, à l'aube de leur marche vers l'avenir. Ensuite, l'Israélien ne raconte pas d'histoires : il paie de sa personne. Cette preuve irréfutable de sincérité emporte notre adhésion, balaie les réticences.

Selon l'expression consacrée, le peuple juif repart à zéro en sauvegardant les valeurs de son passé. Il reprend des institutions vieilles voici deux mille ans, en effet, mais tous les sentiments se rapportant à l'État sont, chez lui, flambant neufs. Et il arrive, tant bien que mal, à marier les uns et les autres, au point de nous faire envie. Les Israéliens, Juifs d'hier, avec leurs défauts, leurs qualités, leur faculté d'assimilation et leur instinct de conservation, ont réussi là où on les donnait battus. Nous sentons qu'ils n'ont pu le faire qu'au prix de cette « vertu » reconquise.

Si l'on omet le péril immédiat de la destruction par les armes des voisins, le danger, pour Israël, est triple. Il est culturel, économique, démographique.

En plus de deux décennies d'indépendance, une culture propre n'a pas su se dégager. Le peuple, pourtant, va naturellement à la culture. Il n'est pas un foyer qui ne regorge de livres, pas un hôtel, si miteux soit-il, qui n'expose des toiles. Désespérément, on se cherche des attaches avec le passé. Les groupements les plus évolués, les plus progressistes, tentent de renouer avec hier, de vulgariser les traditions d'autrefois, de leur donner un sens, un contenu actuels, sans toujours réussir. Les efforts des artistes ne parviennent pas à les libérer de l'influence occidentale, classique ou conventionnellement révolutionnaire. La langue, encore mal adaptée aux exigences de la technique moderne, lourde et peu maniable, empâte l'expression des écrivains, les entraîne dans le pathos. Elle s'est immobilisée dans son armure antique et se prête mal aux impératifs d'un style vivant. L'urgence du devoir politico-social gêne le penseur. En peu de mots : l'intelligentsia est encore prisonnière du cadre étroit de la nation et de ses problèmes urgents. Elle n'a pas débordé les frontières du « local » pour atteindre à l'universel.

Économiquement, le pays, abandonné à lui-même, ne serait pas viable. Il est soutenu de l'extérieur. Ce fut indispensable, puisque tout était à créer. Mais les progrès réalisés, énormes, ne lui permettent quand même pas de voler de ses propres ailes. Il dépend dans une large mesure des apports étrangers. Ce n'est pas nécessairement un reproche : il faudrait encore prouver que, depuis 1948, on pouvait aller plus loin. Les organismes collecteurs de dons, subventions et emprunts, fonctionnent de nos jours sur le mouvement acquis et tombent dans une espèce d'automatisme, on serait tenté d'écrire : dans la routine.

Enfin, il a déjà été question de l'élément « contemplatif » à tendances passives, des derniers arrivants, qui forment une majorité de plus en plus remuante. Si la nouvelle nation permet à cet élément oriental de s'établir dans une quelconque suprématie, c'est en fait de l'élan créateur.

Tout est encore trop récent pour que l'homme de la rue entende la sonnette d'alarme. L'ennemi, aux portes, clame sa haine et sa volonté de destruction. C'est à l'abri des poitrines de ses enfants que le pays œuvre. Mais une évolution se dessine. Les nouveaux-venus choisissent plus volontiers le moshav que le kibboutz. Une lassitude, parfois l'amertume, s'empare de l'idéaliste : l'essor des villes attire de plus en plus les jeunes et c'est naturel. On ne peut que regretter le temps où primait l'esprit de sacrifice. Que sera demain ? L'armistice, cette guerre larvée, empêche les Israéliens de donner leur mesure en de multiples domaines.

Cette Terre Promise est devenue, pour eux, selon les prévisions de l'Écriture, le pays où coulent le lait et le miel. Malgré ses dangers, malgré l'effort surhumain imposé à ses populations. Un Paradis où les Juifs, après leur interminable voyage, se sentent enfin chez eux.

LES CROISADES

Au temps des croisades, le « bonheur de voir la Terre Sainte » valut à l'aire géographique occupée aujourd'hui par l'État d'Israël ce que Machiavel eut appelé « une extrême malignité de fortune. »

L'auvergnat et clunisien Eude de Châtillon, devenu pape sous le nom d'Urbain II en 1088, songeait en ordre principal à renforcer, dans un monde occidental en expansion, la position de la papauté et à effacer au profit de celle-ci le schisme byzantin. La Palestine aux mains des Infidèles ? C'était exact, mais les Lieux Saints inaccessibles aux pèlerins chrétiens, ce l'était beaucoup moins et le pape le savait. Au concile de Plaisance en 1095, l'empereur byzantin Alexis I Comnène avait fait demander des recrues pour combattre les Turcs qui envahissaient ses provinces anatoliennes. En automne de la même année, Urbain II lançait son célèbre appel à la croisade. L'association du pèlerinage aux Lieux Saints avec la guerre contre les infidèles évoquait la reconquête et la défense de la possession de Jérusalem en même temps que la délivrance des chrétiens d'Orient du joug turc. Cela servait les intérêts pontificaux, mais le pape se doutait-il qu'il allait déclencher de véritables migrations guerrières, animées d'un esprit de conquête égal, sinon supérieur à leur zèle religieux, qui allaient durer jusqu'à la moitié du xve siècle ?

La première croisade est prêchée avec enthousiasme dans l'Occident en effervescence. Précédée d'une croisade populaire sous Pierre l'Ermite, qui sera dispersée en Anatolie, la chrétienté entière se met en marche. Quatre armées, conduites par de puissants princes féodaux, s'ébranlent, deux par terre, deux par mer, les unes par la Hongrie, les autres par la Dalmatie, pour se rejoindre à Constantinople. De juillet 1096 à mai 1097 elles vont défiler, ou plutôt déferler, devant l'empereur, surpris et effrayé tant par l'ampleur que par la nature du « secours » que lui envoyait l'Occident. Il se hâtera de les canaliser vers Nicée et l'Asie Mineure.

La marche des Croisés vers Jérusalem allait durer deux ans. L'intendance avait fait diviser l'armée en deux échelons, l'un sous Bohémond, l'autre sous Godefroid de Bouillon. Le premier, attaqué, appela à la rescousse le second qui mit les Turcs en déroute. Le monde comprit alors qu'une force nouvelle s'était levée en Occident. Pendant deux siècles, les Francs allaient tenir le Levant face aux Musulmans.

Antioche fut l'étape suivante. Les croisés y restèrent plus de six mois et d'assiégeants devinrent assiégés. Il fallut qu'une escadre génoise vint débarquer du matériel militaire pour que finalement Bohémond s'assure la possession de la ville et s'y installe comme dans son fief personnel.

La marche vers les Lieux Saints reprit jusqu'à ce que le 7 juin 1099 les murs de Jérusalem deviennent bien distincts. Ce jour-là la ferveur religieuse l'emporta et les Croisés s'agenouillèrent en action de grâce. Mais les murs de Jérusalem étaient en fait de formidables remparts et, instruits par l'expérience d'Antioche, les Croisés comprirent que seule une attaque massive pouvait en avoir raison. C'est au terme d'un affreux carnage que le Saint Sépulcre fut récupéré un mois plus tard. La méthode était brutale, mais déjà fort en honneur parmi les nations civilisées de l'époque. Que Jérusalem ait été, non plus aux mains des Turcs, mais bien des Arabes d'Égypte, à ce moment alliés des Croisés, était une particularité que ces derniers omirent de relever.

Jérusalem conquise, il s'agissait d'y établir une forme de gouvernement. En référer au basileus de Constantinople, il n'en était pas question. L'empereur n'avait-il pas tenté d'extorquer aux princes féodaux la promesse de récupérer à son profit les terres grecques reprises aux Musulmans ? Quelques Grecs soupçonneux avaient bien guidé les Francs à travers l'Anatolie, mais la différence de pratique religieuse et de niveau culturel entre Croisés et Grecs, ceux-ci largement supérieurs à ceux-là, empêcherait dès le début toute entente véritable.

Les aspirants à la primauté à Jérusalem étaient Robert II, duc de Normandie, son homonyme Robert II, comte de Flandre, Bohémond, fils de Robert Guiscard, à la tête d'une petite mais excellente force de mercenaires qui s'étaient déjà distingués à Antioche, Étienne Henry, comte de Blois, Raymond IV, comte de Toulouse accompagné du légat papal Adhémar de Monteil, et Godefroid de Bouillon, duc de Basse-Lorraine. Avec sagesse, ce dernier se tint au-dessus de la mêlée et se fit élire avoué, c'est-à-dire défenseur, du Saint Sépulcre, titre qu'il adopta par déférence pour le vœu du pape qui désirait, cela va sans dire, un État ecclésiastique plutôt que monarchique. Arnoul, aumônier du duc de Normandie, faisait pendant à Godefroid en ce sens que sa nature inclinait davantage vers les intérêts séculiers plutôt que spirituels. Aimant l'exclusivité, il prit soin d'omettre de soulever la question du rétablissement du patriarche grec lorsqu'il se fit nommer patriarche de Jérusalem. Entre-temps Bohémond, avec un esprit pratique digne des temps modernes, s'annexait Antioche.

L'arrivée de Daimbert, archevêque de Pise, à la Noël 1099, vit l'éclipse d'Arnoul. Officiellement il venait accomplir ses dévotions au Saint Sépulcre; officieusement il tenta tout simplement de se superposer comme patriarche suzerain à Godefroid et à Bohémond en leur rappelant à propos quelle était la force navale de Pise qui avait son mot à dire dans le succès de la croisade.

Godefroid mourut en 1100, ce qui lui évita la rupture avec Daimbert. Appelé par Arnoul, Baudouin, frère de Godefroid, accourut depuis Edesse et força Daimbert à le couronner roi à Bethléem le jour de Noël 1100. Il réussit non seulement à écarter le trop zélé archevêque, mais encore à identifier Jérusalem avec un titre royal. En dix années de combat, il soumit la Palestine tout entière, prit à l'Égypte les ports du littoral à l'exception de Tyr et d'Ascalon et assura sa suzeraineté sur la Galilée conquise par Tancrède.

L'organisation des États Latins

Le territoire du Royaume de Jérusalem s'étendait alors sur une aire beaucoup plus vaste que les quelque 21 000 km² de l'État d'Israël. Le Royaume occupait les villes de la côte de Beyrouth à Ascalon (l'actuelle Achkelon) qui ne sera toutefois prise qu'en 1153, comprenait tout l'intérieur jusqu'au Jourdain, dépassant même le fleuve dans la principauté de Tibériade et dans la terre d'Outre-Jourdain. Le Néguev était également sous contrôle des Latins. L'expansion franque ne sera arrêtée qu'en 1174 avec la prise de Damas par Saladin. Au nord s'étaient établis trois autres états chrétiens et latins à structure similaire à celle du Royaume de Jérusalem : le comté de Tripoli, au-delà de la frontière actuelle du Liban, la principauté d'Antioche (l'Antakya turque actuelle) et le comté d'Édesse en Syrie.

Les Assises, recueil de lois et de coutumes compilés principalement au XIIIe siècle, reflètent assez exactement l'organisation des états latins. Une haute cour ou conseil féodal procédait à l'élection du roi comme premier parmi ses pairs. Jouissaient de droits étendus d'exterritorialité dans les ports les colonies italiennes, en récompense des services qu'elles avaient assurés comme transporteurs maritimes. Venaient ensuite une hiérarchie ecclésiastique latine complète, un domaine royal et un domaine monastique et des cités aux droits bien déterminés. La monarchie l'avait définitivement emporté sur l'État ecclésiastique rêvé par la papauté.

C'est à Jérusalem que les grands ordres chevaliers et militaires virent le jour : Templiers, Hospitaliers de Saint Jean de Jérusalem et plus tard Ordre Teutonique. Alimentés par des fonds indépendants venus d'Europe, les chevaliers jouissaient, sous leurs suzerains, d'une large autonomie dont ils ne se firent pas faute de profiter.

En dépit de ces limitations, le pouvoir du roi restait fort étendu. Les chevaliers séculiers étaient sous ses ordres, en temps de guerre il était le chef des armées et aucun patriarche ni dignitaire ecclésiastique de quelque importance n'était nommé sans son approbation. Son titre de gardien du Saint Sépulcre lui conférait une autorité morale incontestée qui lui donnait le pas sur les États latins d'Édesse et de Tripoli dont il s'était fait le suzerain. Enfin, l'Occident et la papauté s'intéressaient en premier lieu à Jérusalem où pèlerins et croisés apportaient des fonds.

Les classes dirigeantes ne comprenaient que quelques milliers d'Occidentaux, membres de la noblesse et du clergé, d'origine et de langue françaises pour la plupart. Ils régnaient sur un monde hétéroclite d'indigènes et d'immigrés, de Musulmans et de Chrétiens qui adoptèrent bientôt les uns envers les autres la seule attitude durable, la tolérance. Cette sorte de coexistence pacifique avant la lettre ne manquait jamais de stupéfier les nouveaux arrivants venus d'Europe. Ces idéalistes néophytes s'attendaient, en effet, à gagner leur ciel essentiellement en trucidant le plus grand nombre possible d'Infidèles au cri de Dieu le Veult.

Conquérir n'est rien, durer est autre chose... Le premier problème politique était — déjà — la survivance d'un État chrétien au milieu du monde musulman. L'histoire, comme on le voit, a parfois de ces répétitions... Pourtant les califes de Bagdad et du Caire ne s'intéressaient que médiocrement aux royaumes chrétiens, trop éloignés, trop périphériques pour gêner leur sphère immédiate d'activité. Leurs contacts avec Byzance les avaient accoutumés aux Chrétiens et, lorsque cela servait leurs rivalités personnelles, ils ne dédaignaient même pas l'une ou l'autre alliance éphémère avec les Francs.

Malheureusement les Francs ne comprirent pas l'importance de s'accommoder de voisins, somme toute peu encombrants.

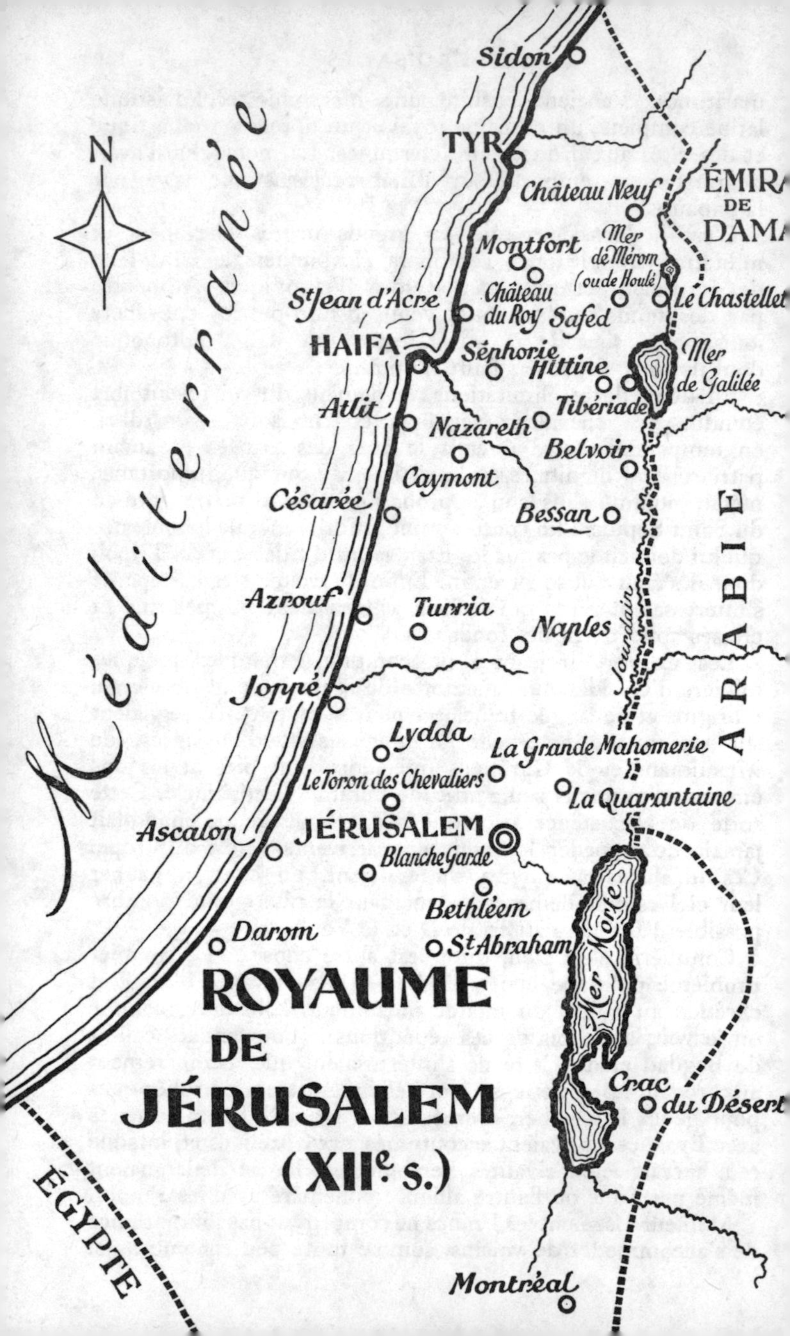

ROYAUME DE JÉRUSALEM (XIIe s.)

N
Méditerranée
Sidon
TYR
Château Neuf
ÉMIRA DE DAMA
Mer de Mérom (ou de Houlé)
Montfort
St Jean d'Acre
Château du Roy
Safed
Le Chastellet
HAIFA
Séphorie
Hittine
Mer de Galilée
Atlit
Tibériade
Nazareth
Belvoir
Caymont
Césarée
Bessan
ARABIE
Azrouf
Turria
Naples
Jourdain
Joppé
Lydda
La Grande Mahomerie
Le Toron des Chevaliers
La Quarantaine
Ascalon
JÉRUSALEM
Blanche Garde
Bethléem
Darom
St Abraham
Mer Morte
Crac du Désert
ÉGYPTE
Montréal

Ils ne virent pas à temps qu'il fallait empêcher à tout prix les États musulmans de s'unir en un *djihad*, une guerre sainte, qui signifierait la fin des royaumes chrétiens à plus ou moins longue échéance. Ils laissèrent Zangui, atabeg de Mossoul, s'attaquer à Édesse et la capturer en 1144. Zangui mourut deux ans plus tard, mais son fils Noureddine allait poursuivre la guerre sainte sans que les Francs songeassent à quelque alliance défensive tant que les Musulmans étaient désunis.

La deuxième croisade

A l'annonce de la chute d'Édesse, l'Europe eut, pendant un moment, la respiration coupée. Le pape Eugène III se ressaisit et lança immédiatement l'appel aux armes. Bernard de Clairvaux se dépensait sans compter et son éloquence, de Vézelay au Rhin, lui rallia à la deuxième croisade l'empereur Conrad III. Une encyclique pontificale vint opportunément effacer toutes dettes des croisés et sous le « privilège de la Croix » les hommes du pieux Louis VII de France et de l'empereur germanique Conrad III se dépêchèrent vers la Terre Sainte. Les rois, cette fois, menaient le peuple à la croisade. Louis VII commit l'erreur tactique de ne pas attaquer Alep, ce qui eut détourné les Musulmans d'Édesse dont la chute était précisément l'occasion de la croisade. Il voulait combattre « en direction du Saint Sépulcre ». Après de durs accrochages avec les Turcs en Asie Mineure, au cours desquels le rôle des Byzantins parut plus que suspect, les deux souverains se rejoignirent à Jérusalem.

Au printemps de 1148 ils décidèrent d'attaquer Damas, autre erreur autant tactique que politique. Ils oubliaient que par son indépendance Damas protégeait en fait Jérusalem de Noureddine qui poursuivait inlassablement ses efforts afin d'unir tous les Musulmans en une guerre sainte. Ce fut un désastre qui coûta aux Francs le prestige qu'ils s'étaient acquis aux yeux des Turcs. En Europe, les Byzantins furent rendus responsables des pertes subies en Anatolie et à Damas la population commença à prêter une oreille plus complaisante à la propagande de Noureddine. Ce dernier ne laissa pas passer une aussi belle occasion et redoubla d'efforts : il s'agissait de persuader les Musulmans de tenter d'expulser de Palestine et de Syrie tous les Européens. Il évita adroitement de heurter Damas de front afin de gagner plus sûrement la ville à sa cause.

A Baudouin Ier avait succédé en 1118 son neveu

Baudouin II, dont la fille, Mélisande, épousa Foulques d'Anjou. L'un de leurs deux fils, Baudouin III, roi de Jérusalem de 1143 à 1163, réussit par un brillant fait d'armes à s'emparer en 1153 de la forteresse égyptienne d'Ascalon. Hélas, l'année suivante Noureddine marquait un point : Damas lui ouvrit ses portes et l'Islam syrien était uni contre les Francs.

En 1171, sous le règne d'Amaury Ier, frère de Baudouin III, Noureddine allait faire le pas décisif : sur son ordre, son général Saladin rétablissait au Caire l'autorité d'un calife abbasside en remplacement du calife chi'ite. Les Musulmans de l'Irak, de Syrie et d'Égypte étaient enfin unis politiquement. L'ombre menaçante du *djihad* se dessinait nettement sur le Royaume de Jérusalem et sur les autres État latins d'Orient.

A la mort de Noureddine en 1174, Saladin dut toutefois tenir solidement les rênes pour éviter l'effritement de l'unité qu'il avait constituée. Il s'employa au préalable à consolider ses forces et se garda bien de provoquer les Francs. Par une habile diplomatie il s'allia les cités maritimes italiennes en leur offrant des traités de commerce et il sut dresser Byzantins et Francs les uns contre les autres.

Les trois États latins restants, Jérusalem, Tripoli et Antioche étaient fortifiés le plus convenablement du monde et eussent, militairement parlant, été à l'abri de toute surprise si politiquement leurs dirigeants avaient possédé une once du plus rare de tous les sens : le sens commun.

Baudouin IV, fils d'Amaury étant lépreux et son neveu Baudouin V encore enfant, les barons se disputaient déjà la régence, excités en cela par Raymond III, comte de Tripoli et seigneur de Tibériade. Quelques nouveaux venus s'en mêlèrent : Renaud de Châtillon, seigneur de Montréal et de la forteresse dite Crac du Désert, et Gérard de Ridefort, le futur Grand Maître des Templiers (1186). A la mort de Baudouin IV, Renaud et Gérard firent couronner en secret leur homme de paille, nouveau venu sans fortune, Guy de Lusignan, qui avait épousé Sybille, fille de Baudouin IV. Jérusalem fut à deux doigts de la guerre civile.

Pour comble de malheur, Renaud, insubordonné, avait maladroitement provoqué Saladin en coupant les routes suivies par les caravanes musulmanes. Saladin traversa le Jourdain avec une vingtaine de milliers d'hommes aguerris. Guy se hâta d'armer ses troupes qu'il envoya camper à Séphorie (l'actuelle Tsippori) et les fit avancer, en une marche épuisante à travers une contrée désertique, à la rencontre de Saladin.

Ce dernier remercia Allah de cette faveur stratégique et en vue du lac de Tibériade, près d'un double éperon nommé d'après la localité de Hittine, il tailla en pièces les Francs épuisés. Guy fut capturé.

Plus rien ne pouvait s'opposer à la marche de Saladin sur Jérusalem. Il entra dans la ville le 2 octobre 1187. Dans le Royaume, seules les forteresses de Belvoir et de Tyr, cette dernière défendue par Conrad de Montferrat, continuèrent à résister. A Jérusalem même, les Francs aisés purent racheter leur liberté et quitter le pays. Juifs et chrétiens orthodoxes se soumirent sans trop de mal à une domination musulmane qui se montrait tolérante.

Le troisième choc

La conquête de Jérusalem par Saladin fut la cause directe de la troisième croisade, prêchée par le pape Grégoire VIII et son successeur Clément III. Philippe II Auguste de France, Frédéric Barberousse d'Allemagne et Richard dit Cœur de Lion d'Angleterre se mirent à la tête des croisés. Frédéric se noya accidentellement en Cilicie et ses troupes se dispersèrent. Richard et Philippe, quant à eux, se défiaient cordialement l'un de l'autre. Richard possédait en France de vastes fiefs, ce qui ne plaisait guère à Philippe. Philippe arriva en vue de de St. Jean d'Acre (Akko, au nord de Haïfa) en avril 1191, tandis que Richard, qui s'était attardé pour mettre Chypre à sac, n'y parvint que deux mois plus tard. Acre était assiégé depuis deux ans par le roi Guy. Libéré sur parole par les Musulmans à condition de ne plus prendre les armes contre eux, il s'était empressé de renier sa parole.

Après un siège mémorable où l'on se dépensa en héroïsme tant du côté des assaillants que des assiégés, les trois rois finirent par prendre la ville. Cette capture allait faire d'Acre pendant plus d'un siècle la ville principale du Royaume de Jérusalem amputé, grâce au commerce actif entretenu principalement par les comptoirs italiens.

Philippe, jugeant sa tâche accomplie, s'en retourna en France. En réalité, il allait tenter de subtiliser les fiefs français de Richard, après avoir scélératement juré de n'en rien faire. Richard, batailleur, ne se laissa pas arrêter en si bon chemin et reconquit les ports situés au sud d'Acre : Haïfa, Césarée, Arsouf (Richpon) et Joppé (Jaffa, actuellement faubourg méridional de Tel-Aviv).

Le désastre de Tibériade était effacé. Richard parvint encore à arracher aux Musulmans le droit de visite du Saint

Sépulcre au profit des pèlerins chrétiens. Il ne put reprendre Jérusalem, mais son action allait accorder au royaume tronqué un sursis d'existence de cent ans.

Guy fut déposé en 1192. Richard s'adjugea l'île de Chypre, qui avait déjà eu l'honneur de recevoir sa dangereuse visite. Il en fit un nouvel État croisé qui durera jusqu'à la conquête vénitienne de 1489. D'innombrables légendes ont été tissées, tant en Palestine qu'en Occident, autour de la figure de Richard Cœur de Lion. Qu'il soit permis de dire « qu'il n'ôtait jamais de son esprit la guerre », mais qu'il ne la faisait que d'une sorte, par l'action. Saladin la faisait de deux sortes, par l'action et par l'esprit, car il lui était supérieur comme homme d'état.

Les voies de Dieu sont impénétrables

En Europe, les résultats de la troisième croisade avaient été jugés décevants. Sous l'impulsion du grand pape de combat Innocent III, Thibaut III, comte de Champagne, s'embarqua pour une quatrième croisade sur des navires affrétés à Venise, en 1199. Voyant les croisés à court de fonds, le doge Enrico Dandolo fit pression sur les troupes franques pour leur faire prendre Zara sur la côte dalmate (l'actuelle Zadar). La suite de la croisade est encore moins belle et les remontrances d'Innocent III n'y changèrent rien. Alexis, prétendant au trône byzantin, promit de payer les dettes des Croisés et amena Français et Vénitiens devant Constantinople. Le peuple se révolta contre les Croisés et ceux-ci mirent la ville à sac d'une manière telle qu'elle ne se relèvera plus jusqu'à sa chute aux mains des Ottomans en 1453. C'était en 1204. Ce fut en réalité le grand règlement de comptes entre Latins et Byzantins et la chrétienté entière en fera les frais plus tard.

Un instant déconcertés, Innocent III et son successeur Honorius III envoyèrent avec Jean de Brienne une cinquième croisade entreprendre en Égypte le siège de Damiette, dans l'espoir d'en faire une monnaie d'échange contre Jérusalem.

L'empereur germanique Frédéric II avait des idées très personnelles sur ses droits par rapport à ceux de la papauté. De plus, il avait des terres en Italie. Les papes ne l'appréciaient guère. On le maria à l'héritière du Royaume de Jérusalem, Yolande (Isabelle II, 1212-1228) et Frédéric partit à la sixième croisade.

Le sultan d'Égypte était, à ce moment, en guerre avec son neveu de Damas. Frédéric en profita et obtint par diplomatie le retour de Jérusalem, de Bethléem, de Nazareth, de Sidon (Scyda, Liban actuel), de Lydda (Lod, en Israël) et d'autres lieux saints pour une période de 10 ans. Il se fit vertement tancer par la papauté : « On ne négocie pas avec les Musulmans, on les occit. » Les possessions italiennes de Frédéric en subirent le contrecoup. Les papes prenaient, en effet, tout doucement l'habitude de prêcher une croisade contre leurs adversaires personnels. Frédéric se fit couronner roi de Jérusalem en 1229.

Les luttes intestines achevèrent de miner les Francs et en juillet 1244, Jérusalem passa de nouveau aux mains des Infidèles : des Turcs à la solde de l'Égypte. En l'espace d'une année, presque toute la Palestine et Damas tombèrent au pouvoir du sultan du Caire, Ayoub.

La septième croisade, conduite par Louis IX de France, ressembla presque point par point à la cinquième : C'est en vain que les croisés tentèrent de s'emparer de Damiette pour l'échanger contre Jérusalem.

Après le retour en France de Louis IX, ce sera surtout l'Égypte qui va déterminer le sort de l'Orient latin. En 1260, devant la poussée mongole sur Bagdad, Alep et Damas le sultan mamelouk d'Égypte Qutuz (Koutouz) et son général Baïbar défirent, en une bataille décisive pour le sort de l'Islam, les Mongols commandés par le général nestorien Kitboga à Ayn Djalout près de Nazareth. Cette victoire a une importance particulière dans l'histoire du monde : elle sauva l'Islam en Asie Occidentale mais aliéna les faibles chances de voir les Mongols adopter le Christianisme. Au contraire, ils passèrent à l'Islam qui les impressionna comme étant la religion des forts.

Ayn Djalout — le puits de Goliath — marqua le déclin des États chrétiens latins d'Orient. Le sultan commença à leur faire la guerre, même à Acre qui s'était abstenu de le combattre. Il reprit Césarée, Haïfa et Arsouf (Richpon) en 1265. La forteresse de Safed tomba en 1266, Joppé (Jaffa), le château de Belvoir et Antioche (Antakya) en 1268.

Louis IX eut voulu arrêter Baïbar par la huitième croisade, mais son frère Charles d'Anjou, roi de Sicile, qui occupa de 1277 à 1286 la ville d'Acre, ne permit pas qu'une action militaire en direction du Saint Sépulcre vint déranger ses plans personnels contre Byzance. Comme il était en bons termes avec le sultan du Caire, il persuada son frère d'aller guerroyer en Tunisie où ce dernier mourut.

Les conflits entre colonies italiennes, Templiers et Hospitaliers, rendirent de plus en plus difficile l'exercice de la royauté. Les dernières forteresses latines en Orient tombèrent entre

1271 et 1303. Louis IX mort, Baïbar se sentit les mains libres. Il prit successivement les trois derniers châteaux francs : Safita, le Crac des Chevaliers (entre Safita et Homs en Syrie) et Montfort, dans le nord d'Israël. Tripoli tomba en 1289 aux mains du sultan Qalawoun, dont le fils Khalil prit Acre en 1291. Puis ce fut le tour de Tyr, Haïfa et Atlit (Château Pèlerin).

Le grand élan, la grande flambée de dynamisme qui avait suscité en particulier la première croisade, s'éteignait. Les chevaliers se battaient maintenant le long des côtes de la Baltique. En France la Guerre de Cent Ans, en Espagne la Reconquista, en Europe Centrale la poussée ottomane, autant de facteurs qui détournaient l'attention du Saint Sépulcre. L'avènement des monarchies nationales, le déclin de la féodalité, les grandes découvertes géographiques contribuèrent à éclipser jusqu'à l'idée de croisade.

Le Royaume de Jérusalem tombé, la Palestine allait rester sous domination musulmane jusqu'au XXe siècle. Quant au titre de Roi de Jérusalem, les souverains de Chypre et de Sicile allaient encore s'en parer :

« Il n'est de si grand talent,
« Qu'il en reste au moins quelque relent... »

LA TABLE

« Il faut manger pour vivre et non pas vivre pour manger. » Israël n'a peut-être pas adopté ce précepte en songeant à Molière, mais à un autre fruit de la sagesse des nations : nécessité fait loi. Bref : Israël a d'autres chats à fouetter et néglige un peu sa cuisine.

On mange pourtant beaucoup et souvent. Mais la gastronomie n'a pas encore acquis une personnalité. D'abord, le pays est composé d'immigrants que les vents de tous les azimuths ont rabattus sur Israël. Chacun de ces groupes ethniques a apporté ses particularismes et, le temps d'une ou deux générations, les a conservés. Ensuite, pour que du creuset qu'est Israël sorte une tradition propre et originale en matière culinaire, il faudra attendre quelques décennies. Enfin, et ceci est vraisemblablement aussi important que cela, la survivance d'une série de prescriptions primitivement dictées par l'hygiène et le climat et que la religion maintient avec vigueur, représente un frein sérieux au développement d'une cuisine gastronomique. Ces prescriptions édictées en un temps où, comme aujourd'hui, le peuple devait parer au plus pressé, ont désormais force de loi dans la majorité des hôtels et restaurants dont la cuisine, alors, est dite : *kasher*, ou, si l'on préfère, en stricte observance des rites alimentaires. Voici, en résumé, ce que sont les principales restrictions.

La cuisine kasher

Que signifie « kasher » ? Le Pentateuque (Lev. : XI), désigne comme purs et propres à la consommation, les animaux « dont la corne est divisée et le pied fourchu et qui ruminent. » *Toutes* ces conditions doivent être réunies; à défaut de l'une d'elles seulement, l'animal est impérativement exclu. Suivent les spécifications d'abattage pour le bétail et la volaille, — la bête doit être saignée, — de préparation : il convient de laver et de saler la viande afin de la vider entièrement de son sang. En outre, est déclarée obligatoire, la stricte séparation des nourritures carnée et lactée : « Tu ne mangeras pas l'agneau dans le lait de sa mère. » C'est dire que lait, beurre, fromages, en aucun cas, ne peuvent, ni être employés dans la préparation d'un plat contenant une viande quelle qu'elle soit, ni être servis, ensemble ou en succession, au cours d'un même repas. Le législateur va jusqu'à ordonner d'utiliser des nappes, des plats, des assiettes, des verres et des couverts différents, selon que viandes ou laitages seront consommés. Tout est soigneusement réglementé. Alors qu'il est permis de manger de la viande *trente minutes* après un laitage, ce dernier ne peut suivre un plat de viande que *plusieurs heures* plus tard. Ce qui fait que l'on ne saurait, par exemple, déguster un café ou un thé avec du lait ou de la crème, à la fin d'un repas au menu duquel viande ou volaille auront figuré.

Les poissons font l'objet d'une véritable nomenclature. En principe, seuls sont autorisés ceux que la nature a pourvus d'écailles et de nageoires. Mais ceux-là peuvent être consommés avec n'importe quel autre aliment, laitage, viande, fruits, légumes.

Dans le but de garantir à la clientèle pieuse le respect de la loi, hôtels et restaurants affichant le label « kasher », sont tenus d'obtenir et de renouveler périodiquement un certificat délivré par le rabbinat local. Une autorisation spéciale est requise pour les aliments, vins et spiritueux (séparément embouteillés et scellés) destinés à la consommation durant les fêtes de Pâques. C'est un kasher renforcé, dit *kasher-le-pessach.*

Huit jours durant, le pain ordinaire est proscrit : seul sera consommé du pain sans levain : *mazza*, pluriel : *mazzoth*, en souvenir du départ si précipité d'Égypte — pour un exode qui allait durer quarante ans — que l'on n'eut pas le loisir d'emporter du pain levé, lequel eût été immangeable au bout de quelques jours. Également écartés sont tous les aliments ou boissons contenant le moindre ferment, ce qui exclut une bonne partie du kasher ordinaire et frappe d'ostracisme le vinaigre, le yaourt et autres whiskies. Toute femme d'intérieur soucieuse de se plier aux prescriptions religieuses possède une vaisselle à part, du linge de table, un service de verres, des couverts et même une batterie de cuisine, exclusivement réservés à la semaine de Pâques. Des jours durant, en attendant la célébration de la fête, la maison sera nettoyée de fond en comble pour la débarrasser du plus infime élément impur.

Pour le *shabbath* (samedi, jour du Seigneur) et les fêtes en général, jouent les interdictions habituelles sur le repos du septième jour : ne pas toucher au feu (l'électricité non plus), ne pas travailler, ne pas se déplacer dans un véhicule quelconque, etc. En conséquence, la nourriture aura été préparée la veille conformément aux indications du

Pentateuque et de la littérature religieuse. C'est ce qui vous explique pourquoi le samedi, à l'hôtel, vous aurez du Nescafé ou du thé en sachet, alors que durant le reste de la semaine, on vous servira du café normal, ou du thé régulièrement infusé.

Il va de soi que ces sévères prescriptions ne sont pas toujours observées à la lettre, même dans les établissements couverts par l'étiquette kasher ni, surtout, dans les maisons particulières. Néanmoins la multiplicité des interdictions met le cordon bleu à rude épreuve : adieu le steack saignant ou bleu, les petits plats mijotés à la bonne crème, les légumes sautés au beurre en garniture et tout ce qui fait le renom de la cuisine française.

Israël s'est néanmoins débrouillé pour affirmer deux caractéristiques qui frappent l'étranger lorsqu'il se met à table : le petit déjeuner en général et le repas « oriental » — en somme : arabe — en particulier.

Le petit déjeuner israélien tient du *breakfast* anglo-saxon par l'abondance, mais revu et corrigé par la rigueur du *kashruth* (c'est le substantif de kasher). Il ne comporte donc pour ainsi dire jamais ni charcuterie (même non-porcine), ni viande. Divers poissons les remplacent. Sa véritable originalité est dans le nombre de crudités qui l'accompagnent et prend sa source dans des restrictions autres que religieuses : l'austérité imposée par les circonstances et la pauvreté des kibboutzim.

Voici le menu d'un petit déjeuner idéal. Naturellement, selon la catégorie de la table, il est plus ou moins copieux et comporte plus ou moins de choix pour chacun des éléments.

1) Jus de fruit : pamplemousse ou orange. Attention : les amateurs de jus de fruits frais — non en boîte — devront demander du *miz-tari*. Le personnel, en général, accède de bonne grâce à cette requête.
2) Un ou deux œufs, selon votre désir : à la coque, durs, au plat, brouillés.
3) Poissons : harengs marinés, à la crème ou roll-mops, sardines, sprats.
4) Crudités : olives, noires et vertes, carottes rapées, tomates, concombres, oignons frais, radis.
5) Laitages : lait, yaourt, crème, fromage blanc, fromage cuit genre Hollande ou Gouda.
6) Confitures : deux, au moins, ou alors, une, avec du miel.
7) Compote : le plus souvent, des pruneaux.

8) Café ou thé. Rarement, et sur demande : du chocolat chaud.

9) Pain : petits pains frais, parfois au sésame, ou au pavot, pain bis, toasts, biscottes.

C'est, on le voit, un repas complet auquel on s'habitue bien vite et qui leste agréablement le touriste pour sa dure journée de pérégrination.

Le porc étant interdit, la charcuterie apparaîtra rarement à une table d'hôtel ou de restaurant. En ville, on peut acheter du porc, jambon, saucisson, dans certains magasins. Reste la charcuterie kasher, à base de bœuf, de viande fumée.

Les crustacés font partie des interdictions. Le poisson est un mets « spécialisé », c'est dire qu'on le trouvera dans certains restaurants seulement. Mise à part la carpe farcie, on cuisine peu le poisson, quoique — et probablement à cause de cela, — il ait été à l'honneur durant les longues années d'austérité. Homards et langoustes se dégusteront donc à Acre, dans la ville arabe, à Eilat où existe un restaurant dit international, chez « Jeannette », à Jaffa. Mais, en principe, la consommation est à ce point réduite que les pêcheurs s'en désintéressent. Dans la région du lac de Tibériade et, plus particulièrement au restaurant du kibboutz d'Ein Guev, on pêche un poisson dit de Saint-Pierre, — *tilapia Galilea*, de la famille des perches — qui, grillé, est succulent. Surprise : sa version « eau de mer » existe également, aussi bonne, chez Abou Christo à Acre. Beaucoup de poissons sont élevés en viviers, nous l'avons vu ou le verrons, principalement la carpe et le Gouvernement encourage avec obstination le développement de la pêche en mer.

Très bon et varié, le pain, en Israël. Il y en a du blanc, du noir, du bis; on le trouve saupoudré de sésame ou de pavot, à mie légère ou serrée, pétri à la main, ou industriel. Il est toujours excellent. Une mention spéciale à la *pita* arabe, qui, chaude encore est un régal. L'eau est généralement bonne et partout potable. Elle vous sera apportée normalement à table et vous ne serez nullement mal vus du restaurateur si vous ne commandez pas de vin. L'eau minérale est pour ainsi dire réservée aux malades. Si l'on désire de l'eau pétillante, on demande du *soda*, qui correspond à un siphon. On boit beaucoup de bière. La fabrication locale n'est pas mauvaise. Si l'on a des goûts un peu raffinés en la matière, il vaut mieux demander une *Gold Star* ou un *Maccabi*.

La cuisine orientale

Examinons à présent l'autre bonne surprise israélienne en matière de nourriture : le repas oriental ou arabe. Le menu est peu varié, mais exquis. Méfiez-vous des « entrées » qui alourdissent l'estomac; elles sont à tel point tentantes que l'on force sans s'en apercevoir. Généralement, on indique ces entrées conjointement : *houmous* et *téchina*, dans une orthographe très approximative. On pourrait aussi bien écrire : *hom's* et *t'hina*. Il ne s'agit, bien entendu, pas d'humus dans le sens où l'entend le paysan français. Le hom's est une crème de pois chiches préparée à l'ail-gros-sel-citron. On la sauce avec de petits morceaux de *pita :* le pain arabe. Celui-ci ne comporte ni croûte, ni mie, se présente comme une double surface ronde, dont les bords seraient soudés, d'un tissu épais, et que l'on déchire pour le manger. (On verra plus loin qu'en enlevant un arc de cercle, on peut aussi en faire une espèce de sac qu'il ne reste plus qu'à fourrer pour en faire un sandwich qui ne fuit pas.) La description, évidemment, ne saurait rendre la saveur. En général, on adopte d'emblée ce hors-d'œuvre inattendu.

Quant à la t'hina, elle se déguste de la même façon. Cette fois, c'est une crème de sésame — dont les Français connaissent le goût depuis l'introduction en France de la *halva*, sauf que la t'hina, en guise d'entrée, n'est pas sucrée. Elle se prépare comme la précédente, en ajoutant du persil. Hom's et t'hina sont quelquefois servis ensemble dans la même assiette.

Les *felafel* (ne pas confondre avec le *fel-fel* qui a emporté tant de bouches françaises en Afrique du Nord) peuvent être considérés comme un hors-d'œuvre ou un plat principal, au choix et selon les capacités d'absorption de l'intéressé. Ce sont de petites boulettes de pois chiches, frites dans l'huile et croquantes. Pour les estomacs d'autruche, signalons qu'elles peuvent remplacer la pita pour saucer hom's ou t'hina. C'est, soit dit le plus simplement du monde, un régal. Le pita, qui se mange debout, souvent sur le trottoir, comporte des felafel arrosés d'épaisse t'hina, mélangés à des légumes en saumure ou au vinaigre, — concombres, oignons, tomates vertes, carottes, choux-fleurs, etc., en un mot comme en mille : *hamouzim* — avec un soupçon parfaitement fondé de sauce piquante. Mordez dedans, vous en direz des nouvelles à l'éditeur, lequel envoie son souvenir ému à tous les faiseurs de felafel d'Israël.

Les *hamouzim* nous venons de le voir, sont des légumes

macérés dans le vinaigre d'alcool (genre « pickles », en mieux), relevés par la présence de certains petits poivrons verts.

Les concombres et cornichons, eux, sont en saumure. Ils se rapprochent des concombres à la russe, mais sans l'arrière-goût doucereux de ces derniers. Les Israéliens d'origine ladino-espagnole les appellent *troushi*. En général, une assiette en est servie avec les plats, en guise de garniture.

La salade verte est finement coupée. Les connaisseurs ajoutent une cuillerée de t'hina à l'assaisonnement.

Tout ce qui précède est apporté sur la table avant le plat principal, un peu comme des hors-d'œuvre variés et, de même qu'en France, il arrive qu'on n'ait plus faim après. Pour bien faire, il convient de les rincer d'un petit verre d'*arak*, — *raki*, qui est un anis sec, — pas trop baptisé.

Si vous n'avez pas abusé des entrées, nous passerons avec votre permission au plat de résistance. La cuisine orientale connaît sous des noms divers le *chachlik* (russe, yougoslave, roumain, turc), ces brochettes de mouton ou de bœuf grillées sur feu de bois. Le *kebab* est peut-être plus typiquement arabe : c'est de la viande hachée aillée, persillée — parfois au *kesbour* qui est un genre de persil à saveur spéciale — elle aussi grillée sur feu de bois. Le *tandourkebab*, lui, est d'origine résolument turque : c'est une énorme boulette de viande de mouton macérée, grillée sur broche verticale, dont on découpe de fines tranches; attention, très gras.

En règle générale, on vous apportera en guise de garniture, du *pilaf*, le riz à la turque, ou de la salade. Les haricots — blancs, rouges — nourriture du pauvre, sont en principe servis en potage épais. Il y en a presque toujours. Arrivés à ce point, il est rare que l'on ait gardé un coin libre pour finir le repas sur une douceur. La pâtisserie orientale est essentiellement à base de pâte feuilletée et de noix ou d'amandes enrobées d'un lourd sirop de sucre. Elle est savoureuse, mais pesante. Ce qui s'impose, par contre, c'est le célèbre *café turc*.

Alors, là, vous aurez besoin de quelques tuyaux, même si vous le connaissez. Avant tout, et à moins que vous ne précisiez à la commande, il sera terriblement sucré. Vous aurez beau le demander avec « un soupçon de sucre », il sera bien trop doux pour peu que vous l'aimiez amer. De plus, sans indication contraire, il sera aromatisé au *hehl*, à l'arabe. La graine de hehl est, soit moulue avec les graines de café, soit écrasée et ajoutée dans la tasse. Elle apporte un léger arôme de menthe sauvage et fausse totalement le goût du café. Essayez, la première fois. Ensuite, si vous n'aimez pas ça, vous préciserez : *bli hehl* (bli = sans).

Le thé à la menthe sera, également, servi d'autorité avec énormément de sucre.

C'est là nourriture typiquement arabe. Il y a des variantes, en particulier dans les grandes villes où prospèrent les restaurants dits « orientaux », d'origines diverses : roumains, bulgares, russes, hongrois, turcs et même italiens... car on est toujours à l'orient de quelqu'un.

Revenons à la norme du repas — déjeuner et dîner — à l'israélienne, non sans avoir ajouté que dans les restaurants arabes ou orientaux, la nourriture n'est généralement pas orthodoxe, d'un point de vue kasher. La seule particularité inattendue aux yeux du Français est le potage immanquablement servi *après* l'entrée. Il s'agit le plus souvent d'un bouillon qui est fort bon. En été, on sert souvent un potage froid aux fruits, agrémenté de cannelle.

En guise d'entrée on trouve souvent — spécialement le vendredi soir (*erev-shabbath* = veille du samedi), la fameuse carpe farcie : *gefüllte fisch*. Elle est traditionnelle et très appréciée de la population d'origine non-méditerranéenne, dite *ashkenaze*, (par opposition aux *séphardim* ou sépharades, c'est-à-dire : espagnols). Le gefüllte fisch est une espèce de pâté fait avec la chair de la carpe, des œufs, de la mie de pain trempée et des aromates. C'est un plat légèrement sucré. Primitivement — aujourd'hui encore, dans les grandes occasions — on apportait à table une carpe effectivement farcie. Désormais, on se contente de la farce coupée en tranches. Autre spécialité qui a sa source dans les communautés juives de l'Est, le foie haché aux oignons, servi en guise d'entrée. Le foie, d'ailleurs, fait souvent partie du menu fixe dans les restaurants. Le reste du repas est classique et reflète l'origine du chef.

Desserts et fromages

Le dessert n'offre pas grand choix dans les restaurants; voir les diverses interdictions qui empêchent les laitages de suivre un plat de viande. Vous aurez le choix entre les fruits de saison, frais, et la sempiternelle compote de pommes agrémentée parfois de pruneaux. Peut-être un samedi soir y aura-t-il du *strudel*. Nous en arrivons ainsi à la pâtisserie viennoise, de réputation mondiale. Il est évident que les restaurants ne réussissent pas toujours le *strudel*. C'est une pâte feuilletée fourrée de cerises ou de pommes, avec des raisins secs, des noix rapées et un peu de canelle. Délicieux, lorsqu'on le savoure frais, le strudel a un désavantage : il ne supporte pas la médiocrité.

Les ménagères, surtout celles qui viennent d'Autriche, font volontiers de la pâtisserie à la maison. Il est rare que l'on ne vous offre pas un gâteau sorti du four familial lorsqu'on vous invite à boire une tasse de café ou de thé. En Israël, l'habitude a été conservée de se rendre visite après les repas pour bavarder un brin. Douceurs, gâteaux, fruits secs, bonbons et chocolats seront toujours très joliment présentés. Tartes et gâteaux à la française — babas, mille-feuilles, éclairs — sont pratiquement inconnus. Mais il y a presque partout des friandises qui se classeraient entre le pain de Gênes et le 4/4, parfois de pâte de noix ou d'amandes, fourrées de crème, de chocolat, et couronnées de crème Chantilly.

Dans les intérieurs sépharades, si on ne vous apporte pas des gâteaux orientaux — précédemment décrits, — genre *baklava* ou *trigona*, qui fleurent bon le littoral méditerranéen, turc ou grec, — le café (sans hehl) sera accompagné d'un grand verre d'eau fraîche dans lequel trempe une cuiller. L'invité se saisit de la cuiller pour prendre une cuillerée de confiture délicieuse : fraises, cerises, pétales de roses quelquefois, abricots. Cela s'appelle « s'adoucir la bouche », et le rite se pratique avant ou après le café.

Les glaces sont excellentes et on en consomme énormément durant la saison chaude. On trouve partout l'équivalent de nos divers « esquimaux », qui porte en Israël le nom d'*Artic*. Mais, une fois de plus, la bonne glace, à base de lait et de crème, ne figurera pas au menu d'un restaurant kasher, à cause des prescriptions religieuses.

On trouve en Israël une grande variété de fromages; certains ressemblent à ceux d'Europe et sont du type Edam, gruyère ou crème. Plus typiques cependant sont un fromage blanc mou, un fromage blanc dur, le *Safed* (son lieu d'origine), et toute une gamme de savoureux fromages de brebis. Il existe encore un fromage arabe crémeux et piquant appelé *lebeneh*. Grand choix aussi dans le domaine des crèmes aigres *(shemenet hamoutza)* et des yaourts.

Les boissons

Un chapitre qui tient au cœur des Français : les vins. Eh bien, faites-en votre deuil : le vin israélien vous paraîtra tout juste buvable. Inutile donc de chercher midi à quatorze

l'ère atomique, nous serions tentés de croire que ces gestes, vieux
omme le monde, sont sacrés. La pêche pourrait alors être miracu-
·use et l'eau de la Fontaine de Marie, à Nazareth, se changer en vin...

Le Néguev, garderie bien vaste pour ce petit Bédouin...

heures. La liste officielle des crus (!) est longue, mais en fait, on ne vous offrira que trois bouteilles :

Adomatic — ou Carmel rosé sec — qui existe également en blanc et en rouge; *Ashqelon*, blanc et rouge; *Avdat*, blanc et rouge. On peut en général se fier à la marque *Mikweh Israël* et le cognac de cette maison, appelé Karl Netter (d'après un pionnier de la viniculture du XIXe s.) se laisse boire.

La qualité, pour tous trois, est irrégulière. Avec un peu de chance, on tombe sur une bouteille qui n'est nullement désagréable. L'Avdat serait le plus constant, lorsqu'il n'est pas trop récent. Car c'est là le grand défaut du vin israélien : la jeunesse. Demandez-le donc datant de trois ou quatre ans et, si possible, muni de l'étiquette *kasher-le-pessach :* les rabbins sont connaisseurs. Ne vous fiez pas trop au sommelier qui n'y entend rien : on ne boit pas assez en Israël pour qu'il vaille la peine de se spécialiser. Le vin doux — *Eliaz* parmi d'autres — se sert à l'occasion des fêtes et, le plus souvent, simplement pour y tremper rituellement les lèvres.

Tous les alcools sont en vente. D'importation, ils coûtent deux fois plus cher que la fabrication locale. Le puissant *arak* ressemble au *raki* turc ou à l'*ouzo* grec. La *vodka* est de la variété polonaise. Bien entendu, l'épidémie de *scotch* a gagné Israël comme le reste de la planète.

Pour ce qui est des jus de fruits, les Israéliens sont des maîtres. Terme générique : *miz ;* d'orange : *tapouzim ;* de pamplemousse : *eshkolioth.* C'est la véritable boisson nationale. Elle peut se réclamer *tari* (fraîche). Mais les conserves locales sont de toute première qualité. Le « Tempo » n'est qu'une simple limonade gazeuse et sucrée. Depuis son introduction en 1968, le Coca-Cola se vent énormément en Israël.

Énorme aussi est la consommation de thé et café. Si les Juifs se divisent en *ashkenazes* (Europe Centrale, Pologne) et *sépharades* (méditerranéens), on peut dire aussi que les premiers sont tenants du thé et les seconds du café. L'un et/ou l'autre font partie du menu à prix fixe dans les restaurants. Nous avons déjà examiné les heurs et malheurs du café turco-arabe et du thé à la menthe. Qu'il suffise d'ajouter que le thé est souvent servi dans un verre : à la russe. Lorsque vous commandez du café, il vaut mieux spécifier quelle est celle que vous désirez parmi les cinq variétés courantes : turc *(tourki)*, espresso, Nescafé, normal ou café *afouch* (qui n'est autre que notre café au lait).

Les Israéliens ont sur le sujet du pourboire fort peu de complexes. On vous indique que le « service » est ou n'est pas compris. Quant au pourboire, si vous en laissez un, nul ne s'en offensera.

En conclusion, disons que pour bien faire, le touriste devrait s'imprégner de l'idée qu'il ne fait pas un voyage gastronomique. Comment reconnaître les restaurants non-kasher ? Voilà qui est délicat. Un restaurateur avisé ne le crie pas sur les toits. Consultez des gens sur place. Ils connaissent les bons coins, soyez-en sûrs. Compte tenu du coût assez élevé de la vie en Israël, le restaurant n'est pas cher. Et le moins cher est encore le restaurant arabe ou oriental.

Vendanges (mosaïque dans la synagogue d'Hamat-Tibériade, IVe siècle).

LES ITINÉRAIRES

«Ils bâtiront les villes dévastées et les habiteront, ils planteront les vignes et en boiront le vin, ils feront des jardins et en mangeront les fruits.»

(Livre d'Amos 9 -14)

TEL-AVIV

On attribue à Koestler ce mot cruel : Tel-Aviv serait la banlieue d'une ville inexistante. Si l'on inclut les environs, elle compte pourtant près de 600 000 habitants. On dit couramment que son édification ne s'imposait pas. Mais à la réflexion, il est difficile d'imaginer l'essor d'Israël sans Tel-Aviv, cerveau et moteur du pays. Il est exact que ces rues sans originalité, ces maisons neutres, pourraient se trouver n'importe où de par le vaste monde; une espèce de hasard, ou de fatalité a simplement voulu qu'elles soient là, sur le bord de la Méditerranée, au centre plus ou moins géométrique d'un État que l'on ne rêvait même pas à l'heure où était posée sa première pierre. Est-ce encore hasard ou fatalité, si elle est peuplée par les gens les plus remuants, les plus audacieux d'Israël ?

Tel-Aviv ne se lasse pas de surprendre le visiteur : au hasard d'une de ses plages, vous vous trouverez soudain face à un édifice jaunâtre et de mauvais goût, ressemblant étrangement à un casino de seconde catégorie. Vous serez étonné d'apprendre qu'il s'agit en fait d'un opéra où vous pourriez néanmoins assister à d'inoubliables spectacles. Dans le même ordre d'idées, Tel-Aviv possède l'Auditorium Mann, pure merveille technique point de vue acoustique. S'étendant le long de la plage, le Centre Atarim répond au moindre souhait du vacancier.

La ville n'a ni grâce, ni beauté. Ses habitants — un sixième de la population totale d'Israël! — s'en moquent. On ne se préoccupe pas trop des cheveux raides d'un enfant qui est le premier de sa classe. Le reste du pays, non sans un soupçon de jalousie, accuse Tel-Aviv d'hydrocéphalite : une grosse tête remplie d'eau. Tel-Aviv hausse les épaules et répond : vous mourriez de soif, sans cette eau. Partout ailleurs, on jure ses grands dieux que pour rien au monde on ne voudrait vivre à Tel-Aviv. Tel-Aviv acquiesce avec une fausse gravité : « Heureusement, nous sommes déjà à l'étroit ». Le cœur du pays bat ici.

TEL-AVIV
0 500m.
1 Tourisme
2 Syndicat d'Initiat.
3 Musée Historique
4 Opéra
5 Grande Synagogue
6 Musée Hagana
7 Musée Tel-Aviv
8 Musée d'Antiquités
9 Gare d'Autobus
10 Gare du Sud
11 Auditorium Mann
12 Théâtre Habima
13 Musée H.Rubinstein
14 Gare du Nord
15 Histadrouth
16 Musée Ha'aretz
Synagogues
Eglises
N
AEROPORT SDE DOV
NATANYA HAIFA
TEL KASILEH
ISRAEL ROKACH RD.
STADE MACCABI
Yarkon
PORT
COLLINE NAPOLÉON
RAMAT GAN
YEHUDA HAMACCABI ST.
NORDAU RD.
PINKAS ST.
JABOTINSKY ST.
MEDINA CIRCLE
PISCINE
ARLOSOROFF ST.
PARC DE L'INDÉPENDANCE
ZOO
KEREN KAYEMET BD.
DAVID BLOCK
FRISHMAN ST.
PETAH TIKVA RD.
KING SAUL BD.
DIZENGOFF CIRCLE
PROPHET ST.
HAKIRIYA ST.
BOGRASHOV ST.
HAKIRIYA
PLAGE
MARCHÉ CARMEL
KING GEORGE ST.
ROTHSCHILD BD.
HAGESHER ST.
LAGUARDIA ST.
YAD ELIAHU
P.T.T.
JAFFA RD.
LEVINSKY ST.
HATIKVAH
ROCS D'ANDROMÈDE
STADE
UNIVERSITÉ
KIBBUTZ GALUYOTH
YAFO
BAT-YAM
JÉRUSALEM RD.

RENSEIGNEMENTS PRATIQUES - TEL-AVIV

TRANSPORTS. Entre l'aéroport de Lod et la station St. Arlosorof, *El Al* met à votre disposition un service régulier de bus reliés aux différents vols. De jour comme de nuit, le voyage coûte 3,50 L.I. pour un aller simple ce qui est légèrement plus cher que *Egged* ou que le service inter-urbain qui assurent également un service régulier au départ de la Station Centrale. Si vous désirez vous rendre d'une ville à l'autre ou circuler à l'intérieur même de Tel-Aviv, la compagnie *Egged* et le service de bus *Dan* sont très fiables et, de plus, bon marché : un voyage local coûte, en moyenne, 70 agorots. Les taxis *Sherut* sont un peu plus onéreux : 10 L.I. par personne. Si vous désirez voyager en taxi privé, vous payerez au départ 4,50 L.I. auxquels vous ajouterez le prix indiqué au compteur kilométrique.

HOTELS. Tel-Aviv (avec Herzliya) vous offre une gamme d'une soixantaine d'hôtels, depuis des palaces princiers jusqu'à la modeste maison. L'Office National Israélien de Tourisme peut vous fournir la liste complète des hôtels de la plus grande ville du pays. Dans les grandes villes, les prix sont au maximum de mars à octobre. En hiver, les prix des hôtels subissent une diminution d'approximativement 15 %. En ce qui concerne la nourriture, les tarifs sont très variables et en général inclus dans le prix de la chambre ceci tout particulièrement dans les grands hôtels.

Hotels 5 étoiles

Hilton, Parc de l'Indépendance, 620 chambres, 17 étages, restaurant, café et bar. Chaque chambre, pourvue d'un téléphone et d'une TV, possède un balcon avec vue sur la mer; piscine chauffée, tennis. Au nord du Parc de l'Indépendance, rue Hayarkon, le *Pal* possède 347 chambres avec vue sur la mer, piscine. Restaurant, le Maccabean Room, et bar, le Magic Carpet. Dans le même coin, le *Ramad Continental*, 121 rue Hayarkon, 340 chambres à air-conditionné, décor américain, piscine chauffée. Le restaurant est asiatique et le nightclub, l'America, propose différents spectacles.

Le *Sheraton* dispose de 396 chambres avec bain; rue Hayarkon bien sûr!

Le *Dan*, toujours dans la même rue (au 99), 350 chambres à air conditionné réparties sur 7 étages. Le bar, de style américain, concocte de mémorables cocktails.

Le *Plaza*, 155 rue Hayarkon, donne sur la plage par le centre Atarim. Très luxueux. Ses 350 chambres possèdent chacune le téléphone et la télévision. Bar, piscine privée et magasins. A des prix similaires : le *Marina*, rue Hayarkon, dans le Centre Atarim, avec 178 chambres, nombreux avantages et nightclub. Également situé dans la rue Hayarkon, le *Diplomat*, 350 chambres, TV, et vue sur la mer. Le *Laromme Tel-Aviv*, avec ses 504 chambres à air-conditionné possède une piscine chauffée (Charles Clore Park).

Hotels 4 étoiles

Shalom Tower, au cœur même du centre commercial de la ville, situé à la Tour Shalom, possède 169 chambres avec bain. Restaurant, nightclub, piscine et courts de tennis. Face à la mer, le *Samuel*, 1 rue Trumpeldor, coin Esplanade, est admirablement situé. Le plus onéreux de la catégorie est incontestablement le *Country Club*, Haïfa road, 138 chambres, piscine, sauna, tennis. Au 250 de la rue Hayarkon se situe le *Grand Beach* avec piscine chauffée et service de première classe. Toujours rue Hayarkon, le *Park* propose 100 chambres décorées avec beaucoup de goût. Tant son restaurant que son bar sont fréquentés par les gens de l'endroit. L'*Astor*, 105 rue Hayarkon, 68 chambres, est réputé pour son ambiance familiale, atmosphère de première classe, vue sur la mer mais prix assez élevés. Le *Debora*, 87, rue Ben Yehuda, est un hôtel avec synagogue, 87 chambres d'où la vue sur l'arrière de Jaffa et sur Herzliya est magnifique. Retournons le long de la mer, le *Basel*, 156 rue Hayarkon, possède 138 chambres avec vue sur mer. Au cœur de la ville, le *Sinaï*, 11 rue Trumpeldor, nightclub, piscine. Ses 200 chambres sont chacune pourvue d'un bain ou d'une douche. L'*Avia* est situé près de l'aéroport de Lod, courts de tennis et nightclub. Le *Ramat Aviv Garden Hotel*, à environ 15 minutes de Tel-Aviv possède 122 chambres climatisées, piscine, tennis et nightclub.

Autres catégories

Nous recommandons tout spécialement l'*Ambassador*, 2 rue Allenby, 50 chambres à air conditionné, restaurant; le *Scotch House*, 52 rue Yeffet à Jaffa; le *Yarden*, 130 rue Ben Yehuda et l'*Adiv*, 5 rue Mendele sont également très bons. L'hôtel *Ora*, 35 rue Ben Yehuda, le *Dalia*, 220 rue Hayarkon, le *Star*, 9 rue Trumpeldor, le *Shalom*, 216 rue Hayarkon, l'*Ami*, 4 Am Israël Chaï, le *Florida*, 164 rue Hayarkon, le *Kessem*, 14 rue Ben Yehuda, le *Maxim*, 66 rue Hayarkon et le *Wishnitz*, Bnei Brak sont à peu près de même valeur. Le *Commodore*, sq. Dizengoff, avec ses 52 chambres à air conditionné possède un excellent restaurant. Dans les mêmes prix : le *City*, 9 rue Mapu, le *Moss*, 6 rue Ness Ziona et le *Habakkuk*, 7 rue Habakkuk; dans ces hôtels, la plupart des chambres sont pourvues soit d'un bain, soit d'une douche.

Quant aux hôtels de catégorie inférieure, relevons l'*Eilat*, 58 rue Hayarkon, l'*Excelsior*, 88 rue Hayarkon et l'*Armon*, toujours rue Hayarkon au n° 90. Si vous ne trouvez pas de chambres en ville essayez dans la périphérie le *Yona*, 29 rue Givat Rambam ou le *Kfar Hamaccabia*, un motel avec piscine chauffée, situé près de Ramat Chen restaurant et courts de tennis. Vous trouverez également d'excellentes chambres au *Wagshal*, dans les environs de Bnei Brak.

A Tel-Aviv, la location d'appartements est possible : il vous en coûtera environ 30 $ pour 2 chambres (1 couple et 2 enfants). Pour 1 studio avec femme de ménage et service de nettoyage vous payerez environ 20 S. Pour tous renseignements complémentaires contactez Mme Lili Don Yechiya, *Green Tours*, 57 rue Ben Yehuda. Il est également possible de loger dans des maisons privées : adressez-vous au bureau d'information *IGTO*, au centre d'accueil de l'Aéroport International Ben Gourion ouvert 24 h. sur 24.

Les hôtels à Herzliya, La « Riviera d'Israël » possède trois hôtels de luxe entièrement climatisés : l'*Accadia Grand Hôtel*, au bord de la mer, 193 chambres, piscine chauffée, salle à manger admirablement décorée, sauna, courts de tennis et nightclub. Également en bord de mer, le *Daniel Tower* qui possède 180 chambres chacune pourvue d'un bain et d'une douche, d'un téléphone et d'une radio; sauna et piscine privée. Enfin le

Sharon qui s'est fortement agrandi au cours des dernières années et qui compte actuellement 240 chambres. Le *Sharon* fut complété par le *Sharon Tower* dans lequel sont aménagés de très luxueux appartements, répartis sur 14 étages. En outre, une annexe — l'*Eshel Hasharon* — vous procure tous les avantages de l'hôtel principal ainsi que le nightclub et la piscine chauffée.

A Herzliya, vous trouverez également quelques établissements de bon confort : le *Tadmor* qui est l'école hôtelière du pays, le *Validor*, un peu plus vieillot (à 200 m de la mer), et enfin le *Cymberg*, un peu plus petit, ressemblant à un chalet suisse; la cuisine y est européenne, l'ambiance familière et les prix modérés.

A Bat-Yam, au sud de T-A, un établissement de cat. raisonn., le *Panorama* suivi par le *Bat-Yam* sur la plage.

RESTAURANTS. Tel-Aviv est abondamment pourvue de restaurants de toutes classes de tous genres, qui pourront vous servir aussi bien de la cuisine française (quelques réserves à ce sujet), italienne, centre-européenne que traditionnellement juive. Dans la liste les prix (boissons comprises) sont indiqués approximativement par les signes suivants : L, de luxe (70 à 150 L.I. par personne); C, coûteux (entre 40 et 75 L.I.); M, modérés (env. 15-35 L.I.). La cuisine est parfois kasher dans ces établissements. Il est recommandé de réserver sa table.

Malgré son nom, le *Casba* (L), 32 Yirmiyahu, suggère des plats tels que escargots, fondue bourguignonne et grillades à la française; dîners en musique.

Le *Tandu* (C), 196 rue Dizengoff, vous propose une nourriture de première qualité, le service est excellent et l'intérieur intime. Le *Café Stern* (M), 189 rue Dizengoff, ouvert tôt le matin jusque tard dans la nuit, est le rendez-vous des artistes : réputé pour sa goulash et ses crèmes glacées. Le *Galei Gondola* (L), 57 rue Pinsker, plats de la péninsule bien préparés. L'*America House* (L), 33 Shderot Shaul Hamelekh, situé au 13e étage, vue splendide, très élégant, cuisine européenne, L'*Olympia* (C) 41 Carlebach, fréquenté par les ministres et les membres du Parlement. Le *Capriccio* (L), 288 rue Hayarkon, nourriture excellente et bar bien fourni. Le *Versaille* (L) 37 rue Geulah que l'on cite parfois comme le meilleur restaurant d'Israël, cadre romantique et grande cuisine française. Le *Balkan Corner* (C), Bvd. Rokakh, près des courts de tennis du Hapoël, est spécialiste de diverses préparations d'aubergines. Près de l'Aéroport David Ben Gourion, le *Casa del Sol* (L), décor marocain, spécialiste du couscous. On danse au *Dolphin* (L), 30 Ben Yehuda. Menu continental au *Rishon Cellar* (C), 11 rue Allenby, et délicieux plats indiens au *Sitar* (C), 10 Shalom Aleichem. Du paprika à gogo et nourriture kasher au *Ness Ziona* (M), au nº 8 de la rue du même nom. Essayez également le *Shaldag* (C), 256 Ben Yehuda. La *Barchetta*, 326 rue Dizengoff, sert surtout des fruits de mer. Cuisine ibérique à l'*El Mar* (C), 49, Ibn Givral. Si vous préférez la cuisine italienne, il y a le *Me & Me*, 293 rue Dizengoff, le *Har El*, 6 rue Yordei Hasira ou le *Rimini* (M), 22 Ibn Givral. Vous mangerez très bien au *Gamliel* (appelé également *Pninat Hamizrah*), 38 rue Hakovshim. Cuisine grecque à l'*Olympus* (M), 12 rue Hakishon. Quant à la nourriture chinoise, vous en trouverez au *Singing Bamboo* (C) 317, rue Hayarkon. Strictement kasher, l'auberge *Martef Habira*, 46 Allenby.

Dans le quartier yéménite (Kerem Hatemanim) : *Shaul Inn*, 11 Rehov Elyashiv et le *Zion*, 28 Rehov Pedouim (tous deux M) servent de délicieux plats orientaux. Si vous désirez être servi rapidement, vous trouverez bon nombres de self-services rue Dizengoff.

Les restaurants à Jaffa. Le *Taj Mahal* (C) : restaurant de qualité, réputé pour son atmosphère indienne. Non loin de là, vous trouverez le *Via Maris* et le *Toutoune* au cœur du vieux Jaffa reconstitué. *Chez Jeannette* (C), 4 Aliyah Snia, au bout de la jetée, on rencontre les célébrités du pays et... beaucoup de touristes; spécialité : les poissons. *Ariana* vous propose des plats typiquement grecs. Le *Yunis*, dans la vieille ville, sert des spécialités arabes dans une ambiance exotique. Dans la rue Yeffet, au nº 45, *Lipski* prépare exclusivement des mets juifs de la Pologne d'antan (M). Chef français à l'*Alhambra* (C), 30 Bvd. de Jérusalem.

CAFES. Les autochtones, dirait-on, souffrent toujours de la soif. Les étrangers, eux, apprécieront les frais jus de fruits et les glaces que l'on peut se faire servir à chaque coin de rue. Sur les boulevards, les cafés sont pourvus de terrasses : ce sont des snack-bars, des pâtisseries et des salons de thé tout à la fois. On y donne ses rendez-vous on y traite ses affaires.

Parmi les cafés les plus intéressants : *Rowal*, 111 rue Dizengoff est toujours plein, peut-être à cause de sa bonne pâtisserie. Le même *Rowal* a ouvert un second café, face à la nouvelle mairie, 68 Ibn Giverol; beau cadre; plats suédois. Pour un repas léger on va chez *Nitsa*, 40 Allenby ou chez *Ben Yehuda*, 4, Ben Yehuda. Le café « littéraire » de Tel-Aviv est le *Kassit*, 117 rue Dizengoff, club officieux du monde intellectuel, toujours bondé le soir. Dans le même genre, le *Herli* au croisement des rues Carlebach et Yehuda Halevi.

VIE NOCTURNE. Le soir, après le dîner, les riches clients américains des Dan, Sheraton et Hilton, se réunissent dans les bars et dancings de leurs hôtels tandis que les visiteurs européens virent vers les distractions qu'offrent les cabarets de Yafo et les cafés-terrasses (avec ou sans musique) du quartier Dizengoff et de l'Esplanade de la mer. Herzliya est également assez animée : on danse tous les soirs (sauf le vendredi) à l'*Accadia* et à l'hôtel *Sharon*. Agréables soirées dansantes à mi-chemin, au *Ramat-Aviv*.

En ville, on danse au bar du *Dan*; les vendredis et samedis au *Coral Bar* du Hilton. Tous les grands hôtels ont leur propre night-club.

Les plaisirs de Yafo (bus 10 ou 46) sont l'ambiance de ses vieilles ruelles et de ses boîtes sympathiques. L'entrée y donne droit à une consommation. On danse chez *Omar Khayam* (825-865), petit spectacle. Programme plus touffu au *Cave*, très touristique (829-018). Le bar-restaurant le *Caliph* (822-171) est ouvert tard dans la nuit, spectacle. Le *Zorba* termine la liste.

Vous danserez également au *Rodika*, 63 rue Hayarkon, où vous pourrez assister à divers spectacles.

Les hôtesses de l'air et les pilotes se retrouvent au *Jet Club* de l'hôtel Avia à Savyon, près de Lod.

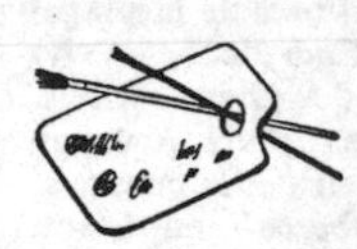

MUSÉES. Au Musée municipal de Tel-Aviv, ouvert depuis 1971, 39 Sderoth Shaul Hamelech (se renseigner sur les heures d'ouverture) : toiles classiques des écoles flamande, italienne et anglaise, quelques remarquables Chagall et une collection d'aquarelles anglaises, plusieurs impressionnistes français, les peintres contemporains israéliens et étrangers (Max Ernst, Juan Gris, etc.). Il occupe un bâtiment d'une conception très originale. Les locaux de l'ancien musée sur le Sderoth (Bvd) Rothschild seront aménagés en musée de l'Histoire de la Naissance de l'État d'Israël. Le *Pavillon Héléna Rubinstein*, 6 Rehov Tarsat, érigé en 1956, sert principalement maintenant aux expositions d'artistes, israéliens ou étrangers. Il est ouvert de 10 h à 13 h et de 16 h à 19 h.

Le *Musée Haaretz* (Ramat-Aviv, 10-17 h) fut transféré hors de la ville proprement dite, sur le site de *Tel Qasilé*, sur la route de Haïfa, après le pont. Il comprend six sections : Verre, Numismatique, Ethnographie et Folklore, Histoire, Science et Technologie, les Excavations. Les sections sont conçues selon la méthode qui permet de reconstituer sans effort l'historique et l'évolution d'une découverte, d'une civilisation.

Le *Musée de la Haganah* — l'Armée autrefois clandestine — au 23, Bvd. Rothschild (10-17 h), à deux pas de son intersection avec Allenby. Le *Musée d'Antiquités de Tel-Aviv*, 10 Rehov Mifratz Shlomo, près du vieux port, recèle de magnifiques découvertes archéologiques relatant le passé de Jaffa (10-17 h, le mercredi jusqu'à 20 h.).

Le *Musée de l'Institut Jabotinsky*, 38 rue King George.

Le *Musée d'Histoire de Tel-Aviv*, 27 rue Bialik, photographies et documents relatifs à la fondation de la ville et à son histoire plus récente (9-14 h et 16-19 h).

MUSIQUE ET THEATRE. Les théâtres *Habima*, *Cameri* et *Soldier's House* jouent des comédies en hébreu. Opérettes (en hébreu) et vedettes (souvent françaises) du music-hall à l'*Alhambra*, Bvd. Jerushalayim. Les salles *Dekel*, *Ohel Shem*, *Nahmani* et *Mifa al Ha' pais* accueillent des artistes en tournée. L'*Opéra National*, rue Allenby, est la grande scène lyrique du pays tandis que l'ultra-moderne *Auditorium Mann*, rue Huberman (qu'on peut visiter tous les matins à 9 h 30) est le « chez soi » de l'Orchestre Philharmonique d'Israël, mondialement connu. En hiver, récitals de musique de chambre à la *Maison Dizengoff*, Bvd. Rothschild et au *Club Z.O.A.*, rue Daniel Frisch. Cinémas permanents mais le plus souvent à séances fixes. Le Festival annuel d'Israël — présentant toutes sortes de disciplines artistiques locales et internationales — a lieu à Tel-Aviv en juillet-août.

SPORTS. *Natation* : accès aux piscines de tous les grands hôtels de Tel-Aviv et de Herzliya (bus Egged, départ rue Mendele), moyennant entrée. Deux bonnes piscines moins coûteuses à Ramat Gan, celle du Club Maccabi (le 35 de la gare d'autobus) et Galei Gil (bus 61 et 62 de la rue Ben Yehuda). On peut aller à la piscine de l'hôtel Avia à Savyon par le car Egged à partir de la rue Mendele et aux plages de Bat-Yam par le car-express 85 ou 86, départ gare d'autobus. Mais le plus simple est encore d'aller à la vaste plage de Tel-Aviv, face à l'Esplanade Samuel ou à la Piscine Municipale, coin Keren Kayemeth et Hayarkon. Autres piscines : *Galit* à Yad Eliahu, celle du *Tel-Aviv Municipal* près de la plage, du *Ramat Aviv Hotel* et enfin la piscine du *Country Club* de Tel-Aviv. *Tennis* sur les terrains du Maccabi à Ramat Gan et ceux des grands hôtels. *Equitation* à la « ferme des sports » près de l'hôtel Ramat Aviv géré par M. Gordon. Randonnées de 2 heures dans les environs en petits groupes. Pour rendez-vous, téléphoner au 41-045. En hiver, *football* au Stade Maccabi et au Stade de Ramat Gan. Les meilleures équipes de *basket* évoluent au stade Yad Eliyahu. *Bowling*, dans la rue Ibn Givrol près d'Arlozoroff. *Bateau*, au bout des rues Ibn Givrol et Dizengoff; possibilité de location de bateau à rames.

LE TOUR DE JAFFA (Yafo). Du centre du Vieux Jaffa, la Place de l'Horloge, visitez la mosquée Mahmoudiya, l'église catholique de St. Pierre, le parc public près du bord de mer avec belle vue sur Tel-Aviv. Voyez le légendaire Rocher d'Andromède. Flânez dans le bazar arabe *(chouk hapiche-pichim)* aux effluves orientales. Plus loin, vous passerez devant l'Hôpital Français, l'église orthodoxe grecque de St. George et le vieux cimetière juif, l'église catholique de St. Antoine et l'église protestante de St. Pierre. La cathédrale russe se trouve dans le quartier d'Abou Kébir. Vous aurez mérité une bonne baignade.

Jaffa, devenue centre de la vie nocturne pour touristes, remonte aux temps bibliques. Josué attribua la région à la tribu de Dan (Josué 19-46). Ce fut un port sous les rois David et Salomon (II Chroniques 2-15). Le Nouveau Testament mentionne le séjour de St. Pierre à Jaffa chez Simon le Tanneur. On peut encore voir ce site près de l'église St. Pierre. Comme port de mer la ville fut utilisée par les Croisés. Un demi-millénaire plus tard, Jaffa fut occupée par les Turcs puis complètement détruite par Napoléon en 1799 pour être reconstruite au début du 19e s.

On restaure la vieille ville de Jaffa avec infiniment de goût en gardant autant que faire se peut les anciennes maisons arabes. De l'esplanade on a de jour comme de nuit une vue superbe sur la baie avec Tel-Aviv dans le fond. Les maisons sont achetées en partie par des peintres qui y exposent leurs œuvres.

EMPLETTES. Prêts-à-porter, robes et tailleurs tricotés, jerseys : *Bat Adam*, 144 rue Dizengoff; *Iwanir*, 129 rue Dizengoff; 31 rue Allenby et aux hôtels Dan et Hilton. Spécialités du jersey : *Sœurs Englander*, 66 rue Allenby; *Boutique Fanchette*, 121 rue Dizengoff; *Scheidman et fils*, 128 rue Dizengoff. Spécialistes du cuir (tailleurs, etc.) : *Snia*, 133 rue Dizengoff. Pour hommes : *Adam*, 40a Allenby; *Victor's Fashions*, 6 Ben Yehuda; *Leon Style*, 33 Allenby; *Begged Or*, dans le vieux Jaffa; *Danaya*, 7 rue Bograsov; *Scheidman*, 25 Zamenhoff. Vous trouverez un grand choix de bijoux au *Shalmon Diamonds* Ltd., 24 rue Achad Ha'am.

Art-artisanat, cadeaux-souvenirs : 119 *Art and Crafts Gallery*, 119 Bvd. Rothschild; *Judean Gallery*, 123 Ben Yehuda; *Domus*, 94 Ben Yehuda; *Batsheva*, 9 rue Frug; centres artisanaux *Maskit*, Building « El-Al » à l'hôtel Sharon (à Herzliya); *Wizo*, 87 Allenby. Antiquités : *Rachel*, 45 Ben Yehuda; *Menora*, 40 Allenby. Joaillerie et diamants : *Topaz*, 121 rue Dizengoff; Bijouterie *H. Stern* à l'hôtel Hilton et à l'aéroport de Lod.

Disques : *Schreiber*, 63 Allenby. Service photographique : *Photo Reflex*, 68 Allenby; *Leophot*, 19 Allenby; *Rapid*, 68 Ben Yehuda. Timbres et pièces de monnaie : *Stanek*, Hôtel Hilton.

Le grand magasin à rayons multiples de la métropole est *Shalom Stores*, au nº 9 de la rue Ahad Ha'am (Immeuble Shalom Tower).

SERVICES RELIGIEUX. Synagogues : *Grande Synagogue*, 110 Allenby; *Bilu*, 122 Bvd. Rothschild; *Ihud Shivath Sion*, 86 Ben Yehuda; *Ohel Moëd* (sepharade), 5 Rehov Shadel; *Progressiste*, Synagogue Kedem, 20 Rehov Carlebach. *Grande Synagogue* (Nord), 314 Rehov Dizengoff; *Bet El* (Ashkenase), Rehov Frishman; *Progressiste Emet V'Anava* Rama Hall, 57 Rehov Jabotinsky, Ramat Gan.

Églises (toutes à Yafo, Jaffa) — prendre l'autobus 41 sauf où indiqué autrement). *St. Antoine* (franciscain), Rehov Yefet; *St. Pierre* (C.R.), Mifratz Shlomo; *Hôpital Francais* (Sœurs de St. Joseph), Rehov Beer Hoffmann; *Eglise Maronite*, 22 Hadolphin Street; *Eglise Anglicane*, 8 Rehov Averbach.

ADRESSES UTILES. *Renseignements touristiques :* O.G.T., 7 rue Mendele, 223-266; Syndicat d'Initiative, Hôtel de Ville, 42 Rehov Frishman, 223-692 et Bvd. de Jérusalem à Jaffa, 821-133. *Ambassades :* France, 111 Hayarkon, 245-371; Belgique, 76, Ibn Gvirol, 267-171; Suisse, 228 rue Hayarkon, 244-122. *Lignes Aériennes :* Air France, 74 rue Hayarkon, 57-211 à 15; El-Al, 32 Ben Yehuda, 59-444 (Réservations), 59-333 (Renseignements); Sabena, 74 Rehov Hayarkon, 52-258; Swissair, 28 Ahad Ha'am, 59-328; Arkia (Sinaï-Eilat, etc.), 11 Rehov Frishman, 226-640; *Nativ Air* (excursions), Aéroport de Dov, 413-469. *Agences de voyage* (cars) Egged Tours, 59 Ben Yehuda, 242-271; United Tours, 3 Allenby, 50-131; ISTA (Tourisme Estudiantin), 2 Rehov Pinsker, 59-613; Gat Touring, 288 Ben Yehuda, 442-297 ou 561-01; Hemed Tours, 118 rue Hayarkon, 243-077; il y a également une centaine d'agences de voyage privées.

Auto-Location : Avis, 75, rue Hayarkon, 51-093 et à l'aéroport de Lod; *Hertz*, 10 rue Carlebach, 30033, à l'hôtel Hilton; Tour Travel, 32 Ben Yehuda, 52-411. *Automobile Touring Club d'Israël*, 19 Derekh Petah Tikva 622-961. *Taxis chérouth Avi*, à Beersheba-Eilat, 622-555; à Jérusalem et Haïfa, 622-888; à Nazareth, 611-055; à Safad et Haïfa-Nahariya, 615-011.

Clubs ouverts aux touristes : Hadassah, 80 Hayarkon; WIZO, 116 Hayarkon; ZOA House, 1 rue Daniel Frisch, restaurant; Moadon Haole (pour la jeunesse), 109 Hayarkon; le Rotary Club, ZOA House; le Lions Club, à l'hôtel Hilton; le club Commercial et Industriel, 32 rue Yavneh; le Bnai Brith, 10 rue Kaplan; le club des Franc-maçons, 5 rue Weizmann. *Contacts professionnels :* Club des Écrivains, 6 Rehov Kaplan; Club des Journalistes, au 4 de la même rue; La Maison des Fermiers *(Beit Haikar)*, au 8; Club des Médecins, 3 Rehov Heftman; Maison des Ingénieurs et Architectes, 200, rue Dizengoff; Chambre de Commerce, 84 Rehov Hahashmonaim; Exposition industrielle permanente, 13 rue Montefiore. *Foyer Culturel Francais*, 111 Hayarkon.

Hôtel des Postes, 132 Allenby; Télégrammes 7 Mikveh Israël; Service philatélique, bureau de postes 2 rue Pinsker et 5 rue Mendele.

Salons de beauté : *Paula*, Hôtel Sheraton 45-620; *Anetta*, Hôtel Dan.

Téléphones utiles : police 100; ambulance (Maguen David Adom) 101; pour appeler un médecin, formez le 101, service incendie 102.

A la découverte de Tel-Aviv

On a tellement dit et écrit que la traduction de Tel-Aviv était : colline du printemps, que l'on a un peu honte de le répéter. Le printemps est celui du retour à la terre ancestrale. A l'origine, l'édification des quelques maisons du début semblait révolutionnaire en soi, inouïe d'audace et même de présomption. Quelle émotion pour inaugurer les deux premières artères : le boulevard Rothschild (le bailleur de fonds) et la rue Herzl (promoteur du sionisme). Petit à petit, de plus en plus téméraires, d'autres familles sont venues construire aux alentours des pionniers. Un peu au petit bonheur la chance. Les plans d'urbanisation ont germé bien plus tard. Depuis 1909, c'est un chantier dont certaines parties étant habitées, elles ne pouvaient, — provisoirement, bien sûr, — être reconstruites. On n'a jamais arrêté de bâtir en près de 70 ans. C'est le mouvement perpétuel, le contraste à l'état permanent. Le terrain vague qui servait de décharge publique devient, du jour au lendemain, par la grâce des bulldozers, un riant jardin d'enfants, ou un bâtiment officiel, selon le cas. Entre deux trottoirs soigneusement asphaltés, il faut marcher dans le sable. L'échoppe du vieux cordonnier et le *pressing* moderne sont mitoyens, et l'enseigne au néon d'Helena Rubinstein voisine avec une mercerie sortie toute crue de quelque conte de Gogol.

Vous quittez l'une des artères principales, Ben Jehuda, pour une transversale : la rue Trumpeldor. Il y a un instant, vous aviez le nez en l'air et vos yeux s'écarquillaient pour admirer l'échelle de secours aux circonvolutions révolutionnaires du building El-Al; vous voici soudain, cent mètres plus loin, devant le plus charmant et le plus poignant des petits cimetières de province, sauvegardé en pleine ville. La distance n'est guère plus grande entre ce restaurant chic de la rue Dizengoff et le caboulot, rue Pinsker, qui vend des *pitas* fourrées de légumes en saumure et de boulettes de pois-chiches (absolument délicieux) à consommer ou déguster debout, sur place ou en marchant. Chez « Jeannette », à l'entrée de Jaffa, on vous servira du pain, ô blasphème, même pendant la Pâques. Mais dans certains petits hôtels où les serveurs ne quittent jamais la rituelle calotte prescrite par la loi, chaque *shabbath*, pour éviter tout effort interdit à la pieuse clientèle, le non moins pieux personnel aura, d'avance, coupé le papier hygiénique et l'ascenseur fonctionnera en permanence sans qu'un doigt de mécréant ait à provoquer les foudres célestes en appuyant sur un bouton électrique.

Autre constatation du même ordre : la vocation des rues change en cours de route. L'artère commerçante se fait résidentielle au fur et à mesure; ou vice versa : bordée d'arbres et flanquée de villas, la belle avenue se mue insensiblement en centre industriel. L'intérêt du promeneur se déplace en même temps qu'il progresse. Prévue pour attirer l'élite, la rue Ben Yehuda cède le pas à sa parallèle Dizengoff, et le public émigre emportant avec lui la fabuleuse augmentation du prix d'un mètre carré de terrain, ses cafés chics et ses boutiques élégantes.

Cette étonnante vitalité, les hommes en ont-ils imprégné les pierres et les pavés, ou est-ce le soleil qui embrase les énergies au lieu de les assoupir ? On a l'impression que les hommes, ici, œuvrent sans relâche, sans jamais prendre de vacances, mais qu'ils travaillent d'arrache-pied avec autant de plaisir que dans un camp de vacances.

Le short kaki du pionnier a tendance à disparaître (l'ère du Western semble révolue, en ville du moins). Les cafés se sont mis à la page et rutilent de chromes et de machines à espresso, *Made in Italy*. Mais souvent, les toilettes sont restées aussi indescriptibles qu'auparavant et continuent à être désignés par deux lettres hébraïques qui rappellent à s'y méprendre celles en usage chez nous.

On n'arrête pas le progrès : Tel-Aviv joue aux pronostics du championnat de football. Dans les maison trônent certains appareils qui ressemblent à des récepteurs de T.S.F. — ce n'est que le conditionnement d'air. Pour ce qui est de la musique, vous en entendrez tout votre saoul, où que vous alliez. Le transistor semble avoir été inventé exprès pour les habitants de cette ville.

Les choses ont beau évoluer, on est resté farouchement démocratique. A la terrasse d'un établissement chic de Dizengoff, un ouvrier endimanché, cravaté : il appartient à la Histadrouth, la centrale syndicale toute-puissante. Face à lui, appuyé au guéridon, un bonhomme phénoménalement poilu, en short : c'est un ministre. Sa tenue de *kibboutznik* exaspère l'opposition qui parle de snobisme à rebours, mais le ministre n'en a cure. Deux autres consommateurs se joignent à eux, un *Herr Doktor* qui est professeur d'Université et un *Herr Professor* qui exerce la noble profession de chauffeur de taxi. C'est ce dernier qui tranche sur la question débattue. Les autres écoutent, pleins de déférence. Survient un agent, tout jeune, embarrassé de son uniforme. Le véhicule du Herr Doktor est mal rangé. « Je viens, je viens! » fait l'interpellé en s'accompagnant d'un geste agacé. Le policier fait mine de reculer d'un pas, pour marquer le respect dû à l'élite intellectuelle, mais il ne bouge plus pour signifier qu'il entend appliquer le règlement. En attendant, il écoute passionnément la discussion. C'est, en fin de compte, le ministre qui ira déplacer la voiture. Aucun n'aura l'idée d'invoquer le gouvernement pour écarter la maréchaussée.

Deux hommes passent sur le trottoir, se tenant par le petit doigt. Ce n'est pas ce que vous pensez. Ils viennent de Turquie et, là-bas, c'est un simple signe d'amitié.

La cité-minute

Au seuil du siècle, les premiers immigrants s'arrangèrent tant bien que mal du vieux port arabe de Jaffa. Les navires, alors, chargeaient et déchargeaient en pleine mer. On attendait que la vague ait hissé la chaloupe à hauteur du pont et hop! colis, valise, ballot ou passager passait de l'un à l'autre en visant de son mieux. Pittoresque, mais inconfortable. Il en allait de même pour les conditions de vie : précaires, elles aussi. La proverbiale hospitalité arabe est moins sensible à la ville que sous une tente de nomade. Élevés malgré tout à l'européenne, les nouveaux-venus avaient la nostalgie d'installations sanitaires, de rues propres, d'écoles — d'un chez-soi. Mais où aller? Hors de Jaffa, ce n'était que désert, moutonnement de dunes. Avec l'aide du Fonds National Juif, un premier groupe de quelques soixante familles, sous l'impulsion de Meïr Dizengoff, acheta les dunes. On se mit au travail. Nous l'avons dit, cela se déroulait dans les parages du croisement boulevard Rothschild et rue Herzl. Ce Dizengoff était un véritable illuminé, un visionnaire, un fou. Emporté par l'élan oratoire, n'allait-il pas jusqu'à prédire qu'un jour Tel-Aviv compterait 25 000 habitants?

Jaffa, du haut de son passé, contemplait avec dédain ces fourmis affairées à créer de l'Histoire avec du sable. Selon l'expression de Joan Comay, « Jaffa, la marâtre, allait devenir elle-même la belle-fille de Tel-Aviv. » Elle écrit encore, à propos de cette époque héroïque : « La nuit, on discutait ferme de l'ancienne et de la nouvelle existence à la lueur des lampes à huile et des bougies. Le thé coulant des samovars déliait les langues. Dehors, les chacals hurlaient dans l'ombre. Une armée de quatre hommes gardait le village des maraudeurs éventuels : un Juif russe, un Yéménite, un *sabra* et un

Des sculptures géantes en acier peint, d'un heureux futurisme, décorent l'esplanade du Musée d'Israël à Jérusalem.

Entre le mont Carmel et la baie qui s'étend à perte de vue, Haïfa présente un visage moderne et aimable, tandis que la perspective aérienne de Tel-Aviv donne un aspect tourmenté à cette ville en pleine expansion.

Circassien. A l'occasion du sabbath, le faubourg se coupait symboliquement du monde extérieur en tendant une grosse chaîne en travers de la route qui menait du chemin de fer à Herzl Street. »

La Grande Guerre suspendit l'essor de la nouvelle agglomération. Pis : le gouvernement turc expulsa ses habitants en 1917. Ils revinrent la même année, à la suite du général anglais Allenby. Ils s'avérèrent bientôt trop nombreux et la seule solution consistait à agrandir le périmètre urbain, construire encore. Les fourmis se remirent à l'œuvre. Les dunes disparurent sous le béton. Et ce n'était toujours qu'un faubourg de Jaffa. En 1921, le statut municipal lui fut enfin accordé. Une ville entièrement juive. On n'avait jamais vu cela ! L'immigration redoubla. On achetait toujours de nouvelles terres et le sable valait de l'or. Le bas-relief qui orne le monument érigé à la mémoire des fondateurs — au croisement Nahlat Benjamin et Rothschild — retrace l'épopée en la divisant en trois périodes. En bas, on peut voir les pionniers maniant la pelle et la truelle. Dans le fond, les tentes sous lesquelles ils vivaient. La fresque du milieu représente l'imposant *gymnasium*, fierté de Tel-Aviv, première école secondaire hébraïque. En haut, dernière période : la cité de rêve. Fond de gratte-ciel, fontaine; musée d'une part, théâtre de l'autre; des arbres et, surtout, un port. Il est figuré à droite, par un double arc-de-cercle. Son creusement, décidé et autorisé dans les années trente, marqua la décennie. En 1936, une grève arabe paralysait Jaffa et, par voie de conséquence, Tel-Aviv. Avec d'infinies difficultés, les représentants de Tel-Aviv obtinrent de l'autorité mandataire le droit de lancer une jetée dans la mer. De vieux habitants parlent encore avec émotion des acclamations qui saluèrent l'amarrage du premier navire. Aujourd'hui, le port de Tel Aviv-Jaffa fonctionne à peine; c'est Achdod, à 33 km au sud qui le remplace.

On s'en rend aisément compte : il n'y a pas grand-chose à dire sur l'historique de Tel-Aviv. A peine un demi-siècle d'événements serrés, arrosés comme d'habitude de sueur et de sang. Depuis 1954, Jaffa n'est plus qu'un faubourg de Tel-Aviv. Bastion avancé de la vieille ville arabe, la grande Mosquée Hassan Beg qui en garde l'entrée servit en 1948 de poste privilégié pour les tireurs d'élite musulmans. Du minaret, leur feu prenait les artères juives en enfilade jusque dans la rue Hayarkon. Il fallut se battre sur tout le terrain entre le boulevard Allenby et le monastère de Saint-

Pierre, pour nettoyer les nids de francs-tireurs, enlever Jaffa d'assaut. Le bord de mer excepté, ce qui était le faubourg de liaison entre les deux villes devint un amas de décombres. La fuite de la majorité arabe de Jaffa posa longtemps des problèmes juridiques de préservation, d'expropriation, de confiscation des biens. On enleva les gravats, on procéda à l'extraction des moignons de pierre et un vaste no man's land surgit alors, séparant les deux agglomérations. Un plan d'urbanisation y avait tracé des rues, prévu des blocs d'habitation. Bientôt, on ira de Tel-Aviv à Jaffa sans avoir jamais l'impression de quitter une ville pour une autre. Le brassage des populations, juive et arabe, aura été achevé.

Car il ne faut pas oublier un fait important : nulle part un si grand nombre de races n'ont eu à se fondre comme à Tel-Aviv. L'attraction de la grande ville ayant joué, ils sont venus des quatre coins de l'univers. Des races ? On croyait le mot honni. Mais quel autre mot employer sans pédanterie ? Souvent, la différence ethnique entre un Juif et un autre Juif est plus marquée qu'entre certains Juifs et certains Arabes. Le rescapé de quelque ghetto polonais est plus loin de son coreligionnaire indien, que le Juif d'Afrique du Nord des souches autochtones sémitiques.

Des années durant, on put se demander de quoi vivaient tous ces gens. Les méchantes langues prétendaient qu'à Tel-Aviv, les habitants gagnaient leur subsistance en se revendant sempiternellement la même bouteille de jus de fruits. Les bouteilles ont dû se multiplier car la seule fabrique « Assis », de Ramat-Gan, en exporte annuellement pour plusieurs millions de dollars. Tel-Aviv est incontestablement le centre industriel et commercial du pays en même temps que, grâce à sa position géographique, elle est la plaque tournante du trafic aérien et routier. Et elle continue à s'agrandir à la façon des enfants qui font craquer les coutures de leurs vêtements.

La ville se dispose, tant bien que mal, parfois à la va-comme-je-te-pousse, autour des artères maîtresses : Allenby, Rothschild, Dizengoff, Ben Yehuda. Sur une carte, on voit ces artères à peu près parallèles, suivre un cours vertical, nord-sud, en s'incurvant vers le bas en direction est, sauf pour Rothschild qui fait l'inverse et se dirige vers l'ouest. Allenby prolonge Ben Yehuda. On a toujours tendance à lire une carte de haut en bas. En réalité, c'est du sud, de Jaffa, que la ville jaillit irrésistiblement vers le nord et l'est. Un deuxième coup d'œil à la carte nous donnera une idée plus précise de cette « montée » : les quartiers septentrionaux sont parfaitement ordonnés. Une transversale est-ouest marque la limite entre ce qui pourrait, pour la commodité de la conversation, se baptiser l'ordre et le désordre : Arlozorov. Elle enjambe la bordure orientale — la route de Pétah-Tikvah — et conduit aux agglomérations satellites de Ramat-Gan, Guivatayim et Bené-Berak. Entre Tel-Aviv et celles-ci, la Gare du Chemin de Fer de Haïfa. Celle de la voie ferrée de Jérusalem est dans le centre méridional, au débouché de la route de Pétah-Tikvah, à deux pas de la station des autobus et autocars desservant les lignes *urbi et orbi*. A l'est, Ha Kirya, la Cité administrative, flanque la ville. Au nord, la rivière Yarkon signale sa limite septentrionale. Mais ce n'est là qu'une frontière provisoire, car l'urbanisation de la zone au-delà de la rivière a déjà commencé. Enfin, plus bas, après Jaffa, Holone, Bat-Yam et Savyon prolongent l'ensemble et sont également promis à l'absorption.

On est surpris de remarquer sur les toits des maisons une nuée de réservoirs en forme de barils; on pense à la collecte des eaux de pluie. Pas du tout. Il s'agit d'une invention israélienne : l'eau chaude à domicile en utilisant la force thermique du soleil.

Le voyageur arrivant par voie aérienne ne distingue pas les municipalités. La ville lui apparaît monstrueusement étendue. L'atterrissage nocturne à Lod (Lydda) — à une quinzaine de kilomètres — avec ces milliers de lumières et l'étincellement de la mer, est un enchantement.

Ce qu'il faut voir

On peut fort bien visiter Israël sans passer par Tel-Aviv : on n'aura pas perdu grand-chose. Le fait est que nul touriste jusqu'ici n'en a eu l'idée. Une grande cité surgie des sables en 60 ans, éveille à elle seule la curiosité. Cette attraction s'opère à plus forte raison sur les immigrants. L'idéal qui les a poussés vers la Terre Promise devrait, en bonne logique, les acheminer vers d'autres parties du pays. Néanmoins, le flot le plus important échoue tôt ou tard à Tel-Aviv. Pour laid que soit le décor, c'est tout de même ici que bat le cœur d'Israël, que se manifeste sa force, que s'exerce son esprit d'entreprise, que s'épanouit sa culture. Pas mal, pour une ville sans passé! Deux Universités, dont l'une, Bar-Ilan, spécialisée dans le Judaïsme; trois salles de concert; six compagnies théâtrales, dont la fameuse Habimah — émigrée de Russie, vouée à la tradition, prônée par l'illustre Stanislavsky et promue depuis 1958 Théâtre National — l'Ohel, le Cameri, sans oublier les chansonniers, les revuistes.

L'attraction majeure reste cependant l'Orchestre Philharmonique d'Israël, fondé par le violoniste Bronislaw Huberman. Il est considéré comme un des trois meilleurs ensembles au monde. Les 3 000 et quelques places de l'auditorium Mann ne suffisent pas à satisfaire la demande et les concerts doivent généralement être répétés plusieurs fois, ce qui fait que pour les grands solistes, une invitation à jouer en Israël est à la fois une consécration et un épouvantail.

Il y a de nombreux petits musées. Aucun n'est transcendant, tous sont intéressants. Le premier fut fondé en 1930 par l'infatigable Meïr Dizengoff qui mit sa fortune, sa maison et ses collections privées à la disposition des organisateurs. C'est le Musée de Tel-Aviv. Le bâtiment s'honore d'un événement historique exceptionnel : c'est dans la petite salle aujourd'hui réservée aux concerts de musique de chambre que le 14 mai 1948, fut proclamée l'Indépendance de l'État d'Israël. Mention honorable pour le Musée du Verre et celui légué par Helena Rubinstein qui est aujourd'hui attaché au Musée de Tel-Aviv, galerie d'art d'une architecture agréable — hélas, ses toiles, presque toutes provenant de donations privées, ne sont pas à la hauteur de l'écrin qui les entoure.

Il faut aussi voir la Grande Synagogue, la plus vaste d'Israël, qui se trouve Allenby Road, tout près du boulevard Rothschild. Le spectacle des fidèles se rendant au service religieux une veille de sabbath ou de jour de fête, vaut le déplacement. La circulation, pourtant intense, est déviée. La foule se presse, portant livres et châles de prière. Pour la célébration du *Soukkoth*, les environs se couvrent de branchages verts destinés à orner les tabernacles individuels, un peu comme on vend du gui, ou du buis bénit, pour Noël et le Vendredi saint, en France.

La fonction du corso italien est exercée à Tel-Aviv par la rue et le rond-point Dizengoff. Au déclin du jour et jusque tard dans la nuit, Tel-Aviv s'y déverse pour se faire voir, rencontrer les amis, discuter, boire, manger, se promener.

Tel-Aviv, enfin, possède un stade de 30 000 places à Ramat-Gan. On y célèbre, tous les quatre ans, à l'exemple des Olympiades, les *Maccabiades*, confrontation des athlètes juifs du monde entier.

Le marché Carmel

Il existe une transition naturelle entre Tel-Aviv et Jaffa, une espèce d'écluse sensorielle, une préparation progressive pour le passage du visiteur non-averti de la ville moderne à la ville ancienne, de la vie occidentale à la vie orientale. C'est le *Souk* (on prononce souvent *Chouk*) *ha-Carmel :* le Marché. A Haïfa, le Carmel est une colline. A Tel-Aviv, c'est une rue. Sur trois rangs de part et d'autre, marchands sédentaires, étalages volants et vendeurs à la sauvette y proposent leur marchandise. En partant du boulevard Allenby, on se trouve soudain transporté dans un Orient qui garde encore certaines traces d'occidentalisme. C'est un compromis entre la Mouffe, ou le Marché de la rue Lepic, à Montmartre, et le véritable souk arabe. Un jeune homme dispose artistement des monticules d'artichauts; un manchot vante à tue-tête ses combinaisons bariolées en hébreu, en arabe, en yiddisch ou en ladino-espagnol. Les boutiques fixes du fond ont des rabatteurs qui s'égosillent plus fort que les autres pour couvrir la voix des ambulants : ce sont les épiceries, les poissonneries, les boucheries. Ensuite viennent, à gauche et à droite, des tréteaux mordant à la fois sur le trottoir et la chaussée : légumes frais et secs, fruits, chaussures, les fameux surplus inépuisables de l'Armée que connaissent les marchés du monde entier. Enfin, il y a les étalages à même le sol, sur le pavé, sous le pas de l'acheteur. On y vend de tout, depuis l'assortiment de clés en mal de serrure, jusqu'à l'inévitable transistor. Un étroit couloir est aménagé entre les rangées à l'intention du chaland. Et des fleurs. Des fleurs partout. En l'air, au-dessus de vos têtes, par terre, vous marchez dessus, dans le cabas de la bourgeoise venue en voiture et dans celui de la pauvresse qui coupe ses *agorots* en quatre. Pas une femme — principalement le vendredi, pour fleurir le sabbath — qui n'emporte sa botte d'œillets, de glaïeuls, ou de marguerites pour couronner ses emplettes.

On vous interpelle dans toutes les langues du monde; les gorges sèches et les voix rauques ne permettent plus au profane de distinguer entre l'hébreu et l'arabe. Parfois, c'est pur sport, car votre appareil photographique en bandoulière dénonce l'étranger en vous et a-t-on jamais vu un touriste acheter des filets de maquereaux? N'empêche, une sainte émulation les emporte et ils s'adresseront à vous en anglais, en français, en turc, en hongrois, en allemand.

Vous pataugez dans les épluchures, dans les fleurs piétinées, vous suffoquez dans la forte odeur des victuailles au soleil, votre cerveau enfle à enregistrer un vacarme qui dépasse les limites de sécurité, et vous n'avez encore rien vu, rien senti, rien entendu, rien vécu. Ayez donc le courage de tourner dans l'une des ruelles à droite, pour visiter les stands réservés aux poulets, signalés par des plumes voletantes; promenez-vous donc aux environs immédiats des torréfacteurs de café, des spécialistes du concombre, de la tomate, des poivrons et des oignons en saumure (un délice, par ailleurs!); trouvez donc assez de cœur pour vous rendre aux excellentes raisons et aux offres tonitruées des restaurants en plein air, des cafés avec ou sans *hehl;* surmontez donc votre défaillance pour goûter aux mille et une charcuteries débitées plus ou moins au mètre dont ce vendeur a empli la familiale qui promènera samedi prochain bobonne et les gosses...

Jaffa

Vous êtes soudain libéré, à l'air, tout étourdi encore, ne sachant pas trop s'il convient de vous en réjouir ou de le déplorer. Le marché s'arrête brusquement. Vous êtes seul dans l'ancien champ de bataille entre Jaffa et Tel-Aviv, zébré de cicatrices qui sont déjà les rues. A votre gauche, le gratte-ciel Shalom. A droite, en bordure de la mer, la rangée de maisons que les combats ont épargnées. Devant vous, au fond, le minaret de la mosquée Hassan Beg. Allez de l'avant, vous êtes mûr pour affronter Jaffa.

Jaffa vous accueille à bras ouverts par son Marché aux Puces (en hébreu : *Chouk Hapichpichim*) dans les passages à gauche et à droite de la rue Aleytsion — ils ne sont pas prévus pour l'embonpoint. Un Fils du Désert, superbe, hiératique et moustachu, avance à pas comptés, cherchant son bonheur d'un œil farouchement indifférent, suivi à distance respectueuse par sa femme, visage découvert, pantalons azur pâle dépassant le bas de la robe rouge vif. Ici aussi, on vend de tout, sauf de la nourriture.

De minuscules passages couverts assurent le transfert d'une rue à l'autre. On les aveugle, la nuit, au moyen d'un rideau de fer, verrouillant du même coup toutes les boutiques à l'intérieur. C'est le domaine de l'antiquaille, de la ferraille, du mobilier usé. De l'artisanat aussi qui, consciencieusement, naïvement, au vu et au su de tout un chacun, fabrique sous vos yeux l'objet ancien « découvert dans un site archéologique et soustrait au prix de mille dangers à l'avidité des Musées ».

Traversez, et vous le retrouverez, vermoulu à souhait, patiné, couvert de boue séchée, dans la vitrine de l'antiquaire d'en face...

Jaffa, l'antique Yoppé, ou Joppa, l'hébraïque Yafo, qui dériverait du mot *yafé* : beau, bien. Un des plus anciens ports du monde, le débouché naturel de Jérusalem sur la mer. On prétend parfois que le nom vient du troisième fils de Noé, celui qu'on oublie toujours : Japhet, lequel aurait fondé la ville. La cité était si bien fortifiée en ces temps-là, que les Juifs ne purent la soumettre lors de la conquête de Canaan. Sous le règne des Asmonéens se place un épisode tragique. Les colons grecs, traîtreusement, coulèrent des vaisseaux dans lesquels ils avaient attiré leurs concurrents juifs. L'eau devait — hélas! — toujours être fatale à ceux-ci : alors qu'ils fuyaient les Romains, après la destruction du Temple, une tempête se déchaîna, noyant les rescapés du massacre.

Réduite à la portion congrue, la communauté juive de Jaffa survécut au milieu des pires difficultés, en butte aux brimades de l'occupant, quel qu'il fût. Vint l'époque de l'obscurantisme, des invasions; des Arabes, des Turcs, des Croisés, ce mouvement perpétuel du sang répandu. En 1799 Napoléon détruisit la ville où d'ailleurs il ne restait plus un seul Juif parmi la population de 4 000 Musulmans. C'est alors que les pèlerins de la Terre Promise commencèrent timidement leur voyage de retour. Le courant sioniste insuffla une vie nouvelle au vieux port assoupi.

Comme d'habitude, la légende côtoie l'Histoire. C'est de Jaffa que serait parti Jonas, pour ce périple qui allait le mener dans le ventre d'une baleine. Elle l'aurait recraché sur la côte, un peu plus bas, paraît-il, aux environs d'Achkelon. Les bois de cèdre du Liban qui devaient servir à la construction du Temple de Salomon auraient été débarqués à Jaffa. On vous montre, parmi les écueils qui saupoudrent les eaux du port, le rocher auquel fut attachée la belle Andromède pour être livrée au monstre marin. Persée la délivra et, ô miracle, il mit soigneusement de côté les chaînes brisées, de sorte que les marchands peuvent les revendre à la tonne aujourd'hui. C'est enfin sur les rivages de Jaffa que le roi Salomon découvrit son fameux trésor : les flots l'y avaient apporté, en offrande du Ciel, après en avoir dépouillé les vaisseaux engloutis.

Pendant que nous y sommes : Napoléon a-t-il vraiment

dormi au Monastère de Saint-Pierre ? Pierre y a-t-il ressuscité la fidèle Tabitha ainsi qu'il est dit aux Actes des Apôtres (IX, 36) ? Simon le Tanneur, dit Pierre, y avait-il sa maison ? Est-ce bien entre ces murs que, se reposant, l'apôtre entendit la Voix Divine lui ordonner de recevoir Juifs et Gentils, sans discrimination, dans la nouvelle Église ? (Actes : X, 34-36.)

Ce qui est sûr, c'est que du haut de la colline, on jouit d'une vue magnifique sur la côte et que, du plus infime chemin se dégage cette chaleur particulière aux pierres longtemps foulées par les hommes.

A l'entrée de Jaffa, chacun a laissé sa trace. Il y a une Tour dite des Croisés, que les municipalités antérieures ont pourvue de hideux vitraux. Les Turcs édifièrent une prison dont les Anglais ont fait un usage immodéré. Les Arabes ont construit un charmant *hammam* et les Juifs ont érigé un monument à la gloire des artisans de la Libération en citant le Livre II de Samuel (I, 23) :

« Ils étaient plus rapides que les aigles,
Ils étaient plus forts que les lions. »

Du Musée fort intéressant au pied de la colline, il a déjà été question. Tel-Aviv compte peu d'églises et pas de mosquées, Jaffa en est pleine. Saint Antoine en particulier y est honoré par les Franciscains.

Liquidées, ou à peu près, les difficultés juridiques à propos des biens arabes, la restauration du quartier a été entreprise avec ce goût si sûr qu'apporte le respect du caractère original. Maisons, escaliers, fenêtres ouvragées et portes ferrées créent une atmosphère du plus heureux effet. Tel-Aviv y installe ses artistes créateurs dans un cadre digne d'eux. On y trouve également des restaurants et des *night-clubs* réputés.

Les environs

Au sud de Jaffa, deux villes récentes, fondées en 1925 et 1935, Bat-Yam, — la fille de la mer, — qui s'enorgueillit du rocher d'Adam, non loin de ses côtes, — sans jeu de mots; — et Holone — tissages et autres industries — où résident les quelques derniers descendants des Samaritains.

Dans un périmètre plus éloigné, Tel-Aviv est entourée d'autres agglomérations plus ou moins importantes. Au nord, (14 km) Herzliya, grande banlieue élégante où se dressent plusieurs grands hôtels. C'est une colonie tranquille et agréable, malgré la présence des studios de cinéma. Des villas, de grandes allées, une plage superbe, avec une Méditerranée qui y fronce peut-être un peu trop les sourcils; mais on se baigne dans les piscines quand on n'est pas bon nageur. Deux kilomètres plus loin se trouvent les ruines d'Apollonia que les Grecs bâtirent sur le site de Richpon : le protecteur de celle-ci était Rechef, l'homologue local d'Apollon. Les Croisés, évidemment, sont venus ici. Vers la fin du XIIe, les chevaliers de Richard-Cœur-de-Lion y firent mordre la poussière à ceux de Saladin.

A l'est, le faubourg de Bené Berak, patrie du Rabbi Akiba, lequel forgea le célèbre : « rien de nouveau sous le soleil », un ardent partisan de Bar Kokhba en révolte. Fief des Juifs pieux, il est le siège de l'Université Bar-Ilan, strictement orthodoxe.

Au-delà, (10 km) Pétah-Tikva, la Porte de l'Espoir, la plus ancienne des colonies juives : elle date de 1878. Pour survivre, les pionniers durent assécher les marais, vaincre la malaria. Tout près, au sud-est, Mikweh-Israël, la première École d'Agriculture fondée par des Juifs français, en 1870, alors qu'il n'existait encore aucune colonie juive en Palestine.

Au sud encore, après avoir traversé Holone, il convient de citer aussi Richon-le-Sion (12 km) — vignobles, dégustation, visite traditionnelle des caves. Le baron de Rothschild procura, en même temps que les fonds, des ceps d'origine française. C'est grâce à Richon-le-Sion que depuis trois générations, pour célébrer dignement la Pâques, les Juifs du monde entier boivent du vin d'Israël tiré de vignes françaises.

Sceau portant le lion de Juda (VIIIe s. av. J. C.)

DE TEL-AVIV À JÉRUSALEM

On peut prendre le train. On peut prendre la route; dans ce dernier cas : trois solutions : le *chérouth*, les cars de l'Egged, la voiture privée. La première ville de quelque importance rencontrée est Lod, (ex-Lydda). Aujourd'hui, elle est entièrement juive, quoique encore fortement marquée par son passé arabe. L'Église Saint-Georges — grecque orthodoxe — perpétue la gloire du saint patron de l'Angleterre, lequel aurait vu le jour ici. Naguère, la rumeur publique lui attribuait la guérison des fous. On vous montrera la chaîne à laquelle on les attachait durant la nuit. Saint Georges leur rendait visite et ils repartaient au matin, ni plus ni moins sains d'esprit que ceux-là qui venaient de les soumettre à pareille thérapeutique.

Dans cette région, les maisons de Dieu construites par les Byzantins furent généralement détruites par les Musulmans, réédifiées par les Croisés, redétruites et réérigées une fois de plus par les Chrétiens au cours des trois derniers siècles. Lod est agricole, un peu industrielle, surtout vouée à l'artisanat. La légende veut que pour l'érudition, Lod ne le cédât autrefois qu'à Jérusalem elle-même. Malheureusement, sa situation privilégiée faisait parallèlement sa prospérité et son malheur : le commerce l'enrichissait, les conquérants la dévastaient.

Ce fut aussi, dans une certaine mesure, le destin de sa voisine, Ramla, seule ville de Palestine dont la création, en 716, par le calife Soliman, soit due aux Arabes. Son nom signifie sable. Elle fut capitale jusqu'à l'arrivée des Croisés. Il y a souvent eu confusion entre Rama, — contraction de Ramla ? — et ce Joseph d'Arimathie qui fut « bon et confiant » envers Jésus. Le manque de preuves historiques n'a nullement empêché les Franciscains de lui dédier, ainsi qu'à Saint Nicodème d'ailleurs, le monastère qu'il y firent édifier. Napoléon y aurait dormi. Où ce diable d'homme n'a-t-il pas dormi ? Ramla était son Q.G.

On s'arrête à Ramla plutôt pour la Tour des Quarante. S'agit-il des martyrs de Cappadoce ou des Compagnons de Mahomet ? On la dit également Tour de Richard-Cœur-de-Lion. Elle fut construite en 1268 par Baïbar et devait servir de minaret à la vieille mosquée « blanche » — *(Jami-el-abiad)* datant de la fondation de la ville. Avec les vestiges d'une arche romaine et d'un aqueduc, elle forme un ensemble historique du plus heureux effet. La Grande Mosquée *(Jami-el-kébir)* s'élève sur l'emplacement de l'ancienne cathédrale Saint-Jean-des-Croisés. Il y a enfin la Citerne de Sainte-Hélène, creusée en 879 pour le compte de Haroun-al-Rashid que les lecteurs des Mille et Une Nuits connaissent bien. Impressionnantes voûtes gothiques sous lesquelles vous pouvez faire un tour incertain sur une barque assez mal équilibrée; sensation forte, à l'occasion glacée si on a la disgrâce de tomber à l'eau.

En quittant Ramla, nous laissons sur notre gauche la petite vallée *(emek)* d'Ayalon. Josué y arrêta le soleil pour avoir le temps d'écraser les Amorrhéens; (Josué : x, 12) Judas Maccabée y défit ses ennemis. C'est ici, enfin, que s'assemblèrent les Légions Romaines pour monter à l'assaut de Jérusalem, ainsi que devaient le faire les Croisés mille ans plus tard. L'ancienne route la traversait en partie. Mais les Arabes l'occupaient en 1948, alors que le peuple était encore enroué à force d'avoir acclamé l'Indépendance. Il fallut se mettre au travail sous le feu ennemi, pour en percer une autre, la « route du courage » ou encore : « la Route de Birmanie. » A présent, la route de Latroun est libre.

A partir de là, pour l'ultime montée vers Jérusalem, tout concourt à baigner dans la légende une réalité à peine vieille de trois décennies. Pour ouvrir la route que suit pacifiquement votre voiture, des milliers de vies ont dû être sacrifiées en 1948 pendant la bataille pour Jérusalem. La forêt sur votre droite s'appelle *Yaar-ha-Kédochim*, la Forêt des Martyrs. Un arbre y a été planté pour chacune des six millions des victimes des fureurs nazies. De part et d'autre, en souvenir des actes d'héroïsme, ont été abandonnées les carcasses calcinées de véhicules, autos, camions, blindés, immobilisés par les tirs ennemis. Ça et là, des tombes. L'obsession si compréhensible de l'arbre se fait particulièrement sentir. La forêt de gauche fut plantée par le premier haut-commissaire britannique en Palestine, voici plus de 50 ans, et a déjà des allures d'ancêtre. Car la route a été creusée à force dans la rocaille. Avant que ces arbres fussent là, le paysage devait être d'une sauvagerie poignante.

Nous voici à Shaar Hagaï, si souvent chantée. A droite, le village arabe d'Abou-Goche qui vit les premières fraternisations judéo-arabes, réceptacle de l'Arche d'Alliance. Les Philistins, qui s'en étaient emparés, s'empressèrent de la rapporter, convaincu que le Dieu des Juifs les punissaient de l'avoir ravie. Plus tard, en dansant, David l'escorta le long des douze kilomètres qui nous séparent encore de Jérusalem. Face à Abou Goche : les vestiges d'un monastère des Croisés, Aqua Bella, endroit aménagé pour les pique-niqueurs.

Sur la gauche, une montée assez courte mène aux deux kibboutzim (c'est le pluriel de kibboutz) de Kiryat Anavim et Ma'ale-ha-Hamicha. Ils ont une piscine commune pour leurs membres et leurs hôtes, car au *Rest-House*, on trouve des chambres rustiques mais confortables, avec ou sans salle de bains, pour les touristes qui préfèrent dormir à la campagne plutôt qu'en ville. Un monument y a été érigé aux défenseurs des ghettos polonais durant la dernière guerre.

A droite, le Castel, sur une éminence, les ruines de l'antique *Castellum Romanum*. Une des premières victoires de la guerre d'Indépendance y fut remportée. La route est à présent large et sinueuse. Nous grimpons, descendons, remontons. A droite toujours, un curieux cimetière juif étagé au flanc de la colline. Sans trop nous en rendre compte, nous venons de gravir huit cents mètres par une belle autoroute et de parcourir 69 kilomètres depuis Tel-Aviv. Nous sommes à Jérusalem.

JÉRUSALEM-OUEST

Plantée à 800 mètres d'altitude sur les collines de Judée, une des plus antiques cités de la planète parmi celles qui sont encore habitées, Jérusalem (340 000 h) se présente d'abord comme une ville inachevée. Elle sort de deux guerres (1948 et 1967) dont les plaies sont loin d'être guéries.

Nous ne céderons pas à la trompeuse tentation de définir la signification de Jérusalem. Lieu saint des trois grandes croyances monothéistes groupant la moitié des populations du globe, elle est la capitale de l'État d'Israël, la résidence de son Président, le siège de son gouvernement, de son Rabbinat (la plus haute autorité religieuse), de la *Knesseth* — le Parlement — ainsi que de l'Agence Juive et de l'Organisation Sioniste Mondiale.

La ville doit doubler d'importance. En son centre qui était autrefois sa périphérie, le (ou la) *Kiryat* — une « cité », sous-entendu : administrative — a pris forme. Il se compose des bâtiments officiels, Ministères et Parlement de la nouvelle Université et des Musées. Partout, des échafaudages, des grues, des gravats, des immeubles en devenir ou déjà devenus. Ici, la fameuse pierre gris-rose de Jérusalem fait merveille et confère à l'ensemble une structure solide, durable et incontestablement du plus bel effet esthétique. Entre les zones de résidence ainsi créées, il y a encore de la place : terrains vagues, éminences, pentes et vallées. Mais sur les plans d'urbanisme, ils figurent comme îlots de verdure, cités de H.L.M. *(chikoun*, au pluriel : *chikounim)*, monuments et autres.

Un peu d'histoire

Il y a à peine un siècle, en 1860, un Juif anglais au nom italien dûment fleuri, Sir Moses Montefiore, eut l'idée de déborder les murs de l'antique Jérusalem pour agrandir l'espace habitable. Un riche américain, Judah Touro, mit des dollars à la disposition de l'entreprise. Les Turcs qui occupaient la Palestine ne s'y opposèrent pas. Pour les Juifs pieux qui vivaient sur place ou arrivaient à l'époque, une prophétie d'Esaïe se réalisait. On peut voir aujourd'hui encore la première maison édifiée avec les fonds américains, en dehors de l'enceinte sacrée, dans le quartier qui a gardé le nom de son créateur : le quartier Montefiore.

Les Anglais chassèrent les Turcs du pays en 1917. Et la

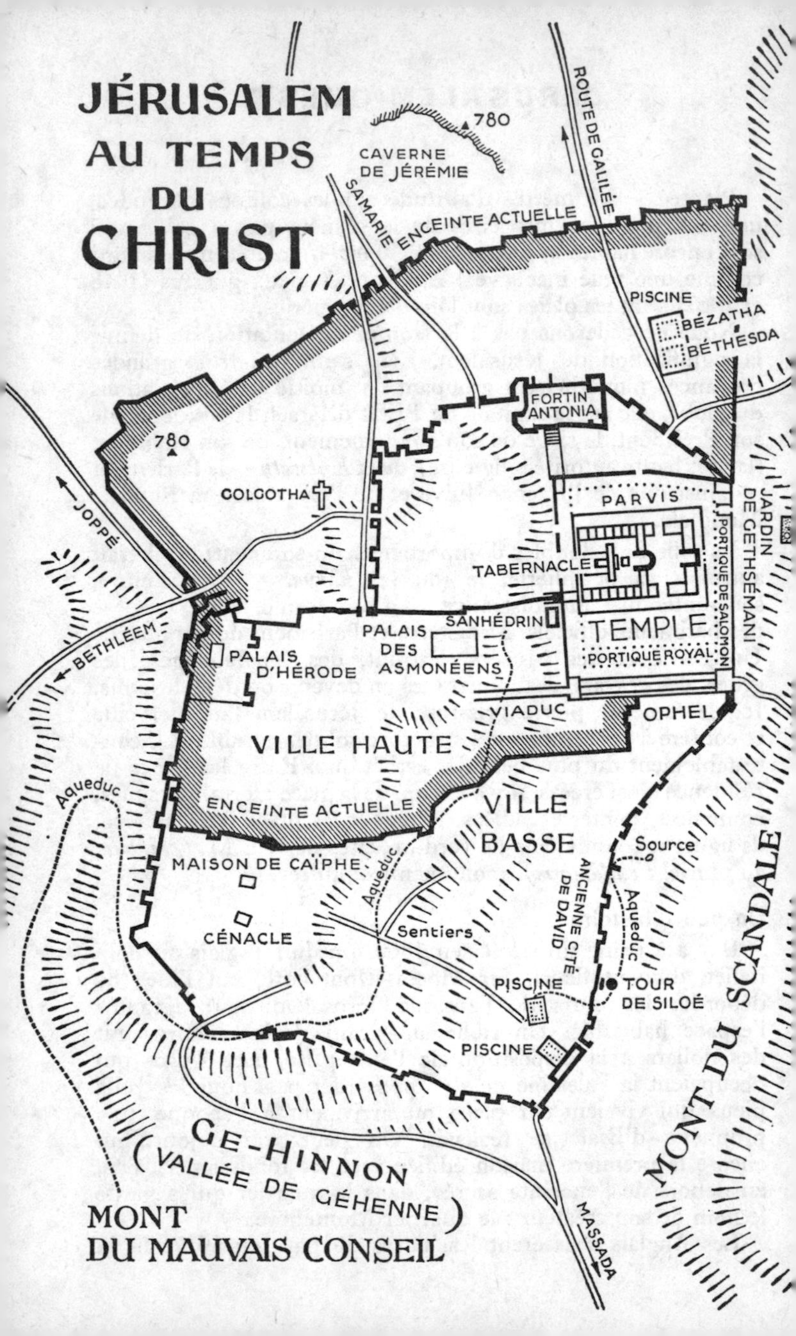

JÉRUSALEM
AU TEMPS
DU
CHRIST
780
CAVERNE
DE JÉRÉMIE
ROUTE DE GALILÉE
SAMARIE
ENCEINTE ACTUELLE
PISCINE
BÉZATHA
BÉTHESDA
FORTIN
ANTONIA
780
JOPPÉ
COLGOTHA
PARVIS
JARDIN
DE GETHSÉMANI
PORTIQUE DE SALOMON
TABERNACLE
SANHÉDRIN
TEMPLE
PORTIQUE ROYAL
BETHLÉEM
PALAIS
D'HÉRODE
PALAIS
DES
ASMONÉENS
VIADUC
OPHEL
VILLE HAUTE
Aqueduc
ENCEINTE ACTUELLE
VILLE
BASSE
Source
MAISON DE CAÏPHE
Aqueduc
ANCIENNE CITÉ
DE DAVID
Aqueduc
Sentiers
CÉNACLE
PISCINE
TOUR
DE SILOÉ
PISCINE
MONT DU SCANDALE
GE-HINNON
(VALLÉE DE GÉHENNE)
MONT
DU MAUVAIS CONSEIL
MASSADA

ville redevint juive, sous mandat britannique. Mais il fallut attendre encore trente-et-un ans pour qu'elle redevînt capitale. Un long chemin avait été parcouru depuis qu'aux temps bibliques, on l'appelait Salem. Car il est dit dans la *Thorah*, le Livre Saint : « Et Melchisédech, roi de Salem, qui était prêtre du vrai Dieu, apporta du pain et du vin. » Il s'agissait de célébrer la victoire remportée par Abraham sur Chodorlahomor (ou Kédorlaomer), roi d'Elam, pour délivrer son neveu prisonnier, Loth. Deux siècles après, l'envoyé spécial du Pharaon Akhenaton (Aménophis IV, l'époux de la célèbre Néfertiti) est nommé gouverneur d'Urusalim, ainsi que l'attestent ses lettres au maître de l'Égypte. (Vers 1375 av. J.-C)

Au cours de leur conquête de la Terre de Canaan, les Israélites l'enlevèrent de haute lutte aux Jébusites (ou Jébusiens, ou Jébuséens). Elle était alors connue sous le nom provisoire de Jébus. On voit déjà quelles sont les sources étymologiques de Jérusalem. Lors de la partition entre les douze tribus, Benjamin eut le nord et Juda le sud de la ville. Il n'y a que 3 000 ans, David en fit sa capitale et on disait : la Cité de David. En grande pompe, il y fit apporter l'Arche d'Alliance (II Samuel : 6) laquelle, à vrai dire, reste plus ou moins mal logée jusqu'à l'édification du premier Temple par son fils, Salomon (975-935 av. J.-C.). Jérusalem fut alors le véritable centre religieux et spirituel en même temps que politique du pays. Le deuxième livre des Chroniques (2 à 5) nous dit que « sept ans durant, 153 000 ouvriers travaillèrent » à sa construction. Plus tard intervint une nouvelle séparation en deux royaumes : Israël et Judée. Jérusalem resta la capitale du second. A peu près 587 ans avant notre ère, le dernier roi, Zédékiah — Joachim — fut vaincu par Nabuchodonosor (fils). Les Juifs avaient déjà eu maille à partir avec Nabuchodonosor père. Son général en chef, Holopherne, avait eu la tête tranchée par Judith pour soulager Béthulie assiégée. Nabuchodonosor fils vengea le père et l'Armée babylonienne en rasant la ville — temple compris — et en emmenant sa population en captivité.

Le compte à rebours des temps pré-chrétiens remonte le long de ce douloureux exil jusqu'en 538 av. J.-C. Un peu plus tard, Artaxerxès autorise le Juif Néhémie à rebâtir Jérusalem. Hélas, le pays où coule le lait et le miel tente tous les conquérants. Les Grecs s'emparent de la ville un siècle plus tard, la gouvernent à leur façon et tentent même d'introniser Zeus dans le Temple réédifié. C'en est trop.

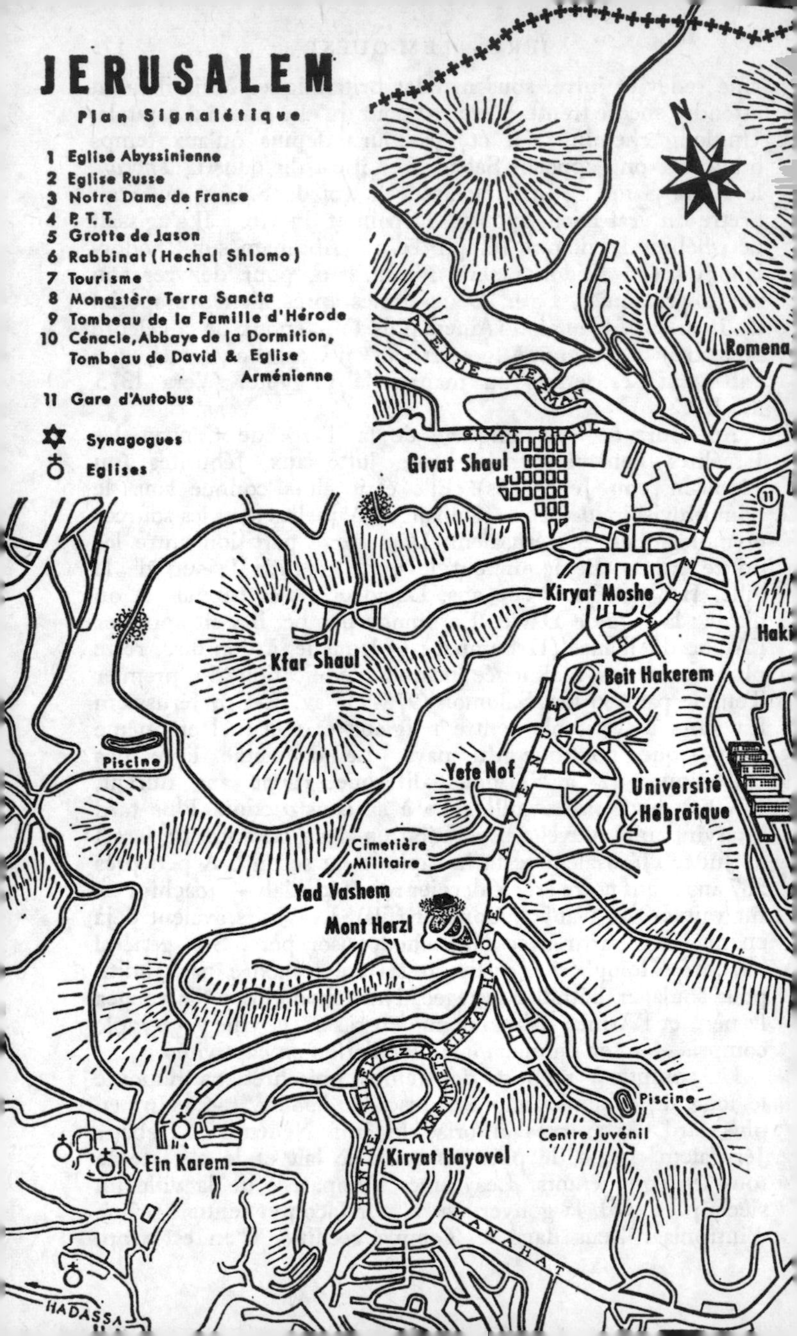
JERUSALEM
Plan Signalétique
1 Eglise Abyssinienne
2 Eglise Russe
3 Notre Dame de France
4 P. T. T.
5 Grotte de Jason
6 Rabbinat (Hechal Shlomo)
7 Tourisme
8 Monastère Terra Sancta
9 Tombeau de la Famille d'Hérode
10 Cénacle, Abbaye de la Dormition, Tombeau de David & Eglise Arménienne
11 Gare d'Autobus
Synagogues
Eglises
N
Avenue Weizman
Givat Shaul
Romena
Kiryat Moshe
Kfar Shaul
Beit Hakerem
Piscine
Yefe Nof
Université Hébraïque
Cimetière Militaire
Yad Vashem
Mont Herzl
Kiryat Hayovel
Piscine
Centre Juvénil
Ein Karem
Manahat
Hadassa

Tombeaux
Sanhedriya
LIMITE D'ÉTAT
Mont Scopus
Biblique
Porte Mandelbaum
Mea Chéarim
Mosquée d'Omar
St Sépulcre
Mur des Lamentations
Tour de David
VIEILLE VILLE
Yemin Moshe
Y.M.C.A
Mont Sion
Gare
Abou Tor
Komemiut
Kiryat Shmuel
Mon. de la Sainte Croix
Musées d'Israël
Mon. Ste Claire
Piscine
St Simon
Talpiot
Gonen
RAMAT RAHEL
CHMUEL HANAVI
BAR ILAN
HARAV
TSEFANIA
YEHEZKIEL
MEA CHEARIM
MALCHEI ISRAEL
HANEVIIM
YAFO
AGRIPPAS
BEZALEL
STRAUS
BEN YEHUDA
CHLOMZION HAMALKA
ISRAEL
KING GEORGE
AGRON
KEREN HAYESOD
DAVID
USSICHKIN
RAMBAN
MAIMON
BALFOUR
MARCUS
HAPALMAH
TCHERNICHOVSKY
RACHEL IMENU
CHIZKIYAHU
EMEK REFAIM
BETHLEEM
EIN GEDI
HERZOG
HARAV
GOLOMB
KANAEI HAGALIL
R.S. BEN GAMLIEL
HEBRON
seth (Parlement)

Les Maccabées prennent les armes. Les révoltés arrachent la ville aux Grecs en 165 av. J.-C. Suit le règne des Asmonéens (Asmon, de la tribu de Siméon) qui dure un siècle à peine. À la faveur d'une nouvelle invasion, celle des Romains, un usurpateur parvient à se faire nommer roi : c'est le petit-fils d'Antipater — collaborateur notoire, — et l'Histoire retiendra son nom : Hérode le Grand. Nous sommes à la veille de très grands événements qui, sur le moment, n'impressionnent que peu de gens. Un petit garçon naît à Bethléhem et le bruit court qu'une étoile guide les pèlerins vers l'étable où il a son berceau. Il paraît même que trois rois Mages apportent pour fêter cette naissance, de la myrrhe et de l'encens.

On connaît la suite. Certains assurèrent que ce petit garçon était le Messie, d'autres soutinrent qu'il ne l'était pas. Toujours est-il que le calendrier fut remis à zéro à partir de cette naissance. L'enfant vécut peu, une trentaine d'années, mais marqua profondément l'Histoire et l'esprit.

RENSEIGNEMENTS PRATIQUES - JÉRUSALEM-OUEST

Les *taxis chérouths* de la Cie *Nesher* de Jérusalem attendent, à droite de la sortie de l'aéroport David Ben Gourion (Lod), les voyageurs qui veulent se rendre directement au bureau de la compagnie en ville et qui payeront environ 12 L.I. par personne. Pour se faire conduire à une adresse différente, il faut payer le supplément indiqué par le taximètre. Les cars *Egged* ont de fréquents services, aéroport — gare des autobus Jérusalem, ce qui revient naturellement moins cher. Dans ces conditions, le taxi individuel est donc à déconseiller (60-70 L.I.). Il y a également moyen de louer des voitures à l'aéroport même.

QUE VOIR? On peut visiter Jérusalem-Ouest en un jour, mais c'est là un *strict minimum.* Au Mont Sion, vous verrez les vénérables murs qui abritent le Cénacle où Jésus partagea son dernier repas avec ses disciples. Sur le même Mont Sion, s'élève l'abbaye de la Dormition, avec la crypte de Marie, et à côté, le tombeau de David est un lieu de pèlerinage à l'occasion des fêtes juives. Non loin de là, près de la gare, à Abou Tor, le monastère orthodoxe grec recèle d'intéressantes catacombes. Rue Keren Hayessod, Terra Sancta est un beau couvent et collège franciscain, tandis que rue Émile Botta, les visiteurs sont les bienvenus à l'Institut biblique pontifical, où ils verront un musée archéologique et la librairie des Jésuites, riche en ouvrages sur la Bible et l'Orient (bus 6, 13, 15). Près du quartier résidentiel Réhavia, le monastère de la Croix est bâti sur le lieu où, selon la tradition, fut coupé l'arbre qui servit à fabriquer la Croix : beau jardin, monastère-forteresse du 6e siècle restauré par les Croisés (bus 5, 16). Vers le centre, tombeau de Jason (époque asmonéenne, 2e s. av. J.C.) avec graffiti intéressants. Dans le centre, sur les terrains russes, un dôme de couleur verte : c'est la cathédrale russe orthodoxe, près de la rue Yafo. Non loin, dans la rue Hahabachim, l'église abyssine s'orne de la statue du Lion de Juda. La liste des édifices chrétiens sera complète si nous y ajoutons le couvent St Pierre de Ratisbonne (à côté de la synagogue Yéchouroune), Ste-Claire et l'église presbytérienne St-André à Abou Tor, St-Paul près de Notre Dame de France et de la porte Mandelbaum, et le monastère grec St-Simon, au sud de la ville.

Le bus 27 vous conduira aux confins de Jérusalem, à Ein Karem, où naquit St-Jean Baptiste : au lieu-même de sa naissance s'élèvent l'église et le couvent franciscains St Jean. Non loin, l'église franciscaine de la Visitation est dédiée à Ste Élisabeth, mère du Précurseur, et à côté scintille le clocher vert de l'église russe St Jean. Sur une colline, près d'Ein Karem, les Franciscains, toujours eux, ont bâti un couvent près de la grotte où le Baptiste vécut ses années de jeunesse. Sur la route de Jérusalem à Tel-Aviv, Abou Goche est un pittoresque village arabe : près de l'église de Notre Dame de l'Arche d'Alliance, une célèbre statue de la Vierge, tenant l'Enfant Jésus dans ses bras, domine le paysage. Dans le même village, vestiges d'un monastère bénédictin du 12ᵉ s. sur les fondations d'un bâtiment romain.

Parmi les édifices proprement juifs, il faut distinguer ceux qui sont consacrés au culte des monuments de caractère strictement national. La plus grande synagogue de Jérusalem est la synagogue centrale Yeshurun (Yéchouroune), rue du roi Georges (Rehov Hamelekh George, bus 4, 5, 13, 19, 30). Dans la même rue se dresse la moderne et imposante façade du Hékhal Chélomo, centre religieux supérieur, siège du Grand Rabbinat, d'un musée d'objets du culte et d'une synagogue de style italien. A deux pas, rue du roi David, l'École des Hautes Études bibliques et archéologiques possède aussi une synagogue. Pour voir vivre les Juifs les plus farouchement attachés à leur foi, il faut aller déambuler au quartier Méa Chéa'rim, où les hommes portent le caftan traditionnel des Juifs d'Europe orientale. Nombreuses petites synagogues des communautés orientales et écoles talmudiques, marché très pittoresque, surtout le vendredi matin, quand les ménagères font leurs emplettes en prévision du sabbath. Un peu plus loin, les tombes des Juges du Sanhedrin, Cour suprême à l'époque du second Temple. Les jeunes arbres qui leur servent de cadre, sont plantés par les touristes en souvenir de leur visite.

Le sentiment national s'exprime en divers monuments : le Yad Vashem commémore le souvenir des 6 millions de Juifs victimes du nazisme : exposition permanente, synagogue, bibliothèque, flamme éternelle. Il est situé en dehors de la ville (bus direct 12), à côté du Mont Herzl, où l'on peut voir le tombeau de Théodore Herzl, visionnaire de l'État juif, et un musée (bus 12, 18, 20, 23). Sur les pentes septentrionales du Mont Herzl, s'étend le cimetière militaire. En ville, au square Haherout, un obusier de fortune rappelle les seules pièces d'artillerie qui servirent à la défense de la ville en 1948, les « davidka », du nom de leur inventeur-bricoleur David. Tout près, prenez encore une fois la rue du roi Georges : au passage vous verrez l'ancien local provisoire du Parlement (Knesseth) : dans le jardin contigu, le chandelier géant, la Ménorah, dresse ses sept branches vers le ciel. Plus loin, et nous entrons dans le domaine des institutions nationales, vous arriverez aux bâtiments de l'Agence juive, du Fonds national et du Keren Hayessod — Appel unifié d'Israël — (à côté du Grand Rabbinat) : bureau central de l'Organisation sioniste mondiale, archives centrales, Livre d'Or rappelant les noms de ceux qui contribuèrent par des fonds (bus 4, 7, 13).

Les institutions gouvernementales (dont le Parlement-*Knesseth*) sont groupées dans la Hakirya, nouvelle cité sur le point d'être achevée. Tout près s'étendent les perspectives modernes du campus de l'Université Hébraïque : bibliothèque nationale et universitaire, planetarium William, auditorium Wise, synagogue, facultés, cité universitaire et grands jardins. Entrée libre, visites guidées en français sur demande, en anglais tous les jours.

A côté du campus, voici le quadruple et futuriste *Musée d'Israël* - musée national Bezalel, jardin d'art Billy Rose (sculptures), musée d'archéologie biblique et Sanctuaire du Livre (rouleaux de la Mer Morte) : (Dimanche, lundi, mercredi et jeudi : 10-18 h; mardi : 14-22 h; vendredi et samedi 10-14 h. Acheter billets pour samedi la veille à l'Office Gouvernemental de Tourisme ou dans les grands hôtels).

A Ein Karem, un peu au-delà des sites dédiés à St Jean Baptiste, s'étend le Centre médical de la Hadassah et de l'Université, un des hôpitaux les plus modernes du monde. Dans la synagogue chatoient les célèbres vitraux de Chagall, représentant les 12 Tribus d'Israël. Visites guidées (bus 19, 27). A Ramat Rahel, village au sud de la ville : fouilles archéologiques et vue sur Bethléem (bus 7). Le mémorial Kennedy est à 8 km de l'Hôpital Hadassah, près du moshav d'Aminadav.

Si, après cette liste déjà longue, il vous reste encore du temps à Jérusalem, pourquoi ne pas aller voir le Zoo biblique (quartier Roména, bus 15, billets pour le samedi chez Photo Barak face à la Poste centrale), où vivent les animaux mentionnés dans la Bible. Rue Agron, le cimetière Mamilah abrite des tombes de Croisés et de Sarrasins, et un réservoir naturel qui est peut-être celui dont parle la Bible? Rue du Roi David, on peut visiter une chambre funéraire taillée dans le roc : c'est le tombeau de la famille d'Hérode. Même rue, on peut monter au sommet de la tour qui surmonte le bel immeuble de l'Y.M.C.A., d'où l'on découvre une vue panoramique sur la vieille et la nouvelle ville. Le bâtiment comporte notamment une piscine, une collection d'antiquités et une salle de concerts où l'orchestre symphonique de la radio israélienne joue régulièrement.

Reconstitution rigoureusement scientifique, la maquette de la Jérusalem antique de l'époque du deuxième Temple, à l'hôtel Holyland (accès avenue Golomb) est d'autant plus plaisante à regarder qu'elle est faite avec la très belle pierre gris-rose de Jérusalem, à l'échelle 1:50 et laisse au visiteur une impression visuelle qu'il n'oubliera pas de si tôt (hiver 10-17 h, vendredi 10-15 h).

Situé dans le district de Talbich près de la résidence présidentielle, l'*Institut d'Art islamique L.A. Mayer* est digne d'être visité. La maison du Président est ouverte au public chaque jeudi et dimanche de 8 h 30 à 10 h.

HOTELS. De mars à octobre, les prix sont à leur summum tandis que la période allant de novembre à mars connaît une baisse de 15 %. La plupart des hôtels ont à la fois chauffage central et climatisation : les hivers sont frisquets!

L'hôtel le plus connu est le *King David*, rue du Roi David. C'est un palace décoré dans le style « biblique », presque classé monument historique et récemment rénové. Entièrement climatisé. Grillroom « La Régence », bar, dancing. Devant sa terrasse où l'on prend le thé s'étale un paysage toscan : vallons, cyprès, grâce et tendresse; 270 chambres.

Le *Diplomate*, à Talpioth est également un hôtel très luxueux. Comme tous les hôtels éloignés du centre, il a un service chérouth permanent, air-conditionné; 500 chambres avec bain; TV et piscine.

Le *Jérusalem Hilton*, Givat Ram, vous offre une vue magnifique de ses 420 chambres; tennis, piscine chauffée, bar, etc...

Le *Jerusalem Plaza*, 47 rue King George, le dernier en date des 5 étoiles. Ultra moderne : 22 étages, 414 chambres donnant sur le parc de l'Indépendance. Restaurants, bar, piscine chauffée, sauna et plusieurs boutiques.

Un tout petit peu moins cher : le *Kings*, 60 rue King George, 214 chambres avec bain, situé à l'embranchement de deux rues dans lesquelles vous trouverez 2 banques, un café et un très beau magasin de vêtements.

A 15 min. à pied du centre de la ville, situé dans une rue très calme, le *Président*, 3 rue Achad Ha'am; 54 chambres la plupart avec bain; courts de tennis et restaurant.

Le *Central*, 6 rue Pines, strictement kasher; chacune de ses 77 chambres est climatisée et pourvue d'un bain et d'un téléphone; 2 restaurants.

Le *Holyland*, Bayit Vegan, est un ancien pressoir à vin; 120 chambres avec bain et douche; piscine que protège une haie de cyprès; magnifique terrasse où l'on vous servira vos déjeûners.

Le *Moriah*, 39 rue Keren Hayessod, entièrement restauré, 170 chambres avec bain et douche; entièrement climatisé, il a la réputation de servir la meilleure cuisine européenne.

Moins cher : le *Jerusalem Tower*, au cœur du centre commercial, possède 120 chambres avec bain et TV.

Y.M.C.A. (appelé également « Yimka ») est entouré de jardins de cyprès, piscine, courts de tennis et programme culturel; situé 26 rue King David, il possède 68 chambres avec douche.

Le *Eyal*, rue Shamai, 71 chambres; le *Rama Gidron House*, à Talpioth, 18 chambres; le *Rosenbaum Vardi*, 21 Makor Haim, 20 chambres; le *Har Aviv*, à Beth Hakerem, 29 chambres; le *Ron*, 44 Jaffa Road, 15 chambres, restaurant; le *Palatin*, 4 rue Agrippas, 23 chambres.

Hôtels bon marché : le *Vienna*, 2 rue Lunz, 18 chambres; la *Pension Carmi*, à Talpioth; la *Pension Eden* à Beth Hakerem et le *Zion*, 4 rue Lunz.

Vous trouverez 2 maisons d'accueil de kibboutz à la sortie de la ville dans les collines de Judée : le *Ma'ale Hachamisha* et le *Kiryat Anavim*. Il y a également le village de vacances de *Shoresh*. Tous trois vous offrent tranquillité et repos, une vue splendide sur la vallée et la montagne; piscine et nombreux autres avantages.

Dans la forêt de Jérusalem, le *Centre récréatif des collines de Judée*, 47 chambres avec bain ou douche, tennis et piscine.

Hospices. Voir « Renseignements Pratiques » du début de l'ouvrage.

RESTAURANTS. Vous mangerez une cuisine française strictement kasher au *Mishkenot Sha'ananim*. *La Gondola*, 14 rue Hamelekh George, est indiquée quand vous commencez à en avoir assez de la gastronomie israélienne. Cuisine et décor italiens; prix élevés. Chef chinois qui sait préparer des plats cantonais au *Mandrin*, 2 Shlomzion Hamalka; également : la *Pagoda*, 24 rue David Hamelekh. Deux pâtés plus loin, chez *Hesse*, rue Simon ben Shata, c'est l'escalope, l'oie rôtie et autres spécialités d'Europe Centrale. Rue Hamelech George, *Fink* est l'un des restaurants les plus anciens et les plus petits de la capitale. Cuisine française et orientale *Chez Simon*, 5 rue Shamai. Assez cher. Deux restaurants orientaux : *Cohen*, Yeshayahu (coin rue Yellin), minuscule et cher; *Abu Shaul*, Migdal Yerushalaïm (près de l'hôtel Jerusalem Tower), minuscule et modéré. Spécialités de poissons au *Dagim Beni*, 1 Mesliat Yesharim. Les amateurs de crèpes se rendront au *Red Pepper*, dernier étage du Hamishbar Lazarchan, rue King George et rue Ben Yehuda. Le *Vegetarian*, 10 rue Ben Yehuda; spécialités de poissons, omelettes... Si vous désirez être servi rapidement, le *Shemesh*, 31 rue Ben Yehuda, vous propose une variété de grillades à des prix raisonnables. Deux autres excellents restaurants, le *Deshen*, 2 rue Ben Yehuda et le *Sinaï*, au nº 6 de la même rue. Non loin de là, le *Rimini* où vous trouverez une excellente cuisine italienne. *Abu Tor Observation Tower :* un self-service d'où vous aurez une vue fantastique sur la vieille ville.

Dans les environs : sur la route de Tel-Aviv à Jérusalem, à Echtaol, *Samson's Inn;* à Abou Goche, *Caravan*, petit restaurant bon marché, belle vue. A Ein Karem, le *Goulash Inn* offre des plats hongrois dans une atmosphère intime; assez cher.

Raisonnables : *Jerusalem* et *Fefferberg*, au 52 et 53 Sderoth Jaffa proposent toute la gamme de la nourriture juive : plats orientaux, d'Europe de l'Est. etc.

Parmi les restaurants bon marché, citons la cafeteria *Sova*, rue Histadrouth. *Stark*, 21 rue Hamelech George (entrée par un passage) sert des plats hongrois savoureux. *Alpine*, dans la même rue, propose de nombreuses préparations de poisson.

Les étudiants favorisent le *Palmachi*, 13 Rehov Shamai, le *Rimon*, 4 rue Lunz et *Dekkel*, 44 Sderoth Jaffa à cause de leur qualité et prix. Tout à fait à l'extérieur de Jérusalem, le *Motza Inn*, ouvert de 9 h à minuit et ce, toute l'année : spécialités Nord-Africaines.

Cafés-Snacks. *Alno*, 15 Ben Yehuda, « atmosphère viennoise »; presqu'à côté *Atara* (K); *Mocca*, 36 rue Yafo (K) et au 44, *Nava* (K), jardin. *Taamon Coffee House*, au coin de la rue Hillel, et le *Tur Taam* à l'angle des rues Hillel et King George : rendez-vous d'étudiants.

Bars-Dancings. Le soir, Jérusalem n'est pas aussi morte qu'on le dit. Petits soupers. *My Bar*, 6 rue Ben Hillel, dîners dansants, style américain, ouvert de 18 h à 1 h sauf le vendredi. La jeunesse favorise la cave *Bacchus*, Rehov Yavets. On dîne et danse tous les soirs aux hôtels *King David* et *Président* et tous les samedis au *Holyland*.

Ambiance du tonnerre et bon spectacle au *Khan*, dans une autre aile du caravansérail que le restaurant du même nom; vous payerez environ 40 L.I. pour une soirée exceptionnelle. *Mandy's* discothèque, Rehov Horcanus, est fréquentée par la jeunesse. Enfin, le *Puss-Puss-Teg*, dans un décor arabe, lumières tamisées, de temps à autres un chanteur y anime la soirée.

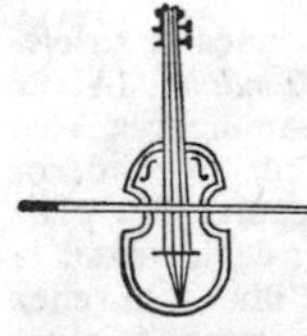

MUSIQUE. Saison d'abonnements en hiver. Orchestre Philharmonique d'Israël, salle des congrès Binyanei Haoma, Rehov Yafo, En hiver : tous les mardis, Orchestre Symphonique de la radio Kol Israël à l'auditoire Y.M.C.A. Une fois par semaine : musique de chambre au Jerusalem Khan (face à la gare) et à l'auditoire Wise de l'Université. Soirées folkloriques à la salle Beit Ha'am, Rehov Bezalel. Une partie du Festival d'Israël se déroule à Jérusalem en juillet-août.

SPORTS. Piscines : *Beit Taylor*, Kiryat Hotel (bus 18); *Ivy Judah Youth Center*, Jerusalem Forest (bus 33); à l'hôtel *Diplomate*, à Talpioth, (bus 7); à l'hôtel *King David*, rue Hamelech (bus 6, 7, 15 et 18); la piscine *YMCA*. *Piscine Municipale*, Rehov Emek Refaim (bus 4 et 18); à l'hôtel *Président* et à l'hôtel *Holyland*. Tennis : En général, les clubs de natation vous proposent également des courts de tennis : *Beit Taylor*, l'hôtel *Holyland*, le centre de jeunesse *Ivy Yehuda*, *Shoresh* et *YMCA*. Essayez un bain turc rue Yehezkel : dim., mardi, jeudi, pour hommes; lundi et mercr., pour femmes.

EMPLETTES. Haute couture, jerseys, prêts à porter : *Rovell*, 15 rue Chlomsion Hamalka; *Anita Fischer*, 4 rue Luntz; *Iris*, 1 rue Dorot Rishonim; Pour hommes : *David Cie*, 44 rue Jaffa; *Vigo*, 23 rue Ben Yehuda. Cadeaux-souvenirs et artisanat : *M. Moshe*, Hôtel King David; *Cabasso*, idem. Bijoux, *E. Ben David*, 4 rue Ben Yehuda; *Zadok*, Hôtel King David (annexe); *Charlotte*, rue Koresh 4, (derrière P.T.T.); *Idit*, 16 rue Ben Yehuda; *Ester Zeitz*, 14 rue Bezalel. Centres artisanaux : *Maskit*, 33 rue Jaffa et *Wizo*, 34 rue Jaffa, et *Khutzot Hayotzer*. Antiquités : *Philipps*, rue Shlomozion; bijoux de *R. Moussaieff*, au Free-shop de l'hôtel King David. Disques : *Radiophone*, 6 rue Ben Yehuda. Service photographique : *Photo Eden*, 3 rue Ben Yehuda. *Photo Stern*, 7 rue King George.

EXCURSIONS ET VISITES ORGANISÉES. Une foule de possibilités s'offrent à vous pour quadriller la ville sainte : un service de bus et des taxis sont à votre disposition.

Tour des Synagogues. Chaque vendredi après-midi a lieu une randonnée qui englobe les diverses anciennes synagogues de Jérusalem. Cette promenade est précédée d'un exposé sur l'histoire et les coutumes des différentes communautés telles que Boukhariens, Yéménites, Perses et Juifs d'Europe Orientale dont on visite ensuite les synagogues. Renseignements : Office de Tourisme, 24 Hamelech George.

Université Hébraïque, tous les jours de la semaine de 9 à 11 h. Autre excursion intéressante : la *promenade du samedi matin* à 10 h, départ 34 rue Yafo.

Centre médical Hadassah. Départ du car à 8 h 30 (sauf le samedi) depuis le Club Hadassah, Centre Strauss, rue (rehov) Strauss.

Massada. Désert de Judée, nouvelle route qui longe la mer Morte; visite du nid d'aigle des derniers Zélotes (télécabine), déjeuner à Arad. Retour par Hébron et Bethléem. Une journée.

Renseignements et inscriptions : Contactez IGTO ou une des adresses suivantes : *Egged Tours*, Station Centrale de bus et 42A rue Yafo; *Nesher Tours*, 21 rue Hamelech George; *United Tours*, Hôtel King David (annexe); *Eshcolot Tours*, 36 rue Keren Hayesod; *Travex*, 8 rue Shamay; Yehuda Tours, Hôtel Président; *Neot Hakikar Desert Tours*, 9 rue Shlomozion Hamalka.

ADRESSES UTILES. *Renseignements touristiques :* Bureau Principal· 24 Rehov Hamelech George, tél. 227281-2; Jaffa Gate Office, tél. 282295-6: Municipal Tourist Information Office, 34 Rehov Yafo, tél. 228844, *Consulats :* France, 5 Rehov Emil Botta (consulat général), tél. 231451 et Sheikh Jarrah, tél. 282387. Belgique, Sheikh Jarrah, tél. 282263. *Lignes aériennes :* El-Al, 18 Rehov David Hamelech, tél. 226779; Air France, Rehov Husseini Azzhra, tél. 882535; Sabena, Hôtel King David (annexe), tél. 234971, 228776; Swissair, 30 Rehov Yafo, 226442; Arkia, 19 Rehov Yafo, 225888. *Bureau de Poste principal :* 23 Rehov Yafo.

Téléphones utiles : police 100; ambulance 101. Taxis : 233000; taxis chérouth Tel-Aviv, Haïfa, 224747, 227366, 224578, 222350, 224545; Achkelon, Béerchéba : 226985; aéroport David Ben Gourion : 223000 Bus : 521121; chemins de fer : 37764.

A la découverte de Jérusalem-Ouest

Que voir ? En principe, tout. Il y a trois axes d'intérêt : la religion, les monuments du passé, ceux du présent et de l'avenir.

Commençons par l'itinéraire spirituel. Les lieux saints se croisent et se superposent : ils datent des temps où l'Islam n'existait pas encore, mais le Coran y puise sa source d'inspiration; ils remontent à l'époque où les Chrétiens étaient encore Juifs, mais ils marquent les jalons de leur foi naissante. Le patrimoine de l'Ancien Testament est commun.

Le pèlerin se rendra vraisemblablement en premier lieu au Mont Sion, une colline dominée par l'Église de la Dormition et le Tombeau de David.

L'Église de la Dormition et son monastère, furent consacrés au début de ce siècle. Ils s'élèvent sur un terrain qu'offrit le sultan turc à l'empereur d'Allemagne. C'est là que, selon la tradition chrétienne, la Vierge ferma les yeux. Autour du sanctuaire, des chapelles. Les murs sont recouverts de médaillons rappelant les ascendants de Jésus : les rois de Judée. Le sol est décoré de symboles : les mois, les saints, les prophètes. Dans la Crypte a été placée une effigie en pierre de Marie endormie pour toujours. Une inscription circulaire rappelle les vers du Cantique des Cantiques (II, 13) « Lève-toi, mon amie, ma belle, et viens. » C'est Jésus qui appelle sa Mère, ainsi qu'on peut le voir dans la décoration de la coupole. L'Église a érigé l'Assomption de Marie en dogme : la plus pure des Mères est montée au ciel, corps et âme. Les chapelles qui entourent la crypte sont des dons de divers pays. Celle de l'Autriche est dédiée à Dollfuss, le Premier Ministre assassiné par les Nazis.

Le Cénacle est une salle gothique édifiée sur les lieux où Jésus prit son dernier repas en compagnie de ses disciples et institua l'Eucharistie. Sept semaines après la Passion, l'Esprit-Saint y descendit sur ses disciples assemblés. Et ce fut la Pentecôte ainsi que nous l'apprennent les Actes des Apôtres. Du toit, les fidèles peuvent voir la vieille ville.

Un bâtiment médiéval mène au Tombeau de David. Le cénotaphe contient un sarcophage impressionnant. Une tenture de brocart recouvre le mur. En guise de décoration, les couronnes d'argent massif de la Thorah. Le site fut découvert au XIIe siècle, mais depuis deux siècles déjà, le peuple murmurait que la dépouille du grand roi s'y trouvait. En réalité, David fut inhumé avec les autres rois de Judée, sur l'Ophel, rampe méridionale de la colline sur laquelle était bâti le Temple.

A gauche du Mont Sion se trouve le quartier Montefiore dont il a déjà été parlé : Yemin-Moshe. Un moulin à vent s'y élève. Il servait de poste de guet pendant la guerre de Libération. Les environs ne sont pas tous de caractère aussi édifiant. Le ravin de Hinnon (Ge-Hinnon, d'où le nom : Géhenne), qui s'étend au pied du Mont Sion, était autrefois voué à cette dépravation qui provoquait l'ire de Jérémie : c'était Topheth où l'on procédait, par le feu, au sacrifice des enfants au dieu Moloch.

Non loin, un poste d'observation : Abou-Tor, qui signifie : le père du bœuf, d'après le surnom d'un lieutenant de Saladin qui ne chevauchait pas d'autre monture. Nous sommes à la frontière israélo-jordanienne d'avant 1967. Sous les yeux du visiteur, la colline descend vers la Vieille Ville.

On ne vous l'a peut-être pas dit, mais de toute façon, le spectacle vous l'eût fait oublier : Abou-Tor, c'est la colline du mauvais conseil. Conformément à la légende, Caïphe y possédait une maison où se complotait la perte de Jésus et c'est ici encore que Judas est censé s'être pendu. A en croire les films de feu Cécil B. de Mille, la terre se fendit à ce moment. On ne distingue plus la trace de cette fissure. Devant nous, à perte de vue, le décor de la Passion. Le Mont des Oliviers et le jardin de Gethsémani, l'emplacement du Saint Sépulcre, le Calvaire, le Golgotha, (de l'hébreu, *goulgoleth* — crâne, car on prétend que le crâne d'Adam y fut enterré.) Sur ce décor, l'Histoire plus récente a plaqué ses pièces au cours de deux millénaires. Une grande coupole étincelante : la Mosquée d'Omar, érigée sur le Roc où Abraham s'apprêtait à immoler son fils Isaac. Les Chroniques, (II, 3, 1) en effet, identifient au Mont Sion « la montagne de Moria qui avait été indiquée à David, ...sur l'aire d'Ornan le Jébusien. » Ce roc, c'est en quelque sorte la clé de voûte de l'univers ainsi qu'en témoignent les cartes du Moyen Age. Il marque le centre de la Terre.

En repartant d'Abou-Tor vers la Cité nouvelle, s'étend un large ravin. Autrefois s'y trouvait une forêt. C'est là qu'un jour de Pâques, on abattit un arbre pour en tirer le bois dont fut faite la croix du supplice. Un bâtiment à l'allure de forteresse médiévale rappelle cet emprunt : le Monastère et l'Église de la Sainte Croix. Ce sanctuaire grec-orthodoxe vaut le déplacement, même pour un touriste non pratiquant, à cause de la magnifique décoration d'inspiration grégorienne.

Trois excursions

Le pèlerinage comporte enfin trois petites excursions sans lesquelles il ne serait pas complet.

Avant tout, une visite à Ramat Rahel, la colline de Rachel (bus nº 7). C'est un kibboutz à l'extrême pointe sud de ce qui était le saillant israélien de Jérusalem. De terribles batailles se déroulèrent ici durant la guerre de Libération. Les bâtiments ont été restaurés, sauf pour une petite surface de la façade, destinée à perpétuer le souvenir de l'héroïsme. A l'ouest les Égyptiens, à l'est les Jordaniens, pressaient les défenseurs. Des fouilles ont mis au jour les vestiges d'une antique agglomération et les casemates d'une citadelle royale juive. Des sceaux comportant des inscriptions en hébreu, des fragments de chapiteaux permettent de « dater » ces ruines. Les sept couches superposées s'étagent du VIIe siècle av. J.-C. au VIIe siècle de notre ère. De la terrasse qui surplombe les excavations, on distingue nettement, à quelques kilomètres, la ville de Bethléem qui vit la naissance de David et celle du Christ. Deux points de repère : l'Église de la Nativité et, plus proche, sur la route, le Monastère de Saint-Élie, forteresse « ad hoc » de l'armée jordanienne en 1967.

Dans la cour du kibboutz se dresse le monument — moderne — à Rachel et ses enfants. L'inscription est une citation prophétique de Jérémie (XXXI, 15 à 17) :

« On entend des cris à Rama,
Des lamentations,
Des larmes amères.
Rachel pleure ses enfants;
Elle refuse d'être consolée sur ses enfants
Car ils ne sont plus...

Il y a de l'espérance pour ton avenir, dit l'Éternel,
Tes enfants reviendront dans leur pays. »

La deuxième excursion est celle d'Ein-Karem (bus 27) : la source des vignobles. Elle est à l'entrée de ce charmant village arabe; avec ces mots d'invitation : « Vous qui avez soif, venez et buvez. » (Esaïe : 55, 1.) C'est en ces lieux que naquit Jean le Baptiste, du prêtre Zacharie, muet, lequel retrouva la parole à la naissance de son fils, et d'Élisabeth, son épouse. (Luc : I, 57 à 64.) C'est en ces lieux que cette dernière reçut la visite d'une parente nommée Marie et « son enfant tressaillit en son sein ». Elle l'accueillit alors par ces mots : « Tu es bénie entre les femmes et le fruit de tes entrailles est béni. » Et Marie répondit : « Mon âme exalte le Seigneur... Car voici : désormais les générations me diront bienheureuse... » (Luc : I, 41 à 48.) Dialogue sublime auquel aujourd'hui encore se prête le paysage archaïque. L'Église de la Visitation perpétue la rencontre des deux femmes enceintes, comme l'Église de Saint-Jean le fait pour la grotte où le Baptiste vit le jour. Il y a aussi l'Église Russe et le Monastère franciscain, tous deux dédiés à saint Jean.

La contribution des temps modernes ici est assez riche : un village d'enfants créé par la Histadrouth, une ville de 20 000 habitants en construction et le centre médical Hadassah, tout en haut du versant nord, qui, quoique mal adapté au site et aux conditions climatiques, vaut l'escalade.

C'est l'hôpital le plus important du Moyen-Orient. Les plans en ont été établis aux États-Unis qui ont, en outre, fourni les fonds et l'équipement. Peut-être cela explique-t-il que l'inspiration artistique ne convienne pas tout à fait au milieu auquel il était destiné. Sur le plan thérapeutique, il est parfait et c'est, au fond, ce qui importe le plus, même si l'aération n'a pas été étudiée en fonction des températures que connaît Jérusalem. L'ensemble, imposant, comprend une synagogue de style moderne, susceptible d'attirer même ceux qui ne s'intéressent ni à la religion ni à la médecine. Les vitraux qui la décorent furent commandés au peintre Chagall et exposés à Paris avant de faire le voyage. Malheureusement, leur exposition souffre d'une certaine maladresse. Il n'a pas été prévu un espace suffisant entre eux, de sorte que le regard, bon gré mal gré, en embrasse plus d'un à la fois. Ils ont pour sujet les douze tribus d'Israël.

Si vous tournez à gauche, là où bifurque la route qui mène à l'hôpital Hadassah, vous arriverez dans les collines au-delà du moshav Aminadan. Sur le sommet d'une montagne, à vingt minutes seulement de Jérusalem, s'élève le Mémorial Kennedy *(Yad Kennedy)*, inauguré en 1966. Conçu sous la forme d'un arbre tronqué, l'émouvant monument est fait d'étais repliés et chaque pilier porte le sceau d'un des États des U.S.A. L'intérieur est quasiment vide, on n'y voit qu'une flamme perpétuelle et le buste du Président défunt. La vue du terrain de pique-nique est splendide; c'est un panorama de collines et de vallons qui évoque irrésistiblement l'atmosphère de la Bible.

Abou Goche, enfin, est la dernière étape pieuse. C'était naguère le repaire de bandits de grand chemin qui rançonnaient les voyageurs sur la route de Jérusalem. Il y a quelques années, c'était le seul village arabe qui ne se fut pas joint aux armées ennemies, bien au contraire : ses habitants donnaient asile aux combattants juifs et plusieurs s'enrôlaient même dans les mouvements clandestins dits terroristes. Le site est celui de Kiryat Yéarim. L'Arche d'Alliance s'y trouvait avant que David ne la fît transporter à Jérusalem. (Chroniques : I, 13, 6.) Les Croisés confondirent à tort ce village avec la cité d'Emmaüs dont il est question dans les Évangiles. L'Église des Croisés, à l'entrée, est l'un des vestiges les mieux conservés des Croisades. Édifiée aux environs de 1142, elle fut détruite moins de cinquante ans après. Des siècles durant, ses ruines abritèrent des animaux errants. Enfin, voilà un peu plus de 70 ans, le gouvernement français acquit la propriété et en confia la garde aux Bénédictins. Celle-ci passa ensuite aux Pères Lazaristes — ou Prêtres de la Mission — il n'y a pas si longtemps. Dans ses souterrains coule une source à l'eau délicieuse.

Face à Jérusalem distante d'un peu plus de dix kilomètres, le Monastère de l'Arche fut bâti sur le sommet de la colline. Une énorme statue de la Vierge à l'enfant permet de le reconnaître. Les sœurs de Saint-Joseph qui en ont la charge l'appellent Notre-Dame-de-l'Arche d'Alliance et soutiennent que leur maison fut construite en 1924 sur les restes de celle occupée aux temps bibliques par Abinadab. « Les gens de Kiryath Yéarim la conduisirent (l'Arche) dans la maison d'Abinadab sur la colline. » (I Samuel : 7, 1.) Ce qui est sûr c'est que le bâtiment actuel fut construit sur les fondations d'une église byzantine du ve siècle. Des mosaïques en font foi et, d'ailleurs, des colonnes et des pierres de l'ancien édifice servirent à l'érection du nouveau. A un niveau inférieur, on retrouve des structures plus vieilles, vraisemblablement asmonéennes (IIe s.).

La tournée du fidèle, de retour à Jérusalem, comprend naturellement d'autres dévotions aux nombreuses églises de tous rites, en particulier à Notre-Dame-de-France (voir liste dans les Renseignements Pratiques).

L'itinéraire archéologique

Il est aussi malaisé de séparer l'intérêt archéologique de l'intérêt historique que de trancher entre l'Histoire avec une majuscule et la petite histoire en minuscule. On fait généralement visiter au touriste le tombeau d'Hérode, une suite de caveaux taillés dans le roc, fermés par une énorme pierre circulaire. Les érudits, bien sûr, connaissent Hérode; l'homme de la rue, lui, le sait vaguement mêlé à l'histoire de Jésus et s'y perd un peu. Hérode ? Ce n'est pas le roi qui fit décapiter Jean-le-Baptiste, Johanaan, pour offrir sa tête, sur un plat d'argent, à sa belle-fille Salomé, à la suite de la danse des sept voiles, cet ancêtre du strip-tease ? Des compositeurs célèbres, Massenet, Richard Strauss, y sont pour quelque chose.

C'est pourquoi nous allons essayer d'ordonner les idées par rapport à Hérode, en nous servant des anecdotes présentes dans toutes les mémoires. Il y a d'abord Hérode-le-Grand, — l'usurpateur nommé par Rome aux environs de l'An 40 av. J.-C. C'est lui qui ordonna le Massacre des Innocents afin d'atteindre Jésus nouveau-né, et qui fonda la ville de Césarée. Celui qui céda aux instances de sa femme Hérodiade ainsi qu'à la beauté de Salomé et fit décapiter Johanaan, celui à qui Ponce-Pilate, s'étant lavé les mains, remit la décision à prendre au sujet de Jésus, c'est Hérode-Antipas. Et si nous avons une expression : vieux comme Hérode, c'est encore à un troisième que l'on fait allusion : Hérode-Agrippa II, roi de Judée de 52 à 68, lequel se retira des affaires et mourut centenaire à Rome en l'an 100. Ceci dit, le véritable tombeau d'Hérode se trouve sur une colline qui porte son nom et que l'on aperçoit de Ramat-Rahel par temps clair, à gauche de Betléhem.

Dans la même catégorie pourrait se ranger Sanhedriya, que l'on appelle également Tombeaux des Juges ou Catacombes. Trois étages souterrains d'alcôves creusés dans la pierre pour recevoir des sépultures. Il tire son nom de la tradition selon laquelle, outre le prophète Samuel, on y enterra au temps de Jésus, les membres du *Sanhédrin* (Conseil supérieur, politique et religieux, composé de 71 Sages, faisant également fonction de Cour Suprême de Justice).

Il y a aussi la grotte d'Alfasi, dont la mise au jour accidentelle remonte à ces dernières années. En creusant les fondations d'une maison, la pioche des ouvriers rencontra soudain le vide. Cela se passait en 1956. Les services compétents aussitôt alertés s'affairèrent à déblayer la grotte qui se trouvait dessous. Ils découvrirent, à l'immense satisfaction des archéologues et au grand dam du propriétaire, une nécropole datant vraisemblablement de l'époque asmonéenne, avec d'étranges dessins sur les parois : un cerf couché, des navires se livrant une bataille navale. Un nom gravé dans la pierre fit qu'on baptisa la grotte : Tombe de Jason (ou Yason).

Si l'on peut à présent considérer comme terminée la visite des lieux saints, celle des lieux sacrés aux yeux de beaucoup ne l'est pas, et de loin. Quelle que soit la source qui a inspiré les pèlerinages, c'est le recueillement devant un repère de la mémoire qui fournit le lien entre eux. Au premier rang se place alors l'escalade de Har-Hazikaron, la colline du souvenir et le poignant monument commémorant les six millions de victimes du nazisme : le Yad-Vashem. Une flamme éternelle y brûle. Il est rare qu'une construction humaine épouse de façon si émouvante l'événement. C'est un bâtiment bas, très simple, aux murs qui semblent faits de pierres écroulées. Le plafond, pesant et proche, ajoute à l'impression d'écrasement ressentie dès l'entrée. Tout compte fait, il n'y a rien à voir, sauf les noms des camps de la mort alignés sans ordre apparent sur le sol. Ici, l'homme, sans même avoir à réfléchir, mesure de quoi il est capable sitôt que la raison l'abandonne.

Pour d'autres, l'escalade qui s'impose est celle du Mont Herzl où se trouve la tombe du journaliste austro-hongrois qui « inventa » le sionisme, c'est-à-dire le retour sur la terre des ancêtres. De pieuses mains ont reconstitué le cabinet de travail viennois de Théodore Herzl.

Pour se défendre, en 1948, des armées arabes qui l'assiégeaient, Jérusalem ne disposait en guise d'artillerie que d'un mortier improvisé, presque un jouet, baptisé du nom de son constructeur : *Davidka*. Un mémorial lui a été élevé dans Jaffa Road. Dans ce même ordre d'idées, on visite, dans l'ancienne prison anglaise du complexe russe, (colonne d'Hérode, cathédrale russe), la cellule où deux prisonniers juifs, condamnés à mort par les tribunaux britanniques, préférèrent se faire sauter à la grenade plutôt que de se laisser pendre par les autorités mandataires. Comment la Résistance réussit-elle, malgré les extraordinaires mesures de précaution prises par John Bull, à faire passer des grenades aux captifs ? L'histoire du nouvel État Juif est bel et bien écrite avec du sang.

Mentionnons encore en passant, pêle-mêle, le Mémorial Romema, qui rappelle l'entrée à Jérusalem du général Allenby, en décembre 1917; le Monastère de Ratisbonne, des Pères de Sion, catholique-romain; le bâtiment de l'*Y.M.C.A.* (Young Men's Christian Association) : superbe panorama du haut de la tour; juste en face, l'hôtel King David, haut-lieu de la lutte pour la liberté. C'était le Quartier Général des Anglais. Un coup de téléphone les avertit un beau jour qu'il allait sauter. Flegmatiques, les occupants ne bougèrent pas, persuadés qu'il s'agissait d'une mauvaise plaisanterie. Ils ne voyaient pas comment les adversaires auraient pu réussir à faire entrer une bombe dans le saint des saints. Et, exactement à l'expiration du délai indiqué par le correspondant anonyme, le King David sautait.

On peut voir également le Collège Terra Sancta, des Franciscains; la Synagogue Centrale Yeshurun, la plus grande de Jérusalem, avec son importante bibliothèque judaïque. Enfin, il convient tout de même de jeter un coup d'œil sur l'unique passage existant entre les deux Jérusalem jusqu'en 1967 : la Porte Mandelbaum. Nous sommes, ici, à quelques mètres d'un quartier extraordinaire : Mea Chéarim.

« Heureux le peuple dont Yahweh est le Dieu »

On prête deux origines à ce nom habituellement traduit par : cent portes. Le chiffre, seul, est sûr. Il est dit dans la Genèse : « Isaac sema dans ce pays et il recueillit cette année-là le centuple. » (XXVI, 12). Mea Chéarim peut donc fort bien signifier : le centuple. Mais il peut tout aussi bien s'agir des cent portes, car on prétend que lors de sa construction, le quartier était entouré d'une muraille percée d'une infinité de portes... Peut-être cent. Toujours est-il que le spectacle est dans la rue, particulièrement un vendredi, lorsque les habitants font leurs emplettes pour le *shabbath*. Un monde pittoresque, barbu ou poilu, criaillant ou silencieux, riant ou grave, va et vient par les rues encombrées d'étalages en plein vent, entre dans les boutiques, sort des échoppes, marchande, achète, vend, laisse, revient, discute de politique, de religion, de rituel, disserte sur tel mot des livres saints ou médite dans son coin, indifférent au bruit et à l'agitation. Il en va de même, la marchandise en moins, dans les nombreuses synagogues, petites et grandes, du quartier, dans les *yeshivoth*, ces écoles talmudiques que certains appellent *Schul* de leur nom allemand. Les femmes ont la tête rasée et portent fichu par dessus perruque : mariées elles n'ont plus que faire de cet attrait supplémentaire que constitue une chevelure. Les hommes, par opposition, suent le poil de partout : ils ne coupent ni leur barbe, ni les mèches de leurs tempes. Ils sont vêtus de la culotte « à la française » serrée au genou, de la longue lévite que l'illustration a de tous temps diffusée et leur chef est recouvert du chapeau de velours bordé de fourrure autrefois en usage dans les ghettos de l'Est. Les visages, pâlis sur les textes sacrés de la Thorah, sont encadrés de boucles qui retombent souvent sur l'épaule. C'est un peuple qui applique strictement la Loi. L'interprétation de celle-ci mène parfois à la création de sectes; des schismes éclatent à propos d'un détail insignifiant aux yeux du profane. Mais, quel que soit le rituel, il est observé à la lettre. L'œil est farouche. La vie n'est rien pour ces gens, si elle n'est sanctifiée par la parole du Seigneur, telle qu'ils l'ont entendue. Les siècles ne comptent pas et on ne sait trop s'ils vivent dans le passé, l'avenir, ou, le plus simplement du monde, dans l'éternité. A cinq ans, accroupi dans la poussière pour jouer, le bambin aux joues enrichies de ses « anglaises », a déjà un regard de vieux sage. Méfiez-vous : un écriteau trilingue, anglais, hébreu et yiddisch est suspendu en plein marché avec cette admonestation : « Fille juive, la Thorah t'ordonne de te vêtir avec modestie. Nous ne tolèrerons pas que des gens immodestement habillés traversent nos rues. »

A partir du vendredi soir, pendant vingt-quatre heures, le quartier tombe extérieurement dans une espèce de léthargie. On y célèbre le shabbath dans la joie et la prière. Le shabbath israélien est un peu comme un dimanche anglais. Dans Mea Chéarim, il faut le multiplier par cent, encore et toujours. Les prescriptions y sont plus rigoureusement, plus implacablement appliquées qu'ailleurs. Mea Chéarim ne connaît pas de trahison à la lettre de la Loi. Malheur à l'automobiliste mal avisé qui viendrait pétarader du tuyau d'échappement

Âpre discussion dans Mea Chéarim, cet exceptionnel quartier de Jérusalem où le respect de l'orthodoxie juive est poussé jusque dans ses ultimes limites.

Eaux pensives du port de Saint Jean d'Acre, eaux saturées de la Mer Morte dont le canapé salin est tout indiqué pour la lecture du journal !

au cœur de cette forteresse de la foi intransigeante : il sera lapidé pour violation du sabbath. Malheur à la touriste qui aurait l'idée saugrenue de visiter le quartier en short : elle sera ignominieusement chassée. Ici, c'est la citadelle inébranlable de l'orthodoxie juive, le fief des *Khassidim*, les pieux. Ils attendent le Messie et nombre d'entre eux ne reconnaissent pas le jeune État d'Israël.

Tout le monde, en Israël n'approuve pas cette rigueur. Parfois, aux confins de Mea Chéarim, de terribles bagarres éclatent entre tenants de l'évolution et partisans du respect des traditions. Et cette constance finit par imposer le respect. Aucun Juif n'ignore que si le peuple a survécu à deux millénaires de persécution, c'est à ces gens-là qu'il le doit. Leur entêtement exaspère, certes, freine dans une large mesure le développement de l'État; mais cet État existerait-il aujourd'hui sans leur entêtement ?

Le Musée d'Israël

Les amateurs d'antiquités, de vieux grimoires, d'art ancien et moderne, d'histoire, de beauté pure, d'archéologie, trouveront de quoi enrichir leur esprit dans le quadruple Musée National d'Israël. Il est tout récent : son inauguration date de 1965. Ce remarquable ensemble comprend le Musée Biblique et Archéologique Samuel Bronfman, le Musée National d'Art Bezalel, — dans le bâtiment principal dont les plans sont dus aux architectes israéliens A. Mansfeld et Dora Gad — le Sanctuaire du Livre, conçu par deux Américains, Frederick J. Kiesler et Armand P. Bartos, et enfin le Jardin d'Art Billy Rose, élaboré par l'architecte-sculpteur japonais Isamu Noguchi. Superbement réalisé par les constructeurs, entouré de jardins, ce complexe architectural est en tous points digne du passé de la ville (bus 5 et 16).

Les trésors de l'ancien Musée Bezalel — artisanat surtout, — ont été transportés dans le bâtiment principal et exposés selon les conceptions les plus modernes d'éclairage et d'effet didactique. En dehors des merveilles de l'art religieux juif et du Moyen-Orient, — bijoux, objets rituels, ors, perles, pierres précieuses et semi-précieuses, — il abrite des toiles de Picasso, Dufy, Chagall, Braque, Léger, Marchand, Gleizes, Delannoy, Masson, Soutine; des eaux-fortes et dessins de Rembrandt, Van Ostade, Miro, Pascin, Zaritzky;

des fresques anciennes, des mosaïques, les unes et les autres admirablement conservées et mises en valeur. Une salle entière a été réservée à la reconstitution rigoureuse de la Synagogue de Vittorio Veneto, transportée et réédifiée avec tous les égards dus à son rang de joyau de l'art vénitien du XVIIe. Et le XVIIIe siècle français est admirablement représenté par un salon parisien fastueux, don du baron Rothschild.

Le Musée Numéro Deux, dans le même bâtiment, retrace chronologiquement l'Histoire à travers l'Archéologie, depuis les temps préhistoriques, jusqu'au XVIIe siècle. Pierres, stèles, inscriptions, céramiques. Six à huit millénaires parcourus en dix heures ou dix minutes, selon l'intérêt que le visiteur porte à son passé. Des indications en hébreu, français et anglais, permettent de suivre pas à pas l'évolution de l'homme et de ses civilisations.

Le Sanctuaire du Livre représente le Musée Numéro Trois. Cette fois, pour recevoir les Manuscrits de la Mer Morte, Kiesler et Bartos se sont inspirés du *dromos* mycénien : long couloir menant à la salle recouverte d'un dôme, ainsi que dans la célèbre tombe de Clytemnestre et Atrée. La source classique grecque a été adaptée aux circonstances locales : celles-ci étaient faites de noir et blanc, ombre et lumière. Les membres de la communauté de Qumran se considéraient comme les Fils de la Lumière, le reste du monde n'étant plus peuplé que par les Fils des Ténèbres. Ce contraste intellectuel est rendu avec beaucoup de bonheur par le jeu des éclairages et une entrée inhabituellement basse, obligeant le visiteur à se courber pour franchir le seuil, de même que s'il pénétrait dans la grotte où furent découverts les documents. Ce musée est consacré aux manuscrits de la Mer Morte, aux lettres de Bar Kokhba et, en général, à tout ce qui se rapporte à la Bible, le Livre par excellence. Les récentes fouilles de Massada l'ont considérablement enrichi. Les rouleaux qui y furent mis au jour sont incontestablement datés et antérieurs à l'An 70 de notre ère (destruction du Temple). Ils permettent, en sus, de dater avec plus de certitude d'autres documents jusque-là controversés.

On pourrait craindre qu'un musée destiné à abriter exclusivement de vieux parchemins soit fastidieux. Mais le goût apporté à la construction, la décoration, l'exposition, vaut à lui seul la visite. Quant à nier l'intérêt de ces documents si lourds d'Histoire, il semble bien que la chose doive être difficile.

Le quatrième Musée est une étonnante donation. Toute sa vie, Billy Rose, patron d'une célèbre boîte de nuit new-yorkaise, avait collectionné des sculptures classiques et modernes. Il les a léguées à Israël. Un jardin dessiné par Noguchi héberge désormais ses Henry Moore, ses Daumier, ses Rodin, ses Maillol.

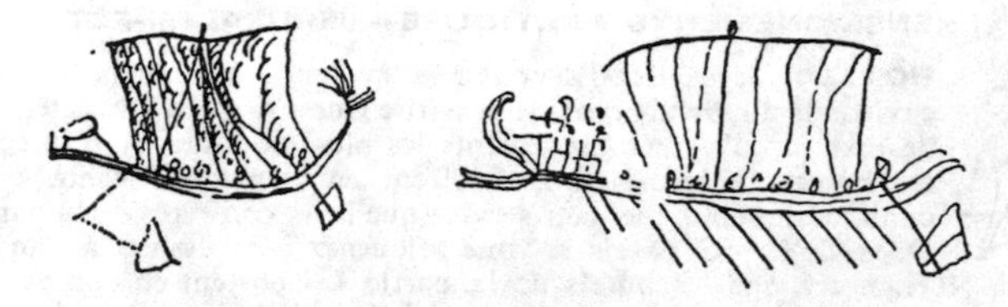

Bataille navale (Tombe de Jason à Jérusalem, IIe s. av. J. C.)

LA VIEILLE JÉRUSALEM

La guerre israélo-arabe de 1948 avait fait de Jérusalem une ville divisée. Une ligne de démarcation, sinueuse comme un fil jeté négligemment sur le sol, délimitait à l'ouest la Nouvelle Ville (ou Jérusalem juive, en zone israélienne), et à l'est la Vieille Ville (ou Jérusalem arabe, en zone jordanienne). Vu d'avion, le haut mur qui tranchait entre les deux semblait une cicatrice livide.

La Vieille Ville renferme, à l'exception du Mont Sion, tous les lieux saints révérés par les Juifs, les Chrétiens et les Musulmans, dont en particulier le Mur des Lamentations, le Saint-Sépulcre et le Dôme du Roc. C'est un territoire si riche en souvenirs historiques ou religieux qu'on pourrait passer des semaines sinon des mois, à en fouiller tous les recoins sans en épuiser les trésors.

Pendant dix-neuf ans, la Porte Mandelbaum commanda seule le passage entre les deux Jérusalem; encore les touristes ne pouvaient-ils la franchir qu'en sens unique, les autorités jordaniennes leur interdisant de retourner en Israël, et vice-versa. Paradoxalement, ce furent les Jordaniens qui amorcèrent la réunification de la ville, lorsqu'ils commencèrent à bombarder la Nouvelle Jérusalem le 5 juin 1967 au matin. Comme ils ne voulaient pas tenir compte du cessez-le-feu proposé par les Israéliens, ceux-ci ripostèrent, et deux jours plus tard la Vieille Jérusalem, après avoir vécu quelques-uns des combats les plus sanglants de la Guerre des Six Jours, tombait entre leurs mains.

Au lendemain des hostilités, les bulldozers abattirent les murs qui divisaient la ville et le 29 juin 1967, l'unité de Jérusalem était proclamée. Ce jour-là, 200 000 Juifs et 66 000 Arabes affluèrent ensemble, tels des promeneurs du dimanche, dans l'une et l'autre Jérusalem qu'ils n'avaient pas revues depuis près de vingt ans.

RENSEIGNEMENTS PRATIQUES - JÉRUSALEM-EST

HOTELS. Jérusalem-Est possède quelques 40 hôtels — soit environ le double de ceux de la partie Ouest — depuis la catégorie de luxe jusqu'aux établissements les plus modestes. A prix égal, les hôtels de Jérusalem-Est offrent en principe davantage de commodités et un meilleur service que leurs confrères de la partie Ouest de la ville. Mais si vous séjournez à Jérusalem à Pâques ou à Noël, notez que les hôtels de la partie Est portent en compte un supplément de 20 à 25 % pendant ces périodes. Tous les hôtels de luxe et 4 étoiles sont climatisés.

CATÉGORIE DE LUXE

Coiffant le Mont des Oliviers, le *Jérusalem Intercontinental*, ests ans contredit un des hôtels les mieux situés du monde. On y découvre un panorama inoubliable sur la Vallée du Cédron et la Vieille Cité de Jérusalem. Bâti en 1964, il s'en dégage néanmoins une atmosphère de luxe à l'ancienne et de service, à la fois orientale et moderne; 200 ch. meublées avec recherche et dotées de toutes les commodités. De ses trois restaurants et snack-bars, citons le *Seven Arches*, le plus luxueux, qui domine la Vieille Cité. Déjeuners et dîners. Au menu, spécialités européennes, orientales et israéliennes. Le samedi, l'hôtel sert un « lunch buffet », fameux à juste titre.

St. George International, St. George Str. près de Nablous Rd. Vaste (150 ch.), moderne, piscine. Bien situé.

Mont Scopus. Dans le quartier Sheikh Jarrah au nord de la cité. 65 ch., toutes avec balcon et climatisées, salle de restaurant donnant sur parc en terrasse, garage.

PREMIÈRE CLASSE (4 et 3 étoiles)

National Palace, 108 ch. Situé Zahara Str., au cœur du quartier des emplettes et des distractions de Jérusalem-Est.

American Colony, Nablous Rd. Devrait être dans une catégorie à part; le bâtiment principal fut en effet autrefois le palais d'un pacha; ses tuiles vernissées, mosaïques et jardins rappellent le charme d'un monde révolu. Les vastes chambres vous donnent l'impression d'être un potentat en visite! Celles des deux annexes de l'hôtel sont moins typiques. Chaque samedi, un buffet vous y est proposé.

Panorama. Mérite son nom : les 74 ch. de ses 5 étages donnent vue soit sur la Vieille Ville, le Mont des Oliviers ou les Montagnes de Judée. Tous ces sites sont visibles du restaurant de l'hôtel au dernier étage. Situé Jéricho Rd. d'où il surplombe la Vallée du Cédron.

Capitol. Beau bâtiment de 4 étages. 54 ch. av. bain. Saladin Str.

Le *Ritz*, 8, Ibn Khaldoun, 104 chambres, TV.

Enfin, l'*Ambassador*, 56 rue Sheik Jarrach, 118 chambres climatisées.

CATÉGORIE MODÉRÉE (2 étoiles)

Palace. Dans le vallon entre le Mont Scopus et le Mont des Oliviers; tranquille, jolies vues. *Holyland Est*. Dans une impasse donnant sur Rashid Street, près de la Porte d'Hérode et du Musée Rockefeller. *Y.M.C.A*. Mélange d'architecture moderne et du Moyen-Orient. Piscine, tennis. Snack-bar. Route de Naplouse.

Plus près du centre de la ville, rue Saladin, le *Christmas*, plus petit, 20 chambres, réputé pour son restaurant à ciel ouvert. *Pilgrim's Palace*, juste après la Porte de Damas face aux murailles de la Vieille Ville. Sans prétention, propre, prix avantageux. *Gloria*, à l'intérieur des murs de la Vieille Ville tout de suite après la Porte de Jaffa, curieusement agréable malgré son extérieur peu engageant; son restaurant du dernier étage donne sur la Vieille Ville.

Le *Shephard*, sur le Mt Scopus, est un autre bon hôtel; 52 ch. avec bain.

Jordon House, Museum Str. (près du Musée Rockefeller), 25 ch. dont la plupart avec bain, les autres avec douche. Le *Commodore*, 45 ch.

AUTRES CATÉGORIES

Le *Vienna*, dans le quartier Sheik Jarrah. Dans la même rue, vous trouverez le *City* ainsi que le *Parklane*.

Le *Lawrence*, rue Salah A-Din et son voisin le *Metropole*; le *New Metropole* se trouve dans le même coin tout comme le *Pilgrims'Inn* et le *Rivoli*. Dans le quartier American Colony vous trouverez le *New Orient House*; le *Mt of Olives*, même rue, ainsi que l'*Astoria*. Le *New Regent*, 20 rue Az-Zahra. Les hôtels 1 étoile sont généralement très propres : citons principalement le *Knights Palace*, à New Gate; *Az-Zahra*, 13 rue Az-Zahra; le *New Imperial*, à Jaffa Gate et non loin de là, le *Petra* et le *Savoy*.

RESTAURANTS. Jérusalem-Est possède nombre de bons restaurants. Deux bonnes adresses : *Jerusalem Oriental* et *Hassan Effendi* qui se font presque face dans la Rashid Street (pas très loin de la Porte d'Hérode). Tout à fait orientaux par leur mobilier et leur atmosphère, ces deux établissements offrent des menus de choix, tant arabes qu'occidentaux, y compris des petits pigeons rôtis. Un dîner coûte environ 50 L.I. par personne.

Le *Sea Dolphin* est très cher mais considéré comme le meilleur restaurant de Jérusalem.

Le *Arches*, 38 David's Str., propose de la cuisine occidentale à des prix modérés. Non loin de là, le *Rami*, où les prix sont nettement moins élevés. De l'autre côté de la Porte de Jaffa, 14 Jerusalem Brigade Road, le complexe *Hametzuda*, café, bar, restaurant et galerie d'art. La *Pâtisserie Suisse*, rue Saladin, idéale pour prendre un rafraîchissement pendant votre shopping ou après le spectacle : sandwiches, gâteaux, crèmes glacées.

Dans Zahara Str., il y a quelques salons de thé et snack-bars, dont le *Café Europa*.

La propreté n'est pas le souci dominant des restaurants intra muros de la Vieille Cité. Mais on aura quelques heureuses surprises en ce domaine aux alentours de la Porte de Jaffa et de David Str., dans le bazar. Certains de ces établissements ne servent que des casse-croûte, d'autres également des repas complets. *Papa Moustache* est le lieu de prédilection des étudiants; sympathique et bon marché.

GASTRONOMIE LOCALE. Base de toute cuisine orientale, vous trouverez le *chich kebab* et le *chachlik* mais aussi des plats locaux, particuliers à Jérusalem-Est et à la Rive Ouest. En voici quelques uns : *Mansaf*, grillade d'agneau à la sauce au yoghourt sur un lit de riz assaisonné aux pignons et aux oignons. *Moussakhan*, poulet découpé couvert de *soumac* (herbe des corroyeurs) et d'oignons, grillé ou rôti à l'huile d'olive et servi sur un grand pain plat arabe. *Farrouj mishwi*, poulet rôti au charbon de bois, servi avec de la sauce à l'ail. *Mahchi*, viande finement hachée et riz cuits dans des feuilles de vigne ou de chou, ou farcis dans des petites courges. *Foul*, ce plat — de prédilection — de petit déjeuner est composé de haricots blancs secs longuement mijotés, d'huile, de tomates, d'ail et d'autres condiments. Lourd mais succulent. *Maza*, il ne s'agit pas ici d'un plat unique mais bien d'une diversité de hors d'œuvres habituellement servis avec de l'*arak* (sorte d'anis) ou d'autres boissons fortes. Une *maza* avec un verre d'arak se traduit habituellement par trois ou quatre petites assiettes d'*houmous* (crème de pois chiches salée assaisonnée à l'ail et au citron), de *techina* (crème de sésame non sucrée), de haricots au vinaigre et de fromage *lebeneh* doux et à tartiner accompagné

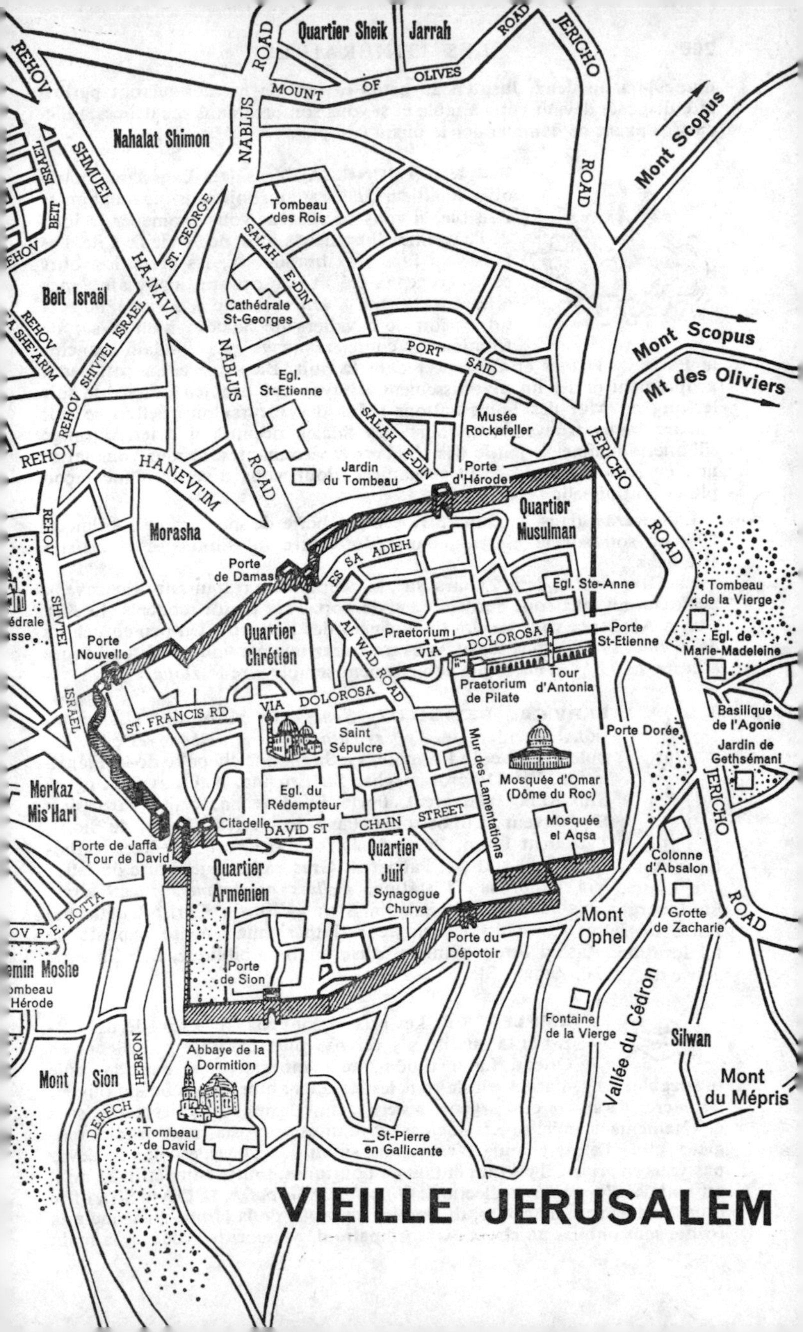
Quartier Sheik Jarrah
ROAD
JERICHO
MOUNT OF OLIVES
REHOV
Nahalat Shimon
NABLUS
Mont Scopus
ROAD
SHMUEL
ISRAEL
BEIT
REHOV
Tombeau des Rois
ST. GEORGE
HA-NAVI
SALAH E-DIN
Beit Israël
Cathédrale St-Georges
REHOV
SHIVTEI ISRAEL
NABLUS
PORT SAID
Mont Scopus
Mt des Oliviers
Egl. St-Etienne
REHOV
REHOV
HANEVI'IM
ROAD
SALAH E-DIN
Musée Rockefeller
JERICHO
Jardin du Tombeau
Porte d'Hérode
Quartier Musulman
REHOV
Morasha
ROAD
ES SA ADIEH
Porte de Damas
Egl. Ste-Anne
Tombeau de la Vierge
SHIVTEI
Porte Nouvelle
Quartier Chrétien
AL WAD ROAD
Praetorium
VIA DOLOROSA
Porte St-Etienne
Egl. de Marie-Madeleine
ISRAEL
VIA DOLOROSA
Praetorium de Pilate
Tour d'Antonia
Basilique de l'Agonie
ST. FRANCIS RD
Saint Sépulcre
Mur des Lamentations
Porte Dorée
Jardin de Gethsémani
Merkaz Mis'Hari
Egl. du Rédempteur
Mosquée d'Omar (Dôme du Roc)
JERICHO
CHAIN STREET
Citadelle
DAVID ST
Mosquée el Aqsa
Porte de Jaffa Tour de David
Quartier Juif
Quartier Arménien
Colonne d'Absalon
Synagogue Churva
ROAD
BOTTA
Mont Ophel
Grotte de Zacharie
Porte du Dépotoir
Porte de Sion
Vallée du Cédron
Fontaine de la Vierge
Silwan
HEBRON
Abbaye de la Dormition
Mont Sion
Mont du Mépris
DERECH
Tombeau de David
St-Pierre en Gallicante
VIEILLE JERUSALEM

d'une pita ou deux. Jusqu'à 23 petits raviers de maza pourront parfois être disposés devant vous à table et si vous sombrez dans ces délices, réfléchissez avant de commander le menu complet.

VIE NOCTURNE. A Jérusalem-Est, sans doute plus qu'ailleurs, elle est au choix paisible ou animée. Paisible, si vous décidez de vous promener le long de l'enceinte, illuminée la nuit, de la Vieille Cité. Les faisceaux lumineux braqués sur les murs, les tours et les créneaux créent une extraordinaire ambiance « hors du temps ». On se prend à se demander si un essaim de cavaliers de Saladin montés sur de frémissants coursiers ne va pas soudain franchir la Porte de Damas et s'enfoncer dans la nuit. Bien que ce ne soit pas à proprement parler un divertissement, essayez une promenade tard le soir le long du Mur des Lamentations (Mur des Pleurs) où quelle que soit l'heure, vous trouverez toujours des fidèles occupés à prier. Étrange silhouette lumineuse jaillie des ténèbres environnantes, le mur vous laisse une curieuse impression de surnaturel. Pour vous divertir d'une façon plus traditionnelle :

La *Taverna*, dans Nuzzeha Str., est une boîte de nuit des plus animées. Chaque soir sur le plateau, danse du ventre, illusionnistes et artistes étrangers.

La *Cave du Roi*, dans Zahara Str., se dénomme « restaurant-discocave ». Ses deux niveaux sont décorés en style pop. Prix plutôt modérés. Le *Key Bar*, à Az-Zahra vous servira uniquement des boissons. Un peu en dehors de la ville, sur Nablous Road, vous trouverez une panoplie de discothèques à la mode. La plus en vogue actuellement semble être le *Dalia*.

SERVICES RELIGIEUX. *Synagogue :* Muraille (Lamentations) Occidentale. *Eglises catholiques et orthodoxes :* St. Sépulcre, église de l'Agonie, Gethsémani; chapelle de la Flagellation, Via Dolorosa; église St. Étienne, Nablous Rd.; église Ste. Anne (rite grec), Porte St. Étienne; église paroissiale St. Sauveur; Lithostrotos (Pavé de pierres) (Sœurs de Sion); Patriarcat Latin, Porte de Jaffa; Patriarcat Arménien catholique, Via Dolorosa 3e station; Patriarcat Grec catholique, Porte de Jaffa; rite copte, Via Dolorosa 7e station. *Eglises protestantes :* cathédrale St. Georges, Nablous Rd. et Saladin Str.; église du Christ (anglicane) Porte de Jaffa; église du Rédempteur (luthérienne); église baptiste de l'Adoration, Rashid Str.; Première église baptiste biblique, Saladin Str.; église du Christ, Zahara Str.

EMPLETTES. Les prix ne sont pas plus fixes à Jérusalem-Est et la qualité n'y est pas plus garantie qu'ailleurs en Orient. La méthode dite comparative est donc la seule praticable. La tentation est de tous les instants : bibelots de bois d'olivier, de nacre, de cuivre et d'argent; poteries, mosaïques, broderies, tapis; sacs et vêtements de cuir; objets anciens, antiquités, incrustations; articles religieux, etc... Le marchandage est admis, sinon de rigueur, et vous ne devez pas vous en priver. Il y a tant et tant de boutiques, toutes compétitives, qu'il est malaisé d'opérer une sélection : *Nijmeh A. Kharoufeh*, 18 David Str., offre toute une gamme d'articles, du rosaire au tapis, de la lampe ancienne à la coiffe, sans oublier un choix extraordinaire de vêtements brodés à la main et de casaques de Croisés. *Khaled Barakat*, au n° 32 de la même rue, propose un très bel assortiment de tapis bédouins et de table, de costumes orientaux et des broderies main aux merveilleux motifs. La famille *Barakat* est encore représentée dans David Str. par d'autres magasins du même nom qui se font tous une amicale concurrence. Dans Dabbaga Rd., au souk Aftimous à quelques pas de l'église du St. Sépulcre, la boutique de *Zouhier Ali Hejazy* regorge d'articles en cuir et de peaux de mouton. Les sacs de voyage en peau de chameau avec poches latérales retiendront votre attention.

Dans pour ainsi dire toutes les boutiques de Jérusalem-Est, vous serez accueilli avec la courtoisie et le sens de l'hospitalité bien connus des Arabes, ce qui se traduira notamment par une demi-tasse de délicieux café turc.

A la découverte de la Vieille Ville

Le pèlerin ou le visiteur qui arrive à Jérusalem pour la première fois se dirige tout droit vers la Vieille Ville, et plus précisément vers l'ancienne muraille de Soliman le Magnifique qui entoure depuis quatre siècles les trois grands sanctuaires des religions monothéistes : le Saint-Sépulcre, le Mur des Lamentations et le Dôme du Roc. Ces lieux saints, vénérés respectivement par les Chrétiens, les Juifs et les Musulmans baignent dans un climat de ferveur unique au monde. Mais à quelque religion qu'on appartienne, ce n'est pas sans émotion que l'on s'immobilise devant les vestiges du Mur, dans le bruissement des prières, tandis que du minaret proche s'élève l'appel du muezzin et que sonnent les cloches de l'église.

Bien que les Portes de Damas et de Jaffa soient les grandes entrées de la Vieille Jérusalem, le visiteur chrétien choisira d'entrer par la Porte St-Etienne. Ainsi mettra-t-il ses pas dans les pas de Jésus, montant au Calvaire par la Via Dolorosa. Signalons en passant que c'est également par là que les troupes israéliennes entrèrent dans la ville le 6 juin 1967. En hébreu, cette porte s'appelle la Porte du Lion.

Tout de suite à droite, le séminaire des Pères Blancs et l'église Sainte-Anne. Celle-ci, selon la légende, s'élève sur l'emplacement de la maison de Joachim et Anne, parents de Marie; une crypte marque le lieu présumé de la naissance de la Vierge. Non loin, la Piscine Probatique, mentionnée dans l'Évangile selon St-Jean (V, 1-9) comme ayant été le théâtre de la guérison du paralytique.

A main gauche, la Porte des Tribus commande le passage vers le Mont du Temple.

Plus bas dans la rue, sur la gauche, dans la cour d'une école arabe où s'érigeait jadis une forteresse, le pèlerin s'arrêtera à la première des quatorze stations du Chemin de Croix. C'est là que Ponce Pilate interrogea Jésus, qu'il se « lava les mains du sang de ce Juste » et le condamna. De l'autre côté de l'étroite voie, toujours sur l'emplacement de la forteresse, se dresse la Chapelle de la Flagellation où Jésus fut dépouillé de ses vêtements, flagellé, couronné d'épines et revêtu d'une robe de pourpre.

Alors Pilate le présenta à la foule : « Ecce homo », voici l'homme, déclara-t-il. C'est là que commence la Voie Douloureuse. Cette deuxième station est signalée par l'Arc de l'Ecce homo, édifié par l'empereur Hadrien en l'an 135 de notre ère.

On pourra remonter l'étroite voie que suivit le Christ sans le secours d'un guide, car toutes les stations du Chemin de Croix sont parfaitement indiquées.

Troisième station : Jésus tombe pour la première fois. Petite chapelle commémorative.

Quatrième station : Jésus rencontre Marie.

Cinquième station : C'est là que selon tous les évangélistes (à l'exception de Saint-Jean), Simon de Cyrène prend la croix de Jésus pour la porter jusqu'au bout du chemin. Saint-Jean affirme, quant à lui, que Jésus porta seul sa croix et que le Cyrénéen essaya seulement de le soulager de son fardeau.

Sixième station : Véronique essuie le visage de Jésus. Le voile dont elle se servit, et qui porte toujours l'empreinte de la Sainte Face est conservé à Saint-Pierre de Rome.

Septième station : Jésus tombe pour la deuxième fois.

Huitième station : Jésus s'adresse aux femmes de Jérusalem : « Ne pleurez pas sur moi, mais sur vous et sur vos enfants. » Une petite croix scellée dans le mur rappelle cette exhortation.

Neuvième station : Jésus tombe pour la troisième fois. L'emplacement est signalé par une colonne dressée à l'entrée d'une église copte.

De la dixième à la quatorzième, les dernières stations sont toutes à l'intérieur de l'église du Saint-Sépulcre.

Dixième station : Jésus est dépouillé de ses vêtements.

Onzième station : Il est cloué sur la croix. A la douzième station, il meurt; à la treizième, son corps est déposé sur une dalle; à la quatorzième, il est mis au tombeau d'où, le troisième jour, il ressuscitera d'entre les morts.

Le Saint-Sépulcre

La visite du Saint-Sépulcre risque de décevoir. Le sanctuaire (12ᵉ s.), manque d'unité, du fait des diverses chapelles qui se le partagent — grecque orthodoxe, catholique romaine, arménienne, syrienne, copte, abyssinienne — chacune avec sa décoration et ses illuminations particulières. Le lieu n'en garde pas moins tout son caractère sacré. L'église du Saint-Sépulcre couronne le Golgotha — du mot hébreu *gulgoleth* qui signifie crâne (le mot Calvaire vient de sa traduction latine). Selon la légende, c'est là qu'aurait été enfoui le crâne d'Adam. On ne distingue plus la colline proprement dite sous l'église, mais elle reparaît ici et là, aux alentours de l'édifice originel.

Sitôt franchi le seuil du sanctuaire, on remarque une dalle rougeâtre : c'est la Pierre d'Onction, sur laquelle Jésus fut étendu et embaumé après la Descente de Croix. Sous le dôme élevé de la coupole s'ouvrent deux chapelles : la chapelle de l'Ange, abritant la pierre qui scellait le tombeau et que l'Ange fit rouler (Matthieu II, 5); et la chapelle du Tombeau, toute revêtue de marbre.

Parmi les nombreuses chapelles et tombeaux de la basilique, nous signalerons ceux de Joseph d'Arimathie et des rois croisés Godefroy et Baudouin, la chapelle d'Adam et la chapelle de Sainte Hélène, dédiée à la mère de l'empereur Constantin. C'est en l'an 326 qu'Hélène aurait été conduite en ce lieu par une révélation divine, pour y retrouver la Vraie Croix.

Tous les vendredis après-midi à 15 heures, une procession parcourt la Voie Douloureuse jusqu'au Saint-Sépulcre. Pendant la Semaine Sainte, les rites, cérémonies et processions des diverses Églises qui se partagent le sanctuaire revêtent évidemment un caractère encore plus solennel, plus émouvant, et si l'on ose dire, plus pittoresque que de coutume.

Le Mur des Lamentations

On s'y rendra sans peine, en se guidant sur les panneaux « To the Wall » (Vers le Mur) apposés un peu partout dans la Vieille Ville. La porte la plus proche du Mur est la Porte du Dépotoir (Dung Gate), ainsi nommée parce qu'aux temps anciens, c'est par là que l'on charriait les ordures de la ville pour les déverser sur les pentes de la Vallée du Cédron.

Les Juifs appellent le Mur *Kotel Ka'maaravi*, ou Muraille Occidentale; c'est en effet le mur occidental, et le seul vestige du Deuxième Temple, que les Romains détruisirent en l'an 70 de notre ère. Depuis, les Juifs venaient pleurer ici sur le sort tragique de leur peuple. Aujourd'hui ce sont plutôt des larmes de joie — Israël est revenu de son long exil... Aucun lieu saint n'est plus sacré à leurs yeux.

Quelques-uns des énormes blocs formant la base du Mur

datent sans doute du Premier Temple de Salomon. Dans les interstices des pierres, de petits rouleaux de papier portent des messages, des prières, des noms d'être chers... Selon la tradition des juifs orthodoxes, hommes et femmes prient chacun de leur côté; et comme dans les synagogues, les hommes n'ont pas le droit de s'approcher du Mur tête nue (des calottes sont à la disposition des touristes qui n'auraient pas de couvre-chef).

Lorsque les troupes israéliennes s'emparèrent de la Vieille Ville, pendant la Guerre des Six Jours, le Mur formait l'un des côtés d'une étroite ruelle bordée, de l'autre, par des taudis. Tout cela a été déblayé pour faire place à une esplanade de belles dimensions. Les Juifs pieux viennent y prier à l'occasion de leurs trois grandes fêtes : Pessah (la Pâque), Chabouoth (la Pentecôte) et Souccoth (la Fête des Tabernacles).

Depuis 1967, les équipes d'archéologues israéliens qui ont entrepris des fouilles à la base du Mur ont fait de nombreuses découvertes, dont en particulier un dallage de marbre du temps d'Hérode, des vases servant aux offrandes du Temple et des pièces de monnaie vieilles de plusieurs millénaires.

En face du Mur, de l'autre côté de l'esplanade, on peut voir ce qui reste du vieux quartier juif. On est en train de reconstruire les vénérables synagogues et les écoles rabbiniques détruites par les Jordaniens entre 1948 et 1967.

Le Dôme du Roc (ou Mosquée d'Omar)

C'est sur le Mont du Temple, ou Mont Moriah, à l'angle sud-est de la Vieille Ville que s'élevaient jadis le Premier et le Deuxième Temple. A leur place, le Dôme du Roc dresse aujourd'hui sa coupole d'or scintillante, à quoi répond plus modestement la coupole d'argent de la Mosquée d'El-Aqsa. Les arabes appellent *Haram es-Sharif*, la Noble Enceinte, le vaste quadrilatère d'environ 12 hectares qui porte ces précieux édifices.

Si les exégètes du Livre de la Génèse situent sur cette colline le sacrifice d'Abraham prêt à immoler son fils Isaac, l'Islam revendique cette éminence comme le lieu d'où Mahomet s'éleva au ciel, et c'est pour abriter la pierre sanctifiée par l'empreinte du pied du Prophète que le Dôme du Roc *(Quoubbet es-Sakhra)* a été construit.

Depuis l'époque des Temples, les lieux du culte établis sur le Mont Moriah ont subi de nombreuses métamorphoses. Les Romains y bâtirent d'abord un temple à Jupiter; au septième siècle, une mosquée le remplace que les Croisés, au 12e siècle, transforment en église; puis les Musulmans, après la reconquête de Jérusalem, rebâtissent une mosquée que depuis lors ils n'ont cessé de reconstruire et d'embellir.

De forme exquise, avec sa structure octogonale, le Dôme du Roc (ou Mosquée d'Omar) est une merveilleuse symphonie de mosaïques, de marbres et de céramiques. On remarquera la finesse calligraphique des citations du Coran qui participent à la décoration extérieure et intérieure du monument. Le visiteur, obligé de se déchausser à l'entrée, n'en appréciera que davantage le mœlleux des tapis d'Orient étendus sur le sol; rien que pour ce plaisir, il fera durer sa promenade à travers le somptueux édifice, que par ailleurs il trouvera peut-être un peu chargé.

Centre d'intérêt de la mosquée, le Roc d'où Mahomet monta au ciel est entouré d'une barrière; on y distingue en effet une empreinte qui pourrait être celle d'un pied. Près de la trace sacrée, une petite boîte contient des cheveux du Prophète. La cavité creusée dans le rocher s'appelle le Puits des Ames.

A l'est du Dôme du Roc, le petit Dôme de la Chaîne servit sans doute de modèle à la grande mosquée. Au sud du Dôme, un portique conduit à un bassin monumental dénommé *El-Kas*, la Coupe, et de là à la mosquée d'El-Aqsa, plusieurs fois reconstruite et modifiée au cours des siècles, et presque aussi vénérée que le Dôme du Roc. Comme sa forme évoque plus une église qu'une mosquée, on pense généralement qu'elle a été bâtie sur les fondations d'une basilique dédiée à la Vierge Marie par Justinien, au 6e siècle. C'est à l'intérieur de ce sanctuaire, tout de suite à gauche en entrant, que le roi Abdullah de Jordanie fut assassiné en 1951. Des deux colonnes jumelles, extrêmement rapprochées, qui s'élèvent devant la mosquée, on dit que si un fidèle réussit à se glisser entre elles, il est assuré de passer à travers les portes du Paradis.

En gagnant, depuis El-Aqsa, l'angle sud-est du Mont Moriah, on peut visiter les écuries souterraines du roi Salomon, que Romains et Croisés utilisèrent à leur tour.

Une des huit portes de la Vieille Ville figure dans la Noble Enceinte : c'est la Porte Dorée par où, selon la tradition juive, le Messie entrera dans Jérusalem au jour de la Rédemption. Elle est scellée depuis près de neuf siècles.

La haute tour qui domine l'angle nord-est du Mont Moriah marque l'emplacement de la forteresse Antonia bâtie par Hérode; c'est là que Ponce Pilate prononça la sentence de mort de Jésus.

La Porte de Jaffa et la Porte de Damas

La Porte de Jaffa commande la route du port de Jaffa, qui fut le débouché de Jérusalem sur la Méditerranée pendant des millénaires. Si la porte est largement taillée dans les hauts murs de la Vieille Ville, c'est que le Kaiser Guillaume II la fit agrandir en 1898 afin d'y passer en carrosse avec son escorte de cavaliers.

A droite de la Porte de Jaffa, la Citadelle, dominée par la Tour de David, s'offre aux regards comme l'image la plus symbolique de Jérusalem. On attribue la tour au roi David, mais la construction actuelle ne date probablement que du Moyen Age. La Citadelle remplace une forteresse hérodienne. Elle a servi de bastion défensif à travers les générations, et tout récemment à l'armée jordanienne. Elle abrite aujourd'hui un musée, et sa grande cour sert aux représentations de « Son et Lumière » et occasionnellement à des concerts.

En face de la Citadelle, c'est-à-dire à main gauche après la Porte de Jaffa, l'Office de Tourisme Israélien borde une grande place qui ouvre à droite vers la rue d'Arménie et le paisible quartier arménien; à gauche vers la rue David, l'une des artères les plus commerçantes de la Vieille Ville.

Plus haute et plus majestueuse que toutes les autres portes de Jérusalem, la Porte de Damas contrôle la route qui mène à la capitale de la Syrie; vieille voie chargée d'ans qui ne s'appelle d'ailleurs pas route de Damas, mais plus modestement route de Naplouse (Nablous Road) — ville de Samarie, l'étape la plus importante vers la capitale syrienne.

Les alentours grouillent d'activité. C'est ici le terminus des autobus de la Vieille Ville, d'ici que partent ceux qui desservent toute la Rive Ouest et Amman, en Jordanie (cette dernière ligne n'étant pas accessible aux touristes); d'ici que partent également la majorité des neuf lignes d'autobus assurant la liaison entre la Vieille et la Nouvelle Ville.

Les boutiques, les éventaires qui débordent sur la chaussée en-deçà de la Porte de Damas donnent un avant-goût des *souks* qu'on trouvera cent mètres plus bas, dans la Vieille Ville. Sur le chemin de la rue des Épices, toutes les ruelles sont bordées de bureaux de change (qui se convertissent de plus en plus en magasins de souvenirs) et de petits cafés bondés de consommateurs d'allure plus orientale qu'européenne, qui sirotent leur café turc, fument le narguilé ou jouent bruyamment au *shesh besh* (une sorte de tric-trac), sans oublier de regarder la foule qui défile.

Autour des murs de la Vieille Ville

A courte distance sur la route de Naplouse, un petit chemin conduit, à main droite, au Jardin du Tombeau. De l'avis de certains, c'est là que se trouverait le véritable tombeau du Christ. De fait, il y a ici un caveau de pierre à deux chambres, sur un monticule affectant vaguement la forme d'un crâne.

A l'intersection de la route de Naplouse et de la rue Saladin, voici le Tombeau des Rois, appellation évidemment erronée puisqu'il abrite en réalité les restes de la reine d'Adiabène (Mésopotamie) qui vint à Jérusalem au cours du premier siècle de notre ère et se convertit au judaïsme. Les combattants juifs — assiégés en 1948 pendant la bataille pour Jérusalem — ont employé ses citernes pour capter l'eau si rare à cette époque. L'ensemble est sous la protection de la France depuis plusieurs décennies.

Revenant vers les remparts par la rue Saladin, on visitera la cathédrale St-Georges, l'édifice anglican le plus important de Terre Sainte. Avant d'atteindre la Porte d'Hérode (ou Porte des Fleurs), on aperçoit la petite grille de fer forgé des Carrières du Roi Salomon. On suppose que les pierres du Temple de Salomon furent extraites de ces labyrinthes. Selon les francs-maçons, en tout cas, c'est ici que leur ordre aurait pris naissance. Les carrières se composent d'innombrables galeries sillonnant le sous-sol sur des kilomètres; l'une d'elles, en ligne droite, pénètre à plus de 700 mètres à l'intérieur de la Vieille Ville, et même davantage, affirment certains. On les appelle aussi Souterrains de Zedekiah; la légende veut en effet que Zedekiah, dernier roi de Judée, y ait cherché refuge pour échapper aux Babyloniens et qu'en ressortant dans la plaine de Jéricho — à des kilomètres de Jérusalem, il ait été rattrapé par ses ennemis (588 av. J.-C.).

En face des Carrières de Salomon, une ruelle descend à la Grotte de Jérémie. C'est dans ce cachot que le Prophète aurait été jeté et qu'il aurait péri (Jérémie, XXXVIII, 6).

Devant la Porte d'Hérode, à main gauche, la route qui descend vers la plaine de Jéricho passe devant le Musée Rockefeller. Dans les années trente, ce milliardaire américain fit une donation pour construire ce bâtiment, qui abrite des trésors archéologiques découverts en Terre Sainte. Ses collections de poteries et d'outils proviennent en grande partie de Galilée et de la région d'Acre. L'architecture du musée est d'inspiration orientale et mauresque, cette dernière étant surtout sensible dans l'élégante colonnade de la cour intérieure.

Sur les pentes du Mont des Oliviers

La route de Jéricho, où l'on est arrivé, part de l'angle nord-est des remparts de la Vieille Ville. Ici, le parapet s'appelle la Tour des Cigognes. Il faut à présent prendre au sud pour amorcer la descente vers la vallée du Cédron (dont fait partie la vallée de Josaphat). Passé le croisement de la route qui remonte à la Porte St-Etienne, on arrive au Tombeau de la Vierge, au pied du Mont des Oliviers. Deux chapelles, de part et d'autre du passage qui mène à l'église souterraine, contiennent à droite les tombeaux d'Anne et de Joachim, parents de Marie; à gauche celui de Joseph, son époux. C'est dans l'église elle-même, à plus de trois mètres sous terre, que se trouve le Tombeau de la Vierge, où selon la tradition le corps de la mère du Christ aurait été déposé par les Apôtres. Diverses confessions sont ici représentées, et jusqu'aux musulmans qui disposent d'un petit oratoire.

Avant de rejoindre la rue on aura noté, sur la gauche, le chemin qui mène à la Grotte de l'Agonie mentionnée par Saint-Luc (XXII, 41).

Reprenant la route de Jéricho, on voit se dresser dans toute sa majesté la Basilique de l'Agonie, ou Église des Nations. Bâtie sur l'emplacement du Jardin de Gethsémani, où Jésus fut trahi par Judas, elle paraît plus ancienne que ses cinquante ans d'âge. Les mosaïques de la façade représentent Dieu le Père en majesté, au-dessus de Jésus et de tous les peuples de la terre. Douze pays ont concouru à l'édification du sanctuaire. A l'intérieur, près de l'autel, la pierre de l'Agonie sur laquelle Jésus se serait assis avec ses disciples. On sort dans le Jardin des Oliviers. Théoriquement, les oliviers aux troncs noueux datent du temps du Christ, mais bien que chargés d'ans ils ne sont probablement que les surgeons des souches originelles. Le pressoir à olives, ou *gath shemen* ne se trouve plus dans le jardin; on l'a transféré dans la Grotte de Gethsemani.

Plus haut sur la colline, l'église russe de Ste Marie-Madeleine dresse ses sept dômes en forme de bulbe; église récente, elle aussi, puisqu'elle a été construite vers 1888 par le Tsar Alexandre III. Elle abrite le cœur de plusieurs membres de la famille impériale.

Plus haut encore, la chapelle du *Dominus Flevit*, desservie par des moines franciscains, marque le lieu où Jésus pleura sur

ascination des piliers de Salomon, figés dans leur rêve géologique.

Les vestiges de la citadelle de Massada où en l'an 73, après trois an de siège, les Zélotes préférèrent le suicide à la reddition aux Romain:

Jérusalem (St-Luc, XIX, 41). Presque au sommet du Mont, le Tombeau des Prophètes qui abriterait les restes de Haggaï et de Malachie, forme un des angles de l'ancien cimetière juif que nous décrirons ci-après.

Mais revenons sur la route de Jéricho, un peu après la Basilique de l'Agonie, où elle bifurque à gauche vers Jéricho, distante de 45 km environ, et à droite vers la vallée du Cédron. En prenant le chemin de la vallée, on tombe sur trois sépultures. La première, celle d'Absalon, semble creusée à même le roc; bien que l'emplacement ait probablement été celui d'un tombeau depuis des temps très anciens (II Samuel, XVIII, 18), il ne semble pas que celui-ci date de l'époque du roi David et de son fils. Le monument, appelé aussi quelquefois Colonne d'Absalon, appartiendrait plutôt à la période du Deuxième Temple. Au Moyen Age, les Juifs avaient coutume d'y jeter des pierres en passant, et ils y amenaient ceux de leurs enfants qui manifestaient des velléités de contestation pour leur remettre en mémoire la triste fin du fils rebelle de David. A côté, le tombeau des Benê-Khézir, attribué depuis longtemps à St-Jacques le Mineur par la ferveur populaire, et celui du prophète Zacharie, tous deux remontant à la période gréco-romaine.

Plus bas dans la vallée coule la Fontaine de la Vierge, alimentée par la source de Gihon, où la Vierge Marie serait allée puiser de l'eau pour laver les vêtements du Christ.

A droite, le Mont Ophel, où se dressait jadis la Cité de David, flanqué de la Piscine de Siloé. C'est le roi Ezéchias qui, par un tunnel creusé dans le roc et long de 500 mètres, amena jusqu'à la piscine les eaux du Gihon, afin de ne pas en manquer en cas de siège. De fait, la ville fut attaquée et résista, grâce à ce prodigieux ouvrage. Cela se passait sept cents ans avant J.-C., et l'on peut toujours suivre le sinueux parcours du souterrain.

A notre gauche, le village arabe de Siloé (Silwan), dominé par le Mont du Mépris que coiffe un monastère bénédictin.

Retour, une fois de plus, sur la route de Jéricho, entre le Tombeau de la Vierge et la Porte St-Etienne. Là un chemin s'embranche à gauche, pour suivre la muraille d'enceinte de la Vieille Ville le long de son tracé oriental et méridional. En approchant de la Porte Dorée, scellée comme on le sait, on aperçoit le vieux cimetière musulman, où, selon les vrais croyants, doit commencer la résurrection des âmes. Le chemin passe devant la Porte du Dépotoir, la plus proche du Mur des Lamentations, et continue jusqu'à la Porte de Sion.

Cette Porte, qui regarde la colline de Sion, commande l'accès principal du vieux quartier juif. Ses pierres portent encore la trace des combats acharnés qui se déroulèrent ici pendant la guerre israélo-arabe de 1948.

Après la Porte de Sion, le chemin contourne la muraille et remonte vers la Porte de Jaffa.

Le Mont Scopus

Deux collines dominent Jérusalem au levant : le Mont Scopus au nord-est, et plus franchement à l'est de la Vieille Ville, le Mont des Oliviers. On peut gagner le Mont Scopus par la route du Mont des Oliviers — qui s'embranche sur la route de Naplouse — ou partir du Musée Rockefeller et prendre au nord par la rue Noureddine, à travers Wadi El-José.

Le Mont Scopus doit son nom à la traduction grecque du mot hébreu *Har Hatzofim*, « la montagne sentinelle ». Et de fait, placé comme en sentinelle devant la ville, il a joué pendant des milliers d'années un rôle stratégique important. Alexandre le Grand, l'empereur Titus, les Croisés et les Britanniques l'utilisèrent tour à tour comme observatoire.

De 1948 à 1967, le Mont Scopus fut une enclave israélienne en territoire jordanien. Quelques forces de police y montaient la garde, autour des anciens bâtiments de l'hôpital Hadassah et de l'Université hébraïque. Tous les quinze jours, sous le contrôle d'observateurs des Nations Unies, des forces fraîches venaient relever la petite troupe et apporter du ravitaillement. Pendant la Guerre des Six Jours, bien que complètement encerclée, la garnison du Mont Scopus résista jusqu'à l'arrivée des renforts israéliens.

De part et d'autre de la montée, le terrain est encore labouré de trous d'obus; les combats, par ici, ont été acharnés. Un tournant du chemin découvre, sur la droite, le Cimetière britannique de la Première Guerre mondiale.

Plus haut, voici le vieil hôpital Hadassah et le campus initial de l'Université hébraïque, dont la première pierre fut posée en 1918. L'Université proprement dite ne fut ouverte qu'en 1925, en présence de Lord Balfour (auteur de la célèbre Déclaration Balfour) et du Dr. Weizmann, qui devait devenir le premier Président de l'État d'Israël. C'est également ici que se trouvent les bâtiments de la Bibliothèque Nationale.

Sur la plupart des murs, des traces de balles ou d'éclats d'obus; c'est le souvenir des deux guerres. Après la Guerre des Six Jours, des centaines de volontaires de toutes nationalités s'employèrent à déblayer le campus de ses décombres et à restaurer les vieux édifices, qui purent être remis en service en 1969, en attendant la construction de nouveaux bâtiments. La vue dont on jouit du sommet du mont, avec Jérusalem à l'ouest, le désert de Judée et la Mer Morte à l'est est d'une beauté saisissante. Par temps clair, on peut distinguer les montagnes de Moab de l'autre côté du Jourdain.

Après le centre de recherche Harry Truman, la route redescend et passe, quelques centaines de mètres plus bas, devant le sanatorium de l'Augusta-Victoria. Elle se met alors à gravir la pente du Mont des Oliviers. A gauche, le village arabe d'Et-Tur. Dominant tout le panorama, la haute flèche gothique du monastère russe.

Le sommet du Mont des Oliviers

Le Mont des Oliviers porte le même nom en hébreu *(Har Hazeytim)*, mais dans les temps anciens, il s'appelait *Har Hameshiha*, le Mont de l'Onction. C'était un lieu du culte sous le roi David, et à l'époque du Deuxième Temple on y offrait des sacrifices. Dans la croyance populaire juive, c'est là que le Messie fera son apparition, de là qu'il descendra sur la terre. Selon la foi chrétienne, c'est du haut de ce mont que le Christ est monté au Ciel. Jésus venait souvent prêcher ici à ses disciples; c'est ici qu'il leur apprit le *Pater Noster*, la Prière du Seigneur.

A certaines heures de la journée, la Vieille Jérusalem, vue de cette hauteur, baigne dans une lumière si étrangement mystique, si intemporelle, qu'on ne s'étonne pas que trois grandes religions aient donné autant d'importance à ce petit coin du monde. Du sommet du mont, on découvre à l'est la Mer Morte. En fin d'après-midi, juste avant le crépuscule, les murs passent par toutes les nuances du rose au violet. Longuement l'on contemplera Béthanie, l'auberge du Bon Samaritain, la route de Jéricho et les montagnes de Moab.

L'église de l'Ascension est un petit édifice circulaire attenant à une mosquée (l'Islam considère Jésus comme un prophète). Des cierges votifs brûlent dans des niches, de part et d'autre de la chapelle. On retraverse la petite enceinte, jonchée de colonnes romaines tronquées, et l'on entre dans la mosquée pour aller admirer du haut du toit, un très beau point de vue sur Jérusalem.

A côté de la mosquée, le tombeau présumé de la prophétesse Hulda. Un petit garçon arabe, porteur d'une grosse clé, s'offrira à vous l'ouvrir pour quelques piécettes, et si le tombeau ne vous tente pas il vous proposera pour le même prix une promenade à dos d'âne.

A quelques pas de là, l'église du Pater Noster, le couvent des Carmélites et la Basilique du Sacré-Cœur. Sur les murs de céramique de l'église, le Pater Noster est gravé en quarante-quatre langues. La très belle galerie du cloître fait penser à certains monastères médiévaux de France et d'Espagne.

Grimpant sur la crête, la route s'arrête devant l'Hôtel Intercontinental de Jérusalem. L'établissement jouit d'une des plus belles vues du monde sur la vallée du Cédron, l'enceinte de la Vieille Ville, le Mont du Temple, les dômes et les minarets de l'impérissable Jérusalem.

Le nouveau quartier

Au nord des remparts, la partie moderne du secteur-est de Jérusalem offre avec la Vieille Ville un contraste saisissant. Le quartier est à peu près délimité par la route de Naplouse, la rue Saladin et la rue Azzahra. Nous retrouvons ici une activité bourdonnante, mais d'un tout autre caractère qu'intramuros : les magasins sont élégants, les restaurants propres et confortables, les salons de thé de bon ton et le touriste n'a que l'embarras du choix entre les agences de voyage, les bureaux de lignes aériennes, les discothèques, les cinémas et même les cabarets. Bref, c'est toute une métropole en miniature. Le soir, le quartier reste animé bien après que la Vieille Ville se soit endormie.

LE NÉGUEV

Des routes qui relient Jérusalem au reste du pays, celle que nous avons empruntée pour venir de Tel-Aviv, suit à peu près le tracé de la voie ferrée. Nous repartirons par une autre, plus méridionale qui serpente au pied de la colline sur laquelle se dresse l'hôpital Hadassah, pour déboucher dans la région de Lakhiche, dont le centre est Kiryat Gat.

Après la note rafraîchissante des établissements collectifs, kibboutzim et moshavim, qui se pressent, sentinelles adonnées à l'agriculture, aux points stratégiques des ex-confins, c'est, très vite, le chaos de la pierre. Tout à coup, au milieu de la rocaille, un champ ensemencé, des rangées de vignes sur quelque pente; au loin se profilent des maisons assez rudimentaires : une ferme collective.

La route, assez bonne, quoique étroite, traverse la vallée *(emek)* d'Ela qui fut, dit-on, le théâtre du plus célèbre duel de tous les temps : la rencontre de David et de Goliath. Il y a une cassure profonde qui brise la ligne de crête du coteau. C'est là, paraît-il, que la tête du géant a porté en tombant, faisant trembler la terre, fendant les montagnes. Nous sommes d'ailleurs fort près de la patrie de Samson : Beit Chémèche n'est qu'à quelques kilomètres au nord.

A droite et à gauche, le flanc rocheux des collines est maintenant le plus souvent dénudé, percé de sombres entailles. Les premiers Chrétiens se cachaient dans ces grottes. Elles communiquaient entre elles par des souterrains creusés dans le calcaire blanchâtre. On y trouve, gravé dans la pierre, le signe de la croix. Aux environs de Netiv-Halamed-He, un autel de sacrifices païens est encore aisément reconnaissable au bout de quelques marches douces taillées dans le roc.

La première agglomération plus importante est Beit Gouvrine, à 52 kilomètres de Jérusalem. C'était, autrefois, une ville qui comptait dans les annales du temps. On y visite les vestiges d'une cité romaine et d'une église : les Croisés y sont venus. Le nom a subi maintes déformations au cours des siècles. Pour les Arabes, il s'agissait de Beit-Gibril (Gabriel), dont les Croisés, froidement, firent Gibelin. Les Romains, auparavant, en pleine crise d'hellénisme, l'appelaient Eleuthéropolis. L'Empereur Septime Sévère se dérangea pour venir jusqu'ici. L'École Archéologique Française des

Pères Dominicains, à Jérusalem, a longuement étudié les mosaïques romaines et byzantines découvertes à Beit Gouvrine (Bet-Guvrin). Mais malgré la présence toute proche de Lakhiche et de Marécha, la forteresse du roi de Judée Roboam, dont le Livre II des Chroniques fait mention (XI, 5 à 8 et XIV, 8 à 9), malgré l'intérêt que présentent les fouilles tout autour, le tourisme n'y fleurit pas encore. De plus, cette région est de peuplement assez récent : Kiryat-Gat, qui en est le cœur et les poumons, ne fut fondée qu'en 1955.

C'est le centre expérimental d'une technique nouvelle de développement rural. Kiryat-Gat est faite de quelques habitations et, surtout de magasins, entrepôts et bureaux : elle est là pour « servir » les villages créés dans un certain périmètre. Ceux-ci ont été peuplés par groupements nationaux. C'est-à-dire que les émigrés de même provenance étaient réunis pour habiter un même village, coloniser un même secteur. Au milieu, Kiryat-Gat fut édifiée pour faire fonction à la fois de fournisseur — matière première, équipement, outillage — et de collecteur des produits. Diverses industries ont été implantées pour soutenir et compléter l'effort agricole : raffinerie de sucre, coton, arachides, matériel électronique, taillerie de diamants. La région de Lakhiche compte déjà une population de 25 000 habitants.

Les Anglais qui passent à juste titre pour des connaisseurs, n'admettaient la productivité, à la rigueur, que jusqu'ici. Ils considéraient qu'au delà de Kiryat-Gat, c'était déjà le désert. Aujourd'hui, la route est bordée d'arbres et les cultures s'étendent à perte de vue de part et d'autre. L'authentique porte du désert est à une quarantaine de kilomètres vers le sud, à Béerchéba (Beer-Sheva), capitale du Néguev.

RENSEIGNEMENTS PRATIQUES POUR LE NÉGUEV

Le Néguev a été le théâtre de multiples faits historiques : les tribulations des enfants d'Israël lors de leur fuite d'Égypte vers la Terre Promise, l'établissement de la tribu de Siméon, puis des Nabathéens, des Byzantins et des Bédouins nomades, enfin les combats de 1948. De nombreux kibboutzim y ont pris racine de nos jours et un vaste réseau d'irrigation a été mis en place récemment.

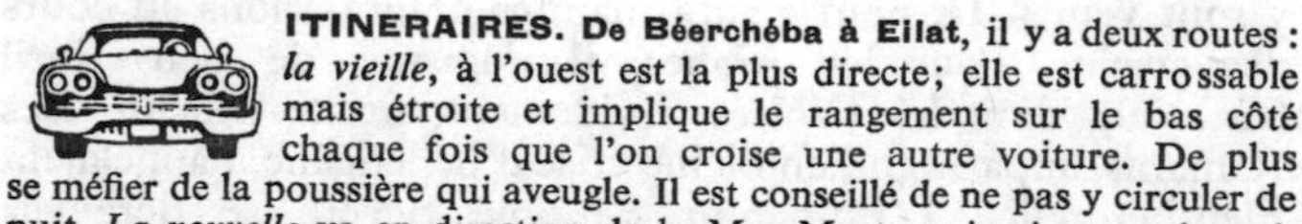

ITINERAIRES. De Béerchéba à Eilat, il y a deux routes : *la vieille,* à l'ouest est la plus directe; elle est carrossable mais étroite et implique le rangement sur le bas côté chaque fois que l'on croise une autre voiture. De plus se méfier de la poussière qui aveugle. Il est conseillé de ne pas y circuler de nuit. *La nouvelle* va en direction de la Mer Morte puis vire vers le sud. Elle est un peu plus large et mieux asphaltée.

Sur la route ancienne, en partant de Béerchéba à une trentaine de kilomètres, à Yérohame, campements bédouins et station-service Sonol; petit café-snack. La route est étroite, avec des tronçons neufs et larges; 18 km plus loin sur la route, se trouve Sde Bokère, kibboutz d'anciens soldats où habitait l'ex-premier ministre, Ben Gourion. Après Sde Bokère, sur la gauche, un panneau marqué « Ein Avdat, 4 km », prendre le chemin en voiture jusqu'au parking (il y a aussi des toilettes fermées en plein désert!) Ensuite à pied à travers le canyon jusqu'à une source qui forme piscine. Avant d'arriver à la piscine sur la droite, il y a un escalier dans la roche qui surplombe la piscine et qui permet d'accéder à la deuxième piscine. On fait un peu d'alpinisme mais ça vaut la peine. Également voir le tout d'en haut en prenant sur la route, au-delà du panneau sus-mentionné un sentier marqué par un autre panneau indiquant » Observation Point ». Continuez jusqu'à Avdat et ses intéressantes ruines nabathéennes, romaines et byzantines.

A Avdat, station-service Paz; de Avdat à Mitspeh Ramone, une trentaine de kilomètres; à Mitspeh Ramone : station-service. Bientôt la grand'route pénètre dans le cratère du Maktèche Ramone (35 km de long et 10 de large). Nous sommes maintenant dans le désert de Parane où les Israélites campèrent en chemin vers Canaan. Une fois le ruisseau Parane franchi, le paysage devient extraordinaire.

Faites le plein à Neveh Mitsbar (Tsomet Tsihor) car il n'y a plus de poste d'essence avant Eilat. Après le carrefour de Tsihor, voilà Groufite, Yotvata et Timna avec ses mines de cuivre. Elles étaient déjà exploitées à l'époque biblique et connues sous le nom de « Mines du Roi Salomon ». Vous coupez maintenant une plaine de sel, passez Elote et arrivez bientôt à Eilat. Total : 234 km.

Si l'on emprunte la nouvelle route, il faut se munir d'essence car elle est rare. Il y en a à 36 kms de Béerchéba, à Dimona. Ensuite, si on est pris de court on peut faire un petit détour jusqu'à Sodome à « Lot's Wife Inn », un café où on trouve de l'essence. Enfin, en cas d'urgence, au kibboutz Ein Yahav, sur la route qui conduit à Eilat. Total : 265 km.

Béerchéba-Sodome-(Ein Guédi). En chemin, vous passerez devant Nevatime (une colonie d'immigrants originaires d'Inde du Sud), Dimona (1955) environ 6 000 âmes, Mamchite (ville romaine). Après Mamchite, si vous tournez à droite, vous arrivez à Oron et ses mines de phosphate; puis dans la dépression entourée de falaises dramatiques appelée Maktèche Gadol (Grand Cratère). A présent le paysage devient lunaire. A près de 1 000 mètres en contrebas on aperçoit la Vallée d'Arava. La route s'accroche à flanc de montagne pour arriver à Sodome, sur la Mer Morte. Selon la Bible, les villes de Sodome et Gomorrhe furent détruites par le feu divin en raison de leur dépravation. On dit que le rocher qui se trouve tout près est le Pilier de Sel en quoi fut changée la femme de Lot pour s'être retournée afin de voir brûler les deux villes. Sodome est l'endroit habité dont l'altitude est la plus basse au monde.

La Mer Morte, avec une profondeur de 600 m, a 78 km de long. Israël contrôle maintenant tout son rivage. Le Jourdain et quelques petites rivières ajoutent journellement environ 7 millions de tonnes d'eau à la Mer Morte. A peu près la même quantité d'eau s'en évapore toutes les 24 heures, de sorte que les minéraux apportés y sont retenus et s'ajoutent constamment à sa densité en sel (25 % contre moins de 5 % dans l'océan) : les baigneurs flottent à la surface. Aller-retour : 150 km.

Continuez vers Ein Guédi, à 50 km au nord de Sodome, le long des flancs du Mont Sodome. Sur une proche colline se trouvent les ruines de la forteresse de Massada. Les fouilles ont mis au jour un magnifique palais construit par Hérode le Grand. Ein Guédi est une petite colonie installée sur les lieux où David se cachait du Roi Saul; des siècles plus tard, Bar-Kochba y établit son quartier général. Retour par l'excellente route d'Arad, ou par Ein Fescha vers Jérusalem. Grand total : env. 215 km.

Béerchéba-Révivime-Nitsana. A 21 km au sud de Béerchéba, tournez à droite et continuez vers le sud-ouest passé Machabei Sadeh. Au campement bédouin occasionnel de Bir Asloudj, tournez à droite et vous arrivez à Révivime, un des premiers établissements dans le Néguev (1943). A l'ouest de Révivime se trouvent les ruines de la cité byzantine de Haloutsa. Repartez vers la grand'route : à votre gauche, vous verrez bientôt, sur la colline, les ruines de Chivta (Subeita), une des villes byzantines les mieux conservées du Moyen Orient. Total a-r : env. 160 km.

QUELQUES SAGES CONSEILS. Tout d'abord, de mi-mai à mi-octobre il fait torride dans le Néguev. Vous vous en apercevrez déjà en arrivant à Béerchéba. Préparez-vous en conséquence et observez pendant cette période les règles suivantes :

1. Partez de grand matin. Surtout ne vous hâtez pas.
2. Ne sortez jamais tête nue. Restez à l'ombre entre midi et 15-16 heures.
3. Buvez beaucoup. Mangez légèrement et très modérément.
4. Limitez les bains de soleil, les insolations étant, en Israël, la maladie la plus fréquente parmi les touristes.

LOCALITÉS

ARAD. L'hôtel *Nof Arad* se trouve à presque 3 km à l'est de la ville, 1050 m. au-dessus de la Mer Morte. Vue splendide sur le désert. En face, le *Margoa* est également climatisé, 107 ch., night-club, piscine. Le meilleur hôtel est le *Massada*, 1re cl. sup., 104 ch., tennis, piscine. Modéré : *Arad.* Auberge de jeunesse, bungalows, 160 lits. Navette entre les hôtels et la mer (25 min.). Baignade dans les sources chaudes de Hamei, Zohar. Office de Tourisme : Magen David Building.

AVDAT. Restaurant près des vestiges byzantins, le *Nabatean Inn.*

BÉERCHÉBA. Hôtels : *Desert Inn*, hôtel de 40 ch., légèrement en dehors de la ville. Très grand hall; boîte de nuit et dancing certains soirs, nourriture correcte; 1re cl. sup. *Zohar*, Chikoun Grimmel, 66 ch. av. b. ou d. 1re cl. raisonn. Dans la vieille ville, plus modeste : le *Hanegev*, 22 ch. avec douche, 27 rue Haatzmut; *Aviv*, 40 rue Mordei Hagetaot et l'*Arava*, 37 rue Histadrut. L'*Auberge de Jeunesse* de Béerchéba est très moderne.

Restaurants : *Maxim*, près de la gare d'autobus où d'ailleurs se trouve un bon self-service. Dans la vieille ville : *Miki*, *Mati. Kus-Kus*, 95 rue Histadrut.

Que voir? Le marché bédouin dans la vieille ville (tous les jeudis matin entre 6 et 10 h); le Puits d'Abraham, dans la vieille ville; le Musée du Néguev; l'Institut de Recherches des Zones Arides, Rehov Hahashalom; Exposition des Minéraux et Oiseaux du Néguev; les fouilles archéologiques de la période chalcolithique (près de Nahal Béerchéba). Il y a environ 100 synagogues à Béerchéba.

Distractions. Dix cinémas. Night-clubs : *Caravan Bar*, *Disco*' et *Beit Ha'am* où les gens se rassem-blent pour assister à divers films ou jeux. *Mandy's* attire les foules, rue Hadassa.

Excursions. Les bureaux de voyages *Zakai*, 75 rue Hechaloutz *Kopel*, 44 rue Herzl, proposent diverses excursions dans le Néguev, entre autres une visite avec repas du soir chez un cheik dans un campement bédouin de la région. Vous pourrez également faire des excursions à Sodome et à la Mer Morte.

Piscines. Centre communautaire Ha'am et à l'hôtel Desert Inn.

Adesses et téléphones utiles : Police : 100; ambulance : 3333; IGTO Beit Invat Hamoshavim tél. 76011; Hôpital, 2111; Yael Daroma chérouth, 2214; bus Egged, 4342.

EILAT

Eilat est maintenant à 6 heures seulement en voiture du centre d'Israël ou à moins d'une heure d'avion de Tel-Aviv. Pour ceux qui n'ont pas de voiture nous recommandons le voyage par autocar-avion combinés : aller à Eilat en autocar, retour à Tel-Aviv ou à Jérusalem. La Cie aérienne Arkia, 88 rue Hahashmonaim, Tel-Aviv, offre des séjours forfaitaires de 5 jours dans les meilleurs hôtels d'Eilat à des prix variables.

Eilat est mentionné dans la Bible comme un des points par où passèrent les enfants d'Israël lors de leur fuite hors d'Égypte vers la Terre Promise. Le Roi Salomon y construisit un grand port pour ses navires (1 Rois, 9 - 26). Ici débarqua la Reine de Saba et sa suite pour aller à sa rencontre. Eilat fut conquis par l'armée israélienne au début de 1949, lors de la campagne qui termina la Guerre de l'Indépendance. La ville acquit une nouvelle importance comme port pour le trafic afro-asiatique lorsque le Canal de Suez fut interdit aux navires israéliens.

Les eaux calmes et azurées du golfe permettent la baignade toute l'année. Eilat a deux plages : l'une au nord, bordée d'hôtels modernes tandis que la « Plage de Corail » au sud est surtout réservée aux camps de vacances. On y pratique tous les sports nautiques, l'équipement et le matériel pouvant être loués sur place. Les magnifiques grottes de corail de la baie sont le repaire de centaines d'espèces de poissons tropicaux. Grâce à des bateaux à fond de verre on pourra admirer la vie sous-marine de la Mer Rouge. Le Musée Maritime local vaut une visite.

Hôtels : La haute saison va d'oct. à mai, c.-à-d. lorsque les prix sont à leur summum. Tous les hôtels sont climatisés.

Plusieurs établissements de **1re cl. supérieure** (5 et 4 étoiles) : le *Neptune*, sur la plage, 100 ch., piscine; le *Laromme*, sur la Plage de Corail, 310 ch. très luxueuses, TV, plage privée, piscine, bar et night-club. Le *Salomon*, très bien situé, 48 ch. avec bain, piscine. Le *Moriah Eilat*, est le plus vieux de sa catégorie, accès aisé à la plage, piscine privée, chacune de ses 107 chambres donne sur la Mer Rouge, bar. Le *Red Rock*, sur la plage, possède 116 ch., TV, plage privée, piscine et night-club. Le *St Tropez* longe également la plage, 128 ch., plage privée. Plus vaste, le *Shulamit Gardens*, très élégant, 209 ch., fantastique night-club (live shows), bar, TV et piscine. Le *Queen of Sheba*, 87 ch. toutes face à la mer; les prix des chambres sont légèrement plus élevés dans les petites villas; piscine et courts de tennis ouverts au public. Le *Caesar*, 150 ch., 8 suites avec TV et téléphone, piscine privée; la salle à manger vous donnera l'impression d'être assis dans une lagune. Plus récent, *Les Coraux*, 128 ch., excellent restaurant et night-club.

Hôtels à 3 et 2 étoiles : *Center*, 31 appartements entièrement équipés, self-service; le *Paz*, 30 ch., est également très confortable; le *Moon Valley*, 200 ch. dans de magnifiques bungalows, self-service, TV et, depuis peu, club de plongée sous-marine. Le *Caravan*, sur la Plage de Corail, possède 68 ch. avec douche, atmosphère relax, offre à sa clientèle l'équipement sportif de l'endroit. En ville, près de l'Office de Tourisme, le *Red Sea* vous propose 41 ch. Le *Snapir*, 32 ch., situé près du centre commercial de la ville. l'*Etzion*, 104 ch., piscine. Le *Sahara*, rue Los Angeles, 26 ch. Le *Bilton*, plus récent, 85 ch. Sur la plage, *Blue Sky Caravan* possède 80 caravanes familiales, chacune pourvue de 4 lits, situé entre l'hôtel *Queen of Sheba* et *Sea Star*, motel, restaurant et bar.

Bon marhé : *Oasis :* motel, 24 ch. avec douche. L'*Auberge de Jeunesse* d'Eilat est à 5 min. du centre de la ville en direction de la Plage de Corail, 168 ch. avec petit déjeûner, très belle vue.

Club Méditerranée d'Eilat : Voir renseignements pratiques du début (« villages de vacances »).

Restaurants. De première classe : *La Coquelle* — qui est l'endroit le plus cher pour manger des crustacés — et le *Rose of the Sea*. Sur le Plage de Corail, le *Moby Dick*, au Motel Caravan, excellent. *La Créole*, véritable régal, cuisine haïtienne, européenne et orientale, cocktails à partir de 17 h, musique dans le patio, service excellent mais cher. En ville, *Berber* vous propose une grande variété de plats français et orientaux, ambiance sympathique. Le *Bistrot* est également très agréable, spécialités françaises et nord-africaines (couscous). Vous trouverez des plats du jour à des prix exceptionnels rue Almogim, chez *Ali Esh*. Également très bon marché, le *Napoli*, près de l'IGTO.

Distractions. Bar très calme à l'hôtel *Eilat*, *Laromme*, *Red Rock* ou encore au *Queen of Sheba*. Essayez également les discothèques au *Shulamit Gardens*, au *St Tropez* ou au *Laromme*. Ambiance hippie au *Flower Tea House*, en ville. Pour ceux qui aiment le rock ou le rhythm'n blue : le *Johny Crazy's*. Si vous désirez assister à un concert en plein air ou danser dans les rues, le *Nelson's Village* est l'endroit idéal. Quelques cinémas et une petite troupe théâtrale vous feront également passer agréablement vos soirées.

Cadeaux-souvenirs : *Aladdin*, face au Centre Philip Murray; *Malkit*, près de l'hôtel Sabra; pierres d'Eilat : *Azorit*, zone industrielle.

Excursions : *Aqua Sport*, Plage de Corail, par bateau à fond transparent, tél. 2788; Cie aérienne *Arkia*, tél. 3141; service régulier *Egged*, tél. 2235; *Egged Tours*, tél. 3555; *Desert Tour* (Piliers de Salomon, Piliers d'Amram, le camp de jeunes pionniers de Be'er Ora, le Canyon Rouge, Ein Nefatin etc...); *Neot Hakikar*, tél. 3103, 3894; *Société protectrice de la Nature*, Tel-Aviv, tél. 35063; Également par bateau à fond transparent, la Cie *Tour Yam*, plusieurs départs par jour, durée une heure, tél. 2436; *Ya'alat Tours*, tél. 2974.

Piscines : Aux hôtels *Queen of Sheba*, *Red Rock*, *Neptune* et *Laromme*. Plage publique et gardée, *North Beach*, ouverte toute l'année.

Adresses et téléphones utiles. *Tourisme :* O.G.T., Nouveau Centre Commercial, tél. 2268. Taxi chérouth « Yael Daroma », tél. 2279.

Taxis : 2177, 2525, 2330; police 2444; ambulance 2222.

EIN BOKEK. Le *Moriah-Dead Sea* est de loin l'hôtel le plus luxueux, 230 ch., TV, tennis, piscine, night-club; l'hôtel possède même sa propre synagogue. Entièrement climatisés, le *Galei Zohar*, 115 chambres avec bain et l'*Ein Bokek*, 96 ch. également avec bain, night-club. Le *Shefech Zohar* est une maison d'accueil, 55 ch. et restaurant.

HAMEI ZOHAR, au bord de la Mer Morte, à 4 km d'Ein Bokek, petit établissement de bains sulfureux; café-snack.

KIRYAT GAT. Pas d'hôtel. Le restaurant Mivgache Lakhiche vous servira des repas très simples.

MASSADA. Auberge de jeunesse accessible au public, 200 ch., air-conditionné, 2 cafés, petit déjeuner.

EIN GEDDI. Auberge de jeunesse, 200 lits, air-conditionné, service de bus.

SODOME. Hôtel *Neveh Zohar*, camping, bungalows, tentes, café.

MITSPEH RAMONE. Auberge de jeunesse en plein désert, 160 lits, possibilité de s'approvisionner et de cuisiner. On vous servira également 3 repas par jour.

YOTVATA. Un milkbar automatique en plein désert! Si vous n'avez pas de monnaie, entrez dans le joli kibboutz pour en demander.

A la découverte du Néguev

Longtemps, la principale attraction de Béerchéba fut dans le frisson d'aventure qu'elle procurait au touriste lorsqu'il visitait le marché arabe, parmi les Bédouins voilés, et les chameaux mâchouillant éternellement leur bave épaisse, lorsque, dûment appointés par les autorités, les enfants du désert montaient de toutes pièces à son bénéfice un simulacre de procès, ou encore, consécration suprême, lorsque le cheikh l'invitait sous sa tente à boire une tasse de café, voire, à déjeuner. Les Israéliens pourraient dire comme le médecin de Molière : « Nous avons changé tout ça. »

Non que les Bédouins ne viennent plus. Ils sont 19 000 à vivre dans le Néguev et continuent à fournir le marché, à jouer leur procès, à offrir du café et des promenades à dos de chameau; mais ils se sont habitués aux touristes, lesquels se sont habitués à eux. Ni les uns ni les autres ne marchent plus à fond. Enfin, on travaille ferme à Béerchéba. Le tourisme n'est nullement négligé pour autant, seulement, la ville est désormais une étape, non plus un terminus. C'est une capitale : celle du désert.

L'étape, elle, est fascinante. Comme toujours, il y a la ville juive, moderne, et la vieille ville arabe. Mais même si les deux populations, à l'extrême, vivent séparées, une véritable fusion s'y est d'ores et déjà produite. Des Arabes embourgeoisés habitent les immeubles neufs à salles de bain et les rues du souk fourmillent de Juifs parlant couramment arabe. Restent les nomades dont on aperçoit fréquemment la tente rapiécée au détour de quelque dune. Mais ce n'est généralement plus pour eux qu'une question de loyer économisé, et beaucoup pointent le matin à l'usine. D'autres habitent des maisonnettes et possèdent des voitures et des tracteurs.

Le développement de Béerchéba

A la fin du siècle dernier, les Turcs en avaient fait le centre administratif du désert. C'est dire que pour donner plus de lustre aux quelques maisons et bureaux que comptait le village, ils avaient bâti une prison. Dès le début des hostilités, en 1948, les Égyptiens s'emparèrent de Béerchéba et s'y fortifièrent. Ils n'en furent pas moins délogés le 21 octobre et la ville, comme tant d'autres, devint israélienne. Son véritable développement commençait. En 1950, lorsque Béerchéba passa du gouvernement militaire au statut municipal, elle comptait 1 400 habitants.

Les artistes viennent volontiers s'installer ici. Sous l'éclairage du désert, les couleurs ont des tons particuliers et un éclat inattendu. Il y a également un Institut Biologique que l'on peut visiter et un Musée Municipal installé dans l'ancienne mosquée. Hôtels et restaurants foisonnent.

Le désert

Une nette déconvenue, d'ordre sentimental, guette le voyageur non averti, au départ de Béercheba, en direction d'Eilat. Las des tergiversations d'une société stagnante, il vient de se prendre d'enthousiasme pour la vitalité, la témérité israéliennes. Plus rien ne lui paraît impossible. Il se rit du désert, se frotte les mains en songeant, avec des mines gourmandes : « Le désert ? Peuh ! *Ils* n'en auront fait qu'une bouchée ! » Or, brusquement, le voilà dans le *regh*, l'immense étendue de pierres sous le soleil. Il réagit brutalement, déçu : « Quoi ? *Ils* n'ont pas encore transformé tout ça en jardin ? Mais qu'est-ce qu'*ils* attendent ? »

Réaction injustifiée, nous verrons pourquoi, mais compliment indirect bien mérité à l'adresse d'Israël. Dans ce diable de pays, au bout de quelques jours, on est prêt à admettre n'importe quoi, du possible à l'impossible, jusques et y comprise la domestication du miracle.

Car c'est seulement après Béerchéba que se posent les points d'interrogation : où commence le Néguev, où commence le désert ? N'est-ce donc pas la même chose ? Pas du tout. C'est par association d'idées que nous en faisons, inconsciemment, des synonymes. Exception faite du cercle polaire Arctique, un lieu géographique est toujours au sud de quelque autre lieu géographique. Et Néguev signifie *sud*, rien d'autre, Aucune frontière ne permet de délimiter le sud. Le désert. lui, c'est différent. On peut même en reculer les limites. Et le désert, — du moins à l'heure où ce guide est mis entre les mains de l'imprimeur, — le désert a été repoussé jusqu'à Béerchéba. Quant au Néguev, il y a un moment que nous le parcourons. Au nord, il prolonge les monts de Judée pour sa partie orientale et, sur la Méditerranée, à l'occident, les brochures officielles n'en font pas mystère : Achdod, le plus grand port israélien en Méditerranée entre Achkelon et Tel-Aviv, appartient déjà au Néguev. Béerchéba, la capitale, n'est pas à l'orée du Néguev, mais à celle du désert.

Il ne reste plus qu'à prendre sa carte et à tracer une ligne imaginaire reliant Achdod à Jérusalem. Tout ce qui est dessous — au sud — c'est le Néguev; pas loin des deux tiers du pays. On s'aperçoit aussi que la transformation souhaitée est en cours et a d'ores et déjà réduit la superficie du désert à la moitié du territoire national. N'empêche, il est difficile de revenir sur une première impression et l'on reste sous le coup d'une certaine angoisse.

A la première tache verte, on respire : « Je le savais bien! Voilà! » Hélas, ce n'est qu'un duvet verdâtre, une mousse que, çà et là, la pluie soutire à la pierre, comme un tribut que le vainqueur imposerait au vaincu. A part cela, l'éboulement désordonné des rochers, la chaotique disposition des masses s'étale à l'infini. La route ressemble à un mince ruban d'asphalte précairement plaqué sur les sables, à l'instar d'un tapis déroulé, que l'homme ou le vent déplacerait à sa guise. Par endroits, certes, des tentatives de culture; nous ne serions pas en Israël, sans cela. Des camps militaires gardant les sommets. Des reboisements, chaque fois que c'est faisable, afin de fixer les dunes.

Mais ce que, malgré le sable, la rocaille, la pierraille, les dépressions vertigineuses, et les blocs qui partent en flèche à la conquête du ciel, ce que l'homme a planté partout, c'est son télégraphe : des poteaux et des fils à perte de vue; ses communications. Et ce qu'il a enfoui dans la terre avec une patience, une obstination incroyables, c'est son pipe-line qui transporte le bien le plus précieux, le liquide vital, l'eau : sa vie. Les tuyaux affleurent par endroits, gravissent les cimes, dévalent les pentes, s'étirent, plongent, reparaissent, s'éloignent et se rapprochent, omniprésents et bienfaisants. Ils sont doubles, d'ailleurs. L'eau coule du nord au sud. Le pétrole remonte du sud au nord. Alors ?

Alors, ce désert n'en sera peut-être plus un demain. Sa mise en valeur, idée fixe israélienne, a commencé dès 1946, clandestinement. Du jour au lendemain, littéralement, l'autorité mandataire, hostile, fut placée devant le fait accompli. Onze villages furent créés en une nuit dans le désert. D'autres devaient suivre : 27 en tout au moment de l'Indépendance. L'eau leur était amenée dans des conduits de fortune, mis bout à bout, totalisant 170 kilomètres. Ils étaient constitués par les tuyaux d'incendie utilisés à Londres lors du *blitz*. Ils furent détruits par les Égyptiens, en 1948, lorsqu'ils attaquèrent l'État nouveau-né, et assiégèrent les 27 villages du Néguev. Un seul tomba entre leurs mains.

Après la victoire et l'armistice, il fallut creuser de nouveaux puits, reconstruire un nouvel aqueduc, plus durable cette fois. Mais d'abord, on bâtit des usines capables de fournir les conduits.

Car l'industrie y a la part belle. Depuis le roi Salomon, le sous-sol n'avait pas été exploité. Une enquête en 1949-1950 révéla qu'Israël était l'un des rares pays au monde à posséder les trois matières premières utilisées dans les engrais chimiques : phosphate, nitrate et potasse. Sur les 507 000 tonnes de phosphates extraites en 1973, la moitié a été exportée. A proximité des mines du roi Salomon, à Timna, la production de cuivre et de manganèse atteignait 23 millions de tonnes. La découverte de gisements pétrolifères dans la région de Helets, au sud-est d'Achkelon, et les ressources du Sinaï occupé permettent de satisfaire à 85 % les besoins de la consommation intérieure. Il y a encore du gaz naturel, du feldspath, du mica, du sable à verre, du kaolin, de l'argile, du soufre, du bitume, du fluorite, du gypse. Mais il sera reparlé des richesses minérales de la Mer Morte au chapitre qui lui est consacré. En attendant, ajoutons que des villes nouvelles ont été créées de toutes pièces : Dimona, Arad, Yerohame, Mitspeh-Ramone, Achdod, Eilat. Rappelons que pour ce qui est des trésors archéologiques, on a mis au jour plus de 300 sites de l'Antiquité. Et puis, il reste encore et par dessus tout, l'extraordinaire attirance du désert.

Au loin, un château d'eau se profile sur le ciel immuablement bleu : Yerohame, à 32 kilomètres de Béerchéba. Ses habitants vivent sur l'emplacement de la première *ma'abara* — camp d'accueil pour immigrants, — installée au sud de Béerchéba. Entre les maisons qui ont l'air de jouets et la source artificielle, un petit lac uniquement dû à la volonté humaine. On l'a peuplé d'alevins en se disant que petit poisson deviendra grand, pourvu que Dieu lui prête vie. Israël mangera du poisson qui viendra des viviers du désert. Ce n'est pas le seul paradoxe. Avec sa station-service, le croisement irréprochable des routes, les panneaux de signalisation, Yerohame prend de petits airs guillerets de banlieue, de mirage réalisé. C'est surtout un centre industriel et minier. Dans les carrières, on extrait le kaolin qui deviendra de la porcelaine et le sable que l'on transformera en verre. Faites le plein d'essence pendant que vous y êtes, les pompes de ravitaillement ne sont pas nombreuses.

A gauche, une route remonte vers Dimona, 13 kilomètres au nord-est, autre ville, démontable, dirait-on, déjà habitée avant d'avoir une existence propre. Une troisième voie descend en direction sud-est, pour atteindre Orone — 16 kilomètres — après avoir traversé le Makhtèche Gadol, le Grand Cratère. Nous en reparlerons. Pour l'instant, nous repartons, cap au sud et le prochain îlot de verdure sera Sdeh Bokère (Sede Boker), 18 kilomètres plus loin : un kibboutz dont Ben Gourion fut l'un des fondateurs en 1952 : élevage, fruits et légumes; un des plus gros fournisseurs des marchés israéliens et étrangers en primeurs diverses. Il existe un mot hébreu dont la signification se placerait à mi-chemin entre culot et toupet, entre optimisme et inconscience : *khoutspah.* Il en a fallu beaucoup pour créer pâturage et labourage là où l'on ne trouvait ni eau, ni terre, ni routes, ni électricité : au milieu du néant. Pourtant, autrefois, des hommes hantaient la région. On a découvert des peintures rupestres dans les grottes et les simples anfractuosités du rocher, aux environs de Sdeh Bokère.

Avdat

L'eau, nous en verrons à Ein-Avdat, quelques kilomètres plus bas. Un mince filet — ce que le paysan français nomme un pleur de terre — sourd de la pierre. On visite volontiers la glauque piscine naturelle, au fond d'une gorge dont le caractère sauvage a peut-être un peu pâti de l'usage touristique.

Encore un saut de puce et c'est ce mont circulaire sur le sommet duquel se dressent les ruines prestigieuses de la cité nabathéenne d'Avdat. Nabath était le fils d'Ismaël, ce rejeton malheureux que le patriarche Abraham eut de sa servante Agar. Longtemps, on appela les Arabes des Ismaéliens. (Ne pas confondre avec la secte musulmane des Ismaélites.) Les Nabathéens, eux, venaient vraisemblablement de l'Arabie Pétrée. Avdat est une ancienne forteresse, étape plus ou moins forcée — voyez péage — des caravanes sur l'ancienne route des épices. Avisés commerçants, fins politiques, redoutables guerriers, les Nabathéens furent les alliés des Asmonéens (les Maccabées) dans la lutte que ceux-ci menaient contre les Grecs. Ils tinrent longtemps tête aux Romains, par la suite, et il fallut attendre Trajan pour venir à bout de leur résistance. Après, naturellement, ce fut le déferlement byzantin, puis persan, Avdat demeurant fidèle à sa vocation de bandit de grand chemin — ce qui n'avait rien de déshonorant à l'époque — et rançonnant les voyageurs au fil des siècles.

Le plus clair de l'héritage nabathéen, c'est la céramique et une technique ingénieuse, pour remplir d'eau leurs réservoirs. (Nous la retrouverons à Chivta). Lorsque au cours de ce siècle, les archéologues découvrirent les ruines, ils furent émerveillés par le raffinement des procédés d'exploitation. Certains restent encore mystérieux, bien que les agronomes s'efforcent depuis des années de reproduire les résultats obtenus autrefois.

La ville dominait de haut la vallée : vue et fortifications imprenables; on savait, en ce temps-là, joindre l'utile à l'agréable. Des occupants primitifs, les Nabathéens, il reste les vestiges d'un autel, la nécropole et les citernes auxquelles il a été fait allusion. Les Romains nous ont légué des bains, — quoique ceux-ci datent plutôt de leurs successeurs les Byzantins — au pied de la montagne, et le tracé d'un camp militaire carré. Derniers venus, les Byzantins ont été plus généreux. Ils construisirent sur le sommet l'Église Saint-Théodore, une des premières érigées dans le pays et parfaitement conservée, quoique à ciel ouvert. Des cartouches de marbre à inscriptions grecques recouvrent les tombes. L'une d'elles permet de fixer une date approximative : le IVe siècle. Un monastère jouxtait l'église. On traverse ses ruines pour pénétrer dans ce qui était le château et, plus loin, dans la tour de guet.

En dessous, les parois des grottes s'ornent déjà de croix gravées dans la pierre. Par endroits, durant la descente, on reconnaît les marches anciennes taillées à même le rocher. L'ensemble a quelque chose d'étouffant : cette colline que surmontent les imposantes murailles démantelées, les petits forts qui en défendaient les accès, dans l'incommensurable solitude du désert. Faut-il s'en réjouir, ou le déplorer? Le modernisme a placé là des cars à l'arrêt, une pompe à essence et une maison assez récente, entourée d'étranges parterres : c'est un professeur de botanique qui a installé sa demeure et son laboratoire sur place afin de poursuivre ses recherches sur les cultures pouvant se passer d'eau.

Mitspeh Ramone

On écarquille les yeux, on n'y croit pas d'abord. Au cinéma, on saurait qu'il s'agit d'un décor. Ici, on a peine à s'imprégner de l'idée que c'est réel. Une petite ville qui s'élève le plus simplement du monde, à 80 kilomètres de Béerchéba et 23 des ruines d'Avdat, sur le bord d'un immense cratère, d'une vertigineuse dépression, le Makhtèche Ramone. Il faut être fou pour vivre ici. Et leurs ancêtres, l'étaient-ils ? Ils avaient quitté l'Égypte pour s'engager dans le désert et aller vers une terre au-delà des sables. Mais arrivés dans le désert de Tsin, ils se rebellèrent contre l'autorité de Moïse et Aaron, le grand prêtre, ainsi que nous l'apprend le Livre des Nombres, et ils leur dirent : « Pourquoi nous avez-vous amenés dans ce lieu détestable ? Ce n'est pas un lieu où l'on puisse semer, et il n'y a ni figuier, ni vigne, ni grenadier, et il n'y a pas d'eau à boire. » (xx, 5.) Les Juifs auront mis 3 300 ans pour démentir cette affirmation et apporter l'indispensable. Et qu'ont-ils fait ensuite ? Ils ont imaginé une exposition de sculpture, en plein vent, sur le bord de la route.

De l'autre côté de la route, le sable se creuse profondément, à pic, pour former une arène démesurée, superbe de majestueuse beauté, de sauvage grandeur, comme pour affirmer à ce chétif, à ce minuscule bâtisseur, que le désert ne se laissera pas faire. En réponse, la route longe le bord du précipice, découvre la brèche et descend en lacets jusqu'au fond; après quoi, imperturbable, elle poursuit son chemin, cap toujours au sud. Le coup d'œil en arrière est stupéfiant une fois qu'on est en bas. La falaise disposée en amphithéâtre mange la moitié de l'horizon. Au loin, deux *mezas*, sombres sentinelles tronquées, montent la garde.

Si la nature paraît inhospitalière dans cette région, les savants, en revanche la trouvent paradisiaque. Elle pullule de fossiles qui permettent d'avoir — à peu près — les toutes dernières nouvelles d'il y a — à peu près — deux cents millions d'années. Ils s'extasient en particulier sur les restes du *tanistrophéus*, ce lézard géant qui avait un cou de girafe! Le profane, lui, s'émerveille de la disposition des couches géologiques nettement visibles, et s'en contente.

Sur la gauche, en Jordanie, les monts de Moab sont du même brun sombre que sur les cartes géographiques. A quelque 150 kilomètres de Béerchéba, la route tourne presque à angle droit et se dirige vers la « vallée aride », Arava, pour continuer ensuite le long de la frontière. Un embranchement qui remonte vers le nord : c'est la deuxième route du Néguev qui suit la vallée jusqu'à la Mer Morte et que nous emprunterons au retour. Une poignée de maisons après le croisement, un réservoir d'eau : le kibboutz Groufite. La véritable surprise est un peu plus loin. C'est un distributeur automatique de lait pasteurisé, baptisé *Milk-Bar*. L'annonce produit un curieux effet. Nous ne sommes plus qu'à une quarantaine de kilomètres de la Mer Rouge, mais rien n'a laissé prévoir la subite apparition des cultures : vergers et potagers.

Yotvata et Timna

Yotvata est un kibboutz particulier sous de nombreux aspects. De fondation récente, il a été créé par des fils de familles aisées de Tel-Aviv probablement las d'entendre papa vanter les exploits des pionniers. Ces paysans improvisés pourraient, tous, du jour au lendemain occuper des postes importants dans l'Administration ou dans l'industrie et le commerce. Ils préfèrent se livrer à des expériences agricoles, faire de l'élevage. Leurs camions ravitaillent Eilat en lait et yoghourt, œufs, primeurs. D'autres camions partent quotidiennement vers les marchés septentrionaux, battant parfois ceux d'Ein-Guédi (Ein-Geddi) de quelques longueurs. Les premiers melons dégustés à la Cour de Saint-James dans l'année viennent, par avion, de Yotvata qui exporte aussi des fleurs, des fruits. Yotvata a de l'eau; ses sources alimentent Eilat. Les Nombres, le Deutéronome parlent de l'arrêt à Yotvata, lors de la mémorable traversée du désert entre l'Égypte et la terre de Canaan.

Une quinzaine de kilomètres plus bas, la petite route sur la droite conduit aux célèbres mines du roi Salomon, en passant par Timna. On y extrait et on y traite le cuivre et le manganèse. Le paysage a changé de couleur : les rouges et les mauves dominent. Dans le sombre décor se dressent, côte à côte, d'anciens bâtiments rafistolés et d'autres, modernes, flambant neuf. Des cheminées crachent inlassablement leur fumée allant du blanc au vert, poussant parfois jusqu'au noir. Les voitures s'arrêtent et les passagères descendent, dans l'espoir de découvrir, malgré l'interdiction formelle de les emporter, les pierres semi-précieuses, vertes veinulées de blanc, dites *pierres d'Eilat*. Timna, à 23 kilomètres d'Eilat, à deux pas de la frontière, est toujours en activité et règne sur le pays d'Edom. C'est à elle que le Deutéronome fait allusion (VIII, 9) en parlant d'une terre « dont les pierres sont de fer », et de montagnes « d'où tu tireras l'airain ».

Au-delà de l'exploitation se dresse le monument naturel que la photographie a fait connaître dans le monde entier : Les Piliers de Salomon. Ils sont vraiment rouges, énormes, impressionnants, « étraves démesurées des navires célestes fendant des océans de roc. » Les creusets où les ancêtres coulaient le métal en fusion ont été retrouvés un peu plus haut, sur la colline. On peut les voir.

Désormais, visiblement, le génie de l'homme a modelé le paysage. Les jeunes gens qui apprennent à défricher la terre en même temps qu'à la défendre, en suivant l'entraînement para-militaire et l'enseignement agricole, ont un camp à Béer Ora. Sur le flanc de la montagne, ils ont gravé les noms de leurs héros. Prodigue dans son émulation, la nature répète son chef-d'œuvre et plante encore, à l'entrée d'Eilat, les Piliers d'Amram (le père de Moïse).

Accrochés aux poteaux télégraphiques, des aiglons blancs ne condescendent même pas à bouger au passage de la voiture. Paradoxalement, on aperçoit d'abord, en même temps que le miroitement de l'eau, une ville étrangère, Akaba, à l'est du golfe. Il faut longer l'aérodrome avant de se trouver, tout à coup, sans transition, en ville, au terme du voyage. Eilat, sur la Mer Rouge; Eilat que d'aucuns qualifient de sortie de secours et d'autres d'entrée de service; Eilat, porte de l'Asie et de l'Afrique, Eilat, fin du monde.

C'est un étroit ruban de plage inséré comme un coin entre trois pays : l'Égypte, la Jordanie et l'Arabie Séoudite. Onze kilomètres entre les frontières. A pied, on va en deux heures, du Sinaï en Jordanie, en traversant Israël de part en part.

Eilat

En classe, nous avons appris — peut-être pas retenu, — l'existence du Golfe d'Akaba sur la Mer Rouge. Avec une ténacité à la fois faite d'orgueil et de simplicité, les Israéliens disent : golfe d'Eilat. Akaba est bien là, à la portée d'un bon nageur moyen, mais il règne entre les deux villes une paix royale.

Avant mai 67, peu de gens auraient pu situer Eilat sur une carte, mais lorsque à la fin du mois, Nasser bloqua le détroit de Tiran, interdisant son accès à la navigation, la ville devint le point de mire du monde entier. En fait, c'est le blocus d'Eilat qui précipita la guerre des Six Jours.

Cette « fenêtre sur cour » qui veut devenir « porte du large », c'est un peu la grenouille qui veut se faire aussi grosse qu'un bœuf, à cela près que les Israéliens connaissent la fable et veillent au grain. Tout est calculé : si les ressources sont insignifiantes actuellement, il n'y a qu'à intensifier le tourisme pour faire rentrer des devises. Et il faut admettre que les amateurs de chasse sous-marine affluent du monde entier vers ce coin de terre hier ignoré, où l'on peut plonger d'un bout de l'année à l'autre. Il y a aussi les amateurs du désert, plus nombreux chaque jour, pour qui Eilat est un aboutissement et un tremplin vers de nouvelles aventures. Il y a tout le monde. Parce qu'il fait beau, il fait chaud, lorsqu'il pleut, qu'il vente, qu'il neige et qu'il gèle ailleurs.

Après le tourisme, le commerce est prévu. Le port permet d'ores et déjà de procéder à des échanges avec l'Asie et l'Afrique, débouchés et fournisseurs naturels, sans faire l'immense détour du continent africain, en partant de Haïfa. Eilat, en 1948, n'était que le vieux poste de police d'Oum Rachrache. On creusa tout autour les fondations de la ville. On se mit activement au travail. Un armistice fut signé avec les pays arabes, mais malgré les stipulations exigées par les grandes puissances qui le patronnaient, les canons égyptiens interdisaient aux navires israéliens la sortie du golfe. Il fallut attendre la campagne-éclair du Sinaï, en 1956 pour les faire taire. Le minuscule poumon d'acier put enfin commencer à fonctionner.

Quoi qu'on puisse dire, Eilat a très probablement un avenir, mais pas de passé; du moins, la ville actuelle. Ceci posé, nul n'ignore dans les environs, ni ne vous laisse ignorer, que le roi Salomon vint en grande pompe accueillir ici la reine de Saba. Qu'il y fit construire par son allié, le roi phénicien Hiram, une flotte importante, en prenant les bois dans les forêts du pays d'Edom. (I Rois : IX, 26.) Qu'il avait ici ses mines de cuivre et ses fonderies de métaux, dont d'ailleurs les restes ont été découverts. Tout cela est vrai, seulement, c'est à côté, à deux pas, à Ezyon Gever, en Jordanie. Peut-être l'antique port industriel s'étendait-il jusqu'à l'Akaba actuelle ? L'hypothèse la plus répandue en tout cas voit Eilat et Akaba confondues en une seule ville, autrefois.

La guerre, l'armistice, les partitions du territoire, interrompirent les fouilles.

Le port d'Eilat connaît actuellement un trafic atteignant 2 millions de tonnes, à l'exclusion du pétrole transporté ensuite par oléoduc dans le cœur du pays. Pour trouver une base à son développement, Eilat ne peut donc compter que sur son arrière-pays; les transports routiers à travers le désert seraient trop coûteux pour que les prix demeurent compétitifs. Dans ces conditions, il lui faut une industrie de transformation sur place.

Ce sont là, dans l'ordre, les trois étapes qu'Eilat s'est fixées : tourisme, industrie, agrandissement du port. Le tourisme, pour sa part, a déjà atteint des proportions satisfaisantes : 21 hôtels achevés, d'autres en construction. La population de la ville est passée, entre 1949 et 1956, de 200 à 800 âmes. Depuis, elle ne cesse de s'accroître. Les autorités multiplient les encouragements : en s'établissant à Eilat, l'Israélien a droit à une allocation spéciale et à des allégements fiscaux.

Le grand projet à la base de toutes les améliorations est la transformation et le déplacement de la ville. Eilat s'est découvert une vocation aquatique et rêve de devenir la Venise de la Mer Rouge. On creusera des canaux pour admettre l'eau dans la ville. Le flux et le reflux qui en déplacent le niveau d'un mètre et demi assureront le renouvellement automatique avec l'aide d'une station de pompage. Nul doute que le caractère d'Eilat doive y gagner.

Les communications sont d'ores et déjà excellentes avec le reste du pays. Les cars « Egged » la relient quotidiennement à Tel-Aviv, Béerchéba et Sdom. L'aéroport, extrêmement animé et déjà trop petit, sera déplacé à 9 km au nord de la ville et son agrandissement en fera une porte d'accès internationale avec des vols directs en provenance d'Europe et d'Asie. Enfin, la voie ferrée de Béerchéba fut complétée jusqu'à Dimona et oblique plein sud pour arriver jusqu'à la Mer Rouge.

L'eau, cuisant point d'interrogation. La mer fournit une inépuisable réserve, à condition de procéder à la désalination de l'eau. Il faut croire cependant que la mise en train des usines de transformation présente des difficultés innombrables. En 1967, Eilat avait deux usines de désalination utilisant chacune un procédé différent. Mais les choses vont si vite qu'en 1968, il y en avait déjà une qui « prenait sa retraite ».

Telle quelle, Eilat est, sans plus attendre, le paradis des

touristes privilégiés qui s'y rendent. Le soleil y attend le voyageur de pied ferme si l'on ose dire et il est même, parfois, insistant : 40° en été. Mais le climat est sec, et l'hiver, en janvier-février, la température descend rarement au-dessous de 20°. Il est effectivement faux que le ciel y soit immuablement bleu : ça et là, des nuages viennent rappeler aux optimistes que nous vivons dans un monde d'incertitude. Mais l'inconvénient est passager et l'aiguille du baromètre retrouve très vite sa place au chaud, dans les environs du beau fixe.

Déjà, les gens qui viennent en Israël et repartent sans faire un saut jusqu'à Eilat sont l'exception. Chasse sous-marine, pêche, natation, ski nautique, surf : tout est là. On n'a même pas besoin de s'encombrer d'un équipement, on loue sur place. On peut, tranquillement assis dans des bateaux à fond plat en gros verre, admirer les trésors bariolés des bancs de corail, les poissons multicolores ou la rocaille déchiquetée, en principe réservés aux seuls scaphandriers.

Flore et faune marines sont par ailleurs fort intelligemment exposées dans un petit musée des plus intéressants, qui attend les moyens de s'agrandir lui aussi. Il y a encore une forêt d'enfants où un arbre est planté chaque fois qu'un nouveau citoyen naît à Eilat, un zoo dont on dit qu'il est « presque naturel », et des excursions dans les environs, qui sont organisées à heure fixe ou sur demande. On visite ainsi la ferme de la Gadna à Béer-Ora, les Piliers de Salomon et ceux d'Amram, déjà décrits, les mines de Timna, la baie de Corail, Taba, enfin, la pointe méridionale extrême.

Huit heures sur une autre planète

Mais l'attraction suprême, celle qu'il ne faut manquer à aucun prix et que l'on ne saurait assez recommander, c'est l'excursion dite : « Un jour dans les montagnes d'Eilat. » Vieillards, femmes enceintes et cardiaques s'abstenir. Mais on peut affirmer qu'elle n'est pas non plus exclusivement réservée aux jeunes, loin de là. C'est une expédition en jeep, ou voiture tous-terrains, sur les pistes utilisées pour les mouvements de troupe dans le désert. On vous passe une sorte de cache-poussière en grosse toile, ce qui n'est nullement superflu, et en avant. Pour être secoué, on est secoué, mais l'enchantement commence sitôt dépassée la Baie des Coraux, lorsqu'on sort d'Eilat en obliquant dans le Wadi Chlomo. Il semble que l'on se fraie un chemin à travers un éboulement consécutif à la glaciation de Wurm.

Pourtant, la piste est connue des initiés. C'est celle utilisée voici mille ans par les caravanes des marchands de parfum d'Arabie, circulant entre la Mer Rouge et la Méditerranée. Elle faisait partie du Darb-el-Hadj, la route du pèlerin, qu'empruntait le Musulman pour se rendre à la Mecque. Il y a quelque chose de fascinant, d'angoissant en même temps que d'exaltant, dans cet amoncellement à l'infini de rochers, de monts, de crevasses, de plaines imprévues, encaissées entre d'étranges dents aiguisées de granit noir, dressées contre le ciel.

A Ein-Nefatim, ancien poste-frontière au seuil du Sinaï, l'étalage des couleurs devient plus fantastique encore. Pour peu qu'il ait plu la semaine précédente, ce sol, voué à l'aridité, s'est couvert d'une toison fleurie aux épanouissements ignorés du commun des mortels. Si le temps est resté sec, les mats et les brillants s'opposent, à qui retiendra ou rendra l'éblouissement de la lumière. L'oxydation des métaux contenus dans la pierre a strié celle-ci, a mué les rochers en gemmes énormes qu'on dirait éparpillées par quelque divinité dédaigneuse des biens de ce monde. D'inattendues couches d'un vert profond, dégradé de part et d'autre jusqu'au jaune pâle, rayent en tous sens le bistre poussiéreux de la roche. Parfois, une tache, ou une ligne, détruit cette ordonnance qui n'en est pas une, à laquelle on s'habitue : rouge vif, confinant au mauve. Le regard embrasse une étendue à tel point chaotique que paraît plus éclatante que jamais la folie humaine décrétant une frontière pour séparer deux pays sur le même sol. Derrière, on aperçoit, dans l'interstice des pitons, le miroitement étincelant de la Mer Rouge.

Un peu plus loin, la nature repentante retrouve les verts tendres et les roses bonbon de nos premières cartes géographiques. Des eaux accumulées par les millénaires, privées d'un quelconque déversement, ont nivelé une aire gigantesque, que l'ONU a jadis réquisitionnée pour lui servir d'aérodrome. Ailleurs, des ruisseaux, des torrents nés de la dernière pluie, se sont impétueusement creusés dans la rocaille un *oued* que l'homme empruntera pendant des années, alors qu'ils ont à peine coulé une heure. Après le passage tumultueux des flots, stupéfaites de venir au monde dans ce sable gorgé, de petites orphelines de fleurs poussent leurs pétales au soleil, respirent et meurent sans comprendre ce qui leur arrive, rêvant de la prochaine averse, dans un mois, dans un an. Le temps n'a pas cours ici.

La vie ? Les Israéliens qui tentent de l'insuffler à cette galaxie de pierre, disent : « Tous comptes faits, ce n'est pas une question d'eau : nous pourrions amener des pipe-lines. Mais ce coin du monde est fait pour passer, pas pour rester. Nous ne pouvons pas obliger les hommes à vivre ici. » Quelques volontaires ont tenté de créer un kibboutz en pleine stérilité. Ils n'ont pas tenu. La jeep longe ses débris : ferrailles tordues, tôles gémissant sous les coups du vent, chicots de mur; poignants vestiges de l'échec humain.

Les jeunes gens qui conduisent avec enjouement et bonne humeur les voitures tous-terrains de l'excursion, le font en majeure partie pour le plaisir. Ils ont un air d'innocence dans l'œil et la flamme malicieuse des aventuriers. Ces guides appartiennent souvent à une ferme collective, Néot Hakikar, qui se trouve plus haut, dans le Ghor, cette longue dépression prolongeant la Mer Morte et s'achevant dans la vallée « aride », Arava, dont une partie au moins ne mérite plus son qualificatif.

Le *command-car* peine de tous les jarrets mécaniques de ses chevaux-vapeur pour escalader les 813 mètres de pierraille baptisée piste, et atteindre une nouvelle borne-frontière, que suivra une troisième à 844 mètres. Le vent souffle et le survêtement dont vous avez été pourvu n'est pas de trop, malgré la chaleur.

Arrêt pour la visite du Red Canyon, le clou. Descente de tout repos, aux apparences acrobatiques, dans une cheminée de 4-5 mètres, qui donne aux personnes âgées l'illusion d'accomplir des prouesses d'alpiniste. Ce léger effort reçoit très vite sa récompense. On croyait avoir tout vu et il n'en était rien. Les yeux du guide vont de l'une à l'autre de ses ouailles, épiant les exclamations d'enthousiasme. On dirait que « tout cela » lui appartient; et, dans une certaine mesure, c'est bien le cas, puisqu'il est né dans le pays. Il vous sert, non sans naïveté, une plaisanterie qui doit resservir chaque fois : « Le canyon du Colorado est plus grand, mais celui-ci est à nous. »

Installés au mieux, on mange de bon appétit l'en-cas préparé par les organisateurs : sandwiches, concombres en saumure, un fruit, café. A cette altitude, l'air est d'une pureté, d'une légèreté incroyables. « Mangez bien », dit le guide, il faut vous préparer pour des frissons d'un autre genre. » Et il n'a pas tort. La voiture tourne vers l'est; il ne s'agit plus maintenant de suivre le cours desséché des oueds, mais d'en escalader, puis d'en dévaler les bords escarpés, de les traverser, pour recommencer aussitôt. Certaines pentes, trop raides, ont été munies d'un quadrillage en fil-de-fer pour éviter les dérapages. On s'y reprend à plusieurs fois dans la manœuvre pour négocier certains virages auprès desquels les épingles à cheveux de nos routes de montagne pâliraient de jalousie. Ce sont d'authentiques émotions fortes que ressent le voyageur venu d'Occident.

Une excursion de trois jours est également prévue au programme, alternant la route et les pistes interdites aux véhicules de tourisme. On couche à Béerchéba, à Néot-Hakikar et, si cela se trouve, à la belle étoile, après avoir exploré les deux immenses cratères du Makhtèche Gadol (le grand) et du Makhtèche Katane (le petit), visité Massada et Ein Guédi sur la rive occidentale de la Mer Morte. Sur demande, pour les sportifs, la voiture est remplacée par le cheval.

La Mer Morte

Il y a intérêt à faire soit l'aller soit le retour par avion, afin de découvrir un nouvel aspect, tout aussi impressionnant, du désert. Ce qui est curieux lorsque l'on se penche, de haut, sur cette terre ravinée, griffée, mise sens dessus dessous, c'est que l'on reconnaît les lieux où l'homme s'est établi, même si des siècles ont recouvert ses traces. C'est de cette façon qu'ont été découverts la plupart des *tel*, — les éminences provoquées par le suaire que le sable jette sur le lit de mort d'une ville, — c'est ainsi que furent dirigées avec précision les excavations de Césarée par exemple.

La route du retour est, au départ, la même qu'à l'aller. Elle ne bifurque et devient branche orientale qu'à partir de Groufite *(Gerofit)*, à une cinquantaine de kilomètres d'Eilat. L'écart entre les deux branches s'agrandit au fur et à mesure. La première, occidentale, nous l'avons vu, relie à peu près directement Eilat à Béerchéba; la seconde suit vers le nord la frontière jordanienne, empruntant la vallée aujourd'hui relativement fertile de l'Arava (ou Aravi), au pied des monts d'Edom et de Moab, demeurés en territoire arabe, et descend insensiblement au-dessous du niveau de la mer, dans le Ghor, qui prolonge la Mer Morte, pour atteindre finalement la dépression maximum de 392 mètres.

Si l'on a un peu de temps et une bonne voiture, il vaut la peine de prendre sur la gauche à Hatzéva, en direction de Makhtèche Katane (32 kilomètres), pour goûter le panorama dont on jouit du haut de la montée des Scorpions : Ma'aleh Akrabime. D'après l'Ancien Testament, ce col marquait la frontière méridionale de la Terre Promise. Le spectacle est peut-être le plus inoubliable qu'Israël puisse offrir; le plus indescriptible aussi. Le sommet du col est à 600 mètres environ, ce qui donne une dénivellation d'un bon millier de mètres. Le champ de vision s'étend de la rive sud de la Mer Morte et la profonde coulée du Ghor et du Wadi Araba, au pied de l'orgueilleuse muraille des Monts de Moab, jusqu'à une *meza*, au sud, Hor Hahar, où mourut et fut enterré le grand prêtre Aaron. Un paysage lunaire s'il en fut, qui, au crépuscule, blêmit, s'entoure d'une brume violette de demi-deuil, alors que les pointes acérées des pitons flamboient encore.

Après Néot Hakikar, cette ferme collective à proximité de la frontière dont nous avons parlé tout à l'heure, et, déjà, à plus de 130 mètres au-dessous du niveau de la mer, se placent les deux embranchements routiers de Béerchéba, passant l'un et l'autre par des villes neuves : Dimona à l'ouest, Arad, au nord. Nous entrons dans la « vallée de la lune ».

Ce décor a dû être peint par Goya à l'époque de la rancœur. Une étrange constatation : au fur et à mesure que l'on descend au-dessous du niveau de la mer, il semble qu'au lieu de s'éloigner, la voûte céleste se rapproche au contraire et finit par peser, étouffer, écraser. L'implantation de l'industrie, avec ses installations aux formes bizarres, ses cheminées qui ont l'air de bras échappés à l'enlacement des sables, et l'impalpable fumée qui s'en dégage et fait danser les détails des arrière-plans, tout ce que l'homme a plaqué sur l'ingratitude de la nature pour se la concilier malgré elle, ajoute à cette sensation de dépaysement, d'incompréhension. Le soleil est si haut dans ce ciel si bas qu'il n'en subsiste qu'un éblouissement. La Terre est figée pour l'éternité, dormeuse surprise par la mort. Aujourd'hui circulent des explications scientifiques du cataclysme qui a bouleversé ce coin du monde. Mais notre soif inavouée de drame fait que nous attribuons plus volontiers une atmosphère si tragique aux effets de l'ire divine qu'à telles causes analysées par les savants. Au milieu de cette épouvante fossilisée, imperturbable, l'homme a tracé ses routes — qui serpentent, fragiles et sûres à la fois, entre les blocs — et planté ses écriteaux : « Attention, vous entrez dans la dépression la plus profonde du monde. »

Voici le royaume du terrible-sorcier-qui-a-juré-de-faire-sauter-la-planète. Ce n'est qu'une usine de potasse. Dans cet enfer où les camionneurs poursuivent leur sereine navette, chargeant et déchargeant le minerai, où les pelles géantes creusent la terre torturée, assoupie dans sa douleur et sa chaleur, où cuisent et s'évaporent les éléments.

En face, d'autres insectes industrieux extraient le brome, produisent le bromure dans d'énormes boules argentées. Si les engrais ne manquent pas, si les industries chimiques et pharmaceutiques ont pu se développer, c'est à la Mer Morte qu'on le doit. Ici, au sortir des grandes écoles, les ingénieurs étudient la Bible pour savoir où il faut prospecter et les chapitres consacrés à Sodome et Gomorrhe sont pleins d'enseignements. Jusqu'aux abords de ce lac immense, aux eaux si lourdes que toute vie y est impossible et qu'on ne saurait y couler — 270 grammes de sel par litre, soit 8 fois plus que dans l'eau de mer — jusqu'à ses rivages qui ont été domestiqués. Des salines les cernent, séparées, retranchées de la mer par des digues. L'eau s'évapore et il reste une couche neigeuse de sel à laquelle la lumière arrache des éclairs.

L'eau, immobile, a des reflets d'écaille. Pas le moindre petit poisson — même salé! — sous cette surface étale à laquelle seul un violent orage peut imprimer un mouvement après s'être engouffré dans la cuvette démesurée. A l'est, sur la rive opposée, les sombres montagnes jordaniennes tranchent comme une fin de non-recevoir sur le bleu — parfois, le vert — et l'argent de ce miroir qui ne reflète rien. Pour les photographes, un baigneur se met à l'eau et lit son journal, paisiblement assis dans ce qui est presque une masse molle. Au nord, le jaune des sables se dore au soleil.

Sdom — Sodome — n'est plus qu'une montagne de sel. Incorrigiblement romantique, l'homme tient à reconnaître dans une envolée de la pierre tourmentée les formes troublantes de la femme de Loth changée en statue. Il y en a plusieurs. Les guides ont leurs préférences; les touristes choisissent chacun la leur.

De Sodome et Gomorrhe englouties, détruites, il ne reste rien. Un petit café et une auberge de jeunesse signalent le site et voilà tout. C'est l'endroit rêvé pour envoyer des cartes postales à vos amis : le tampon postal que détient le cafetier porte la mention, en français « le lieu le plus bas du monde ».

Une désolation sans nom. A Ein Bokek, le petit café — encore — sur pilotis, jure avec son entourage. Ni ville, ni village; simplement ce café avec terrasse et vue imprenable — qui donc s'aviserait de la lui prendre ? — et quelques huttes de bois, rudimentaires. L'établissement de bains. Un peu plus au nord, il y a des hôtels-restaurants qui se signalent avant tout par des pelouses. Pelées, jaunies, rachitiques, mais des pelouses. L'obsession israélienne de la verdure n'est nulle part plus sensible qu'ici.

Une langue de terre sur la rive opposée, de l'autre côté de la frontière qui découpe la Mer Morte comme un gâteau. C'est le Cap Molineux. Il s'avance profondément dans l'eau à la rencontre de la rive israélienne. A cet endroit, autrefois, les chameaux traversaient à gué sous la protection d'une formidable forteresse à laquelle des fouilles récentes, à 15 kilomètres d'Ein Bokek, ont rendu un nom prestigieux :

Massada

Un bloc isolé, majestueux et redoutable, dans la chaîne des montagnes, collines, pics et mezas; au pied, une auberge de jeunesse. D'en bas, on aperçoit des trous, des failles, des anfractuosités : la montagne est percée de part en part, les défenseurs étaient partout dans les galeries. Jonathan Maccabée avait été le premier à transformer ce rocher en place-forte, au IIe siècle av. J.-C. En 42, Hérode y chercha un refuge contre les Parthes. Le nom vient vraisemblablement de *Metzuda* qui veut dire : citadelle.

Les travaux historico-archéologiques ont duré onze mois sous la direction du professeur Yigaël Yadin. Un million de livres sterling a été fourni par le Fonds Wolfson sous les auspices de l'hebdomadaire *Observer* de Londres, pour arracher son secret à la Montagne Sacrée. De trente pays différents, des volontaires accoururent pour participer à l'entreprise aux côtés de la jeunesse israélienne. L'accès en était si pénible qu'on établit à un moment un pont aérien par hélicoptère. Déjà Flavius Josèphe, cet historien juif, romanisé, qui est la seule source d'information de l'époque, mentionne dans sa *Guerre des Juifs* le sentier praticable aux seuls audacieux, qui grimpait jusqu'au sommet, et l'appelle « le serpent », à cause de son exiguité, de ses innombrables méandres et du danger qu'il présentait. En haut, un plateau de 600 sur 300 mètres.

Massada ne fut jamais oubliée des hommes. Depuis longtemps, elle était un but d'excursion pour les Israéliens. Mais ceux qui réussissaient l'escalade ne voyaient pas grand-chose, le but une fois atteint. Ils savaient seulement que dans ce qui était ruines et décombres, naguère, de grands événements s'étaient déroulés; qu'Hérode y avait fait construire un riche palais; qu'une garnison y logeait et que, finalement, lors de la Grande Révolte, les Zélotes, enfermés dans Massada, avaient résisté trois ans aux Légions Romaines. En 1965, la vérité sur Massada fut enfin révélée au monde par l'équipe du professeur Yadin. Quelle récolte! L'enrichissement scientifique apporté par les excavations est incalculable. Mais plus incalculable encore est l'intérêt dramatique de cette vérité historique qui peut fort bien faire de Massada, avec le désert en général, le principal attrait touristique d'Israël.

Aujourd'hui, le site est facilement accessible : à l'ouest une route mène jusqu'au pied de la rampe d'assaut romaine, puis un sentier « pas trop dur »; à l'est une télécabine vous hisse en 3 minutes jusqu'au plateau si vous ne voulez pas entreprendre l'escalade de 25 minutes.

Massada? Le professeur Yadin déclare : « Hérode lui donna un corps, les Zélotes lui donnèrent une âme. » Pour l'édification des visiteurs, un tiers a été reconstruit, un autre tiers nettoyé et le dernier laissé intact, dans l'état où il fut trouvé. C'est un enchevêtrement d'ouvrages défensifs et de zones d'habitation plus ou moins confortables, voire luxueuses, que couronne le palais « suspendu » d'Hérode. L'usurpateur nommé par Rome roi de Judée, craignait les patriotes juifs. Il soupçonnait en outre Cléopâtre, reine d'Égypte, de convoiter son royaume mal acquis. Massada devait être pour lui un refuge contre ses nombreux ennemis. Mais il n'y vint plus qu'en villégiature, ses appréhensions s'étant révélées vaines, et mourut tranquillement dans son lit.

Un siècle plus tard, en 70 de notre ère, tandis que faisaient rage les combats à Jérusalem, que la ville sainte était rasée, le Temple détruit, que Titus croyait la révolte matée, une poignée de Zélotes occupaient la forteresse pour continuer la résistance. Ils y étaient avec leurs familles, femmes et enfants; en tout, 967 âmes farouches sous le commandement d'Éliézer Ben Yaïr. Décidé à en finir pour de bon, le général romain Silva vint alors mettre le siège devant cette Gibraltar de la Mer Morte. Les camps des assiégeants — la Xe Légion (Fretensis) — sont encore nettement reconnaissables. Trois ans durant, la forteresse fut inexpugnable et les assiégés rendirent coup pour coup. Puis, Silva fit construire une rampe gigantesque pour accéder aux murailles du sommet et réussit à enflammer le mur extérieur, en bois. C'était la fin.

A la lueur des flammes, en ce sombre jour de l'an 73, les Zélotes se rendirent compte que leur cause était perdue.

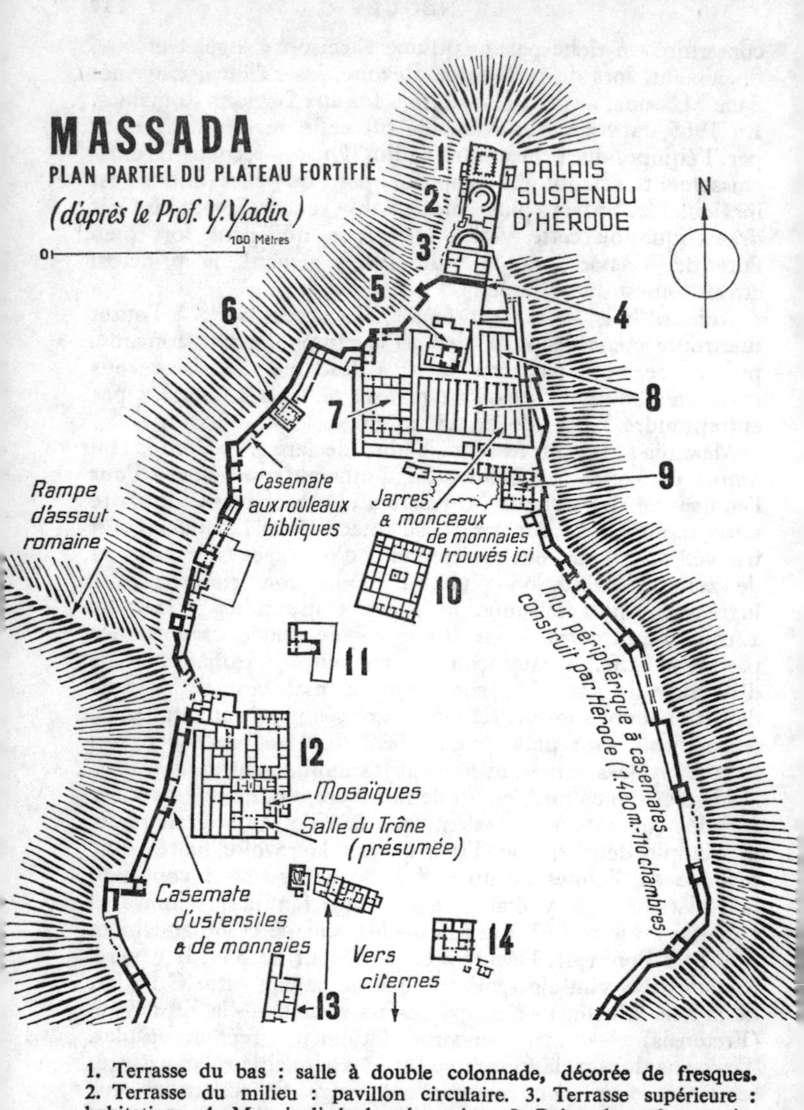

1. Terrasse du bas : salle à double colonnade, décorée de fresques. 2. Terrasse du milieu : pavillon circulaire. 3. Terrasse supérieure : habitations. 4. Mur incliné de séparation. 5. Bains de style romain. 6. Synagogue. 7. Quartier général probable des Zélotes. 8. Magasins. 9. Villa. 10. Édifice, cour et petite bâtisse d'époque byzantine. 11. Chapelle byzantine. 12. Palais d'apparat d'Hérode. 13. Villas. 14. Construction byzantine.

Ils tinrent conseil. Éliézer ordonna alors à ses hommes de brûler toutes leurs possessions, sauf les provisions qui leur restaient, « afin que l'ennemi voie bien que nous préférons la mort à l'esclavage. »

Ils embrassèrent leurs femmes et leurs enfants « et s'étendirent sur le sol avec eux tendrement enlacés. » Dix guerriers désignés par le sort s'attelèrent à l'horrible besogne, tuant les enfants, les femmes, les hommes « qui offraient volontairement le cou au glaive des exécuteurs charitables. » Lorsque fut achevée la sinistre corvée, le sort, de nouveau, désigna un homme parmi les dix, et celui-ci donna la mort aux neuf autres. « Et le dernier de tous, demeuré seul, jeta un ultime regard sur les corps allongés pour s'assurer qu'aucun n'avait besoin d'être achevé. Convaincu qu'ils étaient tous morts, il mit le feu au palais et se transperça de son arme. »

Ils n'étaient pas tous morts. Deux femmes et cinq enfants, cachés dans une citerne, survécurent. Les Romains, après avoir donné l'assaut et vaincu sans péril, bouleversés par le spectacle qui les attendait, firent grâce aux survivants. L'une des deux femmes se confia à Flavius Josèphe qui transcrivit fidèlement son récit pour la postérité.

Jusqu'ici, les restes d'une vingtaine de Zélotes ont été retrouvés. Les autres doivent être dans les galeries dont le déblaiement n'est pas achevé. Les fouilles continuent quoique le public soit désormais admis. Le professeur Yadin et ses collaborateurs sont convaincus que certains des condamnés volontaires ont laissé des messages avant d'expirer. Déjà, des rouleaux de parchemin ont été découverts, les seuls qui ne fussent pas dans des grottes, et le Sanctuaire du Livre, à Jérusalem, leur a réservé une place d'honneur. Le butin archéologique mis au jour est des plus précieux. Mosaïques polychromes — de l'ère pré-chrétienne, les plus anciennes d'Israël — colonnes, fresques murales, chaufferies d'eau, céramiques, cosmétiques, armes, munitions : des stocks de projectiles en tous genres, pièces de monnaie. Des chambres d'habitation sont désormais ouvertes aux visiteurs, des salles de réunion, des bains romains, publics et privés, des bains rituels pour hommes et pour femmes, des ouvrages de défense de l'époque, les citernes, les magasins à provisions d'Hérode. Et surtout, des documents qui ont déjà rallumé entre spécialistes les polémiques nées de la découverte antérieure des rouleaux dits de la Mer Morte. Il semble établi maintenant que la population juive tout entière — et non les seuls Zélotes, — avait pris part à l'insurrection de l'an 66. Le professeur Yadin, pour sa part, incline à croire qu'un contingent d'Esséniens se trouvaient parmi les vaincus de Massada.

Mais même sans cette tragédie en arrière-plan, même sans les inestimables trouvailles qui y furent faites, le rocher garde, seul et nu, une si impressionnante grandeur qu'on peut difficilement détacher son regard de cette masse en forme de proue cyclopéenne. Tout autour, c'est le désert aride et sauvage de Judée, avec ses brusques pointes déchiquetées, son ciel bas et ses ravins sans fond. Massada se dresse, intacte dans sa majesté, dédaigneuse des tourments de la pierre qui se tord à ses pieds.

Ein Guédi

Plus loin au nord, c'était, il y a peu, la Jordanie. De part et d'autre de la route, les champs paraissent labourés; mais les prétendues mottes de terre ne sont que des parpaings arrondis, des alluvions de cailloux. Juste avant d'aboutir à la signalisation de l'ancienne frontière, un dernier et inattendu îlot de vie : Ein Guédi (Ein Geddi), la Fontaine de l'Enfant, ultime bastion-oasis d'Israël, à 17 kilomètres de Massada. Il porte l'empreinte de David. C'est lui l'enfant à la fontaine. Alors qu'il avait encouru la colère du roi Saül, il se réfugia « dans le désert d'Engeddi ». Accouru à sa poursuite, le roi pénétra dans la grotte qu'il habitait, mais, « à cause des ténèbres, n'y distingua ni le fuyard ni ses fidèles. » Dans l'obscurité, David déchira un pan du manteau royal puis, quand Saül, courroucé et déçu, se fût éloigné, l'enfant le rejoignit, se jeta à ses pieds en s'écriant : « O, roi, mon Seigneur... J'ai refusé de te tuer (alors que je le pouvais) et j'ai eu pitié de toi et j'ai dit : je ne porterai pas ma main sur mon seigneur car il est l'oint de Yahweh. Vois donc, mon père, vois dans ma main le pan de ton manteau... » (I Samuel : XXIV, 1 à 15).

Depuis, la source d'eau vive qui jaillit des rochers à une altitude de 185 mètres, porte son nom. Elle cascade de pierre en pierre, forme une belle piscine naturelle et fertilise les alentours. Un kibboutz s'y est installé en 1949. Tout en montant la garde, il envoie légumes, fleurs, raisin et coton sur les marchés, en avance sur les autres.

Des fouilles récentes ont révélé que l'oasis était déjà fréquentée à l'époque chalcolithique. On a aussi retrouvé les traces d'une occupation ininterrompue, du VIIe siècle av. J.-C. à l'époque byzantine. Il semble que sous les rois de Judée,

Témoin artistique de l'épopée des Croisés, ce chapiteau de Nazareth fut sculpté au 12ᵉ siècle par un artiste venu d'Occident. Admirable est l'expression pathétique de cette orfèvrerie jaillie de la pierre.

Pionnier des terres ingrates et souvent incertaines, le soldat-paysan veille aux frontières.

Ein Guédi était un domaine royal dont les habitants s'adonnaient à la fabrication des parfums!

Depuis 1967 on peut dépasser la Fontaine de David et fouiner dans les nombreuses grottes des environs. Elles avaient, elles aussi, servi de refuge à un autre rebelle, Bar Kokhba, qui se souleva contre Rome 132 ans après la naissance du Christ. Les ruines du Monastère de Qumran, où l'on découvrit les fameux rouleaux de la Mer Morte en 1947, sont aujourd'hui à vingt kilomètres à l'intérieur des territoires occupés. Elles sont liées à la secte des Ésséniens, qui date à peu près de l'époque du Christ. On connaît l'histoire de ce jeune berger bédouin, qui, en recherchant une brebis égarée, grimpa dans une caverne et y découvrit des jarres remplies de rouleaux manuscrits (environ quatre cents documents).

Les Esséniens, établis près des rives de la mer Morte, étaient une des sectes juives les plus importantes : on les connaissait pour leur pacifisme, leur grande piété, leur ascétisme. Ils observaient fidèlement la loi de Moïse et menaient une vie entièrement communautaire. Tout cela, les archéologues devaient bientôt le confirmer, en découvrant un tel « monastère » à un kilomètre au sud de la grotte du jeune berger.

Les Esséniens étaient aussi célèbres pour leurs travaux d'astrologie, et les allusions à leurs pratiques médicales, que l'on trouve dans les manuscrits, confirment ces deux aspects de leurs connaissances. On possède des indices selon lesquels ils auraient également installé un établissement agricole à Ein Guédi; Flavius Josèphe en fait mention.

En 1960, le Gouvernement Israélien et l'Université Hébraïque organisèrent une expédition pour passer la région au peigne fin dans l'espoir de découvrir d'autres documents. L'équipe conduite par le professeur Yadin, trouva un paquet de papyrus enveloppés dans une peau de chèvre, et que l'extraordinaire sécheresse de l'air avait maintenu dans un très bon état de conservation. Ces papyrus, aujourd'hui exposés au Sanctuaire du Livre à Jérusalem, contenaient des ordres écrits par Bar Kokhba, le chef de la révolte, contre Rome.

Sur le chemin du retour

Si vous êtes pressés, vous emprunterez la nouvelle route en passant par la plage de Ein Fachkha et les falaises de Qumran — Jérusalem n'est qu'à 35 km du « pré »-kibboutz Nahal Kallia.

Pour rebrousser chemin, contournez Massada où débouche la route qui, par Arad, nous ramènerait à Béerchéba. Lentement, — la pente est assez raide — nous remontons au niveau de la mer, à l'air libre, dirait-on presque. Lentement, car on s'arrête à chaque tournant pour s'emplir les yeux et la mémoire de ce spectacle unique d'une mer immobile par 400 mètres de fond à ciel ouvert, de villes muées en sel et de terres remuées par la monstrueuse benne de quelque bulldozer surhumain. Sous la grisaille bleutée du firmament, parmi la grisaille noirâtre des rochers, la Mer Morte stagne dans sa dansante brume de chaleur, pailletée de sel, bordée de ses neigeuses salines. Celle-ci est l'antique route du sel. Une averse, ici, mue le moindre creux en torrent furieux.

Arad se dresse hors des sables au détour de la route, à 650 mètres d'altitude; mille mètres plus haut que la Mer Morte, par conséquent. Elle est la dernière née des agglomérations du Néguev : les ouvriers qui travaillent dans les usines de la Mer Morte y ont installé leurs pénates et font la navette. La distance est courte : 28 kilomètres. Arad existait aux temps bibliques. Venant d'Égypte, les Juifs se heurtèrent à la résistance armée de son roi et ne purent la prendre qu'avec l'aide du Seigneur. Elle était la sentinelle méridionale de la Terre Promise. Bientôt, Arad deviendra une ville champignon : des gaz naturels ont été détectés dans son sous-sol.

Les quarante-huit kilomètres qui restent à parcourir jusqu'à Béerchéba sont sans histoire. Une forêt d'eucalyptus a été plantée en bordure de la route : des nains qui seront des géants. (On retrouve l'eucalyptus un peu partout en Israël. C'est un arbre résistant dont les racines s'enfoncent profondément dans la terre pour y chercher la sève et qui, par la même occasion, fixent les sols). Des cultures de chanvre dans le sable. Une petite fleur mauve monte tout autour comme une arrière-garde végétale contre les rigueurs d'une nature ingrate. La surface du sol s'aplanit, l'herbe, encore anémique fait son apparition et des troupeaux la broutent. Des camps de Bédouins nomades; des villas, des maisons, des *chikounim* (H.L.M.) : les faubourgs de Béerchéba.

La deuxième voie, plus méridionale, se branche sur la route Eilat-Sdom en plein Ghor et, lorsqu'on s'arrête pour jeter le traditionnel coup d'œil en arrière, — garanti sans danger de se voir changer en statue de sel, il y a prescription, — le panorama que l'on découvre est sans doute unique au monde. Deux sites archéologiques jalonnent la route avant Dimona : Tamar, les ruines d'un fort romain, et Mamchite — ou, en arabe, *Kournoub* — où les Byzantins des Ve et VIe siècles amassaient leurs réserves d'eau pour la saison sèche. Parmi ces vénérables vestiges, les restes d'un édifice datant du Mandat britannique, qui fut élevé à l'aide des pierres séculaires trouvées sur place : l'habituelle prison.

Dimona, encore une ville neuve, fondée en 1955, à 47 kilomètres de Sdom et 39 de Béerchéba, a une importance toute particulière. Elle est industrielle et sert de plaque tournante aux industries du Néguev. Les travailleurs de la Mer Morte s'étaient établis ici avant de déménager au profit d'Arad, plus proche de leurs usines. Dimona n'a pas souffert de cette désertion, ayant assez à faire par elle-même. Ses habitants travaillent sur place dans les potasses, les moulins à blé ou la fabrication du verre. Mieux : sur la route, à gauche, on aperçoit une série d'étranges bâtiments lointains. Le premier Israélien à qui l'on demande ce que c'est éclate de rire et répond invariablement : une fabrique de textile. Ce fut longtemps, c'est toujours, la plaisanterie courante, née du secret dont on voulut, à l'origine, entourer l'entreprise. C'est la pile atomique d'Orone (à 19 km) sur les lèvres escarpées du Makhtèche Gadol — le grand cratère. En sus, Orone exploite d'inépuisables réserves de phosphates.

Entre Dimona et Béerchéba, il n'y a plus de remarquable qu'un troisième site archéologique, vieux de 3 000 ans, Aro'Er, et un village récent (1946) — Nevatime, peuplé des Juifs de Cochin, c'est-à-dire appartenant à cette famille qui, si loin en Inde, « bronzait » au cours des siècles.

Pour peu que l'on dispose de quelques heures à Béerchéba une excursion dans le sud-ouest s'impose. Le but en sera Chivta *(Subeita)* à 45 kilomètres. Ce sont des ruines byzantines des Ve et VIe siècles, admirablement préservées. Les Grecs, d'ailleurs, n'avaient fait que bâtir sur un fond nabathéen. Nous y retrouvons le minutieux souci de l'eau. Toits plats et rues sont en pente douce pour permettre l'écoulement des eaux de pluie dans des citernes. Un système ingénieux de digues et de tranchées à des kilomètres à la ronde, canalisait également l'eau. Les ruines ont été restaurées et on se croirait dans une petite Pompéi. La ville comptait trois églises — septentrionale, méridionale et centrale, — une mosquée érigée par les conquérants arabes, des pressoirs, des fours à pain, des tours de potiers et de nombreuses maisons d'habitation. Les fonts baptismaux en forme de croix dans l'église méridionale et le *mihrab* de la mosquée, — cette niche qui indique au fidèle la direction de la Mecque — sont des plus intéressants.

Les amateurs d'histoire récente poursuivront sur leur lancée, dans la même direction, jusqu'à Nitsana, à 25 kilomètres qui fut enlevée aux Égyptiens en décembre 1948. Pendant que vous y êtes, autant rendre visite à la vieille église byzantine. Idem pour Rehovot et Haloutsa, sites bibliques et byzantins, qu'on peut explorer à partir de Révivime.

De retour à Béerchéba, il ne reste plus qu'à reprendre la route du nord et retrouver cette partie du Néguev définitivement arrachée aux sables. Connaissant déjà l'itinéraire qui passe par Kiryat-Gat, nous bifurquerons sur la gauche à Tifrah, 16 kilomètres plus haut, au milieu des plantations de sisal, cet agave fibreux utilisé dans l'industrie textile, qui s'accommode si bien du climat chaud et du terrain sablonneux. Nous nous dirigeons maintenant vers la côte, en longeant le ruban de Gaza, pris aux Égyptiens lors de la campagne du Sinaï, en 1956 et qui dut leur être rendu. Il a été repris au cours de la guerre des Six Jours.

Il n'y a plus de terrain en friche dans cette région. Tout est cultivé. A Sa'ad (26 km de Tifrah), nouvelle fourche. Tout droit, on va à Gaza; à droite, Achkelon. Les kibboutzim pullulent, les villes neuves aussi. Nous ne sommes plus qu'à une trentaine de kilomètres d'Achkelon. A Helets, tout proche, les puits de pétrole se dessinent sur l'horizon.

Achkelon et Achdod, en principe, font encore partie du « Sud ». Mais pratiquement, on peut dire que nous avons quitté le Néguev.

LA CÔTE

L'Ancien et le Nouveau Testament parlent peu de la côte. Philistins et Phéniciens l'occupaient. La vie, le développement, le drame juifs se déroulèrent à l'intérieur des terres. C'est à peine s'il est fait mention de Jaffa où furent débarqués les bois de cèdre du Liban devant servir à la construction du Temple de Jérusalem; de Jaffa — encore — où vivait ce tanneur chez qui Pierre entendit la voix céleste. Isaïe (xxxv, 2), chante la « gloire du Liban » et la « magnificence du Carmel et de Saron; Samuel (Livre I : v, 9) déplore la perte de l'Arche d'Alliance entre les mains des Philistins, à Achdod. Sans plus. La côte était inaccessible aux Juifs.

Il n'en va pas de même actuellement. L'existence moderne est fonction des communications et la mer, si elle n'est pas la voie la plus rapide, est toujours la plus économique. Aussi la majorité des Israéliens vivent-ils sur les bords de la Méditerranée. Tel-Aviv et Haïfa fixent, à elles seules, un bon quart de la population. De nombreuses autres cités ont été créées sur des sites anciens ou vierges. Certains, comme Césarée ou Saint-Jean-d'Acre (Akko), portent des noms qui évoquent mille souvenirs dans notre mémoire d'Occidentaux. D'autres, Natanya, Nahariya, Benyamina, sonnent étrangement à nos oreilles, sans rien rappeler.

La façade méditerranéenne d'Israël se présente comme une longue ligne droite de quelque 150 kilomètres, à peine infléchie un instant par la baie de Haïfa. Une coïncidence curieuse pour nous : aux deux extrêmes se trouvent deux villages de vacances d'inspiration française. Le Club Méditerranée à Akhziv — au-dessus de Nahariya, — et le Club Sirt, au sud, à Achkelon.

Venant du sud, nous allons remonter pas à pas la plaine côtière, en traversant, sans nous y arrêter, Tel-Aviv et Haïfa, ces deux villes faisant l'objet de chapitres séparés.

RENSEIGNEMENTS PRATIQUES POUR LA COTE

O N S E

QUE VOIR? (en direction nord) Les nouveaux kibboutzim au sud d'Achkelon. A Achkelon même : Le Parc National avec ses vestiges de l'Antiquité, la ville planifiée d'Afridar et tout près, les ruines d'une église byzantine (VIe s.). L'école d'Agriculture Kfar Silver, l'une des plus modernes d'Israël. Le nouveau port artificiel d'Achdod; l'Institut Weizmann à Rehovot (9-14 h) (bonne baignade près du site biblique de Yavneh); les caves à vins de Richon-le-Sion; l'ultra-moderne mairie de Bat Yam, faubourg-sud de Tel-Aviv. Herzliya s/mer; la belle plage de Natanya; les vestiges de Césarée, capitale de la Palestine romaine; Zikhron Ya'acov (tombeau d'Edmond de Rothschild) et caves à vins; l'excellente plage de Dor (Tantura) et de l'autre côté de la route intérieure, le pittoresque village d'artistes Ein Hod. Nous disons « route intérieure » car il existe entre Tel-Aviv et Haïfa une autoroute, plus près de la côte.

ACHDOD. *Miami*, face à la plage, au sud de l'agglomération; 1re cl. r.; 38 ch. avec bain ou douche. Le *Tamar*, plus raisonnable, 32 ch., restaurant.

ACHKELON. Plage superbe — saison été-hiver mais les prix sont à leur maximum du 15 juillet au 15 août. Hôtels : *Dagon*, les chalets disposés dans le parc apportent une impression d'intimité. De plus la cuisine non-kasher est exceptionnellement bonne. Chemin privé vers la plage; 52 ch. partiellement climatisées, piscine, 1re cl. raisonnable. Dans la même catégorie, *King Saul*, récent, kasher, climatisé, 108 ch., night-club, piscine; idem pour *Shulamit Gardens*, 108 ch. climatisées, night-club, tennis. L'*Ashkelon*, 25 ch. avec bain ou douche, air conditionné et restaurant et le *Shimshon Gardens*, 22 ch., se dissimule parmi de nombreux massifs de fleurs. Si vous désirez être logé à bon marché, il existe des bungalows sur la plage; adressez-vous à l'Office de Tourisme.

Ashkelon, village de vacances dont les bungalows sont en « dur » avec patio intérieur. Toutes sortes de sports, y compris l'équitation, 172 ch. avec douche, tennis, plage privée.

Restaurants : dans la vieille ville, *Hamafgash*, rue Herzl; à Afridar : *Ma'adan*, et le très sympathique *Apollo* où vous mangerez une excellente cuisine orientale. Essayez également le *Penguin*.

Dancings : café *Dalila*; *Café des Antiquités* (Parc National); *Findjan's Bar* à Afridar; café dansant : *Holiday Village* (carte de membre requise). Certains hôtels possèdent également une discothèque. L'*Exodus* est le seul night-Club à vous présenter un show.

Plusieurs cinémas. Clubs Wizo et B'nai Brith. Tourisme : Centre Commercial d'Afridar; *Ashkelon Tours*, Centre Municipal : excursions organisées dans différents kibboutzim et à travers tout le pays. Police : 100; ambulance : 3333.

BAT YAM. Très luxueux, le *Pan American Hotel*, 285 ch., tennis, TV et night-club. Un tantinet plus raisonnable, le *Panorama*, 44 ch., et l'*Armon Yam*, 66 ch. avec bain. Tous deux sont climatisés. Modérés, le *Bat Yam*, 20 ch., le *Bosforus*, 21 ch., le *Palm Beach*, 23 ch. et le *Via Maris*, 27 ch.

BENYAMINA, près de Césarée à l'intérieur des terres. Station service avec snack et restaurant.

CÉSARÉE. *Dan Caesarea* (C, K). Superbe hôtel de 110 chambres qui se distingue nettement des autres mastodontes du tourisme de luxe par un goût incontestable. Golf, tennis, piscine, navettes avec les plages et Tel-Aviv, flottille de bicyclettes. *Semadar Villas* (C), village de 54 chalets de luxe qu'on peut louer à un taux relativement raisonnable. Restaurant. Séjour moins coûteux au *Kayit Veshayit*, à 8 km au sud, géré par un kibboutz. 35 ch. avec bain; self-service et restaurant.

Restaurants : dans la forteresse, petit restaurant excellent mais cher, le *Sraton*. *Chez Charly*, ouvert de 8 à 12 h en été et de 9 à 17 h en hiver.

Sports : golf de 18 trous; Centre d'Équitation près des villas Semadar (instruction et randonnées). École de pêche sous-marine *Skin Diving Centre*, dans le vieux port. Fournitures d'équipement. S'adresser à l'hôtel Cesarea. Natation : plage bien équipée à 3 km au sud de Césarée.

QUIVAT BRENNER. Au sud de Rehovot : excellente hostellerie de kibboutz, le *Beit Yesha*, 63 ch., air-conditionné et piscine.

HAFETS HAIM, idem, au sud de Guédera (kibboutz religieux), 57 ch., piscine.

HERZLIYA, voir chapitre Tel-Aviv.

NATANYA. Ville sans caractère très prisée par les Scandinaves; beau parc, plage superbe. Le *Four Seasons*, établissement cinq étoiles, 129 ch. avec bain, TV, tennis, piscine chauffée, direction canadienne. Un peu moins chers, le *Grand Yahalom*, le *Metropol Grand*, le *King Salomon*, le *Goldar* et le *Park* ayant respectivement 36, 61, 99, 146 et 90 ch. toutes climatisées, bain ou douche. Dans la même catégorie, le *Topaz*, 64 ch. et le *Maxim*, 90 ch.

Dans la catégorie 3 étoiles : le *Palace*, 71 ch., (bain ou douche), vue sur mer, très apprécié par les Scandinaves; le *Galei Zans*, 182 ch. avec bain. Non kasher, le *Hakibboutz*, 108 ch. la plupart avec douche. Plus ancien, le *Yahalom*, 48 ch. climatisées; même direction que le *Grand Yahalom*. Le *Gan Hamelech* est le plus cher de sa catégorie, 59 ch. de style israélien, partiellement climatisé, bain, radio, téléphone et night-club.

La catégorie 2 étoiles comprend le *Margoa*, 36 ch., le *Métropol*, 27 ch., même direction que le Métroplol Grand et enfin l'*Armon*, 31 ch.

Le village de bungalows *Green Beach* se situe au nord de la ville; 150 ch. avec bain et douche, plage privée, piscine, tennis et night-club.

Plusieurs bons restaurants peu chers : Le *Renaissance* est probablement le meilleur de la ville. Situé Square Haatzmaut les prix oscillent entre 5 et 15 L.I. pour un dessert dans sa partie « café » tandis que dans l'arrière restaurant, les prix pour un plat vont de 20 à 55 L.I. Nourriture excellente. *Antwerpia*, 27 rue Herzl et *Papa*, 13 Kikar Haatzmaouth; *Picnic*, rue Herzl (cuis. hongroise).

Vie nocturne : Musique combo au *Bambok*, 38 rue Herzl; le *Bar Orion*, au 31 de la même rue est fréquenté par les étudiants; deux discothèques, le *Don Camillo* et le *To Hell*, tous deux rue Smilansky.

Plusieurs cinémas. Syndicat d'Initiative près du terminus d'autobus. Police : 100; premiers secours 3333. Taxi : Hasharon, 23838; Ritz, 23383.

Maisons d'accueil. *Beit Oren* et *Neve Yam* près de Haïfa; *Nir Etzion*, Carmel Beach; *Hof Dor* à Tantura Beach, entre Haïfa et Tel-Aviv; *Shefayim*, juste au nord d'Herzliya; *Beit Yehoshua* près de Natanya; le *Motel Argaman* (Acre); tout proche, *Beit Chava*; le *Club Méditerranée* d'Akhziv; le le *Village International de Vacances* (Roche Hanikra).

A la découverte de la côte

Achkelon est un jardin. Si les Eden, séjours enchanteurs, etc. ne manquent pas en Israël cela est dû à l'opiniâtre opposition entre la volonté humaine et l'ingratitude d'une terre trop longtemps négligée. C'est l'homme qui a recréé ici ces îlots verdoyants où l'œil du voyageur, lassé de pierres et de soleil, retrouve, à l'ombre des arbres, un indispensable apaisement. Et Achkelon, c'est surtout des arbres. Sans exagération aucune, le « point de chute » idéal après une année de labeur ou une tournée à travers le désert.

L'organisme chargé des sites historiques, archéologiques et autres, le *National Parks Authority* a fait des merveilles un peu partout, en préservant, en embellissant, en « créant » des jardins autour des excavations ou même, souvent, en plantant un parc avec eau, sinon piscine, dans les endroits les plus inattendus. A Achkelon, le Parc National est une réussite parfaite. De magnifiques tamaris protègent de leur feuillage les statues antiques arrachées à la terre. On y va en pique-nique (une institution nationale en Israël). Des tables de bois ou de pierre, et des bancs, sont prévus à l'intention de ces semi-campeurs. On s'accoutume ainsi au voisinage des nombreuses *Niké* — déesses de la Victoire — découvertes au cours des fouilles, et, surtout, de l'une d'elles, remarquable, debout sur un globe terrestre que soutient tant bien que mal un Atlas ratatiné par le poids. La végétation qui a envahi les vieilles murailles mises au jour est du plus heureux effet et ferait même oublier qu'elles étaient destinées au combat. Tout y est calme, harmonieux. Josué avait arrêté le soleil à Gibeon. A Achkelon, aujourd'hui, c'est le temps qui s'est arrêté.

La nouvelle partie de la ville, Afridar, est tout entière conçue comme une cité-jardin. Quant à la plage... des kilomètres de sable fin et une mer peut-être plus clémente qu'ailleurs. Bref, toute photo prise à Achkelon donne l'impression d'une affiche invitant au voyage.

Est-ce parce que nous revenons du Néguev ? Pas tout à fait. La nature, ici, s'est effectivement montrée accueillante. Les vents chauds d'Afrique y rencontrent ceux, tempérés, de l'ouest et font bon ménage. Pas d'humidité, ou presque, en été; en hiver, un climat plus chaud qu'à Tel-Aviv. L'eau fraîche et pure abonde. On est juste assez loin de la grande ville pour en oublier l'agitation, juste assez près (63 km) pour s'y rendre en cas d'urgence. Les habitants d'Achkelon ont tout mis en œuvre pour offrir et s'offrir douceur, repos, quiétude et confort.

Coup d'œil historique

Bien avant que Moïse n'emmenât ses frères hors d'Égypte, les pharaons poussaient des pointes vers Achkelon qui, avec Saint-Jean-d'Acre et Jaffa, compte parmi les villes connues les plus vieilles du monde. Les Cananéens, bien sûr, se défendaient, mais pas toujours avec bonheur. Il existe un document que les spécialistes appellent « lettres de Tel-el-Amarna » où Achkelon est désignée comme cité rebelle, au XIV siècle av. J.-C. Un siècle plus tard, Ramsès II s'étant emparé du port, fit immortaliser l'événement dans les bas-reliefs de Karnak. Refoulés par les Égyptiens, les Philistins vinrent s'y établir, faisant d'Achkelon leur port principal. Il va sans dire que, sitôt sur place, ils commencèrent à en découdre avec ceux qui devenaient leurs voisins : les Juifs.

Histoire et légende se mêlent inextricablement. Évidemment, la guerre était constante. Mais dans ce cas, comment Samson, le héros des Juifs put-il, sur la plage ennemie, lever pour la première fois les yeux sur celle qui devait causer sa perte : Dalila ? Les notions d'inimitié n'étaient peut-être pas les mêmes, à l'époque. N'empêche, les amours entre ennemis, qui tournent toujours mal, c'est du roman. Mais par contre, que crie David, dans ses lamentations, devant le lit de mort du roi Saül, son bienfaiteur ? : « N'en portez pas la (bonne) nouvelle à (...) Achkelon, de peur que ne s'en réjouissent les filles des Philistins, de peur que ne jubilent les filles de ces incirconcis ! » Et ça, c'est de l'Histoire ! Et qui prouve bien que les filles d'Achkelon prenaient part à la guerre d'une façon qui leur était particulière.

Toujours est-il que l'Égypte, au sud, maintenait sur les Philistins une pression que ceux-ci répercutaient au nord et à l'est sur les Juifs. Yahweh ne soutenait pas chaque fois les siens. A Aphek, ils subirent une cuisante défaite au cours de laquelle les Philistins s'emparèrent même de l'Arche d'Alliance. Mais il est vrai aussi que quelque temps après, attribuant à cette partie du butin les malheurs qui les frappaient, les Philistins s'empressèrent de la rendre en grande pompe.

Détruite, reconstruite, soumise aux Assyriens, aux Babyloniens, aux Perses, Achkelon connut un nouvel essor sous la colonisation grecque. Ensuite, ce fut la conquête romaine : on prétend qu'Hérode-le-Grand y naquit. Puis, ce fut le tour des Arabes, des Croisés. A peine finis les meurtriers combats entre Chrétiens et Musulmans, les Turcs vinrent pour mettre tout le monde d'accord. Mais Achkelon n'est plus. L'Islam l'a ravagée en 1270 et la cité ne s'en est jamais remise. Les sources souterraines, indifférentes aux va-et-vient des guerriers, continuent d'alimenter une végétation sauvage et luxuriante qui transforme les décombres en forêt vierge, accomplissant la prophétie de Sophonie (II, 4) « Car Gaza sera abandonnée, et Achkelon réduite en désert... »

L'occupation turque, à partir de 1517, dédaignait ces ruines. C'est au XIXe siècle seulement qu'Ibrahim Pacha eut l'idée d'installer des tisserands égyptiens à côté, à Migdal-Gad, pour se faire de l'argent de poche. Par la même occasion, il bâtit un fort sur le bord de mer, aux frais du contribuable. Les occupants avaient déjà déboisé la Palestine. En guise de matériaux de construction les architectes se servirent de ce qu'ils avaient sous la main : pierres, marbres, statues, colonnes, escaliers, quelle qu'en fût l'origine, grecque, romaine ou médiévale. De même que Césarée dont on retrouve les vestiges un peu partout dans les bâtiments turcs, Achkelon devenait le fournisseur attitré des entrepreneurs de travaux publics.

Longtemps les archéologues professionnels et amateurs se sont intéressés aux merveilles entassées sous les sables et la litière des siècles à Achkelon. Mais les véritables excavations ne commencèrent qu'en 1920. Un musée archéologique est aujourd'hui installé dans la cité-jardin d'Afridar.

En dehors des hôtels habituels, Achkelon en possède un d'un genre spécial : le Dagon, nommé d'après le Neptune philistin. C'est son temple à Gaza que Samson détruisit en en renversant les piliers. Non loin, il y a une tombe romaine ornée de fresques ravissantes, qui ne doivent leur conservation qu'aux précautions prises pour les préserver du soleil. La tombe est donc fermée et il faut en demander la clé à la réception pour visiter. Puisqu'on parle de Dagon-Neptune, disons qu'il est un autre personnage biblique qu'Achkelon revendique sans toutefois apporter en guise de preuves beaucoup plus qu'une vague tradition : Jonas, l'homme avalé par une baleine. On prétend que c'est sur son rivage que le gros poisson aurait rendu sa proie.

La ménagère française parle souvent d'Achkelon sans le savoir, un peu comme M. Jourdain faisait de la prose. En effet, dans l'Antiquité, il poussait dans la région un oignon spécial que les Romains nommaient *caepa ascalonia*, ou, en raccourci : *ascalonia*. Avec le temps et les déformations coutumières, cette *escalotte* est devenue l'échalote qui donne un goût particulier à notre salade.

En rayonnant autour d'Achkelon, on peut faire nombre d'excursions, entre autres, celle du kibboutz Yad Mordechai qui, avant la guerre des Six Jours, garda le côté septentrional du ruban de Gaza. La route suit la voie ferrée qui, autrefois, reliait la côté israélienne au Canal de Suez. Les sycomores abondent. Ils étaient le symbole de la richesse et les rois d'Israël avaient, pour les surveiller et les dénombrer, des contrôleurs assermentés.

Fort intéressante est la visite d'Achdod, au nord (38 km). Ce sera, une fois achevé, le plus grand port d'Israël. Bâtie sur les sables à partir de 1957, la ville compte déjà plus de 42 000 habitants. En même temps que l'on procédait au creusement du port en eau profonde (pour traiter 4 millions de tonnes annuellement), la proximité de Tel-Aviv aidant, plusieurs établissements industriels s'y installaient. Le nom est hérité des temps bibliques. L'Achdod des Chroniques (II Livre : XXVI, 6) fut, tour à tour, *Azotis* pour les Grecs et *Isdoud* pour les Arabes. Avec Gaza, Achkelon, Gath et Ekron, elle était l'une des principales places-fortes des Philistins et c'est à ce titre qu'elle aussi eut droit aux malédictions du prophète Sophonie.

D'Achkelon à Césarée

A 46 kilomètres au nord d'Achkelon, sur la route de Tel-Aviv (22 km), il convient de citer Rehovot, établie depuis 1890, nichée au creux des orangeraies et qui s'enorgueillit d'avoir l'Institut Weizmann dans ses murs. Le premier Président du pays, Chaïm Weizmann, savant notoire, y est enterré. On raconte que durant la Guerre de 14-18, Weizmann, chimiste de réputation et sioniste enragé, échangea avec Lord Balfour l'une de ses découvertes (l'acétone) indispensable à l'effort de guerre, contre la promesse de créer un Foyer National Juif. Weizmann est mort en 1952. Il fut enterré sur place, selon son vœu. On peut visiter sa tombe et muser dans les magnifiques jardins de l'Institut qui perpétue son nom, où des hommes de science poursuivent études et recherches en toute quiétude : mathématiques, physique nucléaire, électronique, biologie expérimentale, chimie organique et la plupart des disciplines scientifiques y sont représentées. Dans les laboratoires de Rehovot, un mode de fabrication entièrement nouveau a été mis au point pour l'eau lourde. Le premier réacteur atomique d'Israël se trouve dans les environs immédiats, à Yavneh.

Lorsque Titus eût détruit Jérusalem, un vieillard, Rabi Yohanan, se présenta devant lui, le priant de laisser Yavneh intacte. Le Romain accéda à cette requête et une école y fut fondée. C'est donc un peu grâce à Titus qu'au Ier siècle furent fixés les canons de la Bible et que commença la rédaction de la *Michna* (première partie du *Talmud*), qui devait s'achever un siècle plus tard, en Galilée. Yavneh avait réputation de sagesse et on disait : va au nord pour les richesses, mais au sud pour la connaissance.

Après c'est Richon-le-Sion au nord, Ramla au nord-est Richon-le-Sion, Petah-Tikva et Herzliya ont été décrits dans le chapitre consacré à Tel-Aviv. De Ra'anana, bourg prospère qui date de 1921, il n'y a pas grand-chose à dire, sauf qu'avec sa voisine Kfar Saba, elle occupe la plus grande partie du corridor qui reliait jusqu'à récemment le nord et le sud d'Israël.

Il a déjà été parlé de Richpon, un peu au-dessus de Herzliya. Ajoutons que s'y trouve l'équivalent de notre École de Joinville. L'institut qui forme les moniteurs d'éducation physique en Israël est dédié à Wingate, ce général anglais qui s'est rendu célèbre durant la dernière guerre en entraînant des commandos en Birmanie et en Palestine. Ce fut, en fait, lui qui, simple capitaine de l'armée britannique en 1936-1939, organisa au cœur de la Hagana, des groupes de défense opérant la nuit et qui devaient, plus tard, devenir la *Palmach*, la force de choc de l'armée juive d'avant l'indépendance.

Natanya (20 km de Herzliya — environ 80 000 h.) a d'abord l'air du petit trou pas cher dont rêvent les vacanciers. Tout y est aménagé en conséquence, sauf peut-être, les prix. Ce ne sont que pensions, hôtels, cafés, restaurants, jardins, écriteaux indiquant la direction de la plage. Fondée en 1928, Natanya dispose même d'un superbe amphithéâtre à ciel ouvert pour ses concerts et représentations théâtrales; d'une importante bibliothèque en braille, et d'un Musée d'Art. Mais elle est plus connue encore pour une activité que l'on peut qualifier à la fois d'industrielle, d'artisanale et d'artistique : la taille de diamants. Elle y fut introduite par les réfugiés belges et hollandais. L'exportation des diamants taillés dispute aujourd'hui la deuxième place aux agrumes (le tourisme occupant la troisième), parmi les champions en rentrées de devises.

Jusqu'en 1926, la région au nord de Natanya était marécageuse. Depuis qu'elle a été arrachée à la malaria, elle est devenue l'une des plus riches. Pour s'en convaincre, il n'est que de voir les établissements de Kfar Monache (École d'Agriculture), ou Kfar Yedidia, qui porte le nom hébreu du célèbre philosophe Philon d'Alexandrie. C'est le Emeq (vallée) Hefer, que cite le premier Livre des Rois (IV, 10) parmi les douze tributaires devant, chaque mois, ravitailler la table de Salomon. Mishmar-Ha-Sharon (le gardien de Saron) cultive plus spécialement des glaïeuls destinés à l'exportation.

Mikhmoret — sur la côte — est vouée au poisson. Le Gouvernement, soucieux de développer les pêcheries, y a ouvert une École de Pêche.

A l'intérieur, le parfum douceâtre et entêtant des orangers assaille de nouveau les narines : Hadera est proche. Aux débuts du sionisme, en 1891, des pionniers s'y sont établis en dépit d'effroyables conditions d'existence. Ils tinrent bon jusqu'à l'assèchement des marais et bien leur en prit. Hadera est désormais l'un des centres de la production d'agrumes. Les premiers habitants s'étaient installés tant bien que mal dans un vieux caravansérail arabe ouvert à tous vents, qui faisait partie du terrain acheté. On en conserve précieusement les vestiges à l'ombre de la synagogue.

Déjà s'annoncent, à droite de la route Tel-Aviv—Haïfa, les contreforts du Mont Carmel. Le nom que l'on verra évoqué partout ici est celui des Rothschild. Cette famille participa avec d'énormes moyens à l'achat des terres, seule forme possible pour la fondation d'un Foyer National Juif en Palestine. Benyamina porte le prénom hébreu d'un Rothschild et Ramat-Hanadiv, la colline du bienfaiteur, est sa tombe. Les jardins qui l'entourent sont remarquablement beaux. En certaines occasions, les grilles du Mausolée sont ouvertes et le public est admis à se recueillir devant la sépulture du baron et de son épouse qui rendirent possible son existence actuelle. Zikhron Ya'acov, enfin, un des premiers villages fondé par les Rothschild, reçut d'eux — comme Richon-le-Sion, — des ceps d'origine française. C'est l'un des plus gros producteurs vinicoles du pays.

A l'est de Benyamina, Zikhron-Ya'acov et Pardess Hanna, s'étale la vallée d'Iron, laquelle débouche, plus loin, dans celle plus célèbre encore et fertile, de Yezréel. Là se trouvait le champ de bataille de prédilection de l'Antiquité. Les deux Grands des temps révolus, Égypte et Assyrie, en tenaient les extrémités, et entendaient garder le contrôle de la liaison Afrique-Asie à travers le Moyen-Orient. Le roi Salomon s'en mêla par la suite avec succès. On s'est toujours battu ici, depuis le pharaon Thutmose III en 1478 av. J.-C. jusqu'en 1917, où Allenby y défit les Turcs et aux sévères combats israélo-jordaniens en 1948.

Césarée

En comparaison d'Achkelon dont les premiers souvenirs remontent à cinq millénaires, Césarée — à mi-chemin entre Tel-Aviv et Haïfa — avec à peine 2 200 ans, est relativement jeune. Un marchand, Zénon, rendant compte à son client, l'intendant d'Égypte au IIe siècle av. J.-C., parle de cette « récente colonie navale » des Philistins, la Tour de Strato, où il venait d'acheter du blé. Les Asmonéens l'annexèrent, mais on sait que leur règne, au regard de l'Histoire, ne fut guère long. Bientôt, le général romain Pompée devait occuper la Palestine avec les résultats que l'on connaît. Pour Césarée, ce fut cependant l'âge d'or. Sa grandeur commence avec Hérode lequel, ayant obtenu l'insertion de la bande côtière dans son royaume vassalisé, fait de la Tour de Strato une grande ville et la nomme Césarée en l'honneur de son maître César-Auguste. Flavius Josèphe se porte garant de ces faits. Il ajoute que, pour créer une escale entre Dor et Jaffa, le roi fit construire « un port plus grand que le Pirée. » C'est ce port, remarquable exploit des ingénieurs d'antan, qui assura la pérennité de Césarée. La ville proprement dite était à la hauteur des ambitions portuaires, avec ses maisons de pierre blanche, et ses rues, équidistantes, convergeant vers le quai. Là où allaient les Romains, ils se préoccupaient de *panem et circenses*. Hérode bâtit donc un magnifique amphithéâtre, un théâtre, un marché, un hippodrome. Les « Jeux de César » se déroulaient tous les cinq ans.

Jésus avait six ans lorsque les procurateurs de Judée établirent leur siège à Césarée, après la mort d'Hérode. Cette consécration politique qui devait durer cinq siècles explique en partie pourquoi la ville fut le point de départ de la révolte juive de l'An 66. Une émeute éclata entre Juifs et Syriens. Rome donna raison aux seconds et l'affaire se termina par le massacre de 20 000 des premiers. Ainsi commença la Guerre des Juifs. C'est à Césarée que Titus apporta les dépouilles du Temple détruit, en 70, pour célébrer son triomphe. Clou de la fête : 2 500 Juifs immolés dans l'arène. A ce moment, Silva, autre général romain mettait le siège devant Massada. Plus tard, à Césarée, Pierre baptisa le centurion Cornélius. C'est à Césarée, enfin, que Rabi Akiba, le sage d'Israël, fut torturé et mis à mort par les Romains, 60 ans plus tard.

639 : arrivée des Arabes; 1101, arrivée des Croisés; 1187, retour des Arabes conduits par Saladin; 1228, retour des Chrétiens. Infortunée Césarée. Rendons néanmoins grâce à

Saint-Louis qui, en la fortifiant, nous la conserva malgré les destructions que ce ravageur de Baïbar lui fit subir peu après.

Un objet de grande valeur devait échapper au désastre : un vase de verre que Baudouin Ier avait trouvé en prenant la ville, lors de la première Croisade. On disait que Jésus s'en était servi le soir de la Cène. La flotte génoise qui avait pris part à la bataille réclama la relique. On peut encore la voir à San Lorenzo dans le grand port italien : c'est le *sacro catino*. De nombreux auteurs, à tort ou à raison, l'identifient au Saint-Graal.

Le théâtre romain est aujourd'hui sauvé des sables ainsi que la Cité des Croisés. A deux pas des pelouses du golf, on voit l'hippodrome, avec son obélisque au centre et sa croix derrière le portail intact. Il contenait 20 000 spectateurs. La piste et les pierres sont couvertes de fleurs sauvages. Le touriste peut d'ores et déjà mettre sa camera en batterie et préparer des films de rechange : sa récolte sera abondante. Entre les mosaïques des ve et vie siècles de l'Église byzantine, l'aqueduc romain du iie siècle, avec ses arches parfaitement conservées, encore à moitié enfouies, les restes de la synagogue du ive siècle dûs aux fouilles de l'Université Hébraïque, les innombrables colonnes qui baignent dans la baie, ou jaillissent comme des canons des créneaux, avec la forteresse des Croisés un peu en arrière.

De nos jours, le rédacteur d'un guide hésite à décrire dans le détail ce qui est si intelligemment exposé que l'œil du visiteur le découvre sans fatigue. Celui-ci n'a besoin de personne pour tomber en arrêt devant les deux impressionnantes statues de marbre blanc et de prophyre rouge qui ornent les ruines. Tout au plus lui laisse-t-on murmurer qu'elles sont des iie et iiie siècles. Ou alors, il lui faut dire qu'il y a, à l'intérieur de la cité des Croisés, un petit restaurant qui sert d'excellents plats, et ajouter, avec un sourire amer, que la note est légèrement salée. Un guide peut exprimer son appréciation aussi et dire que, restauré, l'amphithéâtre lui paraît un tantinet trop neuf, que cela blesse son regard. Mais il est battu d'avance par la complicité de la nuit et il se rend compte, que c'est affaire de goût, que tout blanchis que soient les gradins, cela doit avoir « une allure du tonnerre » au cours du Festival de Musique, et d'Art Dramatique.

Il vaut également la peine de s'arrêter un instant et de méditer sur le pillage systématique des trésors de Césarée.

Hérode avait fait venir à grands frais, de Rome, des matériaux précieux. Chacune des civilisations successives puisa dans les gravats de la précédente pour reconstruire sur les ruines. Une des premières choses qu'apprend le touriste, c'est que l'Histoire, pour l'archéologue, s'écrit avec des pierres et que la Chronologie se traduit par un étagement de villes superposées. Il y a, sur toute la côte, de pauvres masures arabes dont le sol est de marbre. Les Croisés, eux, pavaient leurs rues avec du Carrare. Les colonnes qu'ils trouvaient sur place leur servaient à renforcer leurs murailles. Des linteaux, des frises d'inestimable valeur ont été mêlés à la roture des parpaings. Aussi les fortifications édifiées par saint Louis sont-elles en excellent état : murs, fossés, remparts, ont été dégagés. (L'imprévu, toujours : au beau milieu de la place-forte chrétienne se dresse un minaret!) Ce fut bien pis quand vinrent les Turcs : ils prenaient à Césarée pour construire ailleurs. Jaffa et Saint-Jean-d'Acre sont pleines de pierres importées de Césarée; d'Achkelon aussi, d'ailleurs. C'est miracle s'il reste quelque chose sur place.

Avant d'en finir avec l'archéologie et l'histoire, il faut tout de même dire un mot d'une inscription incomplète découverte sur un fragment de marbre durant les fouilles du Théâtre Romain en 1961. Elle porte le nom de Ponce Pilate. Cela n'a l'air de rien pour le profane. Mais pour les savants, quel soulagement! Ponce Pilate, procurateur de Judée au temps de Jésus, n'avait eu jusque-là d'existence que par le témoignage des Évangiles et de l'ouvrage dû à la plume de Flavius Josèphe. On venait, enfin, de découvrir une preuve incontestable de sa présence en Palestine, à l'époque.

Le professeur Yannai qualifie Césarée de « paradis de l'archéologue et du sportif ». Pour l'archéologue, nous venons de nous en assurer. Pour le sportif — en exceptant la baignade et ses dérivés dans l'ancien petit port de la Palestine romaine — Césarée s'est effectivement garanti une exclusivité fort enviée : son golf est unique en Israël. Armés de leurs *sticks*, le samedi, les initiés accourent des quatre coins du pays.

Le golf aidant, l'intention des intéressés serait de faire de Césarée une Deauville israélienne. A cet effet, une colonie de luxueuses villas — services divers et location à des tiers en cas de non-occupation — s'est établie entre le golf et la mer. A cet effet, toujours, un bel hôtel, le *Cesarea*, a été édifié.

David, le vainqueur de Goliath, fut aussi un musicien de talent (Bible d'Erzengan, 13e siècle, au Patriarcat Arménien, Jérusalem).

Deux archéologues en herbe échangent leurs impressions devant une statue romaine de Césarée.

De Césarée à Haïfa

Dor, (à 15 km) près de la mer, est un site archéologique provisoirement moins connu que Césarée. L'ancienne cité biblique était célèbre au temps des Romains pour la fabrication d'une couleur : le pourpre de Tyr, extraite d'un coquillage abondant dans la région. D'ailleurs, la Palestine fut longtemps un important fournisseur du bleu indigo aussi, du jaune safran et du rouge betterave. On ignore généralement que jusqu'au Moyen Age, les Juifs furent parmi les teinturiers les plus réputés.

Le passé glorieux de Dor (Tantura des Romains), remonte à l'ancienne Égypte, au roi Salomon, à la splendeur de Canaan. On voit encore les vestiges de l'orgueilleuse forteresse qui se dressait sur une éminence au bord de la mer; les restes du port qui était si actif et, dans les faubourgs de la proche Nacholim, les ruines d'une église byzantine. Mais les fouilles entreprises n'ont pas à ce jour attiré les foules. Si l'on y va, c'est pour se baigner dans la piscine naturelle ménagée par une série d'écueils; c'est une des plus belles et des moins encombrées du pays. (Quitter la grand-route au panneau indiquant « Nahsholim »).

Nous ne sommes plus qu'à une trentaine de kilomètres de Haïfa. A droite de la route, la chaîne du Carmel s'est affirmée et suit le littoral. Le flanc de la montagne est percé de grottes qui furent habitées à l'âge de la pierre et dans lesquelles les archéologues découvrirent nombre de précieuses indications sur l'existence quotidienne des troglodytes. La plus célèbre de ces grottes, nous le verrons plus loin, est celle du prophète Élie. Le Mont Carmel était son fief. Il y pria pour demander la pluie et il y pria pour demander le feu du ciel. Aussi les trois grandes religions, juive, chrétienne et musulmane, (dans l'ordre chronologique) le vénèrent-elles comme un saint. Nous trouvons dans le premier livre des Rois (XVIII, 21) le récit de sa confrontation, seul, avec les 450 prêtres de Baal, et de sa victoire grâce à Yahweh.

Amos aussi prêcha sur le Carmel : « S'ils (les païens) se cachent au sommet du Mont Carmel, je les y chercherai et je les prendrai ! » (IX, 3) Isaïe a chanté « la magnificence du Carmel et de Saron » (XXXV, 2). Mais nous aurons l'occasion de reparler du Mont Carmel.

A mi-chemin entre Césarée et Haïfa, les Templiers construisirent le « Chastel Pèlerin » d'Atlit. Templiers et Hospitaliers, deux ordres mi-religieux, mi-militaires, assuraient la protection des pèlerins. Le Château des Pèlerins d'Atlit fut, durant presque un siècle, la place-forte la plus formidable et, en fait, inexpugnable, que les Croisés eurent en Terre Sainte. La flotte israélienne est aujourd'hui ancrée dans ce port qui vit accoster les galères phéniciennes et les nefs bondées de pieux voyageurs. Atlit, alors, était la rivale heureuse de Saint-Jean-d'Acre pour la réception des pèlerins. Les Templiers menaient, sur le plan commercial, la vie dure à tous les marchands. La ville prospérait donc. Mais lorsque tomba Acre, que tout combat s'avéra vain pour les Croisés, les Templiers s'embarquèrent pour Chypre, abandonnant la forteresse qui n'avait jamais été prise. Si les Musulmans la démantelèrent, ce fut surtout dans la crainte d'un éventuel retour des Chrétiens. Les murs étaient solides. Même le tremblement de terre plus de cinq siècles plus tard, en 1837, ne put avoir raison des ruines du Chastel Pèlerin. Un siècle passa encore et Atlit fut appelée à abriter d'autres pèlerins : les émigrés juifs « clandestins », échappés à leurs bourreaux nazis, qui entraient « illégalement » dans leur « Foyer » National Juif. Malgré les ravages des éléments et des hommes, ce qui reste du château d'Atlit est encore monumental, avec ses pans de mur épais de presque 5 mètres, son église octogonale et son quai, maintenant sous eau.

Face à Atlit, de l'autre côté de la route, le village arabe abandonné de Ein Hod vaut largement l'escalade de quelques centaines de mètres en pente douce. Des artistes israéliens l'ont restauré et s'y sont installés. Une centaine de peintres, sculpteurs et artisans divers — principalement des céramistes — vivent là en groupe semi-collectif. (Environ 25 % des prix de vente sont versés à une caisse commune qui assure les frais d'exposition, de publicité, d'équipement). Il y a maintenant un restaurant accessible à toutes les bourses, des chambres pour étudiants, des cours, des séminaires. On y donne des concerts et des solistes de réputation mondiale ne dédaignent pas de se déranger pour Ein Hod. On y rêve d'une Académie Nationale des Arts Plastiques, mais lorsque, en 1953, sous l'impulsion du peintre dadaïste Marcel Janco, une poignée d'enthousiastes retroussèrent leurs manches et s'attelèrent à la tâche, il n'y avait ni route, ni eau, ni électricité. Le Gouvernement se contenta de laisser faire. Le maire de Haïfa, lui, quoique Ein Hod ne fût pas dans sa juridiction, contribua par contre très efficacement à la rénovation du village. C'est charmant; peut-être pourrait-on reprocher à l'ensemble une légère tendance au tape-à-l'œil.

La route s'élargit davantage; c'est l'entrée d'Haïfa.

HAÏFA

Les Italiens disent : Voir Naples et mourir. Les Israéliens ajoutent : Mais pas avant d'avoir vu Haïfa. Et ils n'ont pas tort. Certes, l'industrialisation a un peu gâché le nord. Réservoirs d'essence et cheminées d'usines ne sont recommandables qu'en certaines circonstances où le réalisme social dicte ses lois. N'empêche, l'arc-de-cercle avec sa tangente de plages jusqu'à Saint-Jean-d'Acre, est parfait.

A l'est — ce sont des faubourgs enfouis entre les cimes — au sud, c'est le moutonnement du Carmel et ses soudaines plaques d'agglomération humaine, les plaines, les vallées fertiles de Galilée, les parts échues à Issachar et Naphtali, alors que Zabulon et Aser installaient leurs tribus au septentrion. Le regard se perd, cherche sa route, revient immanquablement à l'amphithéâtre qui descend vers la mer, avec ses gradins qui sont des maisons et l'étincellement doré du Temple Bahaï et ce port, en bas, au milieu duquel se dresse un silo... Celui-là est naturellement à sa place, ne dépare rien, ajoute plutôt qu'il n'enlève.

Haïfa est aujourd'hui la troisième cité d'Israël et compte environ 230 000 habitants. Au début du siècle, elle n'était encore qu'une bourgade-étape; Jaffa était le port principal du pays et la seule ville du Nord était Acre. Les Britanniques comprirent l'intérêt du port naturel de Haïfa et aussitôt arrivés, commencèrent les opérations de dragage. Des colons venus d'Allemagne s'installèrent dans les années 20 et 30 et donnèrent à l'agglomération son aspect bien ordonné. Depuis plus de 35 ans, Haïfa est le premier port de mer d'Israël et un excellent point de départ pour les excursions en Galilée.

RENSEIGNEMENTS PRATIQUES - HAIFA

O N S E

QUE VOIR? Au mois d'avril, l'*Exposition Florale*, internationalement connue, à Gan Ha'em, Mont Carmel. De juillet à septembre, concerts en plein air au parc Gan Ha'em. Le panorama du point d'observation Yefe Nof, métro Gan Ha'em. Le *Sanctuaire Baha'i*, en granit de Baveno. Le temple grec néo-classique (1956) abrite le musée et les archives de cette secte. Le *Musée Maritime* se trouve au n° 198 de la rue Allenby, celui de l'*Art Ancien et Moderne* au 2 rue Bialik. Assez intéressants : le *Musée d'Art Japonais*, 89, Sderot Hanassi et le *Musée d'Ethnologie*, 19 rue Arlosoroff (art juif du Moyen Orient). Le Monastère Carmélite, rue Stella Maris, possède quelques trouvailles archéologiques. A deux pas, la grotte du prophète Élie. Visites guidées dans la cité « Technion » à Neve Sha'anan. Promenade aquatique dans le port, toutes les heures (matin seulement). Entrée n° 5 — passeport indispensable. Le *Musée de*

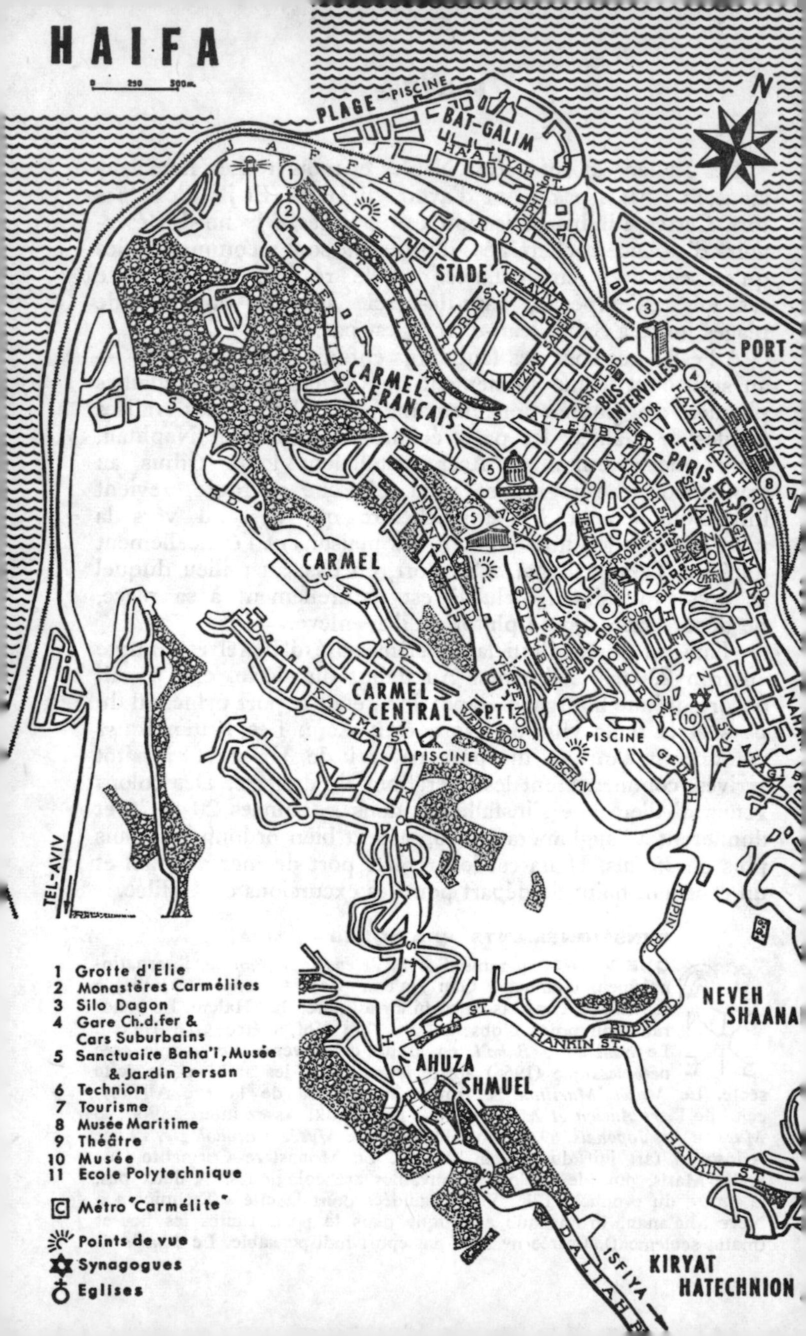

HAIFA
0 250 500 m.
N
PLAGE
PISCINE
BAT-GALIM
HA'ALIYAH ST.
JAFFA RD.
DOLPHIN ST.
ALLENBY RD.
STELLA MARIS RD.
TCHERNIKOWSKY RD.
STADE
TEL AVIV RD.
DROR ST.
YITZHAK SADEH
CARMEL BD.
BUS INTERVILLES
PORT
HA'ATZMAUTH RD.
CARMEL FRANÇAIS
SEA RD.
EIN DOR
P.T.T.
PARIS SQ.
HANASSI
UNO AVENUE
KHOURI ST.
SHIVAT ZION
HERZLIAH
PROPHET ST.
HASSAN SHUKRI
BIALIK
MAGINIM RD.
CARMEL
MONTEFIORE
GOLOMB AV.
BALFOUR
HERZL
YEFFE NOF
CARMEL CENTRAL
P.T.T.
KADIMA ST.
WEDGEWOOD
KISCH AV.
PISCINE
PISCINE
GEULAH
HAGIBORIM
NAHAL
MORIAH
RUPIN RD.
TEL-AVIV
NEVEH SHAANAN
HA PICA ST.
HANKIN ST.
AHUZA SHMUEL
DALIAH RD.
ISFIYA
KIRYAT HATECHNION
1 Grotte d'Elie
2 Monastères Carmélites
3 Silo Dagon
4 Gare Ch.d.fer & Cars Suburbains
5 Sanctuaire Baha'i, Musée & Jardin Persan
6 Technion
7 Tourisme
8 Musée Maritime
9 Théâtre
10 Musée
11 Ecole Polytechnique
C Métro "Carmélite"
Points de vue
Synagogues
Eglises

la Musique et la *Librairie Ami*, 23 rue Arlosoroff et, à Gan Ha'em, rue Hatishbi, le *Musée de la Préhistoire*, l'*Institut de Biologie* et le *Zoo*. Au *Silo Dagon*, petit musée se rapportant aux cultures des céréales à travers les âges. Dimanche à jeudi, 10 h 30.

Dans les environs : le village d'artistes *Ein Hod* (bus 123); les fouilles de *Tel Shikmona* ont mis à jour un site datant de l'époque biblique; les *villages druzes d'Isfiya et Daliat-el Carmel* (bus 92) et le village musulman *Kababir* (bus 34), fondé par la secte indienne Ahmadiya en 1889. A une vingtaine de km de Haïfa, en bordure de la route se trouve cette étrange cité de catacombes, *Beit Chéarime* (Maison des Portes). Il y a dix-huit cents ans, la petite ville de Beit Chéarime, qui s'élevait sur le cimetière, était le siège du Beth Din, la Cour suprême des Juifs. Bus 74 ou 75 de la gare du chemin de fer.

HOTELS. Haïfa étant construite en troix niveaux, les hôtels de la ville se répartissent en 3 groupes : certains sont situés aux alentours du port (prix moins élevés), d'autres près d'Hadar Ha Carmel, d'autres encore sur le Mt Carmel. Ces derniers sont les plus coûteux en raison de la vue splendide sur la ville et le port. En hiver, lorsqu'il pleut, le petit radiateur que vous trouverez dans votre chambre viendra bien à point; en été, vous apprécierez vivement la climatisation.

Haïfa ne possède qu'un seul hôtel **5 étoiles**, le *Dan Carmel*, 220 chambres réparties sur 9 étages; splendide vue sur la baie, piscine chauffée en hiver. Les prix des chambres varient avec la hauteur et la vue sur la baie. Restaurant panoramique; bar-dancing le *Rondo*.

4 étoiles : le *Shulamit*, 70 ch. avec bain, air-conditionné, vaste terrasse. Plus récent et très agréable, le *Nof*, 100 ch. A des prix similaires, le *Yaarot Hacarmel Health Resort*, 98 ch. avec bain, piscine. Dans la région de Hadar, « Haïfa ville » : le *Zion*, 5 rue Baerwald, construit en 1935, 94 ch. certaines ayant vue sur la baie, d'autres sur les montagnes.

Dans la catégorie **3 étoiles :** le très bon *Hod Hacarmel*, 17 rue Elhanan 23 ch. avec bain, situé près du shopping center Merkaz; le *Korngold* sur le Mt Carmel, 13 ch. et le *Dvir* également sur le Mt Carmel, 30 ch. climatisées. Le *Ben Yehuda*, 61 ch., n'est que partiellement climatisé, piscine. La *Maison d'accueil du Kibboutz Beit Oren* se situe encore une fois sur le Mt Carmel, 84 ch., piscine. Essayez également l'hôtel *Tadmor*, très semblable à celui d'Herzliya. Près de la station de bus, l'*Appinger*, 26 ch. avec bain ou douche et enfin le *Carmelia*, 35 rue Herzliya, 50 ch. climatisées.

La catégorie **2 étoiles** comprend le *Nesher*, 53 rue Herzl, 15 ch. la plupart avec douche. Le *Lev Hacarmel*, 46 ch., partiellement conditionné, bain ou douche, splendide jardin tropical. Le *Talpioth*, 61 rue Herzl; le *Rachel*, le *Shoshanat Hacarmel* et le *Wohlman*, tous trois situés sur le Mt Carmel.

Enfin, dans la **catégorie inférieure :** le *Daphne*, 31 rue Nordau et le *Lea*, sur le Mt Carmel.

Logements estudiantins : *Hôtel Aliya*, 35 Rehov Hechaloutz; *Elite*, 23 rue Herzl.

RESTAURANTS. Haïfa possède plusieurs restaurants de première classe dont les prix oscillent entre 60 et 80 L.I. Dans le bas de la ville, *Bankers Tavern*, 2 Habankim, considéré comme le meilleur d'Haïfa. Climatisé; grillades et poissons. Très joli cadre, assez cher. Strictement kasher, *Korngold*, 10 rue Nordau. Au Hadar : *Balfour Cellar*, 3 rue Balfour et *Quick*, 15 rue Nordau (minuscule) sont connus pour leurs escalopes viennoises. Si vous aimez tout particulièrement la cuisine chinoise, essayez la *Pagoda*, 1 Avenue Bat Galim. Un peu plus chers, le *Shanghai*, 102 Haatsmout et le *Chin Lung*, 126 Hanassi.

Dans une gamme de prix modérés : A Hadar, le *1001 nuits*; le *Gan Armon*, rue Haneviim. Le *Mataamin*, 24 rue Herzl sert d'excellents plats du jour. Près du Centre Commercial Merkaz, 2 très bons restaurants de style européen (spécialités de goulash et de schnitzel) : le *Carmel*, rue Hanassi et le *Café Peer*, rue Mahanyim. Dans la même rue, le *Finjan* est excellent. Spécialités de poissons au *Misadag* à Bat Galim. Le *Iskander*, 8 rue UNO, réputé pour sa cuisine orientale, est ouvert de 7 h à minuit. Enfin, les amateurs de cuisine italienne iront volontiers au *Rimini*, 20 Haneviim.

Au Mont Carmel : Le *Rondo* de l'hôtel Dan est un rendez-vous élégant. *Gan Rimon*, 10, Sderot Habroshim, cuisine européenne. On mange à l'orientale chez *Finzan*, 4, rue Makhanaïm et en musique chez *Ron*, 139, Sderot Hanassi.

Cafés-snacks : *Atara*, 1, rue Balfour; Le *Strauss*, à l'angle de la rue Herzl et de la rue Balfour. Non loin de l'hôtel Dan essayez le *Dan Carmel Sabra Coffee Shop* et au croisement des rues Nordau et Balfour, le *Bar-restaurant Barak*. Également au Hacarmel : le *Paris*, près de l'Office de Tourisme; le *Ritz*, 5 Rehov Haïm, repère des artistes.

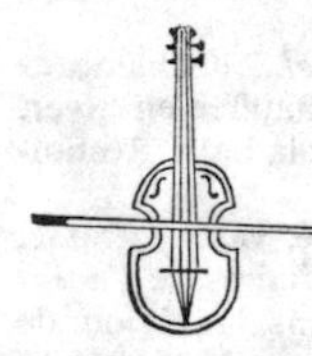

DISTRACTIONS. C'est au *Théatre Municipal*, rue Pevsner, qu'ont lieu les concerts d'abonnement de l'Orchestre Municipal. Le Cinéma *Armon* accueille périodiquement l'Orchestre Philharmonique d'Israël et l'Opéra de Tel-Aviv. Les soirées de danses folkloriques ont lieu au *Centre Rothschild*, 142 Sderot Hanassi. Une vingtaine de cinémas — séances fixes.

Boîtes de nuit. A Danya, Hod Hacarmel, le *Danya Cafe-Disco* : public d'habitués. Le *Flamengo Bar* est très populaire, 102 Haatzmaut. On danse également au *Rondo Room* de l'hôtel *Dan*. Dans une vieille maison arabe au 120, rue du Panorama (près de l'hôtel Dan) le *Club* 120 est actuellement très couru. Dancing à l'hôtel *Dan*. Le *Shulamith Club* se trouve à l'hôtel du même nom. Petits bars-dancings dans le quartier du port et au Merkaz. Pour ceux qui préfèrent le bowling : au 124 de la rue Hanassi, le *Bowling Brunswick* est ouvert de 10 h à 23 h.

PLAGES ET PISCINES. Piscine de Bat-Galim ou plage *Hasheket* (bus 40, 41, 42); *plage Municipale* (libre) et, non loin, la *plage Carmel* (bus 43, 44, 45); plage *Kiryat Haim* (bus 51, 59); hôtel *Dan* (bus 21, 22, 23); hôtel *Ben Yehuda* (bus 33); *Maccabi* (bus 22, 23).

SERVICES RELIGIEUX. Église C.R., 80 Rehov Hameginim; St. Luc, 4 Rehov St. Lukes; Monastère Carmélite, Stella Maris; Synagogue Centrale, Rehov Herzl; Synagogue Hacarmel, 10 rue Hayam; Greco-catholique, 23 rue Ein Dor.

EXCURSIONS ORGANISEES. (Renseignements : Office National de Tourisme, bureaux de voyages, Egged Tours, United Tours, Carmel Touring Co, Mitzpa Tours). *Tour de la Ville* d'une demi-journée. *Tour de la Galilée du sud* (une journée). Nazareth et ses nombreuses églises, son marché arabe très coloré; Cana (premier miracle du Christ); la mer de Galilée (lac Kinnéret); puis Capharnaüm, Tabgha et Tibériade (déjeuner). Retour à Haïfa par le kibboutz Degania et le Mont Thabor où eut lieu la Transfiguration du Christ.

Beit Chéarime et la Galilée Occidentale. (une journée) Départ pour Beit Chéarime, nécropole dans la Vallée de Jezréel. Akko (St Jean d'Acre) et ses fortifications sur la mer, bazars pittoresques, mosquées, etc. Ensuite Nahariya pour le déjeuner. On continue vers Roche Hanikra, sur la frontière libanaise et le kibboutz Hanita dans les montagnes.

Tour de la Galilée du nord et du Golan (une journée). Via la vallée de Bet Karem, arrivée à Safed. On y visite les vieux quartiers et leurs synagogues médiévales, le quartier des artistes, etc. Les sources du Jourdain; Banias; le village druze de Masa'ada; Kuneitra et retour.

Zikhron Ya'acov et Césarée. Excursion d'un demi-jour le long des flancs du Mont Carmel et Daliat Hacarmel (village druze) et vers Zikhron Ya'acov, beau village de vignerons. Visite de Ramat Hanadiv (Mausolée des Rothschild). Puis Césarée, ancienne capitale romaine. Retour à Haïfa.

D'autres excursions d'une journée vous emmèneront dans les hauteurs du Golan.

EMPLETTES. Prêts à porter, robes et tailleurs tricotés : *Donna*, 21, rue Herzl; *Apart*, 2, rue Balfour; *Iwanir*, Hôtel Dan Carmel; *Ilka*, 57, rue Herzl; *Ofnat*, 20, rue Herzl. Pour hommes : *K. Yahalomi*, 129, Shderot Hanassi. Articles de sport : *Ziniuk & Michlin*, 55, Haatzmaouth.

Art artisanal, cadeaux-souvenirs: *Chen*, 74, rue Haatzmaouth; *Hetzroni*, 16, rue Herzl; *Venezia*, 10, rue Herzl; *Traclin Art Gallery*, face à l'hôtel Zion; centre artisanal *Wiso*, 9, rue Nordau. Antiquités : *Goldman Art Gallery*, 92, Shderot Hanassi. Disques : *Blumenthal*, 1, rue Herzl. Service photographique : *Mordehai*, 43, rue Herzl.

ADRESSES UTILES. *Renseignements touristiques :* Tourisme, 16, rue Herzl, tél. 666521 et au Port Shed 12 (à l'arrivée des bateaux). *Consulats :* France : 37, Rehov Hageven, tél. 526281; Belgique : 104, Derekh Haatzmaouth, tél. 533261; Suisse : 35, Rehov Pevsner, tél. 662766. *Lignes Aériennes :* Sabena, 120, Derekh Haatzmaouth, tél. 531-122; Air France, 3, rue Habankim, tél. 522946; Alitalia, 118, rue Haatzmaouth; Swissair, Av. Hanassi 124, tél. 88-181; El-Al, 80, Derekh Haatzmaouth, tél. 640966; Arkia (Haïfa-Béerchéba-Eilat), 4, Rehov Ibn Sina, tél. 67-722.

Transports : Métro funiculaire « Carmélite », départ Place de Paris, 6 arrêts, 8 min. Auto-location : Lucky Drive Co., 1 Rehov Nordau. Cars Egged, terminus coin Rehov Yafo; Bus pour Nazareth, terminus Place de Paris; Bus pour Isfiya et Daliat-el-Carmel : nº 92. Bus pour Ein Hod et Césarée (Haïfa-Hadera) : nº 921; pour St Jean d'Acre (Akko) 251, 271. Services taxis chérouth : *Aviv*, Rehov Nordau (Hadar), tél. 666333; Arie, 15, rue Baerwald, 66395; *Mitzpa*, 662525, 663883; *Carmel*, 82727/6.

Associations : ISTA (Bureau de voyages estudiantin), 20, Rehov Herzl, tél. 69-139; Centre Culturel de France, 16, Rehov Yerushalayim; Club Wizo, 52, rue Moria; Chambre de Commerce, 53, Derekh Haatzmaouth.

Téléphones utiles : Renseignements : 14; premiers secours (Maugen David Adom) 101; police 100.

A la découverte de Haïfa

Haïfa est une ville propre. L'ancien maire, Abba Khoushy, jusqu'à sa mort récente, fit la chasse aux bouts de papier. On lui reproche beaucoup de choses, à ce maire qui a tant fait pour sa ville; entre autres, son socialisme intransigeant qui, en décourageant l'investissement privé, freina le développement industriel, ou tout au moins le subordonna au bon vouloir du gouvernement et de la Histadrouth. « C'est la même chose! » grommelle l'habitant de Haïfa, même lorsqu'il vote à gauche. Tout ce que l'on voit de fabriques, d'ateliers, de hauts fourneaux : implantation officielle. On reconnaît, avec mauvaise humeur, que Haïfa est la seule ville d'Israël où les autobus circulent régulièrement le samedi, sans se soucier des cris horrifiés poussés par les *Khassidim* (les Juifs pieux); on admet qu'Àbba Khoushy a tenu cette gageure d'ouvrir les quartiers résidentiels du Carmel à toutes les couches de la population, sans tomber dans la grisaille des *chikounim* économiques; que grâce à lui — et aussi, il faut bien le dire, à la vieille habitude germanique — des plantes fleurissent de leur note bariolée et joyeuse jusqu'aux édifices les moins réussis. Tout le monde est d'accord sur les bienfaits — sauf les socialistes qui estiment qu'on pouvait faire mieux encore — mais il y a un mais. Haïfa est une dame austère, légèrement guindée, paradoxalement collet monté. « Un couvre-feu moral! » s'exclame dans une envolée amère un jeune homme qui a tâté de Tel-Aviv. Et il faut reconnaître que, en effet, ces rues léchées, ces parterres tirés au cordeau, ces coquettes maisons, tout cela, le soir, prend une allure trop sage.

Cette impression que donne Haïfa, n'est certainement pas la vérité : il n'est que de voir ses habitants, de parler avec eux. C'est ce qui fait d'ailleurs que la ville reste charmante malgré ses petits airs pincés. D'autres facteurs viennent épicer son classicisme exemplaire : le minaret qui perce tout à coup la monotonie des toits plats; la génération des *sabra* qui a pris la relève des immigrants *yecké* (allemands); le port, avec son grouillement, ses grues, ses cris, ses odeurs; le soleil; et ce virus israélien qui vous démonte parce qu'il débouche sur : « Nous sommes 230 000, mais bientôt nous serons 400 000. »

Nous avons effleuré ce penchant à une attitude d'autodénigrement des habitants de Haïfa, « ville morte ». Essayons d'adopter leur vision des choses pour découvrir leur ville comme ils la voient : « Au fait, Haïfa n'existe pas. Ce sont trois villes, pardon, quatre, sinon cinq! En bas, le port; au premier étage, le Hadar-ha-Carmel; au second, le Mont-Carmel; voilà pour ce qui est officiel. A part cela, bon gré, mal gré, on est bien obligé de compter Ahuza, qui est une annexe... et le Technion, qui est une cité universitaire. »

Autre chose. Prenez le nom, par exemple. Impossible

d'en fixer avec certitude la source étymologique. Vous pensez à *yofé* — beau, en hébreu — mais vous avez déjà entendu cela quelque part, du côté de Jaffa. Certains prétendent que la ville fut fondée par Caïphas et, effectivement, longtemps, on a dit Caïfa pour Haïfa. (Les Français d'âge mûr ont connu les petites voiturettes de livraison de café : Le planteur de Caïfa.)

Leçon d'Histoire

C'est au IIIe siècle seulement — de notre ère — qu'il est pour la première fois question de Haïfa dans les écrits talmudiques. Il y avait des Grecs, vous pensez bien, et c'était l'occupation romaine, évidemment. A peine Haïfa prenait-elle quelque essor sous les Arabes, que les Croisés arrivaient. Ainsi qu'il advient toujours en pareil cas, Haïfa fut détruite, quoique nul ne pût lui accorder l'importance de Saint-Jean-d'Acre.

Sous la férule turque, au siècle dernier (construction de la voie ferrée Haïfa-Damas), mais surtout avec l'émigration sioniste, les proportions de la ville commencèrent à prendre une allure plus imposante. Le véritable développement est dû aux Anglais. Succédant aux Turcs, ils ont agrandi et modernisé le port et installé à Haïfa, terminus du pipe-line, une raffinerie de pétrole. Plus tard, après leur départ et le détournement du flot d'or noir par les nations arabes, ce fut Eilat qui alimenta la raffinerie.

C'est avec une sincère émotion que l'on vous parlera du rôle joué par Haïfa à partir de 1939, après la publication du Livre Blanc britannique restreignant l'immigration juive. Le naufrage du *Struma*, qui laissa un rescapé sur 764 passagers, l'explosion en plein port du *Patria* — 250 morts sur 1 800 « illégaux » promis à la déportation par l'autorité mandataire, les mille tragédies des forceurs du blocus humain ne sont pas oubliés. Durant cette noire époque, tous les petits navires qui réussissaient à se glisser entre les mailles du filet anglais, débarquaient leurs immigrants clandestins, ou transbordaient leur cargaison de chair échappée aux fours crématoires sur des plages secrètes, quelque part, le long de la côte. Mais les « prises » d'Albion, elles, venaient pourrir au soleil, sous bonne surveillance, dans la baie de Haïfa. Les bras tendus de ces frères de misère, les appels déchirants des malheureux échouant si près du but, affolés à la pensée de l'inexorable refoulement, c'était pour les habitants de Haïfa. Mais quelle exaltation, ensuite, après 1958, lorsque les immigrants arrivaient et débarquaient, accueillis par une population enthousiaste.

Pour des raisons d'ordre, nous allons visiter Haïfa dans le désordre, en partant du port, mais en faisant, ça et là, l'école buissonnière.

On pénètre facilement dans le port sans avoir à s'embarquer sur un long courrier. La promenade le long des quais est toujours divertissante et variée. Il est possible également de faire la visite en bateau. Les excursions sont de 30, 60 et 90 minutes, selon que l'on se contente des installations portuaires, que l'on pousse jusqu'au port secondaire à l'embouchure de la rivière Kichone, ou, enfin, que l'on inclue le dock flottant de 10 000 tonnes dans le voyage. On visite aussi le Musée du Blé, le silo Dagon, à l'entrée du port, dont la tour fut longtemps la plus haute construction d'Israël.

Et, pendant que l'on a le pied marin, autant faire un saut tout à côté (n° 2 rue Hanamal) et jeter un coup d'œil au Musée Maritime dans la Maison du Marin. Ce musée a été voulu et réalisé contre vents et marées, par un ancien officier de la Marine Israélienne, Ben Elie. Son histoire est des plus simples. Il s'intéressait aux modèles réduits et a démarré avec sa collection personnelle sous l'égide vaguement réticente de la Municipalité. Dans les vitrines veillent des équipages de bois sur le pont d'embarcations-miniature, certaines d'origine, d'autres reconstituées d'après les dessins de l'époque, retraçant le développement de la navigation au Moyen-Orient depuis les âges préhistoriques. A signaler, les bateaux funéraires égyptiens d'il y a 4 000 ans. Pour peu qu'il ait affaire à un connaisseur, ou même un amateur véritable, le directeur se dérangera personnellement, déplacera des meubles pour dégager les vitrines sacrifiées faute de place. Au moment où nous mettons sous presse, des locaux nouveaux sont en voie d'aménagement dans la rue Allenby.

Un peu plus loin, avenue Ha-atzmauth, la plus grande librairie de Haïfa, Steimatzky, est installée à côté de la Poste. Tout autour, s'agglomèrent une série de restaurants au service rapide qui se font une spécialité de la crème glacée; marins et touristes s'y retrouvent. Un bloc plus loin, on est dans l'avenue de Jaffa où les souvenirs, les poteries et les cuivres sont moins chers que dans le quartier central de Hadar. Signalons en passant que les environs du port servent de cadre à un marché noir qui ne se cache pas. Ne vous étonnez donc pas si on vous propose de vous acheter votre montre, votre transistor ou votre chemise. Le long du port, passé la Gare centrale des autobus et la Gare des Chemins de Fer, on arrive au départ de l'autoroute vers Tel-Aviv; un petit navire immobilisé attire le regard : c'est le *Af-al-pi* (peut se traduire par « et pourtant »). Il rappelle le *Aliya Beth*, les années d'immigration clandestine, au cours desquelles les bateaux devaient forcer le blocus britannique pour débarquer en Palestine les Juifs sans foyer.

Hadar

La Mairie, qui se trouve au Hadar, vaut certainement un coup d'œil en passant, et particulièrement le Musée d'Antiquités et d'Art Moderne qui s'y trouve logé — lui aussi — à l'étroit. Il faut traverser la rue et admirer la vue qu'on a du parc de l'Indépendance sur le port, tout en bas. Juste derrière est le vieux Technion — l'École Technique — abandonné à l'Administration depuis l'édification d'une cité universitairé hors de la ville. Le vieil immeuble, construit sous les Turcs, en 1912, pour des étudiants juifs, ce qui est assez remarquable en soi, comprenait des ateliers pour se familiariser avec les techniques manuelles. La *Histadrouth* — la C.G.T. israélienne — y fut fondée en 1920.

A vrai dire, sans nous en apercevoir, nous venons de gravir quelques dizaines de mètres et sommes dans le Hadar-ha-Carmel, l'étage du milieu, le centre commercial et culturel de la ville. On peut s'arrêter dans un café en laissant à Madame le loisir des emplettes ou du lèche-vitrine. On peut aussi poursuivre la visite par la Synagogue de Herzl Street et le Musée Ethnologique, faire un tour au Gan Hazikaron — le Jardin du Souvenir — et à son monument aux morts. Mais il ne faut pas manquer le Théatron qui est une réussite. C'est le seul théâtre qui soit propriété de la ville. Architecture moderne, foyer spacieux et agréable, avec un bar bien fourni en solides et liquides. Les spectateurs viennent un peu en avance et dînent sur le pouce en attendant la représentation.

Voilà pour le bas de la ville. Maintenant, si vous voulez bien faire, prenez le métro Carmelit; vous avez bien lu : place de Paris, parfaitement, car c'est une société française qui l'a construit. Et s'il a été question de désordre, c'est que grâce à ce métro, nous allons brûler le Hadar-ha-Carmel et, d'un seul coup, en 1 800 mètres de parcours pour une dénivellation de près de 300 mètres, nous retrouver au sommet du Mont Carmel.

Là-haut, c'est agréable : il y a le Merkaz, abondamment fleuri, qui est un centre commerçant et il y a Panorama Road, la Corniche supérieure, avec ses maisons particulières et ses hôtels, petits et grands, en bordure. Celui de la chaîne Dan possède un café-restaurant appelé *Rondo*, circulaire, ainsi que son nom l'indique. Il faut y aller au crépuscule pour voir décroître le jour et s'allumer les lumières de Haïfa, patienter encore jusqu'à ce que seuls brillent les millions d'ampoules, de feux de position et les guirlandes des bateaux à l'ancre, que s'agitent follement dans les artères les phares des voitures. Même les quartiers laborieux du nord prennent alors, dans le jeu d'ombre et de lumière, une allure fantastique.

Si vous avez l'occasion de faire une excursion en bateau à cette heure-là, ne la ratez surtout pas. L'envers du décor vaut l'endroit.

Du milieu de la baie, ce qui se remarque le plus, c'est, à mi-hauteur, un dôme blanc à l'étincelante coupole dorée : le Temple Bahaï. Les Juifs si longtemps persécutés se devaient de faire preuve de la plus large tolérance. Haïfa est le centre mondial de la foi bahaï (« gloire », en persan) qui compte plusieurs millions d'adeptes. La Perse où en naquit l'esprit ne l'accepta pas, emprisonna son fondateur, Mirza Ali Mohammed, et le fusilla publiquement en 1850. Il se surnommait lui-même El-Bab, c'est-à-dire « la porte », sous-entendu : de communication avec l'Être Suprême. Ses restes furent transférés ici, alors que ceux de son successeur Baha-Ulla, reposent à Saint-Jean-d'Acre où les Turcs le tinrent 24 ans au cachot dans leur forteresse. De nombreux étrangers non-musulmans ont adhéré à la foi bahaï qui, toute de confiance et de simplicité, élimine le clergé. Le sanctuaire est entouré de magnifiques jardins. On se déchausse pour pénétrer dans le Temple : double grande pièce, le passage dans la seconde étant voilé. Les tapis sont superbes. De l'autre côté de la route, un peu plus haut, se trouvent les Archives de la Foi, splendidement logées dans une imitation — en vrai marbre, qui défie un peu trop victorieusement la patine des ans — d'un temple grec.

Les parcs publics du Carmel central — Merkaz — ne sont guère à dédaigner non plus. Les plus connus sont le Gan-Ha'em (Jardin des Mères) et le Jardin Zoologique. Chaque année, aux environs de Pâques, la Municipalité organise des Floralies que l'on vient visiter des quatre coins du pays et que les touristes se gardent bien de manquer. Il y a enfin un Musée d'Art Japonais légué à la ville par un Hollandais.

Carmel est une contraction de *Karem-El* : les « vignobles de Lui », en d'autres termes, du Seigneur. On sait, bien sûr, si on n'a pas survolé l'introduction de ce chapitre, que le prophète Élie a hanté ces parages, et, plus exactement, ceux du Carmel français, des ordres religieux d'obédience française — principalement les Carmélites — s'étant rendus acquéreurs des lieux. De nombreux monastères et couvents sont dédiés au fougueux défenseur de la foi monothéiste originale. C'est, en principe, à El-Muhraka, l'extrémité sud-est de la chaîne, qu'Élie défia Baal. Une cohorte de 450 prêtres païens d'une part, lui seul de l'autre, devaient sacrifier chacun un taureau à son Dieu, sans porter le feu au bûcher. Il appartenait au Tout-Puissant d'enflammer l'holocauste de Son choix. Les adorateurs de Baal prièrent en vain. Yahweh consuma la bête offerte par Élie. (Une fresque, dans la chapelle du Mont-Thabor reproduit assez naïvement ce mémorable « match » biblique.) « Le peuple se tourna (alors) vers le vrai Dieu » (1er livre des Rois, XVIII) et les 450 tenants du paganisme furent dûment égorgés.

Au pied du promontoire se trouve une grotte sacrée pour les trois religions : aux yeux des Juifs, Élie s'y réfugia après avoir stigmatisé les injustices commises par le roi d'Israël; les Chrétiens y voient « l'École du Prophète » car il y enseigna ses fidèles; les Musulmans en ont fait une mosquée qui lui est dédiée.

Mentionnons enfin le phare, *Stella Maris*, dont les bâtiments abritent désormais le Quartier Général de la Marine Israélienne.

Que ce soit dans l'ordre ou le désordre, nous allons profiter de ce que nous y sommes pour nous promener dans Ahuza, zone résidentielle la plus méridionale, et Neve Sha'Anan, autre cité-jardin. Pour la baignade, on retourne sur la route de Tel-Aviv. Plages et établissements de bains se trouvent non loin du tertre où s'élevait l'antique Sycaminos des Grecs devenue aujourd'hui Chikmona. Nous connaissons plus ou moins déjà le coin; il est à deux pas de la grotte d'Élie.

Les environs

Restent les excursions à partir de Haïfa. Faut-il compter parmi elles la visite de la Cité Universitaire ? Quinze bonnes minutes de voiture séparent le Technion de la ville. La route escalade des pentes, les dévale, emprunte une vallée, recommence son jeu de montagnes russes. Comme dans la plupart des villes israéliennes, les quartiers ne sont pas compacts, ne se jouxtent pas. Il y a soudain une maison qui s'élève quelque part, isolée de tout. Six mois plus tard, il y en aura dix ou cinquante, mais toujours séparées de l'agglomération par cent mètres, ou deux kilomètres de terrain non bâti. On attendra des années pour que les entrepreneurs aient rempli les vides, les locataires emménagé dans les maisons neuves et pour que la ville, ayant finalement établi sa continuité à l'occidentale, la route soit devenue une rue.

Le Technion — ou, plus exactement Kiryat-ha-Technion — est relativement éloigné du centre comme de la périphérie de Haïfa. Il se présente à la manière des coutumières cités-jardin, comprend les écoles techniques et scientifiques, les logements des étudiants et les bureaux de l'Administration Universitaire. Sur le plan de l'architecture, l'ensemble est d'un modernisme souvent agressif sinon excessif, parfois réussi, où l'imagination, l'espace et les matériaux n'ont pas été épargnés. Les bâtiments sont disposés dans un parc; frondaisons, pelouses; il y a même pour les voitures des sens interdits et leur corollaire, les sens uniques...

Ce qui est incontestablement une excursion, c'est la visite des villages druzes de Daliyat-el-Carmel et Isifiya. Du pittoresque en veux-tu-en-voilà, ainsi que des boutiques à souvenirs : *darboukas* (gargoulettes à fond de tambourin), *kefiyas* (voiles qui recouvrent la tête) paniers, nattes, bigarrures variées, cafetières, aiguières, les inévitables pièces uniques, mortiers de cuivre et chapelets de gousses d'ail. Le voile de la femme druze est drapé avec grâce sur la tête et laisse le visage à découvert. Ses couleurs préférées sont, à la mode de toujours, le vert, l'orange, le mauve. Les hommes, eux, portent le kefya sans la cordelière noire du Musulman, souvent par dessus une calotte. L'enfant en bas-âge se juche sur le ventre de sa mère, à califourchon, commodément calé par les mains croisées de celle-ci. Les maisons sont peinturlurées de couleurs criardes. Le bleu domine : il est aussi efficace contre le mauvais œil que contre les mouches. Israël diffuse des programmes arabes de télévision assez réduits; les antennes que l'on aperçoit sur les toits reçoivent les programmes des pays environnants. La loi, libérale, ne prévoit absolument aucune restriction sur ce plan. Des flots de propagande anti-israélienne se déversent journellement dans l'oreille des minorités, sans la moindre incidence sérieuse sur la vie de celles-ci.

Le pays, sauvage à souhait, vous prend à la gorge. Isfiya, à un jet de pierre de Daliyat, jouit d'un point de vue unique. Le regard embrasse la baie de Haïfa, la côte, bien au-delà de Saint-Jean-d'Acre, l'est de la Galilée, jusqu'à Safed, la ville sainte érigée sur la hauteur du Mont Canaan, et le point culminant de la chaîne du Carmel : Rom Hacarmel.

L'héritage de Zabulon

Lors du partage du pays parmi les douze tribus, la plaine au nord de Haïfa, jusqu'à Saint-Jean-d'Acre, échut à Zabulon, l'un des fils de Jacob. De ses faits et gestes, il ne reste rien; son nom demeure attaché à sa terre. Le territoire n'était pas bien grand, — la distance entre les deux villes est de 23 kilomètres — mais les tribus n'étaient guère nombreuses non plus. Zabulon eut la chance encore de pouvoir s'installer chez lui. Son frère, Aser, dont la part se trouvait au nord d'Akko, ne put jamais, de son vivant, entrer en possession de son domaine.

On parlerait bien moins de ce brave Zabulon si son fief, de nos jours, n'était si fortement industrialisée. Les dix premiers kilomètres à la sortie de Haïfa ne sont qu'usines, avec çà et là des zones résidentielles.

Brusquement, tout s'arrête et il n'y a plus que des sables. On se dit : pas gâté, ce pauvre Zabulon. Voire : sur la droite, un kibboutz, Kfar Masaryk, florissante communauté d'origine tchécoslovaque, s'inscrit aussitôt en faux contre notre pitié. On traverse une rivière, la Naaman, que les Hellènes nommaient *Belos*. Ici, la légende intervient. Blessé au cours de son combat avec l'hydre de Lerne, Hercule y vint soigner un méchant empoisonnement du sang, en concoctant avec certaines herbes un antidote appelé Aki, qui donna Ako, puis Akko, ce qu'il fallait démontrer. Autre histoire du genre : à en croire Pline, des naufragés, par un jour de tempête, échouèrent sur ce bout de plage. En faisant cuire un frugal repas, ils inventèrent accidentellement le verre. Des recherches archéologiques récentes ont confirmé sinon l'exactitude de la légende du moins son esprit : la région aurait bien vu les débuts de l'industrie du verre et le sable de la Belos fut en tout cas longtemps recherché pour la fabrication de cette matière.

La Naaman-Belos marquait la frontière entre Zabulon et Aser. Sur l'autre rive, c'était déjà Akko dont les pêcheries étaient si florissantes que l'on disait : porter du poisson à Akko, comme nous disons : porter la farine au moulin.

Le pont traversé, une fourche se présente : à gauche, hier, la vieille ville; à droite, la nouvelle, demain. Sans hésiter, le touriste tourne à gauche, vers le passé. Et il a bien raison. Pour l'avenir, il verra demain.

LA RÉGION D'AKKO

Les Grecs qui ne faisaient rien comme les autres l'appelaient Ptolémée. Il fallut l'installation des Chevaliers Hospitaliers de Saint-Jean entre ses murs pour qu'elle retrouvât son ancien nom et devînt en même temps Saint-Jean-d'Acre (Akko). Elle soutint dix-sept sièges à travers l'Histoire, dont la plupart n'aboutirent pas. Elle succomba à Aser (Juges : I, 31) mais résista victorieusement à Simon Maccabée, un millénaire plus tard, et à Napoléon vingt siècles après. Elle succomba à la première Croisade, qui la prit d'assaut grâce à une opération-amphibie à laquelle se prêta la flotte génoise. Saladin l'enleva, une fois qu'il eût sévèrement défait les Chrétiens aux Cornes de Hittine, mais Richard-Cœur-de-Lion et Philippe-Auguste parvinrent à s'en emparer de nouveau et la Chrétienté la garda une bonne centaine d'années avant de l'abandonner définitivement aux mains des Musulmans (1291).

Une coïncidence historique : la dernière fois qu'elle céda à un assaut, ce fut comme à la première Croisade, à la faveur d'une opération combinée terre-mer. Mais cette fois, à la place des Croisés, c'étaient les Juifs qui la voulaient et qui l'eurent. Aujourd'hui, elle compte 35 000 habitants, dont 5 000 environ sont Arabes, chrétiens ou musulmans, sans compter les Druzes et les bahaïstes.

Des hommes s'illustrèrent à Akko. Certains, dont l'Occident ignore le nom : Daher-el-Omar, un cheik bédouin qui, en 1750, tira la ville de l'abandon où la laissaient les Turcs; un aventurier albanais qui, à la fin du XVIIIe siècle légua à la postérité les souvenirs sanglants de sa cruauté ainsi que des monuments durables : Ahmed, dit *El-Jazzar* (l'Égorgeur).

Depuis, le port d'Akko s'est ensablé et Haïfa l'a éclipsé. Les Haïfiotes y viennent le *shabbath*, jour de congé, pour se baigner, se dépayser, manger du *hom's*, de la *t'hina*, des *felafel*, ou du poisson grillé dans le romantique café-restaurant d'Abou-Christo, au bord de la mer. Beaucoup viennent de plus loin, pour un pèlerinage. Quelle famille n'a eu un frère, un fils, un père, emprisonné, dans cette citadelle ? La Résistance juive y organisa l'évasion en masse la plus spectaculaire de ces dernières décades. Dans la sombre bâtisse devenue hôpital, on visite en évitant de hausser la voix, un petit Musée du Souvenir.

Akko, livrée à elle-même, conserve son caractère, reste attirante et pittoresque; rayonnante prisonnière de ses remparts centenaires que viennent lécher les vagues, de ses maisons arabes, de son souk, de sa tradition. Une presqu'île si puissamment fortifiée qu'elle se coupe volontairement de la marche en avant du monde extérieur.

RENSEIGNEMENTS PRATIQUES POUR LA RÉGION D'AKKO

QUE VOIR? L'ancienne ville de St. Jean d'Acre (Akko) et surtout la mosquée du pacha El Jazzar, les différents caravansérails, la Crypte de St. Jean de l'époque des Croisés, les fortifications. Baignade : plage d'Argaman au sud de la ville. En route vers Nahariya : l'aqueduc romano-turc et les sources de Kabri qui l'alimentaient; le jardin et la maison de Baha Ulla, fondateur de la foi bahaï; le musée des atrocités nazies au kibboutz des combattants du ghetto varsovien Lohamei Haguetaoth. A Evron (Nahariya), les ruines d'une des premières églises byzantines du pays; près de la plage de Nahariya : les vestiges du temple d'Astarté, maille dans la chaîne des vestiges phéniciens le long de la côte et surtout les ruines d'Akhziv.

HOTELS ET RESTAURANTS

AKHZIV. Le village du *Club Méditerranée* est installé le long d'une vaste plage, cases tetraédriques en panneaux de roseaux compressés qu'on peut ouvrir de tous côtés, selon les phases du soleil; soirées-club, dancing, etc.

Dans les parages : maison d'accueil *Gesher Haziv*, 76 ch. climatisées; l'auberge de jeunesse *Yad Layad*, 300 lits, douches, téléphone, 3 repas par jour; le camping d'*Akhziv*, à 1 km de la mer, loue bungalows, tentes et caravanes. Restaurant et possibilité de s'approvisionner, frigos, électricité, gaz. Un autre camping à *Lehman*, offre les mêmes facilités hormis la location de caravanes. Tous deux sont situés près de la grotte Sulam Tzar.

AKKO. Le très luxueux *Palm Beach*, 136 ch., piscine chauffée, plage privée, tennis et restaurant. Non loin, le Motel *Argaman*, sur la plage d'Argaman, vous propose de très jolies villas climatisées. Dans la vieille ville, l'*Auberge de Jeunesse* entièrement équipée, 120 lits, téléphone et moyens de transport à proximité.

Restaurants : *Abou Cristo*, belle vue sur la baie. Nourriture arabe classique; crustacés et divers poissons grillés; raisonnable. *Mizrakh*, dans les souks. Viandes grillées au feu de bois et parfumées au *kesbon* (persil arabe). Pas cher et dé-li-cieux.

Au nord de la ville nouvelle, surplombant la mer, *Zor* propose des plats orientaux et européens. Musique en été, agréable.

HANITA. Sur la frontière libanaise, maison d'accueil du kibboutz *Hanita*, site de montagne, piscine.

NAHARIYA. Les hôtels et pensions y sont très nombreux, citons : le *Carlton* presque de luxe, piscine, suivi de l'*Astor* et de l'*Eden* avec dancing. Près de la plage, le *Pallas Athene*, 53 ch. *Le Frank*, 25 ch. vous propose une nourriture kasher. Dans la cat. modérée : le *Rosenblatt*, le *Laufer*, le *Kalman* et le *Silberman*. Le *Beit Erna* est l'unique hôtel 1 étoile : 11 ch., partiellement climatisé, douches. Dans les environs, une aire de camping : *Cabri* : bungalows, tentes, restaurant, téléphone, magasin d'alimentation, douches chaudes, service secours, gaz, électricité, frigos.

Restaurants : *Penguin*, Boulevard Gaaton, café restaurant animé, musique. Hôtel *Frank*, 4 Rehov Aliyah, bonne cuisine kasher. On danse tous les soirs au café-bar du *Park*, rue Herzl. Thés dansants à l'hôtel *Eden*, rue Jabotinsky.

L'École d'*équitation* Bacall, près du poste de police, fournit les bottes gratuitement. Randonnées jusqu'à Montfort, château des Croisés. Promenades au clair de lune.

Emplettes : cadeaux souvenirs chez *Matanot*, 30 Gaaton ou chez *Maskit*, passage de la Municipalité. Service photographique rapide : *Photo Nahariya*, même adresse, ou *Waelder*, 36 Gaaton. Journaux français : *Paul Falk*, 28 Gaaton.

Syndicat d'Initiative : dans le parc face à la gare d'autobus. Taxis *Arie* : tél. 922922.

CHAVEI SION. Un hôtel de 1re cl. raisonnable : le *Beit Chava*, 45 ch., la plupart avec douche.

ROCHE HANIKRA. Le *village de vacances de Roche Hanikra* propose 80 ch., 270 lits à ses membres uniquement. Les habitations sont conçues soit en bois, soit en pierres et sont dissimulées parmi les arbres. Pour les prix et la cotisation, adressez-vous au *Village*, B.P. 350 à Roche Hanikra.

Le restaurant l'*Inn* est à recommander pour sa cuisine et son cadre.

A la découverte d'Akko

Déambuler à travers Akko est aussi plaisant que de visiter ses monuments. C'est vivant, animé, bruyant ou silencieux, mais toujours intéressant. L'empreinte des Croisés alterne avec celle des Mahométans. On finirait par les confondre, si les premiers n'avaient bâti des murs si épais et les seconds des maisons si fermées. Cubique, basse, insignifiante au-dehors comme pour ne pas exciter l'envie des jeteurs de sorts, mais intérieurement faite d'un enchevêtrement de cours, jardins et habitations, la maison arabe a une porte toujours close. Pas de fenêtre, même grillagée. Si d'aventure le lourd battant s'entrouvre, un souffle d'air frais s'en échappe; on aperçoit les patios et on perçoit le ruissellement de l'eau.

Dans les villes arabes, toutes les rues mènent au marché, au *souk* (ici, on dit souvent *chouk*.) Quelle foule! Le grand chic du vêtement masculin consiste dans un veston à l'occidentale, coupé dans le même tissu que la *ghalabiya*, la longue robe qui remplace nos pantalons. Chez le petit bourgeois, le dandysme n'est pas regardant et il arrive qu'on lise sur les revers taillés dans le liseré, *first* à droite et *quality* à gauche. Les femmes druzes ont la tête prise dans un long fichu noué dont les pointes pendent dans le bas du dos, avec les clés de la maison attachées au bout.

Au milieu de la ruelle bordée de boutiques et d'échoppes, un creux profond. Il n'est pas destiné, ainsi qu'on pourrait le croire, à l'écoulement des eaux, mais au passage des bourricots d'antan. Ils arrivaient, maussades, tête basse, poussés au cul par le « grossiste », présentant la marchandise sur leurs flancs au commerçant de droite comme à celui de gauche. Autrefois, les chameaux aussi faisaient les livraisons. On n'en voit plus guère; les camions les ont remplacés.

Peut-être les marchands, connaissant les touristes. entretiennent-ils soigneusement l'aspect oriental du coin, En tout cas, c'est bien fait. Il y a des havres de paix relative : les petits cafés; les cuisines, les pâtisseries. La viande grille sous les yeux du chaland, les *baklavas* mijotent en douceur dans leur eau sucrée sous les narines du passant. Tout cela est furieusement alléchant et il faut l'ensemble des pseudo-défenses du « civilisé » pour ne pas céder à la tentation.

Dehors, empêtré de vos emplettes, voilà qu'un garçonnet s'empare de votre main : « Viens, je vais te montrer... » Résiste-t-on au tutoiement archaïque ? Il vous conduit à une colonne du caravansérail et prononce, en français, cette phrase mémorable : « C'est ici que Napoléon, furieux, a jeté son chapeau ». Sur quoi il ajoute, sérieux comme un *mullah :* « Si tu veux, je te fais le guide pour une livre. » Vous acceptez, à cause de son assurance, de sa jeunesse. Et alors il vous emmène chez son grand frère qui vous montre le dessous des remparts, les oubliettes où Ahmed l'Égorgeur bourrait ses victimes de *haschich* avant de les saigner.

Payez-le, vous avez assez fait l'école buissonnière. Légère déception : le prix convenu était bien de une livre, mais par personne... Le prix d'entrée des monuments, lui, est fixe.

La mosquée de l'Égorgeur

La tournée commence généralement par *Jami-el-Jazzar* (la mosquée de l'Égorgeur), construite en 1781-82, récemment rénovée par les soins du Gouvernement. Une grande cour paisible aux murs blancs ornés d'arcades. A l'un des angles et tenant tout un côté, l'École Coranique. La mosquée est au fond, minuscule eu égard aux proportions de l'ensemble. C'est une grande pièce nue, tapis au sol, à la voûte très haute. Une sainte relique y est, dit-on, conservée : un poil de la barbe du Prophète. Accroupi, indifférent au reste du monde, un Bédouin prie, solitaire. Regardez bien les colonnes : elles viennent de Césarée... ou d'Achkelon.

Le Musée Municipal occupe les anciens bains turcs du pacha : Hammam-el-Bacha, édifiés par cet infatigable bâtisseur que fut El-Jazzar. La vie quotidienne des Druzes, leur folklore, y ont été reconstitués. Une annexe contient des céramiques, des pièces de monnaie, des objets d'usage courant, fruits des fouilles d'Akko. L'établissement de bains, dont certains éléments ont été conservés, présente en lui-même un grand intérêt.

Les Croisés nous ont laissé la Crypte de Saint-Jean qui aurait vu les conseils de guerre des rois de France et d'Angleterre. Sept à huit mètres de décombres en séparent le sol du niveau de la rue à l'extérieur. La dimension des voûtes ogivales, l'épaisseur des piliers — trois mètres! — tout incitait aux recherches. La découverte d'une coupe vernissée ornée d'une croix mutilée par les ans — en fait, probablement la plus vieille croix des Chevaliers de Saint-Jean — confirma les pronostics : il s'agissait bel et bien du

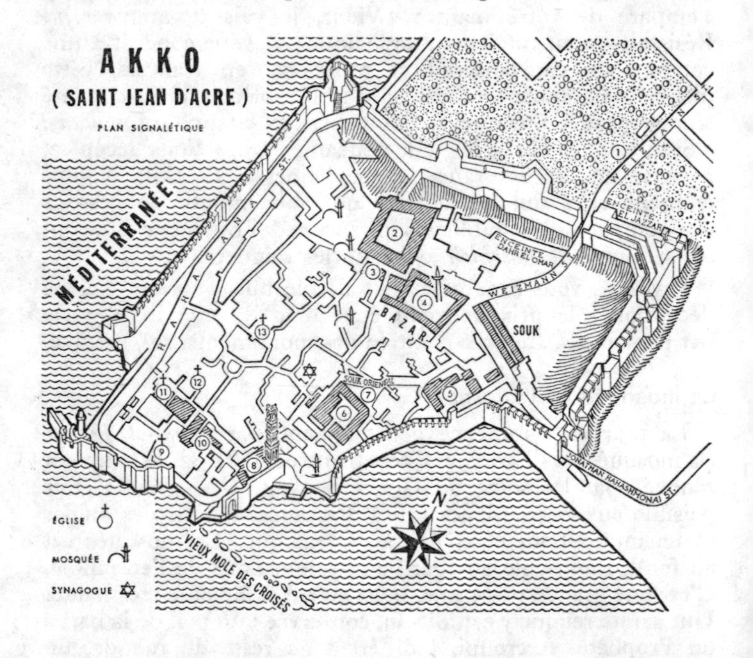

1. Hôtel de Ville 2. Citadelle et Crypte de St Jean 3. Musée (Hammam du Pacha) 4. Mosquée El Jazzar 5. Khan (caravansérail) E' Chawardah et Tour du Sultan 6. Khan des Francs (El Franj) 7. Monastère Franciscain 8. Khan des Piliers (El Oumdan) et Tour de l'Horloge 9. Égl. St Jean 10. Khan E'Choun 11. Égl. St André 12. Égl. Maronite 13. Égl. St Georges.

réfectoire des Hospitaliers. C'est une vaste pièce de style gothique, à deux nefs, que les archéologues classèrent : salle basse. Deux consoles portaient la fleur de lys en relief. Or, l'emblème des rois de France date d'une ordonnance de Louis VII, lequel participa à la deuxième Croisade, (1147-1148). Or, Saladin et ses fils faisaient frapper des fleurs de lys sur leurs monnaies. L'emprunt constant que la noblesse occidentale fit à l'héraldique musulmane pour la constitution de ses blasons justifierait dès lors une thèse hardie. En Europe, l'emblème royal apparaît pour la première fois sur un sceau de Philippe-Auguste (qui succéda à Louis VII). Et les fleurs de lys de Saint-Jean-d'Acre lui sont antérieures. La décision d'adopter cet emblème serait par conséquent due au ciseau anonyme d'un tailleur de pierre infidèle et les Rois Très Chrétiens n'auraient fait que puiser dans l'inspiration islamique. Telle est, du moins, la conclusion du directeur du Musée Municipal. Pour l'étayer, il s'appuie sur une monnaie d'argent frappée à Akko par Henri de Champagne, fils de Louis VII, qui porte également une fleur de lys.

On ne se doute pas en pénétrant dans la crypte — car elle sera encore longtemps désignée ainsi — que c'est l'un des plus anciens monuments gothiques du monde. La Cathédrale de Saint-Denis près de Paris (1144) ne le précède que de quatre ans. Les excavations, jusqu'ici, ont permis de déblayer et d'identifier les restes des trois villes superposées : romaine, croisée, turque. Elles ne sont pas terminées, mais une bonne partie des découvertes sont accessibles au public : salles des Croisés et vieilles rues.

La Citadelle fut érigée par les Turcs sur des fondations chrétiennes du XIIIe. Le Musée du Souvenir englobe le cachot où fut détenu Zev Jabotinsky, qui lança entre les deux guerres, bien avant les événements de 1944-1948, le premier mot d'ordre de la Résistance juive. Au siècle dernier, les hauts murs emprisonnaient un autre hôte de marque : Baha-Ulla, chef de la foi bahaï qui est enterré non loin d'Akko.

Une tour dite « turque » marque l'entrée du Khan-el-Oumdan, vaste cour entourée de portiques, construite sur les ruines d'un monastère dominicain. *Khan*, on le sait, est le mot oriental pour caravansérail, auberge, hôtel. *Oumdan* signifie : colonnes. Celles-ci proviennent, elles aussi, de Césarée. Tout à côté, une autre cour : Khan-el- Franj, le caravansérail des Francs, des Étrangers. De même que le premier, il fut édifié sur l'emplacement d'un couvent. Un troisième, Khan-el-Chawardah, est flanqué par la tour carrée du Borj-es-Sultan et par la « mosquée du sable », Jamin-er-Raml. Selon l'habitude, il s'élève sur les restes d'un monument chrétien et une vieille inscription latine y est encore visible : Maître Ebouli Fazie qui construisit cette « chapelle » y exhorte le passant à prier pour le salut de son âme.

On peut également visiter les imposantes fortifications avec leurs tours franques et turques et leur porte ancienne, la seule qui autrefois donnait accès à la ville; deux églises du XVIIIe siècle et des monuments turcs du XIXe, le palais du Gouverneur et la mosquée d'Isman Bacha.

Il y a encore la nouvelle ville et son monument aux morts. Et la promenade au port de pêche qui conserve des vestiges de la digue et du phare des Croisés; il y a la baignade sur les plages environnantes au sable fin et où l'on peut nager même hors de la présence d'un maître nageur, sans pour cela être un champion : elles sont abritées.

La plaine d'Aser

Elle s'étend au nord d'Akko (Acre) et les hasards de la guerre et de la politique l'arrêtent net vingt kilomètres plus haut.

En prenant la grand-route vers le nord, on rencontre d'abord un ancien *khan* turc transformé en haras. A droite de la route, dans un jardin fleuri de style persan, on peut voir le mausolée et la maison de Baha-Ulla (législateur de la foi bahaï). C'est ici qu'il vint vivre, lorsqu'il fut relâché en 1892, après 24 ans d'emprisonnement dans les geôles d'Acre. L'impressionnant aqueduc, parallèle à la route, fut construit par El-Jazzar sur les restes d'un ouvrage romain semblable, pour amener à Acre l'eau des sources de Kabri, situées à une quinzaine de kilomètres. Au-delà, c'est la culture intensive sur les collines de Galilée.

Un grand bâtiment carré à moins de deux kilomètres de la ville attire votre attention : *Lohamei-ha-Getaoth* (les combattants du Ghetto). Échappés à l'enfer, les survivants des ghettos polonais, enrôlés ensuite dans les rangs de la Résistance Juive en Palestine, l'ont édifié afin que nul n'oublie. Un Musée de la barbarie nazie y est installé.

Puis vient Chavei Sion, fondée en 1939 par une poignée de Juifs allemands originaires de la Forêt Noire, sur un site antique. Des mosaïques y furent récemment découvertes. Mais, on est surtout attiré par le *Dolphin-House*, paradis sur terre à la portée des bourses légèrement au-dessus de la moyenne. Les vedettes de la toute jeune industrie cinématographique israélienne fréquentent cet établissement aux fins de relaxation entre deux tournages.

Nahariya, également fondée par des Juifs allemands, est plus ancienne — elle date de 1934. Les mauvaises langues racontent à son sujet une piquante histoire. En 1936, lorsque la Commission Royale britannique recommanda un plan de partition tout en hésitant d'inclure Nahariya dans le futur État Juif, ses habitants, cablèrent à Chaïm Weizmann : « Quoi qu'il arrive, Nahariya restera allemande. »

Elle a été fort intelligemment transformée en lieu de villégiature, alliant les avantages urbains au laisser-aller des villages de vacances. Les plages sont magnifiques, certaines d'entre elles parfaitement abritées et sans danger. Cela ne s'est évidemment pas fait tout seul. Deux kilomètres ont été regagnés sur la mer : les rochers ont été soigneusement recouverts de sables dragués dans les fonds marins. Une jetée-brise-lames a été construite, prévoyant la baignade et un petit port. Une entreprise spécialisée organise des croisières miniature jusqu'à la frontière distante de 8 kilomètres, avec ou sans plongeon dans la grotte de Roche Hanikra.

La voie ferrée traverse la ville, ainsi que la rivière Nahar qui lui a donné son nom. Les magasins sont nombreux. On y vient passer les mois chauds de l'été; les communications sont excellentes et rapides : des trains pour maris sont prévus. Le week-end, de 20 à 25 000 baigneurs s'ébattent sur les plages! D'où un considérable effort touristique destiné à remplacer la vieille coutume germanique de la chambre chez l'habitant, par un nombre suffisant d'hôtels.

Et l'archéologie? Elle n'est jamais bien loin, en Israël. En creusant les fondations d'une maison, les restes d'un vieux temple phénicien ont été mis au jour. Il n'existe — jusqu'ici — que deux sanctuaires phéniciens connus dans le pays; l'autre est à Meguido. Celui-ci était dédié à Astarté, déesse de la fertilité. Coïncidence? Ou bien le bureau local de l'Office du Tourisme fait-il feu de tout bois? Toujours est-il qu'une fort ancienne tradition juive n'autorise le mariage, dans les six semaines qui courent entre Pâques et *Chevouoth*, qu'au seul et unique jour de *Lag B'Omer*. Et comme par hasard, aux couples unis ce jour-là, Nahariya offre la lune de miel gratuite en l'honneur de l'antique encouragement phénicien à la repopulation.

Nous sommes presque au bout de la côte israélienne.

Il faut nous attarder quelques instants à Akhziv. Le site, historico-archéologique, contient les restes d'une des villes de la tribu d'Aser. Et, comme, ici, le très vieux se mêle intimement au tout récent, vous trouverez de l'autre côté de la route le Mémorial des Quatorze. Ils étaient en effet quatorze jeunes gens qui avaient décidé de faire sauter le pont reliant Palestine et Liban, pour s'opposer à l'invasion arabe. Ils y laissèrent leur vie.

Le centre urbain Akhziv n'existe pratiquement pas. C'est au Club Méditerranée qu'il doit sa notoriété. Dans le voisinage immédiat, il y a une plage publique au service des autres touristes et des autochtones.

Roche-Hanikra, enfin, c'est un rocher, un téléférique, une barrière et, en dessous, une grotte marine. La route est coupée tout à coup, à la sortie d'un virage en pente. Terminus. Frontière. Si vous enjambez la barrière, vous êtes au Liban. Apparemment, personne ne garde la frontière — les postes militaires sont de part et d'autre du virage — si ce n'est la tenancière du stand qui vend les esquimaux locaux d'origine belge, appelés Artic, du chewing-gum, des sandwiches et de la limonade « garantis *kasher* ».

La baignade dans et autour de la grotte est à la fois à recommander et à déconseiller. La mer est traîtresse, mais la grotte prétend rivaliser avec la *Grotta Azzura* bien connue des touristes qui ont « fait » l'Italie. Malheureusement, la délimitation aquatique des frontières est assez imprécise et les nageurs de Roche-Hanikra, si bons fussent-ils, devraient songer aux autorités libanaises qui ne plaisantent pas sur le chapitre de l'immigration.

De Roche Hanikra à Eilat, localité la plus méridionale du pays, la distance officielle est de 477 kilomètres.

LA GALILÉE

C'est le Nord; la partie la plus fertile d'Israël; si l'on préfère, celle qui fut le moins négligée par les agriculteurs arabes; celle où, par conséquent, s'installaient le plus souvent les premiers pionniers, où furent tentées les expériences nouvelles, entre autres, cette forme de communauté connue sous le nom de *kibboutz*. C'est encore la région que parcourut le Christ. Nous suivrons son itinéraire. Les lieux de recueillement ne s'y comptent plus pour les Chrétiens.

La Galilée est aussi le passage naturel des migrations Asie-Afrique; en d'autres termes, elle fut l'objet de convoitises diverses et constantes. De tous temps, les conquérants se la disputèrent. La plaine côtière est naturellement la plus peuplée, à cause de la Méditerranée. Mais la Galilée possède un lac d'eau douce qu'on appelle également une mer : le lac de Tibériade. Le climat, entre deux eaux, s'y montre-t-il plus clément qu'ailleurs ? Toujours est-il que la nature s'y révèle moins rébarbative. Par instants, on se croirait en Europe.

Pour peu que l'on s'en tienne aux appellations bibliques, on voit, en remontant la côte, une plaine succéder à l'autre. Nous-mêmes, de la plaine de Judée (Tel-Aviv), nous sommes passés à celle de Sharon — ou Saron — qui mène à Haïfa; au-dessus, nous avons parcouru la plaine de Zabulon et celle d'Aser. Le terme hébreu : *emeq*, ne distingue pas entre plaine et vallée. Nous le retrouverons sans cesse en Galilée pour désigner les vallées dont la plus célèbre, la plus disputée également, est celle du Jourdain, le principal cours d'eau israélien. Il naît en territoire arabe, descend, cascadant de lac en lac, la vallée de Houla (qui n'était qu'un marécage, il y a quelques années) dans le saillant septentrional du pays, et se jette dans le Yam Kinneret, c'est-à-dire la mer de Galilée ou lac de Tibériade (ou de Ginosar, sinon Génésaret), pour en ressortir et poursuivre sa course en direction du sud. Ce sont ses eaux que les Israéliens transportent à grands frais dans le Néguev pour irriguer le désert. C'est dans ces mêmes eaux que saint Jean-Baptiste donnait le baptême.

Pour belles que soient ses rives, la rivière est insignifiante. Il ne saurait être question de fleuve. Sa longueur ne dépasse pas 252 kilomètres; mais les autres cours d'eau sont infiniment plus petits encore Le Yarkon, de Tel-Aviv, fait 26 kilomètres; le Kichone, à Haïfa : 13. L'eau, ce bien précieux entre tous, ne manque pas en Galilée, ou, du moins, n'y manque pas autant qu'ailleurs. C'est une région de contrastes. On y voit des établissements agricoles dans les vallées, des collines chauves aux flancs desséchés, semés de blocs de basalte, et de hautes montagnes.

Le point culminant d'Israël, le Mont Meron — ou Atzmon — est face à Safed, en Galilée : 1 208 mètres. (Le Ramon du Néguev n'arrive qu'à 1 035 m.) Mais la région est vallonnée et certaines hauteurs, si elles ne se distinguent pas outre mesure par l'altitude, ont cependant reçu la consécration d'une notoriété universelle : le Mont Canaan, 960 m., le Mont Thabor, 588, le Mont Carmel, 546.

Pour la majorité des gens, la Palestine, Israël, c'est avant tout la Galilée, sans pour cela qu'ils soient capables de dire quelle partie du pays elle occupe. Aux yeux de l'individu moyen, la confrontation entre la réalité et ce qu'il imagine, peut paraître insupportable. Nazareth, spirituellement la ville chrétienne la plus importante, est en fait, ethniquement, la plus grande ville arabe d'Israël. Au Mont des Béatitudes, la langue principale est l'italien et les mécréants font l'escalade pour déguster les excellents spaghettis au parmesan des braves sœurs qui tiennent l'hospice. A l'extrême limite, on serait même en droit de prétendre que la Chrétienté, en Terre Sainte, c'est l'ordre des Franciscains.

RENSEIGNEMENTS PRATIQUES - GALILÉE

O N S E

QUE VOIR? La Galilée, la région la plus fertile d'Israël, abrite la majorité de ses fermes collectives, mais c'est dans ses petits villages arabes endormis que vous serez témoin d'un genre de vie, toujours le même, et qui remonte aux temps bibliques. Par la Vallée de Jezréel, la route va de Haïfa, via Afoula, à la Vallée du Jourdain Central. Les petits établissements que l'on peut voir des deux côtés de la route, produisent la plus grande partie du blé israélien. En route vous visiterez les villages druzes d'Isfiya et Daliyat — tous deux encore sur le Mont Carmel — Beit Chéarim et ses catacombes juives et le site historique de Meguido, place forte sur la *Via Maris*, la route des caravanes reliant l'Égypte à la Mésopotamie. Et finalement Beit Alfa et son ancienne synagogue aux charmantes mosaïques. Entre Beit Alfa et le kibboutz Nir David : le parc national de Gan Hachelocha où il fait bon pique-niquer; trois piscines naturelles reliées par des cascades. Près de Beit Ché'ane (où il faut vous arrêter pour visiter le plus bel amphithéâtre romain du pays, parfois utilisé par le Festival d'Israël en été), la route tourne vers le nord afin de vous amener au site biblique du lac de Tibériade (ou mer de Galilée, 209 m sous le niveau de la mer).

Surplombant la Basse Galilée, trois lieux sacrés pour le pèlerin chrétien :

Nazareth, Cana et le Mont Thabor (la route du Mont Thabor est très étroite et grimpe ferme avec beaucoup d'épingles à cheveux. Il ne s'agit pas d'y tomber en panne). Près d'une coopérative du même nom, site biblique de Zippori et vestiges d'une forteresse des Croisés.

En face de Tibériade, la ville qu'Hérode Antipas fit bâtir en l'honneur de son empereur, se trouve le kibboutz Ein Guev — où a lieu un festival musical à Pâques — que l'on peut aller visiter en prenant le bateau. C'est sur les rives nord du lac qu'eurent lieu les miracles du Nouveau Testament et que le Christ prêcha devant les foules.

Après la visite de la ville du mysticisme, Safed, à quelques kilomètres du Mont Méron, on peut pénétrer dans la riante vallée de Houlé, autrefois marécage désolé. (Promenade en barque dans la réserve naturelle, où l'on peut voir, en saison, des pélicans migrateurs). Mais avant, une halte s'impose à la butte de Hatsor (Hazor) site archéologique important.

Pour avoir une belle vue du Liban, il faut aller jusqu'à Métoulla, village fondé, il y a 75 ans, par le baron de Rothschild. Sur le chemin du retour, tournez à gauche juste après Tel Haï : un paysage sylvestre vous attend (avec baignade) au parc national de Horshat Tal (Rosée du Hermon). Si vous avez oublié vos sandwiches, vous déjeunerez au restaurant du kibboutz Hagoshrim, tout près. Au retour, longez la frontière libanaise (marquée par des barres jaunes), vous passerez par Tel (Mont) Kedèche, cité dans l'Ancien Testament. Puis c'est Sa'sa, Maglote et Milya, meilleur point de départ pour la visite du nid d'aigle des Croisés : Montfort.

AFOULA. Deux restaurants : *Herzig* (K), Rehov Hanassi, médiocre mais suffit en passant. Un peu meilleur et strictement kasher, *San Remo*, 4 Kibar Ha'atzmaouth.

AYELETH HACHAHAR, (067-37364-6-C, P, K, chauffage en hiver), près de Hazor. Hôtel de kibboutz « de luxe » par chalets bien tenus. Bonne nourriture abondante. Petit musée (mais la plus grande partie des trouvailles est au Musée de Jérusalem). Le soir, sur demande, projection de diapositives sur la vie et l'organisation de la communauté; piscine, tennis.

EIN GUEV, kibboutz face à Tibériade. Lieu du festival bien connu. Restaurant renommé pour ses sardines grillées et sa « friture de poissons St. Pierre », le tout arrosé par un petit vin blanc des côteaux.

On peut louer des barques, mais ne pas s'égarer trop loin : le temps peut brusquement changer. La pêche d'amateur est interdite.

HAGOSHRIM (067-40138) en Galilée du Nord, près de Dafna. Maison d'accueil de kibboutz, climatisation, piscine. Première cl. raisonnable.

KFAR BLUM (067-40468, K), kibboutz, même région, même catégorie; piscine.

KFAR GUILADI (067-41414-P, T, K), kibboutz dans la montagne près de Metoulla; tennis, piscine.

LAVI: (067-21477) Kibboutz religieux près de Nazareth; stricte observance des traditions juives; 30 ch. av. douche.

METOULLA. Plusieurs petites pensions : *Arazim*, seulement ouverte l'été et possédant courts de tennis et piscine. Parmi les 5 kibboutzim de la région, l'*Hagoshrim* (067-40138) se détache : c'est en ses alentours qu'au lendemain de la Guerre des Six Jours on décida de créer la première station de ski du pays.

NAZARETH

Nazareth (30 000 habitants) est la plus grande ville chrétienne du pays. Tous les rites y sont représentés dans ses innombrables couvents et églises : Catholique Romain, Grec Orthodoxe, Grec Catholique, Maronite, Protestant, etc. On peut se rendre en autobus (nº 1) à Natzrath Ilith (Nazareth-la-Haute), une agglomération moderne qui surplombe la vieille ville et d'où l'on découvre un beau panorama sur les clochers et les ruelles de l'ancienne Nazareth ainsi que sur les montagnes de Galilée. Natzrath Ilith est un centre industriel, créé pour fournir du travail aux 15 000 nouveaux habitants. L'antique Nazareth possède son propre symbole des temps nouveaux : la splendide Basilique de l'Annonciation, la plus grande et la plus belle de tout le Moyen-Orient. C'est la cinquième église construite au-dessus de la grotte où l'ange Gabriel apporta le Divin Message à Marie.

EGLISES ET LIEUX SAINTS. *Basilique de l'Annonciation* (C.R.), construite sur le site où l'ange Gabriel apparut à Marie et considérée comme le berceau du Christianisme. Les Franciscains sont les gardiens de cette nouvelle bâtisse de style italien. *L'Eglise de St Joseph* (C.R.), petite, est connue également sous le nom d'Église de la Sainte Famille; construite sur le lieu de l'échoppe de Joseph le Charpentier. A l'entrée : petit musée. *L'Eglise Salésienne*, sur une colline, est la plus belle de Nazareth. Pas de transport public. On peut s'y rendre par une route escarpée. L'*Eglise Grecque-Orthodoxe* de l'Annonciation (St. Gabriel) est la plus ancienne, construite il y a près de 300 ans. L'*Eglise Grecque-Catholique*, près du marché (site de l'ancienne synagogue que Jésus a fréquentée) appartient à la communauté de rite Melchite. A l'*Eglise Maronite* libanaise (dans le quartier Nabaa) la messe est dite en arabe et en araméen. Le *Temple Anglican*, situé près de la rue Casanova, a été construit il y a 100 ans. Le *Temple Baptiste* près de l'église Grecque-Orthodoxe date de 1924. A l'*Eglise Copte*, construite en 1952 dans le quartier oriental, on célèbre la messe selon le rite répandu en Égypte. L'*Eglise Catholique Grecque de St. Joseph* jouxte le Séminaire au sommet d'une colline surplombant Nazareth à l'ouest.

HOTELS. Le *Grand New Hotel* est, comme son nom l'indique : neuf et somptueux; 54 ch. av. douche ou bain; 1re cl. raisonnable. Le *Nazareth* est plus ancien, modéré, 68 ch. climatisées. En cas de panne il y a le *Hagalil*, cuisine kasher, b. m.

A mi-chemin entre Nazareth et Haïfa, à Tivon, vous trouverez une Auberge de Jeunesse et une aire de camping, 2 points de départ idéaux pour visiter Nazareth, Haïfa, Beit She'arim ainsi que la région de Carmel. L'Auberge possède une centaine de lits, téléphone, prépare les petits déjeuners; le camping loue des tentes et des bungalows, possède un restaurant et un magasin d'alimentation.

Hospices : *St. Charles Borromée.* C.R. Couvent des sœurs allemandes. *Séminaire Théologique Arabe Catholique Grec*, tél. 54224. Ouvert uniquement à Pâques et durant les grandes vacances. *Couvent Franciscain de la Transfiguration sur le Mt. Thabor*, tél. 77219. C.R., italien; pèlerins seulement. *Religieuses de Nazareth*, tél. 54304, C.R., français. Pèlerins seuls ou en groupe. *Sœurs de la Charité* (Hospice français), tél. 54071. C.R. Pour pèlerins et touristes. *Casanova*, tél. 54355, C.R.Franciscain. Pour pèlerins et touristes, de préférence en groupe. *Terra Sancta*, C.R., monastère franciscain.

RESTAURANTS. *Abou Nassar*, Rehov Casanova (connu également comme English Bar) cuisine européenne et orientale. Le *Riviera* et l'*Israël* servent tous deux des spécialités orientales. *Astoria*, carrefour Casanova et Rehov Paul VI. Spécialités libanaises. Dans le même coin, le *Hope* et l'*Hatiqva* préparent aussi bien une cuisine occidentale que juive. Cuisine orientale à l'*Abu Nowaras*; essayez également l'*Abu Alasal*. Excellente cuisine kasher au *Nof Nazareth*.

EXCURSIONS. *Cana*, à 6 km au nord-est de Nazareth où Jésus a accompli son premier miracle. Deux églises, l'une grecque orthodoxe et l'autre, franciscaine, commémorent l'évènement. Bus n° 353 (près de la Fontaine de Marie). *Mont Thabor*. A mi-chemin entre Nazareth et Tibériade, dominant la vallée de Jézreel, se trouve le site de la Transfiguration. La Basilique franciscaine a été construite sur les vestiges datant de la période byzantine et de celle des Croisés (6e au 12e s.). Une église grecque jouxte la Basilique. Très belle vue sur les montagnes de Guilboa, la Samarie, les contreforts du Carmel, la Galilée et le lac de Tibériade. Bus n° 357 jusqu'à Dabbouriya (au pied du Mont Thabor) où l'on peut louer un taxi *chérouth*.

TRANSPORTS. Nazareth est reliée aux autres parties de la Galilée, à Haïfa et Tel-Aviv par les cars et les taxis collectifs (chérouth). La Compagnie Egged, la Compagnie des Cars Haïfa et la Compagnie des Cars de Galilée partent et arrivent au terminus des autocars, Rehov Rashi.

TAXIS. *Nazareth :* tél. 54027. Taxis chérouth (collectifs) près du terminus des autocars, tél. 54412, à Ha Merkaz Central.

EMPLETTES au vieux souk où l'on trouve une variété infinie de souvenirs. Boutiques recommandées : *Abou Nassar* (au restaurant) Rehov Casanova, et la boutique des Pères Franciscains située au Musée et où l'on trouve des articles religieux. Centre commercial moderne près de l'église Grecque Orthodoxe. Plus bas dans la rue Casanova-Paulous, vous trouverez plusieurs magasins de souvenirs près de l'Hôtel Galilée (Hagalil) : *Your Souvenir Shop* et le *Holyland Olivewood Workshop*.

ADRESSES UTILES. *Office Gouvern. de Tourisme*, Rehov Casanova; tél. 54144. *Le Centre Culturel Municipal* organise des soirées musicales et d'autres activités culturelles.

Agences de voyages et banques : *Pèlerinages au Pays de la Bible*, 303, Rehov Casanova. *Centre Chrétien de Voyages :* Rehov Paul VI. Toutes les banques de Nazareth sont fermées les mercredis après-midi et les samedis, sauf la Banque Barclays qui ferme le dimanche.

Téléphones utiles : *Maguen David Adom* (premiers soins), tél. 54333, *police :* tél. 54444.

NOF GUINNOSSAR (067-22161-4-C, K), hostellerie de kibboutz à Migdal (Magdala), surplombant la mer de Galilée. Très confortable, 1re cl. raisonn. Pêche, natation, voile, excursion en vedette.

ROCHE PINA. Au sud, à Korazim : *Vered Hagalil* (37085), école d'équitation, la plus connue d'Israël. Randonnées, restaurant, petite hostellerie. Liaison aérienne avec Tel-Aviv (Arkia).

SAFED. Les prix atteignent leur maximum pendant la période allant du 15 juillet au 30 août et à Pâques. Les hôtels se répartissent en 2 groupes : ceux situés sur le Mont Canaan et ceux situés dans la ville de Safed proprement dite.

Le *Motel Zefat*, sur le Mont Canaan, 36 ch. 1re cl. raisonn. Dans la même cat. le *Rimmon Inn*, dans le quartier des artistes. Un peu moins cher, le *Mines House*, 27 ch. et le *Ron*, 50 ch., night-club. En ville, le *Ruckenstein* possède 26 ch.; le *David*, 36 ch. pourvues d'un bain ou d'une douche et le *Tel-Aviv*, même nombre de chambres, tous deux sont partiellement climatisés; le *Central*, 59 ch., petit jardin. Également sur le Mont Canaan, l'*Oranim*, 37 ch., le *Nof Hagalil*, 36 ch., le *Pisgah*, 55 ch. et le *Mizpor*, 46 ch. Le *Motel Canaan* à Beit Shinan, 21 ch. Recommandé : l'*Herzlia*, en ville : réservez vos chambres d'avance en saison, 38 ch. Une curiosité dans son jardin, deux oliviers qui ont, dit-on, 2000 ans! Modéré. Dans les mêmes prix : le *Friedman*, 22 ch. et l'*Hadar*, 20 ch.

Il y a plusieurs maisons d'accueil de kibboutz dans la région.

Cafés-restaurants : *Pinati*, dans la rue de Jérusalem, ne paye pas de mine, mais bonne nourriture orientale et pas chère. *Milo*, dans le quartier des artistes est un café-restaurant où ces derniers se réunissent à partir de Pâques. Deux autres restaurants non-kasher : *Azmon* et *Hamifgash*, tous deux rue de Jérusalem.

Vie nocturne : très animée en été. On danse en plein air au *Metzuda*, café haut perché dans le parc du même nom. Plusieurs hôtels ont leurs soirées dansantes. Il y a deux boîtes « véritables » : la cave *Moadon Hashaoth Haktanoth*, jadis un hammam turc et le *Kimaron*. N'oubliez pas le night-club de l'hôtel *Ron*.

Sports : piscine municipale entourée de collines; ascension très facile du Mont Méron (1028 m) point culminant d'Israël.

Anciennes synagogues à voir : *Ha'ari Hasephardi*, près du cimetière, la seule qui ait survécu intacte au tremblement de terre de 1837. Plus récente la *Ha'ari Ashkenazi*, possède une belle arche du début du 19e s. Atmosphère moyenâgeuse dans celle du rabbin Joseph Caro, où il travailla sur son opus magnum, le *Shulchan Aroch*. Voir également les sanctuaires d'*Abouhav* et d'*Alsheikh*.

Musées : Quartier des Artistes, très intéressant, l'entrée donnant droit à la visite du Musée de l'Imprimerie; musée municipal Glickenstein.

Adresses et téléphones utiles. *Office de Tourisme*, Municipalité 30-663; *Cars Egged*, Kikar Ha'atzmaouth, 30-019; taxis *chérouth*, 30-109; police 30-444; ambulances 30-333.

TIBÉRIADE. Ville d'eau et de repos, capitale de la Galilée, Tibériade fut construite par Hérode en l'honneur de l'empereur romain Tibert. La haute saison s'étale d'oct. à mai et les prix augmentent alors de 15 %. Tibériade possède une vingtaine d'hôtels et plusieurs pensions. Tous sont climatisés en raison de la chaleur régnant en été.

De Luxe : le superbe *Tiberias Plaza* (Sea-of-Galilee, P.O. Box 375, Tiberias) a ouvert ses portes au printemps 1977. 12 étages, 272 chambres climatisées avec vue sur la mer. Piscine chauffée, restaurant, bar, sports nautiques et boutiques. *Galei Kinnéreth*, non loin de la plage, piscine. De haute tenue. **4 étoiles :** le *Golan*, chacune de ses 72 ch. est pourvue d'un bain, vue splendide sur la mer. Le plus récent *Hartman*, 68 ch. avec bain ou douche; le *Ginton*, style américain, night-club. Dans la cat. **3 étoiles :** le *Chen*, 84 ch., night-club et le *Yahalon*, 48 ch. avec bain ou douche; la plupart des 57 ch. de l'*Astoria* ont une douche; le *Peer*, 56 ch., night-club. Les prix sont raisonnables au *Ganei Hamat*, 100 ch., grand parc, plage privée, bar-dancing et sports nautiques. **2 étoiles** : le *Sara*, l'*Eden*, l'*Heller*, le *Ron*, le *Menora Gardens* et l'*Ariston*; tous possèdent des ch. avec bain ou douche, Dans la **catégorie inférieure**, mentionnons le *Florida*, très bien situé, 11 ch., l'*Eshel*, 18 ch., le *Ginossar*, 64 ch. (douche ou bain); le *Polonia*, 28 ch. et le *Gat*, même nombre de ch.

Maison d'accueil de kibboutz. Remarquablement situé, au bord de la mer et à 5 min. de Tibériade, nous trouvons la *maison d'accueil de Nof Ginossar*; plage privée, climatisation, TV, idéal pour ceux qui apprécient les sports nautiques.

Auberges de jeunesse : à Poriya, près de Kinnéreth, et Yoram, près de Tabgha.

Hospices de la région : *Terra Sancta* (C.R.); *Hospice Franciscain* (C.R.); *Hospice du Mont des Béatitudes* (C.R. ital. tél. 20-878); *Hospice Écossais* (Prot.) à l'hôpital écossais, Tibériade; YMCA (Prot.) à Peniel. Couvent *Franciscain de la Transfiguration*, Mont Thabor (C. R. ital.).

Restaurants : face au lac, le *Hayam*, le *Nof Kinnereth* et le *Galei Gil* servent des mets européens et orientaux. Idem pour l'*Arbel*, Kyriat Shmuel et *Minus* 206, route de Safed. Spécialités de poissons au *Chen Bar*, au *Mike's* et au kibboutz *Ein Guev*. Nombreux cafés rue Hayam, en bordure du lac : le *Hof Gai* et le *Signonot* sont très agréables. Le *Quiet Beach* est un restaurant flottant climatisé.

Voir : au sud de la ville, les fouilles de la période cananéenne à Tel Beit Yera et celles de Hamat (très belles mosaïques de l'époque romaine); le monastère de St. Pierre, les tombeaux de Maimonidès (Rambam), de Meir Ba'al Haness (près des sources chaudes) et de Rabbi Akiba; le musée municipal qui est une ancienne mosquée. A l'ouest : les cornes de Hittine et le tombeau de l'ancêtre druze Jethro où se tient chaque année peu après Pâques, un festival de 3 jours (se renseigner).

Sports : ski nautique; voile; baignades sur les plages du *Lido* (souvent bondé), *Minus* et *Blue Beach* (toutes au nord), *Quiet Beach*, *Ron Beach* et *Hof Gaï* (au sud).

Équitation : le Ranch *Vered Hagalil*, de style américain, à 15 min. de Tibériade sur la route Tibériade-Roche Pina.

Excursions en bateaux de la Kinnereth Co, (départ embarcadère rue Hayam); vers Capharnaüm, Ein Guev et kibboutz Degania.

Cadeaux-souvenirs : *Sonia* et *Maskit*, tous deux au Centre Rasco; *Souvenir Shop* à l'hôtel Ginton. La Galerie de l'hôtel *Galei Kinnereth*; près du musée, la Galerie d'art Sigonot.

Services religieux : il y a six synagogues, l'église C.R. de St. Pierre, rue Hayam; l'église écossaise près du tombeau de Rambam.

Adresses et téléphones utiles. *Office de Tourisme*, 8 Rehov Nazareth, 20-992; terminus des cars Egged, Rehov Hayarden, 21-080; taxis *chérouth*, 20-098; excursions en bateau, 20-227; police 20-444; ambulance : 20-111.

A la découverte de la Galilée

La grande porte d'entrée en Galilée (nous en avons à peine exploré les abords sur le chemin de Haïfa) s'étend de Hadera — vallée de l'Iron — à la plaine de Zabulon. Nous allons l'emprunter pour pénétrer au cœur du *Galil*. Nous en ressortirons par la petite porte, à Nahariya — déjà traversée —

après avoir gravi la montagne druze et poussé une pointe jusqu'à Montfort, la citadelle des Croisés.

A l'est comme au nord, les environs de Haïfa sont industrialisés, c'est dire que sa grande banlieue n'est pas plus agréable à la vue que les Saint-Denis ou autres Aubervilliers autour de Paris. Mais après Nesher (est-sud-est) et sa cimenterie qui est la plus importante d'Israël, et surtout à partir du Kibboutz de Yagour, le paysage change et reprend des couleurs bibliques. La transition entre le monde des usines et celui de la culture est insensible. A Kiryat Tiv'on, sur la route de Nazareth, subsiste une des rares forêts anciennes ayant survécu à la hache du bûcheron turc. Tout de suite après, en bifurquant sur sa droite, en accède à Beit Ché'arime (Bet She'arim).

C'est une nécropole; ce fut une ville vivante et grouillante qu'illustra un sage, Rabbi Yehuda Hanassi, le compilateur de la *Michna*, qu'on appelait le Prince. Si grand était son renom que ses contemporains disaient : pour trouver la justice, il n'est que de suivre Rabbi Hanassi à Beit Ché'arime. Le *Sanhedrin*, conseil suprême des Juifs, y avait son siège au IIe siècle. Le savoir s'y était transféré, venant du sud, de Yavneh. Pour suppléer à la perte du Mont des Oliviers que les Romains interdisaient aux Israélites, on creusa la terre calcaire de Beit Ché'arime. De partout, jusque du Yemen (Himyar) les Juifs pieux qui en avaient les moyens, venaient s'y faire ensevelir. Le transport revenait relativement cher. Il fallait enfermer les corps dans un cercueil de plomb et de céramique, former des caravanes de chameaux. Mais Beit Ché'arime était ville sainte, puisque le Sanhedrin y siégeait et que Rabbi Hanassi y pensait.

De la ville détruite par les Romains, il ne reste pratiquement que les ruines d'une synagogue du IIe siècle, probablement la plus grande de l'époque, une presse à huile et cette nécropole souterraine dont l'entrée fut découverte par un gardien, Alexandre Zaïd. Cet homme fut un héros de l'histoire juive récente et une statue équestre sur la colline qui domine Beit Ché'arime perpétue son souvenir.

Jusqu'ici, une trentaine de chambres mortuaires ont été mises au jour et quelque deux cents tombes dégagées. Hélas, la plupart étaient vides. Comme pour tant de sépultures égyptiennes ou étrusques, les pillards étaient passés par là. C'est que les Juifs riches d'antan se faisaient enterrer avec leurs bijoux. Décomposés par la pierre calcaire et l'air, les ossements ne racontaient plus qu'une histoire de mort aux archéologues. Heureusement, il y avait les cartouches, ces inscriptions sur les tombes, en hébreu, en araméen, en grec; il y avait, gravés dans la pierre, des symboles juifs et païens. L'influence grecque, — Béit Ché'arime était une ville d'érudits, — reste prépondérante dans la décoration, avec la coquille d'huître, le bœuf, et même Zeus, malgré l'interdiction de représenter un visage. L'aigle romaine n'en figurait pas moins en bonne place, ainsi que le lion de Juda. L'emblème du judaïsme, le chandelier à sept branches, la *menora*, s'y retrouve à plusieurs reprises, mais surtout sur l'une des parois, superbement exécuté.

Une tombe particulièrement ornée fut attribuée d'autorité à Rabbi Hanassi et, aussitôt s'alluma une querelle scientifique. Sur quoi, en dehors de la richesse décorative, s'appuyait-on donc pour étayer l'hypothèse ? Certes, les sépultures de Gamliel et Siméon, les deux fils de *Rabeno Hakadoche* (notre saint maître), avaient été identifiées, mais on sait que le Prince mourut à Sepphoris (ou Zippori), la ville natale de Marie, au nord de Nazareth. Bien sûr, il n'y aurait rien eu d'extraordinaire à ce que la dépouille fût transportée jusqu'à Béit Ché'arime. Mais voilà : la mort frappa le sage un vendredi soir, *erev shabbath*, la veillée du samedi, et la loi mosaïque interdit l'enterrement durant le repos hebdomadaire. Les communications n'étaient pas rapides en ce temps-là. Il semble invraisemblable, aussi vite que l'on eût agi, que les restes de Rabbi Hanassi aient pu arriver à Béit Ché'arime avant que ne brillât au ciel la première étoile du vendredi soir. La controverse fut tranchée par le rabbinat : oui, le corps arriva à temps, car le soleil s'arrêta à cette occasion.

Les dernières fouilles, en 1960, ont permis de découvrir également un vaste dépôt de céramique et verrerie. Les pièces les plus belles sont exposées dans le musée aménagé à l'intérieur de l'ancienne citerne aux parois circulaires. Ne manquez pas de bien regarder la porte de pierre par laquelle on entre dans la nécropole : c'est une pure merveille.

Emek Jezréel

Au retour, laissant Nazareth sur notre droite, nous reviendrons de quelques kilomètres en arrière. A Kiryat Tiv'on, nous rejoindrons en obliquant à gauche, la route de Meguido (Megiddo), un des sites archéologiques et historiques les plus importants du Proche et Moyen-Orient, la clé de la vallée d'Esdralon, la forteresse qui commandait les communications avec l'Afrique.

Cela a été dit, mais il faut le répéter pour bien comprendre la succession des événements, Emek Jezréel — Esdralon, en grec — a été le champ de bataille naturel des peuples installés sur place et des conquérants. Il était normal que les occupants de la Galilée y eussent, l'un après l'autre, une citadelle contrôlant le passage. La possession de Meguido ouvrait ou fermait, au choix, l'accès de Jaffa aussi bien que de Haïfa et Saint-Jean-d'Acre. De plus, le sud-ouest, la côte, sont fertiles; les plantations de coton aujourd'hui y rendent cinq fois plus à l'hectare qu'en Égypte! Le nord-ouest avait aussi son importance : le commerce avec les nations actives en Phénicie, la navigation grâce aux ports.

Sur la route de Meguido, on traverse des vergers sans fin. Nombre de diplômés chassés d'Allemagne par Hitler, se sont établis à Yoknéam (Yoqne'am) en 1935 et y cultivent de délicieux melons. Les eaux du Jourdain passent non loin, sous terre, dirigées vers le sud. On s'est battu en 1948 encore à Michmar-ha-Emek (le gardien de la vallée) pour le contrôle de Haïfa et un mémorial aux victimes des Nazis y a été élevé.

Un modeste tertre à l'horizon : Meguido, que l'Ancien Testament nomme *Derekh Hayam* (le chemin de la mer), ce que les Romains traduisirent fidèlement par *Via Maris*; Meguido dont la Bible fait le symbole même de la guerre, le *Har Megiddo* — la colline de Megiddo — dont saint Jean fit un seul mot, Harmagédon, où se livrera l'ultime bataille du monde (Apocalypse : XVI, 16).

Thutmose III, l'orgueilleux pharaon qui s'intéressait de si près à la Palestine antique, fit graver en 1478 av. J.-C. le détail de ses victoires remportées à Megiddo. Salomon en jugeait la garnison essentielle : l'impôt levé au profit des murs de Jérusalem devait également servir à la fortification de Megiddo. En guerrier avisé, il se rendit compte aussi que l'issue des combats dans la plaine dépendait de la cavalerie. Aussi y entretint-il de nombreux chevaux et chariots. Josias, le bon roi d'Israël, y mourut en 610 av. J.-C. pour avoir voulu barrer la route à Néchao, roi d'Égypte, qui pourtant l'assurait : « Ce n'est point avec toi que j'ai ma querelle. » (II Chroniques : XXXV, 20-27.) En 1918, Allenby brisa ici les reins de l'armée turque et, enfin, les hommes de Michmar-ha-Emek, trente ans plus tard, y bloquèrent l'avance des troupes arabes en direction de Haïfa.

Les vingt couches superposées dégagées à Meguido par les savants, à partir de 1925, couvrent la période de

4000 à 400 av. J.-C. Une maquette mobile, exposée à l'entrée, en donne une idée fort claire pour peu que l'on soit vaguement familiarisé avec l'histoire des peuples antiques, antérieurs à Moïse. A la base d'un mur, le corps d'une jeune fille avait été cimenté par les fondateurs pré-israélites de la cité en sacrifice propitiatoire. Les ruines les plus reconnaissables sont celles de la ville « à chariots » de Salomon. A en croire le professeur Y. Yadin, les écuries qui pouvaient loger des centaines de bêtes, dateraient même du IXe siècle av. J.-C. et auraient été construites par le roi Achab (le mari de Jézabel). L'accès et l'issue de la « garde montée » sont nettement visibles. Fort intéressant aussi le tunnel creusé dans le rocher pour alimenter secrètement la forteresse en eau potable, à partir d'une source dans la plaine. L'éventualité d'un siège avait été sérieusement étudiée et toutes précautions étaient prises pour tenir contre l'assaillant. Un immense silo avait été aménagé pour emmagasiner le grain. Les vestiges

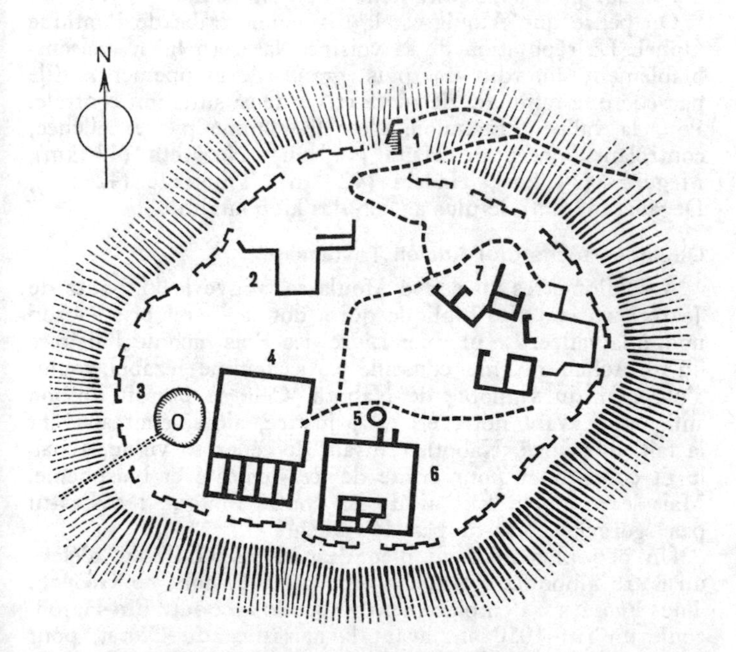

MEGUIDO. **1. Porte 2. Palais 3. Tunnel d'eau 4. Écuries royales 5. Silo 6. Habitations 7. Sanctuaire et palais cananéens.**

les plus anciens jusqu'ici mis au jour sont ceux des temples cananéens autrefois érigés face au soleil levant. Un musée, au pied du tertre, permet d'examiner les pièces découvertes sur place et des reproductions didactiques à l'usage des visiteurs. A signaler aussi pour les collectionneurs : le cachet postal de Meguido. Faut-il ajouter que l'on jouit, du sommet de la colline, d'une vue magnifique sur toute la vallée ?

La route vers Afoula — récemment élargie — est bonne, et le paysage, à chaque tour de roue, devient plus européen. Cailloux et parpaings ont disparu. Afoula, au croisement, n'en est pas moins un carrefour éteint et morne. Le bourg est plus petit que son faubourg moderne, dit Ilit-Afula (le haut d'Afoula) lequel compte trois petits gratte-ciel sur sa crête. (Nous rencontrerons souvent cet *ilit* qui signifie « le haut » et prend le sens de nouveau, moderne, pour désigner la ville récente.) L'ancienne est généralement dans un creux. Les entrepreneurs actuels s'emparent alors des collines d'alentour pour construire leurs quartiers neufs.

On pense que Afoula est la distorsion arabe de l'antique Ophel. La réputation de sa voisine Nazareth lui a vraisemblablement interdit un plus grand développement. Elle possède une raffinerie de sucre et vit de sa situation centrale. Pour la vallée d'Esdralon, c'est le marché par excellence, contrôlant l'accès de Haïfa (44 km), Nazareth (13 km), Meguido (14 km), Hadera (42 km), Tibériade (42 km), Degania (33 km), le plus ancien des kibboutzim.

Quelques récits de l'Ancien Testament

A 4 kilomètres au sud d'Afoula se trouve le kibboutz de Jezréel, sur un site biblique qui a donné — ou pris — son nom à la vallée. Le premier Livre des Rois raconte l'histoire du roi Achab qui, mal conseillé par sa femme Jézabel, voulut s'emparer du vignoble de Naboth. Cela se passait un bon millénaire avant notre ère et la justice, alors, était souvent le fait du prince. Naboth refusant de céder sa vigne, Achab le fit condamner pour crime de lèse-majesté et blasphème. Mais le prophète Élie se dressa contre l'inique : « N'as-tu pas égorgé et n'as-tu pas dépossédé ? »

Un peu plus loin, au pied des Monts Guilbo'a, s'élève un autre kibboutz : Gid'ona, qui porte le nom de Gédéon. Tout à côté, sur l'emplacement actuel du kibboutz Ein-Harod, coule un ru; 1050 ans avant la naissance du Christ, pour combattre les Madianites, Gédéon y choisit les trois cents guerriers par lesquels Yahweh avait promis qu'il sauverait son peuple « car ils lapèrent l'eau en la portant de leur main à leur bouche, sans ployer les genoux » (Juges : VII, 6).

En Dor, — au nord, à l'ombre du Mont Thabor, — fut le théâtre d'un des plus pathétiques récits que l'Ancien Testament nous ait rapportés. Dieu « se retira » de Saül sur la fin de sa vie. Certaine tradition juive veut même que le roi vieillissant fût devenu fou. Il avait chassé David malgré l'étroite amitié qui liait celui-ci à son fils Jonathas. A la veille d'affronter les Philistins commandés par Akieh, dans la vallée de Jezréel, privé des services de David et des 600 hommes de celui-ci, réfugiés auprès de l'adversaire; incertain, malheureux, Saül implora l'Éternel et « Yahweh ne lui répondit ni par les songes, ni par les livres, ni par les prophètes ». Prenant peur, le roi alla consulter une nécromancienne « d'Endor ». C'était une femme « possédant un esprit ». Elle reconnut le souverain malgré son déguisement et, sur sa demande, évoqua les mânes de Samuel. C'est ainsi que Saül apprit que tout était fini. « Yahweh a arraché la royauté de ta main », s'écria Samuel, « et il l'a donnée à ton compagnon, à David.(...) Demain, Yahweh te livrera, toi et Israël, aux Philistins ». Épouvanté, Saül « tomba par terre de toute sa hauteur ». Le lendemain, terrorisés par la prédiction, les Israélites furent battus et « tombèrent, frappés à mort, sur la montagne du Guilbo'a. » Jonathas, Abinadab et Malkichona, les fils du roi furent tués. Saül, blessé au bas-ventre, adjura son porteur d'armes de lui donner la mort, « de peur que ces incirconcis ne viennent me transpercer et m'outrager ». Mais le serviteur, tremblant, se récusa et Saül, désespéré, « prit son épée et se jeta dessus ». David n'avait pas pris part au combat contre les siens. Apprenant la mort de ce roi auquel il devait tant de bien et tant de mal, il éclata alors dans ces lamentations qui sont peut-être un des plus beaux morceaux de la littérature de tous les temps : « Qu'il n'y ait plus sur vous, montagnes de Guilbo'a, ni rosée, ni pluie, ni champs d'offrandes opulentes !... Comment les héros sont-ils tombés ? Comment ont disparu les glorieux guerriers ? » (II Samuel : I, 19-20).

A Beit ha-Chitta nous tournons à droite. La très vieille synagogue de Beit-Alpha (VIe s.) est à quelques centaines de mètres avec la plus exquise, la plus naïve, la plus touchante des mosaïques. Elle fut découverte en 1928, le plus simplement du monde, par des ouvriers posant une conduite d'eau. Soigneusement restauré, ce travail d'art se compose de trois volets distincts. En haut, l'Arche d'Alliance, flanquée de deux *menoras* (le chandelier à sept branches, emblème juif) et entourée d'animaux divers. Au milieu, les signes du zodiaque, commentés en hébreu, — influence grecque très nette, — avec, au centre, le lever du soleil représenté par un chariot que tirent des chevaux et, aux quatre coins, les saisons. En bas, la scène du Roc, Abraham s'apprêtant à immoler son fils Isaac. Des inscriptions illustrent le récit graphique et désignent les personnages par leur nom. Une main sort des nuages pour immobiliser le glaive d'un mot : Arrête! On peut difficilement imaginer combien la pureté de l'inspiration populaire, la maladresse de l'interprétation, l'infini bon vouloir des artisans, peuvent contenir d'émotion directe. Une frise légèrement tordue court autour des trois volets; deux animaux renversés attirent l'attention sur l'inscription principale, en grec, attribuant l'œuvre à Marianos et son fils Aninas, puis en araméen pour préciser qu'elle fut exécutée sous le règne de l'empereur (byzantin) Justinien Ier. Par conséquent, entre 527 et 565.

C'est l'un des spectacles les plus paisibles et humbles qu'il soit donné au touriste d'admirer en Israël.

Gan-ha-Chelocha — le Jardin des Trois — tout près, est un de ces parcs de repos édifiés par le *National Parks Authority*. Un charmant cours d'eau et une piscine semi-naturelle complètent le décor.

La vallée du Jourdain

Nous quittons la vallée d'Esdralon pour celle du Jourdain, à peu près perpendiculaire, qui va du nord au sud. La route descend insensiblement, s'enfonce dans les terres, bien au-dessous du niveau de la mer. La fissure naît quelques kilomètres plus au nord, englobe les anciens marécages de Houla, le lac de Tibériade, puis le Ghor (dont nous avons déjà fait connaissance) qui mène à la Mer Morte et au delà. Se riant des frontières humaines, elle se creuse son chemin irrésistiblement, pour passer d'un pays à l'autre jusqu'à l'aboutissement final dans la Mer Morte.

Beit Ché'ane, à 7 kilomètres de Beit Alpha, est la première étape. Nous y retrouvons la suite de l'histoire de la mort de Saül. Lorsque les Philistins découvrirent son cadavre sur le champ de bataille, ils lui tranchèrent la tête, lui arrachèrent ses vêtements et ses armes et clouèrent son corps au mur du temple d'Astarte à Beit Ché'ane. Sur quoi les guerriers de Yahweh, ayant marché toute la nuit, enlevèrent la dépouille mortelle ainsi que celles de ses fils, pour les ramener et les brûler. Ils enterrèrent ensuite les ossements sous un tamaris et ils jeûnèrent sept jours. (I Samuel : XXXI, 10-13.)

Un autre épisode célèbre se déroula ici. La tradition chrétienne place à Beit Ché'ane la guérison du lépreux narrée par Luc. Pour sa part, l'Évangéliste se contente de préciser : « aux confins de la Samarie et de la Galilée » (XVII, 11).

Mais ce que le touriste est venu voir, c'est le théâtre romain, admirablement dégagé des sables et des détritus. Il fut édifié au IIe siècle et sa reconstitution, l'une des plus réussies en Israël, montre avec un maximum de netteté ce que pouvait être une « salle de spectacle » à l'époque. Le tertre recouvrant l'antique Beit Ché'ane s'élève juste en face, sur la rive opposée du Harod. Il a été fouillé de 1921 à 1923 par une expédition américaine qui emporta nombre de ses trouvailles aux U.S.A., mais en laissa tout de même quelques-unes au Musée de Beit Ché'ane. Parmi celles-ci, la stèle en basalte dite de Seti I (1318 av. J.-C.), une autre de « Mekal, Seigneur de Bet Chan » (1500 av. J.-C.), une gravure sur pierre représentant un combat entre un lion et un chien, de la même époque. Le terrain de fouilles est entouré d'un très beau parc. On a exploré ici dix-huit couches d'occupations successives dont la plus ancienne se trouve à 21, 50 m de profondeur et daterait d'environ 3 400 avant J.-C. De nombreux vestiges de sanctuaires cananéens des XIIe et XIe siècles ont été retrouvés avec un mobilier important. Il y a également, 2 kilomètres plus loin, les ruines d'un monastère byzantin du VIe siècle avec un assemblage de mosaïque de toute beauté.

Au sud de Beit Ché'ane, l'établissement de Tirat-Tsevi est dédié au rabbin Tsevi Kalisher, précurseur du sionisme. Nous sommes ici dans le Ghor. Par endroits, la dépression atteint déjà 200 mètres au-dessous du niveau de la mer. Le Ghor se poursuit en Jordanie, dans la vallée du Jourdain, descendant constamment, jusqu'à Jéricho et le littoral septentrional de la Mer Morte.

La voie ferrée qui remonte vers le nord le long de la vallée du Jourdain, est aujourd'hui hors d'usage. La route suit un cours parallèle jusqu'à Guècher (qui signifie « pont ») à 28 kilomètres de Beit Ché'ane et enjambe la rivière. Au passage à gauche, nous voyons au loin les ruines d'un nid d'aigle des Croisés, Fort Beauvoir (ou Belvoir). Plus haut, à l'extrême pointe ouest, Sha'ar Hagolan possède un petit musée avec d'assez intéressants objets datant du néolithique trouvés dans la région. Au dessus, sur les bords du lac de Galilée, *Em-Hakevoutsot*, c'est-à-dire, « la mère des kibboutzim » : Degania. Il fut le premier à s'établir en appliquant la formule communautaire désormais célèbre. Depuis, d'autres ont suivi l'exemple : Kinnéret, Poriya, Aloumnot, Bitanya. Groupés sur le rivage méridional, ils connaissent maintenant une relative prospérité après des débuts semés de difficultés. A Beit Yerah, les archéologues on déterré une synagogue du ve siècle, un sanctuaire byzantin et une forteresse romaine.

Ici, nous atteignons pour la première fois le lac de Tibériade, la plus connue des mers intérieures. En chiffres, cela donne : 208 mètres au-dessous du niveau de la mer; longueur : 21 kilomètres; largeur : 12 kilomètres; profondeur : de 40 à 48 mètres. Ses eaux sont calmes, mais de soudaines et terribles tempêtes les agitent parfois. Le Jourdain traverse le lac du nord au sud. Les Anciens l'appelaient *Kinnéret*, parce que, vu de loin, le lac a la forme d'un luth *(kinnor)*, ou Genasar, dont les évangélistes firent Génésareth. Mathieu, lui, se réfère toujours à la « Mer de Galilée ». Le lac de Tibériade est entièrement situé dans ce qui est considéré aujourd'hui comme territoire israélien.

Au même titre que Jérusalem et Nazareth, il se fond avec la vie de Jésus. Il marcha sur ses eaux (Marc : VI, 45-56). Il apaisa sa tempête (Marc : IV, 35-41). Il provoqua la Pêche Miraculeuse (Luc : V, 4-7). Il y appela les apôtres : Simon, André, Jacques et Jean (Matthieu, IV : 18-22). Partout, on Le retrouve, à Tabgha, à Migdal, à Capharnaüm. Il évitait la ville de Tibériade, domaine d'Hérode; pour Lui, « le renard ». La tradition veut qu'Il y apprit la décollation de St Jean Baptiste, mais les évangélistes, en relatant la fin du Baptiste, ne donnent pas de précisions là-dessus.

Les villages communautaires où nous venons d'arriver : Degania, Beit-Yerah, Kinnéret, c'est déjà la grande banlieue de la petite Tibériade, la charnière historico-spirituelle entre l'Ancien et le Nouveau Testament.

Tibériade

Les hommes venaient y soigner leurs rhumatismes, les femmes leur stérilité. Ils viennent toujours, les uns et les autres. Il en va ainsi depuis l'époque du Déluge, à en croire la légende talmudique que rapporte la brochure touristique du lieu. Rien n'a changé, sauf, bien sûr, l'Établissement de Bains.

Le premier fut construit par Hérode-Antipas (le soupirant de Salomé), sous le règne de Tibère, d'où le nom. L'actuel et dernier en date, par une société anonyme. Le Talmud édictait des règles spéciales pour les bains de Tibériade le jour du sabbath. Voilà pour les rhumatismes. Quant à la stérilité, tout porte à croire que l'homme des cavernes déjà avait accidentellement découvert la vertu miraculeuse des sources et y précipitait sa compagne si celle-ci tardait à lui fabriquer un héritier. Pour reprendre la prose des brochures, ces sources sont « hyperthermiques, hypertoniques et, dans une certaine mesure, radio-actives ».

La légende veut qu'un jour, étant au plus bas de sa forme, le roi Salomon éprouva le besoin d'un bain chaud. Dans une autre version, ce sont les malades qui viennent le supplier de les guérir. Toujours est-il que, comme Salomon était le Maître des Démons, il en délégua quelques-uns dans les entrailles de la terre pour chauffer l'eau. Celle-ci jaillit (à 60°) sur les bords de la Mer de Galilée. Quiconque s'y baignait s'en trouvait si bien que le bruit de ces eaux miraculeuses se répandit et que les malades accouraient de partout. Devant tant de bienfaits, Salomon se souciait de ce qu'il adviendrait des pauvres bougres une fois que les démons entendraient parler de sa mort. Il y réfléchit donc et, étant supérieurement intelligent, résolut le problème : il rendit sourds les démons affairés à la chaufferie. Les malheureux, ainsi, n'entendirent jamais parler de la disparition de leur maître et continuent toujours à alimenter la chaudière souterraine. Et la preuve que c'est vrai, c'est que l'eau a une odeur de soufre, signe incontestable que l'Enfer a trempé dans le miracle.

La vie officielle de Tibériade commence avec Hérode-Antipas. Après la destruction du Temple de Jérusalem et l'interdiction aux Juifs d'y pénétrer, leur centre spirituel se transféra en Galilée. Nous avons déjà parlé de l'importance que prirent alors Beit Ché'arime et Zippori. Tibériade devint à son tour le siège du Sanhedrin et, par là, l'une des quatre villes saintes des Juifs, les autres étant : Jérusalem, Safed et Hébron. C'est à Tibériade que fut achevée la rédaction de la Michna et celle du Talmud de Jérusalem. Le sage rabbi Meïr ba'al Haness y vécut et y fut enterré.

Tout ce temps, les sources conservaient leur réputation. Si la monnaie de Tibériade frappée durant les deux premiers siècles de notre ère porte l'effigie de l'empereur sur une face, l'autre nous livre Hygie, déesse de la santé, assise sur un rocher d'où jaillit la source, ainsi que le serpent, symbole de guérison, qui devait se muer en caducée, emblème des médecins. En 749, un terrible tremblement de terre détruisit les bains édifiés et fréquentés par les Romains. Les excavations continuent mais, déjà, on distingue le réseau des tuyaux d'argile installés par les spécialistes de l'époque. A signaler : le Talmud nous apprend que les habitants de Tibériade posaient leurs conduites d'eau fraîche à travers les canaux d'eau chaude, pour la chauffer aux fins domestiques. La direction de l'établissement actuel s'est emparée du « tuyau » si l'on peut se permettre cet à-peu-près. C'est bel et bien ainsi qu'au XXe siècle est encore chauffée l'eau utilisée dans les douches.

En dehors des forces d'occupation romaines, les Juifs furent seuls à vivre à Tibériade jusqu'au IVe siècle. A partir de Constantin, le premier empereur converti au christianisme, des églises s'élevèrent parmi les synagogues. Les Arabes vinrent ensuite et Allah sait qu'ils étaient aussi férus de mosquées que de bains et de cures thermales. Un certain temps, la menora fit bon ménage avec la croix et le croissant. Puis il y eut le tremblement de terre de 749 et, quatre siècles plus tard, en 1033, un second, épouvantable. La population déménagea, s'installa sur le site de la vieille ville actuelle. Le reste de l'histoire est connu : Croisés, Arabes, Turcs, Anglais et, enfin, l'État d'Israël. Tibériade, la première ville libérée — le 19 avril 1948 — devint capitale de la Galilée.

Un mot seulement pour ajouter qu'un siècle auparavant, en 1837 pour être exact, un troisième tremblement de terre détruisit de nouveau la ville. Les rapports de l'époque précisent que « les Juifs la reconstruisirent ». De quels Juifs s'agit-il donc ? Leur nombre en Palestine, au Moyen-Age, était insignifiant. Mais Tibériade avait bel et bien une colonie juive dont l'histoire vaut d'être racontée.

Alors que Colomb partait pour son légendaire voyage, en 1492, les Rois Catholiques Ferdinand et Isabelle, après avoir vaincu les Maures, chassaient les Juifs d'Espagne : les *sephardim*, ou sépharades. A quelque temps de là, au XVIe, la duchesse de Luna, dont le gendre était israélite, obtenait du sultan Suleiman-le-Magnifique, un rescrit l'autorisant à établir des Juifs à Tibériade. Deux siècles plus tard, Dahr-el-Omar, ce cheikh bédouin qui avait déjà tiré Saint-Jean-d'Acre de l'oubli, fit encore appel aux Juifs pour peupler la ville. C'est ainsi que les premiers sionistes du XIXe trouvèrent, en arrivant, des coreligionnaires sur place.

Cure à Tibériade

On peut comparer le traitement de Tibériade à ceux de Dax, Aix-les-Bains, Bad-Gastein, Abano, Baden-Baden. Il offre trois avantages aux dires des médecins, par rapport aux autres sources :

1) Au choix du praticien, le bain peut être « de mouvement » (piscine) ou « statique » (baignoire).

2) La boue, dite « Piloma », n'est pas volcanique, mais provient des archi-vieilles alluvions à l'embouchure du Jourdain.

3) Le site reposant a un effet psychosomatique positif.

On a dit, en outre, que ces eaux étaient purgatives. Pline écrivait : « le premier verre adoucit, le deuxième purge, le troisième ressort tel qu'il a été introduit ».

Il y a deux établissements : l'ancien et le nouveau. Ils sont séparés par une différence de prix qui correspond à une différence d'équipement. On ne saurait démolir le vieux bâtiment : les Arabes y tiennent. Il ne reste donc qu'à agrandir le nouveau. On s'en occupe, comme on se préoccupe d'y aménager toutes les nouveautés médicales susceptibles d'améliorer l'état des malades. Tibériade qui compte environ 25 000 habitants, soigne 2 500 curistes par jour. Elle se présente donc au visiteur, avant tout, sous son aspect de ville d'eaux.

Mais que l'on ne croie surtout pas que l'on va à Tibériade uniquement pour ses rhumatismes. Le paysage est effectivement l'un des plus sereins que l'on puisse imaginer. Le climat y est d'une incroyable douceur, particulièrement en hiver. Les fervents du ski nautique peuvent s'adonner d'un bout de l'année à l'autre à leur sport favori. Les Chrétiens viendront pour méditer le long de l'itinéraire spirituel suivi par le Christ; les non-croyants pour les multiples sites historiques et archéologiques de la région.

Une tour en ville pour commencer. A tout seigneur, tout honneur : les sources sont au bord du lac; on trouvera auprès d'elles les excavations de la très antique ville de Hammath et les restes d'une fort ancienne synagogue du début de notre ère. On peut y admirer les superbes mosaïques restaurées en 1965. Il s'agit là d'une authentique œuvre d'art traitant les mêmes sujets qu'à Beit Alpha, mais dont la finition est remarquable. Les inscriptions sont grecques et hébraïques. On penche à croire que le maître mosaïste était grec, les figures zodiacales représentant des garçons non-circoncis.

La tombe de Rabbi Meïr Ba'al Haness, le grand homme

local, est tout près. Sa coupole blanche s'élève à quelques pas de l'Établissement de Bains. En chemin, on visite les ruines de Tibériade-la-Romaine, vestiges de la ville et murs rongés par les siècles.

En suivant le rivage en direction du nord, il faut aller voir, au delà de la synagogue actuelle et devant le bureau des Postes, le Monastère de Saint-Pierre, tenu par les Franciscains. L'abside de l'ancienne église des Croisés a été conservée avec sa forme de proue, rappelant le métier de Pierre-le-Pêcheur. Le Musée d'Antiquités, un peu plus haut, fera les délices des connaisseurs.

L'originalité de Tibériade réside dans le fait que le touriste peut tout « faire » à pied. En quelques minutes, le promeneur atteint le centre et se trouve, à deux pas de la Mairie, devant la Tombe de Maïmonidès. Le grand médecin et philosophe Mosès ben Maïmon, né à Cordoue en 1135, vécut ses dernières années en Égypte; mais il tint à être enterré dans la ville sainte. Tout à côté, comme pour lui faire pendant, se dresse la Tombe de Rabbi Yohanaan Ben Zakkai. C'est ce sage qui se présenta à Titus vainqueur pour lui demander d'épargner Yavneh, centre de culture. Ses disciples ont également leur sépulture ici. Les restes de Rabbi Akiba, un des codificateurs du Talmud, torturé par les Romains en 135, sont ensevelis plus loin.

Dans la ville basse on distingue encore les fortifications turques; murailles de basalte noir élevées par Dahr-el-Omar. La Fontaine de Miriam a une légende. Le Tout-Puissant la plaçait sur la route de ses fidèles durant l'interminable exode de quarante ans dans le désert. La source de la douce sœur de Moïse serait, depuis, au fond du lac. A l'époque fiévreuse des études cabalistiques, les mystiques demeuraient convaincus qu'une gorgée de son eau les aiderait à percer les mystères de la Création.

Autour du lac

Nombreuses sont les excursions. Il est rare que quelqu'un ne donne pas au visiteur le conseil d'aller déjeuner à Ein Guév un kibboutz de l'autre côté du lac. On s'y rend en voiture, par ses propres moyens, en car, ou en prenant le bateau qui assure la traversée de la Mer de Galilée. Il faut dire que, souvent, l'agriculture ne suffit plus à équilibrer le budget de nombreux kibboutzim : ceux-ci s'adjoignent alors une autre activité. Ein Guév a donc ouvert un restaurant et monté une Compagnie de Navigation, la *Kinneret Sailing Company*, laquelle, en plus de la navette Tibériade-Ein Guév, organise des croisières sur le lac jusqu'à Capharnaüm.

Le poisson de Saint-Pierre, spécialité du restaurant d'Ein Guév, est absolument délicieux. Il garantissait à lui seul la réputation de ce coin d'Israël. Mais ces gens sont insatiables; il leur faut, chaque année, un Festival de Musique et de Folklore dans la période de Pâques. Les amateurs, dès ses débuts, furent si nombreux, que le kibboutz d'Ein Guév dut construire une salle de concert contenant jusqu'à 3 000 personnes. Les programmes sont de tout premier ordre. Le grand orchestre symphonique de Tel-Aviv se déplace sans se faire prier, ainsi que des solistes de réputation mondiale.

A-t-on parlé de Qarne-Hittim, les « cornes de Hittine », depuis que nous avons abordé la Galilée! La colline est à une dizaine de kilomètres à l'ouest de Tibériade. (Ne pas confondre, en y allant, avec Kfar Hittim, le village, que l'on traversera sur son chemin.) Une des plus importantes batailles du Moyen-Age y opposa en 1187, les chevaliers d'Occident et les seigneurs orientaux de la guerre; la Croix et le Croissant. Saladin tailla les Croisés de Guy de Lusignan en pièces et ce fut, virtuellement la défaite de Qarne-Hittim qui sonna le glas de la Chrétienté en Terre Sainte.

Au pied de la colline se trouve un lieu saint : la Tombe de Jethro, beau-père de Moïse, que tous les Druzes honorent du titre de *nebi*, prophète. A chaque printemps, ils viennent en pèlerinage sur sa tombe et y organisent une grande fête folklorique. Pour s'y rendre, on traverse la vallée d'Arbel. A droite de la route s'élèvent le moshav Arbel et les ruines de l'antique cité du même nom. On y visite les restes d'une très ancienne synagogue du IIIe siècle. A en croire la légende, c'est dans la vallée d'Arbel que se révélera le Messie.

Dans les grottes préhistoriques des gorges de Nahal Amoud fut découvert en 1925 le crâne de l'homme palestinien. Les savants l'ont étiquetté : crâne de Galilée. Il a plus de 100 000 ans et appartient à l'ère paléolithique.

Sur les pas du Christ

En quittant Tibériade en direction du nord pour le cours supérieur du Jourdain, il ne nous reste plus qu'à suivre les traces du Christ qui prêcha sur les rives du lac et passa de longues années à Nazareth.

Nous abandonnons provisoirement la Vallée du Jourdain pour le pèlerinage de Nazareth. Notre premier objectif sera le Mont Thabor. La route passe par les kibboutzim déjà nommés : Kinneret, Poriya, Yavne'el. Par Kfar Kama, peuplé par des Circassiens. Ils sont là depuis l'occupation turque. A ces Musulmans qui refusaient de se plier au régime tzariste, Abdoul-Hamid avait offert un asile en Palestine. Au pied du Mont Thabor, un village arabe : Kfar Tavor.

Il faut bien dire que la montée est rude et la voie assez étroite pour que, de deux voitures qui se rencontrent, l'une doive rétrograder jusqu'au premier endroit où elles pourront se croiser. Les virages sont en épingle à cheveux et la chaussée est pierreuse. Généralement, le soleil tape dur sur cette piste découverte, sans un arbre, qui se tortille sur le flanc de la montagne. Mais, gravis les 588 mètres, une paix extraordinaire attend le voyageur. Et des arbres...

Le Mont Thabor culmine par un plateau sur lequel se dressent la Basilique de la Transfiguration et l'Hospice Casa Nova, tous deux sous la sauvegarde des Franciscains. Il y a également une église grecque consacrée à saint Élie.

La colline a un passé historique. Elle s'élevait à la jonction des territoires accordés à trois des douze tribus : Zabulon, Issachar et Nephtali. La prophétesse Deborah y prêcha et, sur son appel, Baraq rassembla les troupes pour combattre les Cananéens de Sisara. « Les princes d'Issachar sont avec Deborah; Issachar est auprès de Baraq; dans la plaine, il a lancé ses fantassins... (Juges : IV et V). Mais le site doit sa notoriété à saint Cyrille de Jérusalem qui, le premier, au IVe siècle, identifia le Mont Thabor comme scène de la Transfiguration. Les Évangélistes, pour leur part, ne parlent que d'une haute montagne. Un temps, on pensa même au Mont Hermon.

Jésus était monté, emmenant Pierre, Jean et Jacques. « Or, alors qu'il priait, son visage prit un autre aspect et son vêtement devint d'un blanc éblouissant. Puis, voilà que deux hommes conversaient avec lui. C'étaient Moïse et Élie qui, apparus en gloire, parlaient de la mort qu'il allait connaître à Jérusalem » (Luc : IX, 28-31). Au moment de se séparer, Pierre lui dit : « Maître, nous allons dresser trois tentes, une pour toi, une pour Moïse, une pour Élie » (Luc : IX, 33).

Ces deux passages ont inspiré les architectes successifs qui, au cours des siècles, furent appelés à édifier l'église de la Transfiguration. La dernière en date a reproduit les trois tentes sur la façade sous forme de trois triangles. Quant à l'effet de Transfiguration, il est obtenu, au crépuscule, lorsque le soleil couchant, pénétrant à l'oblique, fait étinceler les mosaïques dorées de la coupole.

Il faut une foi assez profonde pour ne pas s'indigner de la médiocrité architecturale du bâtiment. Le croyant qui s'attend, en plus de l'émotion spirituelle, à une quelconque satisfaction d'ordre esthétique, sera déçu. Il le sera en règle générale devant tous les monuments du culte confiés aux Franciscains, c'est-à-dire : l'écrasante majorité des cathédrales, églises et chapelles. Les Franciscains sont en Terre Sainte depuis le Moyen-Age! Cette basilique, érigée sur le site même utilisé déjà par les Byzantins et les Croisés, est la quatrième. Elle fut inaugurée en 1923 pour le septentenaire de la présence franciscaine. Grâces leur soient rendues pour la constance de leur dévouement, mais leur goût parvient à faire regretter ce que l'on désigne péjorativement par « art sulpicien ».

La première consécration de la Transfiguration date du IVe siècle. Il s'agissait alors de trois chapelles rappelant les trois tentes. L'autel actuel se trouverait sur l'emplacement primitif de la plus grande. Les deux autres sont occupées par des chapelles qu'ornent des fresques que, non sans humilité, on pourrait tout au plus qualifier de naïves. L'une d'elles reproduit l'affrontement d'Élie et des prêtres de Baal, dont il fut parlé lors de la visite du Mont Carmel.

Sur la terrasse de l'Hospice Casa Nova (64 lits, prix doux), on se trouve face à un panorama unique de la plaine : Meguido, la Haute-Galilée couronnée par Safed, les Monts Guilbo'a et Samarie. On distingue nettement Na'ine (l'antique Naïm) où Jésus s'arrêta le temps d'accomplir un miracle. Une veuve se lamentait sur la mort de son fils et le cœur du Seigneur en fut ému. « Ne pleure plus », dit-il à la malheureuse. « Puis, s'approchant, il toucha la bière, (...) et il dit : Jeune homme, je te le commande, lève-toi! » Et le défunt se dressa sur son séant et se mit à parler (Luc : VII, 13-15). Une route plutôt discutable mène à Na'ine.

Au pied du mont, Ein-Dor, où nous avons déjà accompagné Saül venu consulter la devineresse à la veille de la bataille qui devait lui coûter la vie. Un autre affrontement eut lieu dans les parages, vingt-huit siècles plus tard : Bonaparte et Kléber y vainquirent les Turcs et les Arabes en 1799.

A Dabburiya, un village arabe : chèvres, moutons et enfants aux yeux magnifiques. Voici 2 000 ans, neuf disciples attendaient que Jésus, avec Pierre, Jacques et Jean, redescende de la « haute montagne ».

Nous ne sommes plus qu'à quelques kilomètres de la ville où Il passa son adolescence.

Nazareth

C'est une ville arabe, mais chrétienne, dans un pays juif. La Basilique de l'Annonciation, édifiée entre 1962-1968, est la plus grande et la plus splendide du Moyen-Orient; il en va de même pour la Mosquée de la Paix à la construction de laquelle le gouvernement israélien a largement participé. L'emplacement de la synagogue où prêcha Jésus est aujourd'hui occupé par une chapelle grecque.

Les nombreuses contradictions que l'on rencontre à chaque pas en Israël prennent une curieuse tournure à Nazareth. Ainsi, les guides locaux, fortement groupés et, dans leur grande majorité arabes et chrétiens, s'opposent à l'intervention de leurs confrères juifs « du dehors ». Un touriste qui arriverait de Tel-Aviv ou Jérusalem avec son guide, se verrait confié au spécialiste local sitôt sur le parvis de la basilique. A la moindre réaction contre cet étrange état des choses, les syndicats, les autorités se voient accusés de discrimination raciale. Aussi s'incline-t-on plutôt que de créer un incident. La situation de l'hôtellerie dans la ville est à peu près la même.

Nazareth est manifestement étendue par rapport à ses 35 000 habitants. Selon la méthode déjà décrite, le quartier *Ilit* — la ville neuve — s'érige au nord-est sur les hauteurs. Le rythme de la vie s'en ressent dans les vieux quartiers aux venelles étroites, serpentant entre des échoppes d'artisans : il est plus lent et plus pondéré.

Le souk a gardé son caractère oriental. Soit que les visiteurs aient généralement déjà fait leurs achats à Akko ou Jaffa où ils sont passés d'abord — de ce point de vue, Nazareth est mal placée — soit que le but de leur voyage soit exclusivement religieux, ils ne fréquentent le bazar que paresseusement. On achète surtout des objets de piété, chapelets bénits ou non, reliques vraies ou fausses. Beaucoup d'Arabes ont conservé leur costume traditionnel, d'autres l'ont accommodé d'une touche d'occidentalisme, avec cette fantaisie typique qui ajoute de la couleur. A part l'installation de l'électricité et la curiosité des touristes qui ne se limite pas aux lieux saints, qu'est-ce donc qui a changé à Nazareth ? On voit toujours les mêmes femmes puiser l'eau à la fontaine de Marie. Pardon, les conditions de logement ont dû changer, à en juger par l'atelier de Joseph : ce n'était qu'une grotte.

Les Franciscains règnent ici comme presque partout

ailleurs en Terre Sainte, ce qui n'est pas étonnant quand on pense qu'ils y sont installés depuis quatre siècles. C'est un des leurs, le père Viaud qui, pendant les années 1900, fit à Nazareth des découvertes archéologiques importantes.

Nazareth est le berceau de la Chrétienté. Tous les rites s'y trouvent représentés et leurs fidèles, comme ailleurs, s'opposent les uns aux autres. En dehors de la Basilique, il y a une église Saint-Joseph, catholique-romaine, construite sur le site considéré comme « son atelier ». La plus vieille Église de l'Annonciation (300 ans) consacrée à Saint Gabriel, est grecque-orthodoxe. La communauté malchite est desservie par une Église grecque-catholique, près du Marché. Les Maronites, originaires du Liban, au nombre de 600 environ, ont, dans le quartier dit latin, ou *Nabaa*, leur propre Église Maronite, où la messe est célébrée en arabe et araméen. Un pasteur arabe officie dans le Temple Anglican, près de la rue Casanova. La Convention Baptiste du Sud a construit, voici une quarantaine d'années, son Temple Baptiste, à côté de l'Église Grecque-orthodoxe. Une petite Église Copte est venue s'ajouter à l'ensemble — dans la partie orientale de la ville — en 1952. L'ordre salésien de saint Jean Bosco a édifié l'Église Salésienne, dite aussi de Jésus Adolescent, sur une colline; on la voit de loin et elle est fort belle — c'est la seule — mais il faut y monter par ses propres moyens. Enfin, à l'ouest de Nazareth, sur une autre éminence, s'élève l'Église Grecque de Saint-Joseph.

Ni églises, ni collines, ne manquent à Nazareth. Les rues sont presque toutes en pente. Que l'on ne s'étonne pas de découvrir parmi elles une « rue Casanova ». C'est une simple contraction de deux mots, *casa* et *nova*, qui ne doit rien à l'aventurier séducteur. Autrefois, les Franciscains avaient un Hospice à Nazareth, pour recevoir les pèlerins. Celui-ci menaçant ruine, ils en construisirent un nouveau et l'appelèrent : la nouvelle maison — *casa nova* — pour la distinguer de l'ancienne, un point, c'est tout. Et pendant que nous y sommes, disons que la ville compte une bonne dizaine d'hospices, couvents, monastères et maisons d'obédiences diverses, qui reçoivent les pèlerins et, à l'occasion, même les touristes, en groupe de préférence, individuellement le cas échéant.

L'histoire de Nazareth tient en entier dans le Nouveau Testament. La région jouissait d'une assez mauvaise réputation. On haussait les épaules non sans dédain, en Galilée : « De Nazareth, peut-il sortir quelque chose de bon ? » (Jean : I, 46). On sait que Jésus était désigné sous le nom de : le Nazaréen, et que ses disciples étaient des Nazaréens, eux aussi. Un jour de sabbath, il alla, « comme d'habitude », à la synagogue. Appelé à lire le livre du prophète Isaïe, il choisit la phrase : « L'esprit du Seigneur est sur moi parce qu'Il m'a oint... » Sur quoi, se rasseyant, il ajouta : « Aujourd'hui se trouve accompli devant vous ce passage

1. Basilique de l'Annonciation 2. Musée et Monastère Franciscain 3. Église St Joseph 4. Casa Nova 5. Office de Tourisme 6. Couvent Ste Claire 7. Église de Nazareth 8. Couvent des Dames de Nazareth 9. Église Anglicane 10. Sœurs Carmélites 11. Église-Synagogue du Christ 12. Égl. Maronite 13. Égl. Mensa Christi 14. Égl. de Jésus adolescent (salésienne) 15. Égl. Franciscaine de Marie 16. Égl. Grecque Orth. 17. Égl. St Gabriel 18. Temple Baptiste 19. Égl. Copte 20. Fontaine de Marie.

de l'Écriture. » Pressé de faire un miracle à l'appui de cette affirmation, il se récusa : « En vérité, je vous le dis, aucun prophète n'est bien vu dans son pays. » Emplis de fureur, alors, tous se levèrent, le poussèrent hors de la ville et voulurent le jeter dans un précipice. (Luc : IV, 14-30.) Marie, en entendant la nouvelle, « fut remplie d'effroi ».

On l'a vu : de nos jours, la synagogue appartient aux Grecs-catholiques. Une chapelle a été érigée sur une colline au sud de la ville, Notre-Dame de l'Effroi (Sœurs Clarisses), à l'endroit où Marie est censée avoir été saisie d'angoisse à la pensée que l'on allait tuer son fils. Et l'on vous montrera, à 3 kilomètres de Nazareth (exactement au *Djebel-el-Qafse*), la colline d'où la foule en colère voulait précipiter Jésus. L'authenticité du site est souvent mise en doute sous prétexte que Luc parle de « la colline sur laquelle était bâtie leur ville », ou qu'une foule déchaînée ne parcourt pas trois mille mètres avant d'exercer sa colère.

Mais n'y a-t-il pas deux « Annonciation » ?

« L'ange Gabriel fut envoyé par Dieu dans une ville de Galilée appelée Nazareth, vers une vierge (...qui) était Marie. Il lui dit : Salut, pleine de grâce... » et lui annonça qu'elle concevrait et enfanterait un fils auquel serait donné le nom de Jésus. (Luc : I, 26-38.) La grotte où se serait déroulée la scène se trouve sous la Basilique actuelle. Elle était identifiée par la tradition. Seize siècles durant, chapelles, églises et basiliques furent érigées, détruites et reconstruites, sur une simple hypothèse. Il y a seulement douze ans qu'une découverte archéologique vint la « confirmer ». Il s'agit d'une inscription : « Salut, Marie » dans les ruines de la « synagogue chrétienne ». Cette inscription suffit-elle à authentifier le site ? La vieille église grecque-orthodoxe de l'Annonciation revendique depuis trois siècles la gloire de se dresser sur le lieu où s'accomplit le miracle. Alors ?

Alors, on peut se demander si ces discussions ont une quelconque incidence sur le croyant. Une fort ancienne querelle fait rage depuis longtemps à Rome, sur les restes d'un homme enterré sous Saint-Pierre : ces ossements sont-ils, oui ou non, ceux de Pierre ? Les fidèles n'en prient pas avec plus ou moins de ferveur en ce lieu depuis dix-sept siècles. A partir du moment où la foi déplace les montagnes, il importe peu que les sites honorés ou vénérés, soient authentiques : c'est en soi que le fidèle transporte son temple.

La Basilique actuelle s'élève sur un autel fort ancien qui porte ces mots : « Et le Verbe s'est fait chair » (Jean : I, 14).

Cela seul compte. Les premiers Chrétiens, les Croisés, des générations de pèlerins, sont venus ici depuis deux mille ans, dans l'émerveillement. Quatre fois, au cours des siècles, les Byzantins, les Croisés, les Franciscains à deux reprises, en 1730 et aujourd'hui, ont témoigné de leur foi, avec des millions d'hommes, en élevant ici une église. Les fidèles du Moyen Age racontaient qu'à l'instant où l'Islam — en 1263 — s'apprêtait à faire de l'Annonciation une mosquée, des anges apparurent qui emportèrent la chapelle jusqu'à Loretto, en Italie. Et les foules y vont prier et appellent Loretto « la Nazareth italienne ».

A Kafr Kanna (Cana) Marie fut invitée, ainsi que Jésus et ses disciples, à une noce. Le vin manqua. Marie pressa son fils : « Ils n'ont pas de vin ». Jésus ne voulut d'abord rien entendre : « Femme, laisse-moi tranquille, mon heure n'est pas encore venue. » Mais la mère insista. On apporta donc six jarres de pierre, contenant chacune deux ou trois mesures; et Jésus dit : « Remplissez d'eau ces jarres. » Et le maître d'hôtel, ignorant ce qui venait de se passer, en ayant goûté, s'écria : « Tout le monde sort le bon vin d'abord, le moins bon ensuite, lorsque les invités ne sont plus en état de l'apprécier. Toi, tu as gardé le bon jusqu'à maintenant. » (Jean : II, 1-10.)

Que sont devenues ces jarres ? Certaines semblent avoir survécu à l'irréparable outrage des ans. Comme à Nazareth, deux églises revendiquent l'authenticité du site.

Une première chapelle avait été édifiée au IVe siècle par Constantin. C'est sur les ruines de celle-ci que les Croisés construisirent leur église. C'est toujours sur ce même emplacement que s'élève l'Église Franciscaine actuelle. On y conserve pieusement une jarre que l'on montre au visiteur sans trop insister sur sa provenance. Mais de son côté, l'Église Grecque prétend se dresser sur les ruines de l'ancienne maison qui vit l'eau changée en vin. Une fois de plus : peu importe.

Une autre tradition chrétienne placerait Cana ailleurs, à 13 kilomètres au nord de Nazareth !

Kafr Kanna est un village arabe, terne et poussiéreux, aux rues étroites et irrégulières, dédaigné par touristes et pèlerins. Les églises sont sans grâce. On est à 6 kilomètres de Nazareth. La région est douce, plantée d'orangers; vaguement ému, on se dit que Jésus et sa mère, le jour de la noce, durent venir à pied, en se promenant.

A quelques kilomètres à l'est, plantée sur sa colline, se

dresse Zippori, qui signifie oiseau. Un simple village maintenant; la ville la plus importante de Galilée au début de notre ère. Centre spirituel de première grandeur, siège d'écoles renommées, elle était notamment habitée par Rabbi Yehuda Hanassi (le Prince) dont nous avons vu la tombe présumée à Beit Ché'arime. Une église, élevée sur les ruines de celle des Croisés, commémore un événement sacré aux yeux des Chrétiens : la naissance de Marie dans la maison d'Anne et de Joachim.

Au nord de Kafr Kanna s'étend la plaine de Beit Natofi· Elle est barrée par une digue qui date de ces dernières années et permet d'emmagasiner l'eau de pluie. Un conduit souterrain à partir du lac de Tibériade alimente également ce réservoir. Les ruines de Yodefat, l'antique forteresse, s'y trouvent. Elles n'offrent rien d'intéressant au profane. En réalité, sans cette forteresse, nous ne saurions, historiquement parlant, pratiquement rien de Jésus. Mais un certain Ben Mattatia s'y battit contre les Romains lors de la grande révolte. Il dut capituler en 69 après J.-C. Fait prisonnier et romanisé, il écrivit un ouvrage monumental : *De Bellum Judaicum*, la Guerre des Juifs. Cet ouvrage est l'unique source d'information que l'on possède sur l'époque. Jésus y est mentionné deux fois. Sans cet historien d'occasion qui prit le nom de Flavius Josèphe (37-91), nous en serions réduits aux seuls Évangiles.

Nous retrouvons la vallée du Jourdain. Notre itinéraire spirituel nous porte à présent vers le nord, le long des rives du lac.

Migdal-Magdala (à 6 km de Tibériade), donna son nom à la pécheresse la plus célèbre de tous les temps. Marie-Madeleine y naquit pour être convertie par le Christ. Autrefois, à Migdal, on salait le poisson pêché dans les eaux galiléennes. C'est à peine si, fondu dans ses alentours, le village a une existence propre aujourd'hui.

Jésus s'arrêta près de la tour *(migdal)* après avoir fui Nazareth et y rencontra celle qui, grâce à lui, devait enfin voir la lumière. (Luc : VIII, 1-3). De cette rencontre il ne reste qu'une petite coupole blanchie à la chaux. Et un camping, pour témoigner des temps modernes. A côté, le kibboutz Ginnosar tient un *guest-house*. Sur les bords du lac, les jeunes trouveront une auberge de jeunesse.

Tabgha et Capharnaüm

Six kilomètres plus loin, toujours en direction du nord, sur le site de la multiplication des pains et des poissons, les Bénédictins ont construit un monastère en pierre grise de Galilée, qui semble bien être le seul monument chrétien de bon goût dans la région. C'est Ein-Sheva, ou Tabgha. Les frères produisent un excellent vin sec et font visiter les magnifiques mosaïques de l'ancienne basilique byzantine. Ce sont peut-être les plus belles d'Israël. Elles rappellent le miracle dans un cadre éblouissant représentant la flore et la faune de la Mer de Galilée.

« A cette nouvelle (la mort de saint Jean-Baptiste), Jésus s'éloigna en barque vers un endroit solitaire, à l'écart. » Cet endroit serait Tabgha (ou Tabigha, l'*Heptapegon* — sept-sources — des Grecs). La foule, l'apprenant, courut vers lui. Le soir tomba et il fallait nourrir cette multitude. Les disciples ne disposaient que de « cinq pains et deux poissons ». Jésus les distribua « et tous en mangèrent à satiété et des morceaux qui restaient, on emporta douze corbeilles toutes pleines. » Ils étaient environ 5 000 hommes, « sans compter les femmes et les enfants » (Matthieu : XIV, 13-21).

Ce serait encore à Tabgha, que le Seigneur apparut et « ce fut la troisième fois que Jésus se montra aux disciples après être ressuscité d'entre les morts » (Jean : XXI, 14). Et lorsqu'ils se furent restaurés (à la suite d'une deuxième pêche miraculeuse), s'adressant à Simon-Pierre, fils de Jean, il lui dit : « Pais mes agneaux, (...) Pais mes brebis. » Une église franciscaine, dédiée à Saint-Pierre, y fut élevée durant la dernière guerre mondiale. Elle est en basalte noir de Tibériade.

Les stations de pompage alternent avec les lieux saints, mélangeant le passé, le présent et l'avenir, poussant l'eau vers le lointain Néguev.

Le Mont des Béatitudes, qui atteint une centaine de mètres, s'élève à 4 kilomètres de Tabgha. Un Hospice tenu par des sœurs franciscaines d'obédience italienne, une chapelle circulaire, ornent son sommet. Le ciel, ici, est d'une incomparable douceur. Le Lac de Tibériade, étalé au pied de l'éminence, y apparaît comme l'aboutissement naturel des vallonnements d'alentour. Au nord, Safed la ville sainte, brille au soleil, bien assise sur sa montagne. Plus loin, s'élève la cime neigeuse du Mont Hermon. Même les athées devraient monter ici : pour la vue.

Le sanctuaire, construit en 1937, par la « italica gens », et en « l'An XV » (de l'ère fasciste), n'est peut-être pas beau non plus, mais il a au moins une naïveté qui finit par toucher. A l'intérieur, les huit faces de la coupole énumèrent les béatitudes énoncées par Jésus, prologue à son Sermon de la Montagne, qui commence par « Bienheureux les pauvres en esprit, car le royaume des cieux leur appartient... » (Matthieu : v, vi et vii; Luc : vi, 20-49). Les emblèmes de sept vertus sont incrustés dans le sol.

A en croire la tradition, c'est sur le Mont des Béatitudes que parmi les disciples furent choisis les « Douze » (Marc : iii, 13). En redescendant, Jésus entra à Capharnaüm.

Kafr Nahoum est aujourd'hui un cimetière de vieilles pierres travaillées par l'homme. On y distingue encore nettement le tracé et les proportions d'une synagogue du IIe ou IIIe siècle qui dut remplacer celle où Jésus prêcha. Car, en arrivant de Nazareth, il fit de Capharnaüm « le centre de son ministère ». La synagogue, richement ornée de sculptures, est de style gréco-romain, mais ses motifs décoratifs sont d'inspiration hébraïque. Le « village de Nahoum », sur la route syro-égyptienne, devait avoir une certaine importance, puisqu'il comportait une garnison romaine et un poste de douane.

Dès la première apparition de Jésus dans la synagogue, « un homme possédé d'un esprit impur se mit à crier : Laisse-nous tranquilles, Jésus de Nazareth! (...) Mais Jésus lui parla sur un ton impératif : Tais-toi et sors de lui! Alors, l'esprit impur le secoua frénétiquement et, poussant une clameur, sortit de lui. » Plus tard, la belle-mère de Simon ayant la fièvre, il lui prit la main et la fièvre la quitta. Après le coucher du soleil, on lui amena les malades et les possédés « Il guérit beaucoup de gens et chassa beaucoup de démons » (Marc : i, 23-34). Le serviteur d'un centurion romain était au plus mal; Jésus le guérit. (Luc : vii, 1-10.) La fille du chef de la synagogue mourut. « Prenant l'enfant par la main, il lui dit : Fillette, je te le dis, lève-toi! » Et la petite se leva et se mit à marcher. (Marc : v, 35-43.)

Pourtant, les habitants de Capharnaüm restaient incrédules et se moquaient de lui. Jésus, alors, invectiva contre les villes impénitentes : « Malheur à toi, Corozaïn! Malheur à toi, Bethsaïde! Car si les miracles qui ont été faits chez vous, l'avaient été dans Tyr et Sidon, il y a longtemps qu'elles auraient fait pénitence sous le cilice et la cendre. Aussi bien, je vous le dis, on sera moins dur au jugement, pour Tyr et Sidon que pour vous. Et toi, Capharnaüm, t'élèverais-tu jusqu'au ciel que tu seras abaissée jusque dans la Gehenne, car si les miracles qui ont été faits chez toi l'avaient été dans Sodome, elle serait encore debout aujourd'hui! » (Matthieu : XI, 20-24).

A partir de Capharnaüm, nous retrouvons une fois de plus l'Ancien Testament.

Vers l'extrême nord

Les distances ne sont jamais bien longues, en Israël. Du rivage septentrional du lac de Kinnéret à l'extrême limite nord du pays, elle est d'une cinquantaine de kilomètres. (De la ville de Tibériade, sur la côte ouest, à Métoulla, ultime établissement israélien, courent 64 km.) Désormais, c'est la Syrie qui borde Israël à l'est et le Liban au nord.

Notre premier arrêt en Haute-Galilée sera Vered-ha-Galil : la rose de Galilée. Il ne s'agit ni d'une ville ni d'un hameau, mais d'une ferme d'élevage. Un *ranch*. Café-restaurant, bientôt hôtel. Pour l'instant, on y dispose de quelques huttes pour servir d'abri nocturne : elles sont importées du Club Méditerranée. On y élève des chevaux. D'ici partent les excursions montées. Comme les fleurs sont indispensables, on y cultive des roses afin de mériter son nom. L'étape est des plus agréables.

Plus haut, sur la route, le carrefour dit de Roche Pina. A gauche, le chemin de Safed (que nous emprunterons au retour); à droite, celui de Kfar Hanassi, kibboutz près du Jourdain; tout droit, on traverse Michmar-ha-Yarden (le gardien du Jourdain), et Ayelet-ha-Chahar, qui a un agréable *guest-house*, à la hauteur du pont sur le Jourdain, sur la route de Damas.

On s'est souvent battu autour de ce pont : Chrétiens et Musulmans à l'époque des Croisades, Turcs et Français, lors du siège de Saint-Jean-d'Acre par Bonaparte, Turcs et Anglais en 1917, Anglais et Français entremêlés durant la dernière guerre, pour l'élimination de l'influence vichyssoise; Arabes et Juifs en 1948 et de nouveau en 1967 et 1973.

Nous reviendrons à Ayelet-ha-Chahar pour visiter les ruines de Hazor (ou Hatsor) dont la Bible parle plusieurs fois. Pour l'instant, nous nous enfonçons dans la région autrefois marécageuse du lac de Houla. Après assèchement, la contrée a été mise en culture. Seule subsiste une réserve d'oiseaux aquatiques. Au printemps, quand les cigognes et autres migrateurs reviennent vers l'Europe, leur escale transforme le paysage en véritable féerie. Terminé en 1958, l'assèchement a transformé le décor et laissé 12 kilomètres de canaux sur lesquels, en partie, les touristes peuvent circuler au moyen de barques à fond plat. Les travaux ont coûté une bonne part de la flore originale, mais ont épargné les nymphéas et, surtout, les papyrus qu'on ne retrouve plus guère de nos jours qu'au Soudan.

La Réserve de Houla est le paradis des oies et canards sauvages, des pélicans, de la plupart des oiseaux migrateurs, de variétés inconnues de l'Occidental moyen. Les animaux vivent en liberté totale. Il va de soi que pêche et chasse y sont rigoureusement interdites. Le poisson abonde : carpes de 10 à 12 kilos, raies « à moustaches » *(cat-fish)*, perches. Tout autour, sur la montagne, les villages, israéliens et druzes, montent la garde à quelques centaines de mètres les uns des autres. La malaria, ce fléau des terrains marécageux, a complètement disparu depuis l'introduction de gambusies, ce poisson d'origine américaine, qui détruit les larves des moustiques. Pour plus de précaution, les visites s'arrêtent dès le crépuscule, car l'anophèle ne pique que la nuit. On déplore la disparition des buffles qui, naguère, se vautraient dans la vase; des saules, des iris. Mais, ainsi que le remarque philosophiquement le gardien : « J'aime quand même mieux ne pas avoir la fièvre. » L'excursion est, indiscutablement, à recommander.

A dix kilomètres de la frontière nord, une ville est en train de naître : Kiryat Chemone (*Qiryat Shemona* — la cité des Huit) — plus de 16 000 habitants déjà. Ils étaient six hommes et deux femmes, dans les années vingt, à défendre contre une multitude d'Arabes la colonie de Tel-Haï, la « colline de la vie ». Ils y laissèrent la vie. Parmi eux se trouvait un ancien officier tzariste, Trumpeldor, qui avait électrisé la jeunesse juive russe pour la Palestine. D'autres, plus tard, devaient encore mourir pour préserver ce sol arraché à l'abandon. Un émouvant cimetière abrite, en outre, les restes des *shomer*, ces héroïques gardiens d'autrefois, ainsi que des hommes tombés durant la guerre d'Indépendance.

Une route se dirige à main droite vers Dan (à 10 km), ville biblique, l'un des établissements les plus septentrionaux d'Israël. L'une des douze tribus, celle de Dan, lui donna son nom. C'est également celui de la rivière, affluent du Jourdain, qui serpente dans la région. Le premier Livre des Rois (XII, 30) nous apprend que pour détourner la ferveur juive de Jérusalem et de son roi Roboam, Jeroboam fit fabriquer deux veaux d'or et les plaça, l'un à Bethel, l'autre à Dan. « Cela fit pêcher Israël, car le peuple allait devant chacun jusqu'à Dan. » Jérémie prédit alors sa destruction et, effectivement, les générations suivantes oublièrent jusqu'à son existence.

Hagoshrim peut se vanter d'être la première station de sports d'hiver d'Israël; depuis le premier hiver qui a suivi la guerre des Six Jours, il sert de base aux skieurs qui s'exercent sur les pentes du Mont Hermon; on y loue l'équipement.

Entre ce beau kibboutz et Dan, la *National Parks Authority* a aménagé, à l'ombre de chênes centenaires, un jardin en tous points remarquable, qui soutient la comparaison avec ceux que nous avons déjà visités : Horshat-Tal. Un ruisseau charmant le parcourt. C'est le Dan, dont la source est à deux kilomètres. On peut y camper.

Métoulla, le terminus, est à 525 mètres au dessus du niveau de la mer. L'établissement fut fondé en 1896 avec l'aide de la famille Rothschild. On serait tenté d'écrire : ville sans histoire. Elle est terne, grise, désolée, mais s'élève dans un beau paysage de montagne.

Les vestiges de Hazor

Nous, une fois de plus, il nous faut faire demi-tour pour nous rendre à Safed. En chemin, nous pourrons passer la nuit au *guest-house* du kibboutz Ayelet-ha-Chahar, où l'on est admirablement reçu. Les ruines de Hazor sont juste en face.

C'est le chantier de fouilles le plus important d'Israël. Un nouveau et grand musée à l'entrée du kibboutz, avec des textes didactiques en plusieurs langues, fait mieux comprendre le drame qui s'est déroulé ici il y a si longtemps.

Il suffit de consulter une carte pour se rendre compte de l'importance stratégique que revêtait Hazor. La première comparaison qui vient à l'esprit est évidemment Megiddo. A juste titre. Ici comme là-bas, le grand homme fut Salomon.

La Bible en parle : « En ce même temps, Josué prit Hazor et il passa son roi au fil de l'épée » (Josué : XI, 10). Auparavant encore, au XIXe siècle av. J.-C. la liste des cités rebelles à la domination égyptienne porte son nom. Il va de soi que les pharaons belliqueux, Thutmose III, Amenhotep, Seti, s'en préoccupaient; de vieux papyrus nous en apportent le témoignage. Au XIVe siècle av. J.-C., le roi de Tyr et celui d'Astaroth se plaignent de la sédition du roi de Hazor

Abdi-Tarshi. Josué, enfin, comprit très vite que Hazor était la clé de la terre de Canaan : l'ayant prise, il la brûla.

Plus tard vint Salomon, lequel préleva une « corvée » sur le peuple, « pour bâtir la Maison de Yahweh (le Temple), sa propre demeure et les murs de Jérusalem, Hazor, Megiddo et Geser » (I Rois : IX, 15). Les trois places-fortes énumérées à la suite de Jérusalem commandaient les vallées de Houla, Jezréel et Ayalon. Deux siècles après surviennent les Assyriens qui enlèvent Hazor et l'incendient (732 av. J.-C.).

Les Asmonéens se battirent eux aussi pour Hazor; le Livre des Maccabées nous raconte la bataille qui se déroula un demi-millénaire après les événements précédents. Ensuite, la ville tombe dans l'oubli. Les civilisations passent, accumulant sur le passé, avec les constructions nouvelles, déchets et poussières. Elles négligent même parfois, comme dans le cas de Hazor, l'emplacement initial et l'abandonnent. Plus rien ne le signale alors, sauf un tertre : ce que les Israéliens appellent *tel*.

La parole, dans ce cas, est aux archéologues. Ils creusent, dégagent les couches superposées. A Hazor, ils en ont jusqu'ici identifié vingt-deux qui vont du 3e millénaire à environ 200 av. J.-C. La ville cananéenne a été incendiée par Josué à la fin du XIIIe siècle av. J.-C. De son étendue, on est en droit de déduire qu'elle représentait une des grandes villes de l'époque. Conquise, ravagée, reconstruite et repeuplée, pour être à nouveau dévastée, sa population passée au fil de l'épée, jusqu'à ce que, inlassables, les hommes reviennent et, patiemment, recommencent une existence promise aux fins violentes.

Écrasés les Cananéens, les Israélites se mirent à l'œuvre. Ils étaient encore mi-nomades, mi-sédentaires. Ils construisirent cependant un temple semblable à celui de Salomon, mais antérieur de 300 ans. Pour des raisons de sécurité, seule fut développée la ville haute. Les conquérants assyriens, perses, grecs, ne l'en rasèrent pas moins.

Les murailles — toujours debout — remonteraient au XVIIIe s. av. J.-C. et avaient été élevées par les Hyksos. Remarquables, les stèles de basalte orthostatiques, plantées par les habitants des siècles avant les Israélites, parfois décorées. Elles sont désormais accessibles au public.

Avant l'arrivée de Josué, les Cananéens adoraient la déesse-lune, ainsi qu'en fait foi un temple dégagé des ruines. L'exécution artistique des objets et figures sculptés en relief dans le basalte est admirable. D'autres temples furent mis au jour, en particulier celui de la divinité-soleil. Salomon fit construire de nouveaux murs à casemates. Les plans des fortifications sont identiques à ceux de Meguido (Megiddo), ainsi que le laissait prévoir le texte biblique.

En général, les découvertes de Hazor confirment point par point l'Ancien Testament. Le tremblement de terre qui détruisit la ville de Jeroboam II (Amos : I, 1), l'incendie qui ravagea la cité israélite en 732 av. J.-C. (II Rois : XV, 29). Jusqu'au nom du roi Phacée, vaincu par les Assyriens, qui fut retrouvé sur l'une des jarres de vin. La majorité des objets découverts sur place sont exposés au Musée Archéologique de Jérusalem. D'autres, nous l'avons vu, peuvent être examinés dans le musée de Ayelet-ha-Chahar.

A dix kilomètres du kibboutz, sur la route de Safed on traverse Roche Pina, « la pierre angulaire », l'un des premiers établissements juifs (1882) de cette région céréalière. On monte depuis un moment, Roche Pina est à 450 mètres d'altitude. Le monument à la mémoire de Chlomo Ben Josef domine l'un des virages. Ce fut le premier Juif exécuté en Palestine depuis les Romains. Il était *shomer*, c'est-à-dire, gardien. Indigné par une embuscade arabe au cours de laquelle quatre hommes et une femme, désarmés, avaient trouvé une mort atroce, il décida de recourir aux représailles. Avec deux amis, il attaqua un car transportant des Arabes. La grenade n'explosa pas. Les trois garçons furent arrêtés par les Anglais. Chlomo ben Josef avait, paraît-il, écrit sur le mur de sa cellule de condamné : « On ne conquiert pas les cimes sans laisser des tombes derrière soi. » Il avait à peine 20 ans.

Au bout de la pente (à 26 km de Tibériade) fièrement dressée sur un plateau, se trouve la ville au charme magique, une des villes les plus étranges qui soient :

Safed

On écrit et on prononce aussi : *Sfad*, *Sefad*, *Zefat* et *Tsefat*. Transcrite de l'hébreu, l'orthographe peut être imprécise. La ville, elle, a conservé tout son pittoresque. L'artère principale, Rehov Yérouchalaïm, la parcourt de part en part. A l'entrée, il y a l'habituel poste de police, héritage anglais. A l'autre bout, il y a le bâtiment le plus agressivement moderne de Safed, la *Yeshiva*, l'école talmudique : en d'autres termes, l'institution la plus conservatrice. Face à la Yeshiva, le quartier arabe auquel les artistes ont rendu son cachet ancien, la reconstitution du passé étant la forme la plus progressiste du modernisme. Le quartier résidentiel « chic » porte l'un des plus vieux noms du monde : Canaan. Le premier livre imprimé en hébreu sortit ici, en 1578, de la première presse que l'on eût jamais vue en Asie.

Sur la colline qui surplombe la ville, les Croisés avaient édifié leur habituelle forteresse, fief de Foulques d'Anjou (XIIe s.). Elle est aujourd'hui entourée d'une haie qui en interdit l'accès au public. En revanche, la Municipalité a fait de ce sommet un jardin à terrasses — tout autour des excavations — d'où l'on jouit d'un panorama qui porte loin, sur la Haute et Basse Galilée, jusqu'au lac de Tibériade et au delà, sur la Jordanie et les Hauteurs de Golan. On y est à 834 mètres au-dessus du niveau de la mer, ce qui, compte tenu des 200 mètres de dépression, donne une dénivellation de plus de 1 000 mètres.

Non contente d'être ville sainte, Safed fut aussi le siège de l'École Mystique qui commente point par point les écrits sacrés et que l'Occident connaît de réputation seulement sous le terme générique de *Cabale*. Le père putatif de l'ouvrage initial, celui à qui on attribue le *Zohar* (l'Illumination), Rabbi Simon Ben Yochaï, a sa sépulture tout près, sur le Mont Meron, 1 208 mètres, point culminant d'Israël. C'est par lui que tout a commencé.

Dans le jardin d'un hôtel moyen sur Rehov Yeruchalaïm, deux oliviers géants, aux racines et aux branches entrelacées, tourmentées, torturées, ont été témoins de tout : ils passent pour avoir plus de 1 800 ans.

La gloire de Safed est postérieure à la rédaction du Zohar qui en fut la base. Son âge d'or est la conséquence indirecte d'une des grandes catastrophes qui frappèrent les Juifs : leur expulsion d'Espagne par les Rois Catholiques, Ferdinand et Isabelle. Un homme né dans l'exil, en Égypte, Isaac Luria, se passionna à tel point pour le Zohar, qu'il s'établit à Safed pour continuer ses études. Bientôt, la crème de l'érudition juive se groupa autour de lui. Ce fut la naissance de l'École Mystique.

Cabale est un mot courant des langues occidentales. Il désigne un complot, en français. Son origine est autre. En hébreu, *kabala* signifie tradition, par référence à la vie intérieure; la manifestation extérieure de celle-ci s'exprime par *messora*. L'ouvrage-clé de cette tradition, le *Zohar* (répétons-le : l'Illumination, ou, si l'on préfère : l'Éclaircissement), contient en même temps l'interprétation de la foi messianique et nombre de spéculations mystiques à son propos. En s'établissant à Safed, Rabbi Luria redonna vie à cette recherche intellectuelle infiniment subtile dont l'initiateur aurait été Simon Bar Yochaï. Puis vint Rabbi Joseph Caro, lui aussi sépharade, — c'est-à-dire d'origine espagnole — lequel, à son tour, développa et approfondit le thème. Son œuvre maîtresse, *Shulchan Aroch*, codification des pratiques religieuses juives (imprimée en hébreu à Venise en 1565) dépasse d'ailleurs largement le cadre strict du mysticisme. Les cabalistes ne faisaient nul mystère du fait que la pureté de l'air, à Safed, les aidait à « acquérir savoir et sagesse ». Ils partaient de ce principe que dans les cinq livres de Moïse, chaque lettre, chaque mot, chaque tournure de phrase, devaient posséder une signification cachée, mais symbolique et précise. Celui qui en découvrirait la grille percerait le sens véritable de la Révélation.

Comme de coutume, les conquérants s'acharnèrent sur la ville. La nature, en 1738, se mit de la partie avec un tremblement de terre. La fièvre typhoïde, des privations, emportèrent 3 000 habitants en 1916. Un pogrom arabe, en 1929, fit des centaines de victimes. En 1948, lorsque les Israéliens s'emparèrent de Safed, ce ne fut, selon certains, que grâce à un miracle. Les 12 000 Arabes tenaient toutes les positions-clé, dont la mieux fortifiée, le poste de police, que les Anglais, en partant, avaient laissé intact. La population juive tremblait. Elle était principalement composée d'un millier de personnes d'âge mûr, sinon canonique, surtout préoccupées de dévotions. Une poignée d'hommes — cent vingt — furent envoyés en renfort. Ils appartenaient à la *Palmach*, commando de l'Armée Israélienne. Ils traversèrent les lignes ennemies sous le couvert de la nuit et prirent Safed d'assaut.

Cette concision militaire ne rend évidemment pas justice au miracle. Et le miracle fut dans un concours de circonstances et dans la *davidka*. Ce minuscule canon de fabrication locale et artisanale, presque un jouet, se mit à tonner. Il faut bien dire qu'il faisait un bruit d'enfer. Là-dessus, Dieu sait pourquoi, la pluie tomba. Affolés par leur propre propagande, convaincus que les Juifs détenaient l'arme atomique et le pouvoir de commander aux éléments, les Arabes s'enfuirent, abandonnant la place. Voilà la version qui circule à Safed, avec ou sans incidence céleste, selon que le narrateur voit ou ne voit pas le doigt du Seigneur dans les coïncidences. Le chiffre des forces en présence est néanmoins exact.

Un monument surmonté de la « davidka » commémore la libération de la ville. Il y a également un monument aux morts, qui furent nombreux. Nous avons déjà parlé de la *Metzuda* (la citadelle) qui, avant d'être reconstruite par les Croisés, servit aux rebelles juifs de l'an 66 contre les Romains. Le directeur des travaux de fortification d'alors s'appelait Ben Mattatia et c'est un homme que nous retrouvons à chaque détour de l'histoire d'Israël. Il commandait la garnison de Yodefat et dut capituler après la chute de Safed. Prisonnier, il devint historien et prit un autre nom : Flavius Josèphe le premier, en l'honneur de ses protecteurs, Vespasien et Titus, qui appartenaient à la famille des Flaviens. Disons encore, à propos de ce point élevé, qu'autrefois et « afin que nul n'en ignore », l'annonce du début du mois se transmettait à travers le pays par des feux allumés de sommet en sommet. Le bûcher qui signalait le premier jour du mois s'allumait à Safed sur l'emplacement de la citadelle.

Si le touriste a la chance de faire son voyage à l'époque de l'annuelle procession au Mont Meron, il assistera à une curieuse et intéressante manifestation. Chaque année, à cette époque, les habitants de Safed vont sur la tombe de Rabbi Simon Bar Yochaï, rendre hommage au grand homme qui fit le renom de leur ville.

Il faut visiter les deux vieilles synagogues, de rite *ashkenaze* (nord-oriental, Russie, Pologne) et *sépharade* (espagnol). Le premier temple, ashkenaze, est peut-être surchargé d'ornements et de couleurs. Le second, sépharade, plus ancien, est par contre d'une émouvante simplicité. Ici vivait, priait et travaillait Rabbi Luria. On vous montrera un renfoncement dans l'épaisseur des parois où il se tenait pour lire et écrire. Ici officia également Joseph Caro, l'auteur du Shulchan Aroch. Dans une niche, au-dessus du fauteuil d'Élie réservé aux circoncisions, ces mécréants de la Palmach ouvrirent des meurtrières en 1948 pour faire le coup de feu.

La Thora que, lors de la procession, on porte en grande pompe sur la tombe de Bar Yochaï, est conservée dans une troisième synagogue, celle de Rabbi Yossi Bennia, lequel y a sa sépulture.

Deux cimetières, l'ancien et le nouveau, couvrent le flanc de la colline à la sortie du temple sépharade. Chacun a ses héros. La vieille nécropole contient les restes d'hommes qui s'illustrèrent dans la spéculation intellectuelle : Rabi Luria; Cordoviero, son vieux maître; Alkavetz, — le compositeur de *Lekha Dody*, un chant qui acquit droit de cité dans les livres de prière, — Joseph Caro, et bien d'autres. Des ombres mal identifiées y rôdent aussi et « si la fatigue saisit soudain les jambes du pieux visiteur, c'est qu'il marche sur les tombes que rien ne signale au dehors ». Les héros contemporains sont passés à la postérité pour d'autres exploits. Dans le nouveau cimetière, une section spéciale est réservée aux membres des deux organisations extrémistes, *Irgoun* et Groupe Stern, tombés au combat ou exécutés par les Britanniques.

Les artistes ont réussi à conserver ou à recréer le caractère particulier du vieux quartier arabe. Dans la maison qu'habitent les Levy, — femme peintre, mari musicien, — un simple maçon illettré a reconstitué des arches à vous couper le souffle. La colonie artistique, généralement parlant, est prospère. Peintres ou sculpteurs ne sont pas tous nés à Safed, ni même de souche israélienne. Beaucoup viennent de l'étranger, d'autres n'utilisent cette résidence qu'à partir du printemps. Une exposition permanente de l'ensemble de leurs œuvres, toiles, statues, céramiques, est réunie dans l'ancienne mosquée désaffectée. Bien sûr, il y a aussi un Musée d'Art Municipal, qui expose des pièces remarquables.

La piscine de Safed présente de son côté quelque chose de magique : elle est alimentée par une source dont les Arabes prétendent que l'eau rend femmes et filles plus jeunes et plus belles. Les mariées s'y baignaient autrefois avant la cérémonie nuptiale et le fait est que l'époux payait pour une fille de Safed le double de ce que coûtait une fiancée ordinaire.

Il y a encore les ruelles, les venelles, tortueuses à souhait, en pente douce ou raide, les escaliers, les ruines. Partout flottent des points d'interrogation que, piqué par l'atmosphère, encouragé par cet air si pur qu'il rend l'esprit plus clair, on voudrait soudain transformer en autant de points d'exclamation. Il y a les fantômes dont on a envie de faire la connaissance; ils semblent vraiment hanter les lieux. Il y a ce climat d'austérité studieuse, d'existence vouée à la découverte des sens cachés de l'existence. On aimerait « participer », se fondre dans cette ambiance unique.

Ici s'achève le voyage

On quitte Safed avec d'autant plus de regrets que c'est la dernière ville d'Israël, qu'elle marque la fin virtuelle du voyage. Entre Safed et Akko (51 km), la route de la plaine, à peu près rectiligne, est bordée d'oliveraies. A Rama, on peut, en tournant sur sa droite, l'allonger en empruntant la corniche d'où l'on jouit constamment d'une bien belle

Occupée par les Arabes en 638, Jérusalem se vit alors dotée de monuments musulmans, telle la Mosquée d'Omar, bâtie sur l'emplacement du Temple.

Le monastère de Mar Saba, édifié sur le mont où le diable aurait tenté Jésus.

vue. Piki 'ine (Peq'in) est un village druze que seules habitaient quelques familles juives depuis l'antiquité. Leur synagogue ne fut jamais souillée. Au contraire, elle a toujours été entretenue et remise en état par la population entière au cours des siècles. Le nouveau village juif est tout près, avec ses cultures en terrasse.

Ensuite, c'est Ma'alot, cité moderne jaillie comme par enchantement de cette rocaille que le soleil consume sans en venir à bout. Les Roumains qui la peuplent parlent arabe, mais les Arabes y parlent roumain. A chaque agglomération succède régulièrement, dépassée la zone des plantations, une aridité qui rappelle ce que devait être le pays tout entier.

De Milya, village chrétien érigé sur les ruines du *Chastiau dou rei (Castrum Regis)* part, vers le nord, un chemin qui n'est pas entièrement carrossable et qui mène, cinq kilomètres plus loin, à Montfort, ou Starkenberg, ce qui signifie la même chose : place-forte montagneuse. Il faut une heure de marche pour cette excursion. On peut, si l'on ne craint pas trop pour ses amortisseurs, parcourir une partie de la distance en voiture. Depuis Elone, en marchant un peu plus de trois kms par monts et par vaux, on peut également atteindre les ruines de ce vaste château.

La forteresse des Chevaliers de l'Ordre Teutonique est en ruines depuis le passage de Baïbar, ce ravageur de monuments chrétiens. Longtemps, elle avait pourtant résisté aux assauts musulmans. Mais à partir de 1271, morceau par morceau, le royaume oriental des Croisés s'effritait. Les tronçons des formidables murailles, dressées sur le faîte du mont, semblent exiger vengeance de l'offense subie par les défenseurs du Christ. C'est un des plus imposants et des mieux conservés parmi les souvenirs que les Croisades ont laissés en Terre Sainte. Les tremblements de terre, en sept siècles, ont déplacé, mais non pulvérisé ces énormes blocs de pierre. On éprouve la même impression qu'aux Baux de Provence. On ne comprend ni comment des hommes ont pu assembler de si énormes masses, ni comment d'autres hommes ont réussi à les démanteler.

Moins impressionnants, mais aussi intéressants, sont les vestiges de Metzuda Gadine (ou Judine), à Yehi'am, autre citadelle occidentale tombée en 1291. Ils sont au sud de Milya et, cette fois, accessibles en voiture, à partir de Kabri. Les deux places fortes, de même que le Château du Pèlerin à Atlit, faisaient partie du système défensif des Chrétiens en Palestine. Bien plus tard, pour tenir le pays, la Grande-

Bretagne devait établir un réseau analogue de postes de police fortifiés, ce qui explique que nous en ayons si souvent rencontrés.

Sur notre route vers l'ouest, il ne reste plus que Kabri, sur les bords du puits qui alimentait en eau potable l'aqueduc de Saint-Jean-d'Acre. Le kibboutz n'a rien de remarquable; ses membres ont une originalité. En véritables pionniers, ils s'étaient primitivement installés sur les rives de la Mer Morte, à Beit-ha-Arava, la « maison du désert ». Des années durant, ils avaient extirpé le sel de la terre pour la rendre arable. Il fallut l'évacuer, la Légion Arabe occupant cette partie de la région. Abattus, mais non battus, ils vinrent fonder Kabri en Galilée.

Après, c'est Nahariya, puis Haïfa et le bateau. Ceux qui préfèrent la voie aérienne pour rentrer, y trouveront des avions pour les déposer à l'aérodrome international de Lod (Lydda) d'où nous étions partis, voici deux, dix, ou cinquante-deux semaines, pour faire le tour de ce pays minuscule mais passionnant.

LES TERRITOIRES SOUS ADMINISTRATION ISRAÉLIENNE

LA RIVE OUEST

Le terme de Cisjordanie est celui généralement employé pour désigner cette région du royaume hachémite de Jordanie qui était à l'ouest du Jourdain. Ayant fait partie de la Palestine sous mandat britannique jusqu'en 1948, elle fut conquise par la Légion arabe de Jordanie lors de la première guerre israélo-arabe et annexée par la Jordanie en 1950.

Cette étendue de 8 300 km² dessinait dans le territoire israélien une poche comparable au ventre d'un homme corpulent qui aurait été maintenu par une ceinture serrante. La partie nord de la poche réduisait la bande côtière israélienne située entre Tel-Aviv et Haïfa à un étroit corridor qui par endroit n'avait pas 16 km de largeur. Durant la première nuit de la Guerre des Six Jours, Tel-Aviv elle-même fut bombardée par l'artillerie lourde basée à Kalkiliya, à moins de 25 km de distance.

La Rive Ouest tout entière est actuellement sous administration israélienne, la ligne de cessez-le-feu passant par le milieu du Jourdain et de la mer Morte. Dans cette région résident près d'un million d'Arabes dont plus de 90 % sont musulmans. A peu près la moitié sont des réfugiés (ou des enfants de réfugiés); de ceux-ci, approximativement 50 % vivent dans des camps.

La Rive Ouest est désignée de plus en plus fréquemment sous ses appellations bibliques de Judée (région à l'est et au sud de Jérusalem) et de Samarie (Shomeron — au nord de Jérusalem). En fait, le gouvernement israélien a rendu ces deux noms officiels. Il semble approprié d'employer les dénominations bibliques pour cette région, car il n'existe aucun endroit de la Terre Sainte où le paysage et la façon de vivre évoquent davantage la Bible. L'économie est largement agricole, comme elle l'était à l'époque des Patriarches (qui sont enterrés ici à Hébron). Un bon nombre des cultures principales de la contrée — vignes, blé, oliviers — sont les mêmes qu'à l'époque des Évangiles et certaines des méthodes des agriculteurs et des éleveurs n'ont guère changé depuis que Jésus parcourait ce pays. Nombre des principaux événements de l'Ancien et du Nouveau Testament s'y sont déroulés.

RENSEIGNEMENTS PRATIQUES - RIVE OUEST

VOIES D'ACCÈS. Pour le moment, la Rive Ouest est davantage une région à visiter en passant qu'un endroit où séjourner. Le couvre-feu n'y est plus d'application. Séjour illimité sauf pour le touriste en provenance de Jordanie et devant y retourner, pour lequel la halte ne peut excéder 48 heures. Pour l'explorer, presque tous les visiteurs s'installent à Jérusalem, car la plupart des sites intéressants sont à moins d'une heure de voiture. Il y a quelques hôtels, surtout de catégorie *C* à Bethléem et à Beit Jalla tout proche, ainsi qu'à Jéricho, Ramallah et Hébron. Si vous vous rendez à Jéricho ou à la mer Morte en été, partez tôt, portez un chapeau, ne circulez pas au soleil de 11 à 15 h et buvez énormément. La température peut facilement dépasser 40° pendant la journée.

RESTAURANTS. Bethléem n'est qu'à 15 minutes du centre de Jérusalem; sur la route de Bethléem, en face du Tombeau de Rachel, deux restaurants *kasher* se sont ouverts et servent des repas bon marché aux pèlerins de passage. A **Hébron,** le bâtiment de l'ancien office du tourisme jordanien, sur la voie qui mène au Tombeau des Patriarches, abrite un café-snack-bar.

A la pointe nord de la mer Morte, on trouve le *Lido* qui sert des boissons non alcoolisées, des amuse-gueule et des sandwiches. Ceux-ci peuvent être consommés sur une terrasse dominant la mer. Vous pourrez aussi vous baigner; les cabines et les douches (plutôt décrépites) coûtent 6 LI. Plusieurs bus de la Compagnie Egged assurent tous les jours une liaison directe entre Jérusalem et le *Lido*.

A **Jéricho,** il y a quelques restaurants somnolents alignés autour de la place, mais si vous allez dans Ein Sultan Road, vous trouverez un choix plus appétissant. Ils se succèdent, installés dans un jardin où l'on peut manger à l'ombre des vignes.

Al-Gandoul (la Gondole) possède un grand jardin et sert de la viande rôtie, du poulet, un choix de fromages et des boissons glacées.

En face, *Al Khayyam*, avec un menu plus varié qui va de l'*houmous* au poulet entier rôti, en passant par le *shish kebab* et le steack.

Le *Green Valley*, sur la même route, est doté d'un bar, d'un restaurant et même de sa propre piscine au sein d'un jardin. Le petit bassin est alimenté par une source et les convives peuvent s'y plonger après le déjeuner. La sympathique direction propose un menu très varié où figure la spécialité de la maison, le *moussakhan*. Menu touristique.

Le *moussakhan* est la principale spécialité de **Ramallah,** quelques restaurants proches du centre de la ville servent ce succulent plat de poulet. Essayez-le au restaurant-jardin *Na'oum*, place Mughtaribine, à une rue du cénotaphe au centre de la ville. Les *maza* (hors-d'œuvre) comptent ici jusqu'à 23 plats différents. Cadre charmant dans un jardin agrémenté de fleurs, d'arbres, de tonnelles et même d'une petite cascade.

A **Naplouse,** la plupart des visiteurs se contentent des boissons glacées servies aux kiosques. Vous pourrez cependant entrer dans une boulangerie pour acheter des *kenafa* — une spécialité de la ville — mélange de fromage crème, de jus de citron, d'eau et de sucre, enveloppé dans une couche de pâte pour la cuisson. Au *Jacob's Well Restaurant*, on vous servira une excellente cuisine arabe. Essayez également le *Restaurant Jérusalem*, sur la colline.

EMPLETTES. Les directives générales en ce qui concerne les emplettes sont à peu près les mêmes pour la Rive Ouest que pour les quartiers est de Jérusalem : soyez difficile, car le choix est vaste et la concurrence très active, et n'hésitez pas à marchander, surtout pour les articles de prix élevé.

Bethléem est rempli de magasins pour touristes qui vendent tous les souvenirs imaginables, religieux aussi bien que profanes. La ville est connue pour ses manufactures d'objets ornés de nacre ou faits de bois d'olivier. Les représentations de la Nativité sont légion et coûtent de 25 à 600 L.I. Les rosaires de bois d'olivier valent de 6 à 15 L.I. environ; ceux de nacre coûtent une L.I. ou deux de plus. Les croix de Croisé en argent orné de pierreries sont vendues 50 L.I. Les belles boîtes d'échecs de bois d'olivier valent 60 L.I. et les personnages sculptés des « échecs chinois » environ 200 L.I. On trouve un assortiment de bijoux de turquoises, de jade et d'œils de tigre pour lesquels on peut demander jusqu'à 100 L.I. Les broches de nacre sont bon marché; le prix des jolies boîtes décorées de nacre varie de 20 à 150 L.I. Les chandeliers de bois d'olivier tourné sont avantageux à 25 L.I.; on trouve des boîtes de bois d'olivier très attrayantes à partir de 14 L.I. Les boîtes de bois damasquinés coûtent à peu près 35 L.I. Il y a des robes arabes brodées et de longues robes orientales pour les hommes à partir de 120 L.I., et des vestes de Croisés brodées d'or et d'argent pour approximativement le même prix.

Les deux quartiers commerçants principaux sont situés avant le centre de la ville si on arrive par Shepherds'Field (champ des Bergers), et aux alentours de Manger Square (place de la Crèche) en ville. Vous pouvez essayer le *Holy Manger Store* (Maison de la Sainte Crèche) dans le premier centre commercial cité (sur le côté droit de la route en montant) et le *Good Shepherd's Store* (Maison du bon Berger) dans la rue de la Grotte du Lait (Milk Grotto Street), dans le second.

A **Hébron,** la verrerie d'Hébron, d'une beauté remarquable, est la production locale la plus fréquemment achetée. Bon marché et d'aspect fascinant (la technique spéciale utilisée pour sa fabrication a été empruntée aux Romains), le verre prend la forme de colliers, médaillons, verres, cruches, vases et lampes. Un collier simple mais charmant ne coûte parfois pas plus de 5 à 6 L.I.; une lampe multicolore vaut environ 75 L.I.

Les peaux de mouton — telles quelles, rasées ou teintes — sont également une spécialité d'Hébron. A partir de 25 L.I., on trouve de jolies carpettes en peau de mouton. Les peaux garnies de leur toison servent aussi à confectionner de chaudes pantoufles en forme de bottes qui coûtent moins de 25 L.I. la paire. Les vestes en peau de mouton — avec ou sans manches — ont la toison à l'intérieur et se vendent environ 120 L.I. ou plus, selon la qualité et l'aptitude du client au marchandage.

A **Ramallah,** vous pourrez flâner parmi les nombreux magasins de textiles qui s'alignent le long de la grand-rue et vous y découvrirez peut-être une soie orientale originale. A **Naplouse,** les paniers tressés à la main et les autres vanneries de paille, telles que les plateaux décoratifs d'un mètre de diamètre, sont bon marché (25 à 70 L.I.) et d'un aspect attrayant.

A la découverte de la Rive Ouest

Rares sont les gens qui se rendent compte que Bethléem n'est, pour employer une métaphore, qu'à un jet de pierre de Jérusalem. Il n'y a que 6,5 km, un trajet d'un quart d'heure en voiture, du centre de Jérusalem à la ville qui vit naître le Christ. Un service régulier d'autobus fonctionne sur cette route (bus n° 30) et des taxis *chérouth* partent de tous les quartiers de Jérusalem.

Si vous êtes en voiture, dirigez-vous vers le sud et le quartier de Talpiot à Jérusalem, en suivant la route d'Hébron pour sortir de la ville. Vous dépasserez le kibboutz de Ramat Rachel, le dernier poste avancé sur la frontière avec la Jordanie avant la Guerre des Six Jours.

Le monastère de Mar Elias qui occupe une éminence à gauche de la route Jérusalem-Bethléem, se trouvait déjà en territoire jordanien et servait de bastion principal à la Légion Arabe. La violence de la bataille s'est inscrite sur les murs de Ramat Rachel et de Mar Elias. Des « dents de dragon » et des fils de fer barbelés marquent la ligne de l'ancien armistice de chaque côté de la route. Passé la colline, la route descend et on découvre alors un panorama biblique — de modestes vergers et de vastes champs où paissent moutons et chèvres sous la garde de bergers vêtus de noir.

Aux approches de Bethléem, voici le Tombeau de Rachel, peut-être le plus saint des lieux sacrés juifs après le Mur des Lamentations et le Tombeau des Patriarches. Le tombeau se trouve dans un petit édifice du 19e siècle couronné d'un dôme, construit grâce au philanthrope judéo-britannique, Sir Moses Montefiore. Le haut sépulcre blanc de la salle intérieure est généralement entouré de fidèles et de pèlerins. Rachel était la femme du patriarche Jacob et la mère de Benjamin. Sa mort est racontée en détails dans le Livre de la Genèse (XXXV, 19). Le site est sacré, à la fois pour les Musulmans et les Juifs, et il y a d'habitude une longue file pour entrer dans le sanctuaire.

Bethléem

Un peu plus loin, une bifurcation — l'embranchement de droite va vers Hébron, celui de gauche, vers Bethléem (qui signifie « Maison du Pain » en hébreu et « Maison de la Viande » en arabe). La ville joue un rôle important dans l'Histoire biblique, elle sert de cadre au Livre de Ruth, et c'est dans les champs qui l'entourent que Ruth et Boaz se rencontrèrent et tombèrent amoureux l'un de l'autre. (Ruth était l'arrière-grand-mère de David et ce dernier naquit à Bethléem d'où il fut appelé pour monter sur le trône.) Mais c'est naturellement la mise au monde de l'enfant Jésus par la Vierge Marie qui a fait de Bethléem un des lieux les plus saints de la Chrétienté et un centre de pèlerinage pour le monde entier.

En entrant dans la ville, vous pourrez voir à votre gauche, le Champ où l'ange annonça la naissance de Jésus aux Bergers qui gardaient leurs troupeaux. La route continue tout droit jusqu'à la place de la Crèche, une vaste esplanade découverte qui s'étend devant l'église de la Nativité. Du dehors, l'édifice trapu ressemble plus à une citadelle qu'à une église avec ses épais murs de pierre. On n'y voit même pas les hautes portes d'église traditionnelles. Elles sont remplacées par une modeste ouverture d'environ 1,25 m de haut qu'on appelle de façon très appropriée la *Porte de l'Humilité* (on raconte que cette entrée fut ainsi aménagée, il y a des siècles, moins par humilité que pour empêcher les infidèles de se précipiter à cheval dans l'église).

La première église fut érigée ici par l'empereur Constantin au 4e siècle. La construction primitive détruite, une nouvelle église fut bâtie deux siècles plus tard, par l'empereur Justinien. L'édifice actuel est en grande partie constitué par les restaurations dues aux Croisés aux 11e et 12e siècles. L'église est divisée dans tout sa longueur par quatre rangées de colonnes de grès rougeâtre. Le plafond de bois — en robuste chêne anglais — est un don du roi Edouard IV. Le plomb offert par le monarque pour couvrir le toit, fut plus tard fondu par les Turcs et utilisé sous forme de munitions au cours de leur guerre contre les Vénitiens.

Trois églises chrétiennes différentes se partagent l'usage du sanctuaire — catholique romaine (frères franciscains), grecque orthodoxe et arménienne. Chacune possède sa propre chapelle et ses propres autels. D'autres sanctuaires et cloîtres appartenant aux différentes Eglises, sont construits tout contre l'église de la Nativité et communiquent avec elle.

Devant l'autel central de l'église, des marches descendent jusqu'à la Grotte de la Nativité. Une étoile dessinée dans le sol de la grotte, qui est éclairée par une lampe, marque l'endroit où naquit Jésus. A côté de la grotte, on voit la Chapelle de la Crèche où la Vierge Marie déposa le Christ nouveau-né.

Du côté sud de la place de la Crèche, part la rue de la Grotte du Lait. Une petite église franciscaine s'élève sur l'emplacement de la grotte où, selon la tradition, quelques gouttes du lait de la Vierge furent répandues sur le sol alors qu'elle nourrissait son enfant. Le lait tomba sur les pierres sombres et changea leur teinte en un blanc laiteux. Les pèlerins peuvent emporter de petits paquets d'une poudre crayeuse provenant des pierres de la grotte.

Autre endroit célèbre de la ville : les Puits du roi David, trois vastes citernes qu'on identifie avec les puits où David « rêvait de boire », tandis qu'il se battait contre les Philistins.

De retour à la place de la Crèche à Bethléem, vous y verrez à l'angle sud-ouest, le nouvel Office gouvernemental du Tourisme. Si par hasard, vous vous trouvez à Bethléem le matin, allez jusqu'au marché (à quelques rues à l'ouest de la place de la Crèche) pour y découvrir l'animation colorée d'un *souk* oriental. Vous rencontrerez sans doute des hommes et des femmes venus des villages des alentours dans leur pittoresque costume traditionnel.

Hérodion et Mar Saba

A l'est de Bethléem, se trouvent deux des sites les plus intéressants et les moins connus de la Rive Ouest — Hérodion et le monastère de Mar Saba. Hérodion fait partie d'une série de forteresses construites en Judée par le roi Hérode (Massada en était une autre). L'énorme bastion circulaire fut un des derniers à tomber aux mains des Romains, lors de l'insurrection juive de 66-70 après J.-C. La place forte était l'orgueil d'Hérode et c'est là qu'il fut enterré. Construite sur une hauteur (à 750 m) elle commande le désert de Judée et la mer Morte. On y bâtit des murs de défense de plus de 21 m de haut et les tours s'élevaient à plus de 30 m au-dessus du sol. Vers le nord-ouest, on aperçoit le mont Scopus de Jérusalem.

Plus près de la mer Morte, le monastère de Mar Saba s'élève sur la falaise-même d'une profonde gorge. Il fut fondé au 5e siècle par Saint Saba de Cappadoce et fut longtemps un centre d'études théologiques. A une certaine époque, Mar Saba abritait près de 5 000 moines; aujourd'hui, il n'en compte plus que 14. Ce monastère isolé fut détruit à diverses reprises au cours des siècles par les maraudeurs du désert. Pillé et rasé pour la dernière fois en 1835, le bâtiment actuel a été reconstruit en 1840 par le gouvernement impérial russe.

Les messieurs sont autorisés à visiter le monastère, mais l'entrée est strictement interdite aux dames. Celles-ci peuvent cependant contempler l'édifice du haut d'une tour ad hoc située au sud des constructions.

Les Réservoirs de Salomon

A l'ouest de Bethléem, se trouve le village arabe de Beit Jalla, enchâssé dans des bosquets d'oliviers et des vignobles. Les frères du couvent de Crémisa soignent leurs vignes avec tendresse et produisent des vins très convenables que vous pourrez goûter et acheter sur place.

La route d'Hébron continue vers le sud avec de nombreux tournants. A gauche à quelques kilomètres de Bethléem, se trouvent les Réservoirs de Salomon. S'agit-il ici des réservoirs mentionnés par le roi Salomon dans l'Ecclésiaste (II, 6)? Peut-être, mais la plupart des autorités en la matière pensent que ces réservoirs datent de la période romaine. Ils assurent cependant encore une partie de l'approvisionnement en eau de Jérusalem comme ils l'ont fait pendant 2 000 ans. La forteresse turque des environs date du 16e siècle.

Après les réservoirs, vous verrez Kfar Etzion à droite. Ce groupe d'établissements agricoles juifs a été détruit au cours de la guerre de 1948; puis, pendant près de 20 ans, Kfar Etzion servit de poste avancé à l'armée jordanienne. Après la Guerre des Six Jours, une communauté agricole s'y installa de nouveau. Kfar Etzion a construit une auberge de jeunesse près des anciennes casernes de l'armée jordanienne.

Ensuite, la route parcourt une des régions les plus élevées de la Judée. A gauche, une haute tour domine le village arabe de Halhul où les habitants montrent ce qu'ils croient être le tombeau du prophète Jonas (Nebi Yunes), également vénéré par les Musulmans.

Hébron

La plus élevée (930 m) des quatres cités saintes d'Israël, Hébron a une histoire qui remonte à 5 000 ans. La ville est souvent mentionnée dans la Bible, à commencer par Abraham. C'est près d'Hébron, dans la plaine de Mamre, qu'il planta ses tentes. Le Chêne de Mamre ou Chêne d'Abraham, fait encore aujourd'hui la fierté des gens d'Hébron quoique l'arbre qu'on y voit soit en réalité d'une jeunesse relative, n'étant vieux que de quelques centaines d'années. Abraham acquit une grotte dans le champ de Machpelah et y enterra sa femme Sarah. Lui-même y fut enterré comme le furent les patriarches Isaac et Jacob et leurs femmes Rebecca et Lia. C'est ainsi que la grotte de Machpelah *(Ma' arat Ha'Machpelah* en hébreu) devint le Tombeau des Patriarches — le site israélite le plus sacré après le Mur des Lamentations.

Une légende juive rapporte qu'Adam et Eve séjournèrent à Hébron après leur expulsion du Paradis et qu'eux aussi y furent enterrés. C'est là l'origine d'une ancienne dénomination hébraïque, *Kiryat Arba* — la Ville des Quatre — donnée à Hébron en l'honneur des quatre couples vénérés qui y furent enterrés. David fut proclamé roi à Hébron et y régna pendant près de huit ans avant de conquérir Jérusalem et d'en faire sa capitale.

Moïse envoya des éclaireurs pour explorer les champs de la vallée d'Eshkol près d'Hébron, et ceux-ci revinrent chargés d'énormes grappes de raisin, de grenades et de figues, témoignant de la richesse de la Terre Promise. Hébron, encore aujourd'hui, est fameuse pour ses fruits et avant la Guerre des Six Jours, ses raisins étaient l'ornement de la table des cheiks arabes jusqu'au lointain Koweit.

Le patriarche Abraham des Juifs est aussi un prophète sacré pour les Musulmans qui l'honorent; ils l'appellent *al-Khalil er-Rahman*, l'Ami du Seigneur. En fait, la partie sud du Tombeau est aujourd'hui une mosquée. Le mur d'une hauteur impressionnante qui entoure la mosquée fut élevé à l'époque d'Hérode et certains Arabes croient que quelques-unes de ses énormes pierres proviennent du Temple de Salomon. Au 6e siècle, on construisit une basilique sur cet emplacement et au 12e, les Croisés y bâtirent une église, donnant à l'édifice sa forme actuelle.

On gagne à pied la Mosquée d'Ibrahim *(Haram al-Khalil)* en laissant sa voiture ou bien l'autobus dans un parking et on gravit la route bordée d'échoppes et encombrée de marchands ambulants. Prêtez un instant attention à la volée d'escaliers qui mène à la mosquée. Auparavant, les Juifs n'étaient pas admis à pénétrer dans le sanctuaire et on ne leur permettait pas de dépasser la septième marche.

Au fur et à mesure qu'ils montent, beaucoup de gens se demandent la raison de cette appellation de Grotte de Machpelah, alors que l'endroit se trouve au sommet d'une colline. La réponse est que les Tombeaux se trouvent en fait dans une grotte creusée sous la colline sur laquelle on a construit le sanctuaire. A l'intérieur, les murs des salles richement décorées portent comme des blasons des citations du Coran. Les premiers cénotaphes sont ceux d'Isaac et de Rebecca, viennent ensuite ceux d'Abraham et de Sarah, puis de Jacob et de Lia. A noter les étoffes vertes et or aux broderies compliquées qui recouvrent ces tombeaux. On remarque aussi une niche où les Musulmans croient voir le tombeau de Joseph quoique, selon la tradition juive, ses ossements soient enterrés à Sechem, près de l'actuelle Naplouse.

Près du Tombeau des Patriarches, se trouve *Birket-es-Sultan*, l'étang du Sultan. C'est l'endroit que certains considèrent comme le lieu où David rendit sa sentence sur les meurtriers du fils de Saül, Ichbochet — « David donna un ordre à ses gens, qui les tuèrent, leur tranchèrent les mains et les pieds et les pendirent près de l'étang d'Hébron » (II Samuel, IV, 12).

En circulant dans les étroites allées de la *Kasbah* d'Hébron, on peut voir les artisans au travail, soufflant le verre, façonnant des poteries et taillant le bois à la manière d'autrefois.

Sur la route de Jéricho

Quand vous quitterez Jérusalem pour Jéricho, ne manquez pas d'emporter votre Bible. L'Ancien et le Nouveau Testament sont bourrés de références à cette antique cité, qui est peut-être la plus vieille au monde. Certains archéologues affirment que Jéricho était une ville florissante il y a 10 000 ans. La grand-route Jérusalem-Jéricho est probablement la meilleure de la Rive Ouest (construite par la Jordanie avec des fonds de l'aide américaine); elle va droit jusqu'à Amman, capitale de la Jordanie.

A quelques km seulement de Jérusalem, vous atteindrez Béthanie (Eizariya) — où vécurent Marthe et Marie. C'est en ce lieu que Jésus ressuscita leur frère Lazare et qu'il vint avec ses disciples le premier Dimanche des Rameaux. En retrait de la route, on voit un jardin qui mène à la nouvelle église catholique (1953), ornée de mosaïques retraçant l'histoire de Lazare. La vaste coupole impressionne par son revêtement d'or. Le pavement de marbre comporte aussi quelques mosaïques byzantines intéressantes. Derrière l'église, des fouilles ont révélé des vestiges des époques romaine, byzantine et des Croisades.

Passé l'église, on arrive à l'entrée du Tombeau de Lazare. Ce sont les tenanciers de l'échoppe de souvenirs d'en face qui en détiennent la clé. Moyennant une petite rétribution, on vous fera descendre les 24 marches d'un escalier glissant qui mène à une grotte obscure, toujours délicieusement fraîche. De là, on peut apercevoir la tombe qui se trouve plus bas dans une salle voûtée. Au-dessus, s'élève l'église grecque orthodoxe de Lazare.

La route de Jéricho traverse le désert de Judée, paysage d'une beauté hallucinante : pastel éteint des collines brûlées et nues qui prolongent leurs ondulations aussi loin que l'œil est capable de porter. Le long de la route, vous passerez près d'un commissariat de police qui occupe, dit-on, l'emplacement de l'auberge du Bon Samaritain. C'est aussi dans ces parages que Jean-Baptiste prêcha le repentir, « car le Royaume de Dieu est proche ». Votre descente est rythmée par les indications d'altitude placées sur le bord de la route. Une fois dépassée celle qui mentionne « Niveau de la mer », vous constaterez qu'il y a encore une bonne descente qui vous attend, et que la mer Morte scintille beaucoup plus bas vers la droite.

La route se divise : Jéricho est à gauche, l'autre embranchement mène au Jourdain et à la mer Morte. Une petite route conduit vers la droite à Nebi Musa (le prophète Moïse) où les Musulmans situent l'emplacement de la tombe du Prophète. La Bible cependant affirme que le tombeau de Moïse est « inconnu à ce jour » et se trouve quelque part au-delà du Jourdain, dans les monts de Moab.

Tandis qu'on roule en direction de Jéricho dans la vallée silencieuse et torride, on voit émerger à gauche ce qui à première vue semble être un mirage; c'est une ville de constructions basses et de huttes qui s'étendent sur des hectares et des hectares. Cet endroit peu favorable était un camp de réfugiés, un des plus vastes de Jordanie. La plupart de ces malheureux l'abandonnèrent et traversèrent le Jourdain au cours de la Guerre des Six Jours.

Visite de Jéricho

Jéricho est une énorme oasis, une attirante concentration de verdure, une luxuriante profusion de palmiers et de bosquets d'agrumes qui surgit au milieu du désert assoiffé. Selon un vieux dicton « on ne compare pas Jéricho au reste de la Palestine ». Parcourez la grand-rue sans vous arrêter et dépassez la grand-place en suivant les indications qui conduisent au Palais d'Isham. Il vous donnera une idée de l'opulence qui régnait jadis à Jéricho. L'énorme palais a été construit au 7e siècle par les Ommeyades comme séjour d'hiver pour les Califes qui descendaient de Damas pour profiter de la douceur du climat. Il faut voir la mosaïque (l'Arbre de Vie) aux couleurs brillantes des bains du palais.

A environ 2 km, dans la partie ouest de la ville, se trouve Tel es-Sultan sous lequel est enfouie la Jéricho antique. C'est ici que s'élevait la Jéricho de Josué qui vit défiler les Enfants d'Israël pendant sept jours autour des murs de la cité. Le septième jour, lors du septième tour, les murs s'écroulèrent au son des trompettes et au cri de « Le Seigneur nous a donné la ville ». Des recherches archéologiques récentes ont en fait révélé que les murs de la ville semblent bien s'être écroulés à un moment donné sans qu'on ait trouvé d'explication scientifique à l'événement.

Tournez-vous vers l'ouest du haut du *tel* (tertre) et vous verrez le mont de la Tentation. La tradition rapporte qu'en cet endroit, Jésus « fut conduit au désert par l'Esprit, afin d'y être tenté par le diable. Il jeûna quarante jours et quarante nuits... » (Matthieu IV, 1-3). Les murs crénelés qui épousent les pentes de la montagne, sont ceux du monastère de la Tentation.

De l'autre côté de la route en face du *tel*, se trouve la Fontaine d'Élisée (connue en arabe sous le nom de *Ein es-Sultan*, « la Fontaine du Sultan »). Dans le deuxième Livre des Rois, nous lisons que les hommes de Jéricho avaient appelé le prophète Élisée à leur secours car l'eau de la source était amère et la terre stérile. Et Élisée dit, « Apportez-moi une assiette neuve et mettez-y du sel ». Et ils la lui apportèrent. Il se dirigea vers la source, et y jeta du sel en disant : « Voici ce que dit le Seigneur : j'assainis ces eaux, elles ne seront plus cause de mort et de stérilité ». Et encore maintenant, vous pouvez boire des eaux de la fontaine qui coulent fraîches et douces et qui contribuent à maintenir le capiteux aspect verdoyant de la ville. L'eau est d'ailleurs à peu près le seul souvenir original qu'un touriste puisse emporter de Jéricho : elle est assidûment vendue aux pèlerins.

Un peu plus d'un kilomètre au nord de la Fontaine d'Élisée, une petite allée de cyprès conduit vers la droite à l'ancienne synagogue. Le portier vous fera voir une vieille maison arabe entourée d'un jardin verdoyant planté d'arbres. Le pavement de mosaïque d'une synagogue du 6e siècle fut mis au jour lors de la construction de la maison, il y a environ 70 ans. Le propriétaire eut la bonne idée de bâtir son habitation à cheval sur le pavement de la synagogue, conservant ainsi ce trésor et le protégeant du même coup des intempéries. Au centre du pavement, on voit une mosaïque décorée du chandelier à sept branches traditionnel flanqué d'une palme et d'un cor fait d'une corne de bélier. En dessous, sont inscrits en anciens caractères hébraïques les mots *Shalom al Yisrael*, Paix à Israël. On voit aussi une intéressante inscription hébraïco-aramaïque demandant que le « Seigneur de l'Univers » se souvienne de ceux qui composèrent la mosaïque.

Le Jourdain

A 9,5 km à l'est de Jéricho (embranchement de droite), on verra le long du Jourdain, l'endroit où Jean-Baptiste oignit Jésus et le proclama Sauveur ou Christ. Plusieurs églises s'élèvent tout près, la plus remarquable étant celle du couvent grec de Saint-Jean. Une cérémonie spéciale de la bénédiction de l'eau se déroule ici tous les ans le dimanche de l'Épiphanie.

Plus loin en amont : le pont Allenby qui acquit sa renommée après la Guerre des Six Jours lorsque sa traversée permit aux réfugiés de gagner la Jordanie. Dans la suite, des milliers de réfugiés regagnèrent la Rive Ouest par le même chemin. Aujourd'hui, la traversée du pont dans les deux sens est autorisée par le Gouvernement militaire pour les gens de la Rive Ouest afin de leur permettre de vaquer à leurs occupations et de rendre visite à leur famille en Jordanie. Le passage vers Israël est également autorisé aux jeunes gens faisant des études dans des pays arabes (et originaires de la Rive Ouest) pour visiter leur famille pendant les vacances d'été. Quoiqu'on ne le proclame généralement pas, un trafic commercial assez intense passe également par le pont. La plus grande partie des marchandises consiste en fruits, légumes, et tabac de la Rive Ouest destinés aux consommateurs jordaniens.

Revenant à l'ouest vers la route Jérusalem-Jéricho, tournez de nouveau vers l'est au carrefour de la mer Morte. Continuez à descendre jusqu'à ce que vous arriviez à l'indication d'altitude d'un nouveau carrefour. Il n'y a plus moyen de descendre davantage : vous vous trouvez au point le plus bas de la terre — 395 m au-dessous du niveau de la mer. Juste devant vous s'étend la mer Morte. Au-delà en direction de l'est, s'élèvent les monts de Moab. En face, les montagnes de Judée descendent jusqu'à la rive occidentale.

C'est le moment de prendre un bain dans l'eau amère de la mer Morte où l'on flotte facilement. Le *Lido* installé près du *nahal* Kallia offre ses cabines et ses douches, bien nécessaires après un plongeon dont on sort recouvert de sel. Vous pourrez aussi faire le plein d'eau douce tant que vous y êtes ou encore prendre un café sur la terrasse qui domine la mer.

Les Esséniens

D'ici, continuez votre route vers le sud-ouest. Après quelques minutes, un changement de direction vous conduira à Qumran. C'est là que furent découverts, en 1947, les rouleaux de la mer Morte. Ils sont liés à la secte des Esséniens,

Jéricho, une des plus vieilles villes du monde, connut des périodes de gloire, ainsi qu'en témoignent ces ruines du palais d'été d'Hysham, l'un des fastueux Califes omeyades. — Le « Tombeau des Patriarches » à Hébron où Abraham a pleuré Sarah.

Combien de temps ces Bédouins du Sinaï, déjà en veston occidental, resteront-ils fidèles au chameau de « papa » ? — Construit sous l'empereur byzantin Justinien au flanc du Mont Sinaï, le monastère de Sainte-Catherine renferme d'inestimables trésors artistiques.

qui date à peu près de l'époque du Christ. On connaît l'histoire de ce jeune berger bédouin, qui, en recherchant une brebis égarée, grimpa dans une caverne et y découvrit des jarres remplies de rouleaux manuscrits (environ quatre cents documents).

Les Esséniens, établis près des rives de la mer Morte, étaient une des sectes juives les plus importantes : on les connaissait pour leur pacifisme, leur grande piété, leur ascétisme. Ils observaient fidèlement la loi de Moïse et menaient une vie entièrement communautaire. Tout cela, les archéologues devaient bientôt le confirmer, en découvrant un tel « monastère » à un kilomètre au sud de la grotte du jeune berger.

Les Esséniens étaient aussi célèbres pour leurs travaux d'astrologie, et les allusions à leurs pratiques médicales, que l'on trouve dans les manuscrits, confirment ces deux aspects de leurs connaissances.

En suivant l'itinéraire bien signalé de la visite (la région est maintenant confiée à l'Administration des Parcs Nationaux — ouverture de 8 à 17 h) vous vous demanderez comment des hommes ont bien pu parvenir à tirer leur subsistance de la terre stérile des bords de la mer Morte, où un soleil implacable brille toute l'année. Cependant ils y parvinrent, en grande partie grâce à un ingénieux système d'approvisionnement en eau. Les eaux qui ruissellent en hiver des montagnes proches, étaient captées dans des canaux et amenées par un aqueduc jusqu'à leur communauté. L'eau était ensuite répartie dans un réseau de citernes pour être utilisée au fur et à mesure des besoins.

Les fouilles révèlent de manière vivante et détaillée la vie quotidienne de l'ancienne collectivité : la cuisine, le long réfectoire commun, les citernes indispensables à la vie, une tour de défense, des étables et une salle des scribes. C'est probablement dans ce scriptorium même que furent écrits les Rouleaux de la mer Morte.

En reprenant la route vers le sud, vous rencontrerez un panneau portant l'indication « To the Ferry » (Vers le bac). Non, ce n'est pas une plaisanterie. Le ferry-boat *Tamnon*, d'une capacité de 80 passagers, a commencé en 1968 à parcourir les eaux salées de la mer Morte entre les sources d'Ein Fescha et Ein Guédi plus au sud (la traversée prend deux heures).

Un peu plus loin, jaillissent les sources d'Ein Fescha, qui terminent leur course souterraine à moins de 30 m du rivage de la mer Morte. Elles se déversent dans une série de petits bassins d'eau claire, avant de continuer leur cours jusqu'aux eaux troubles de la mer. Le nombre de gens qui viennent patauger dans ces eaux fraîches du bout du monde est souvent incroyable.

Une nouvelle route relie Ein Fescha à Ein Guédi (plage). Elle permet de longer toute la rive occidentale de la mer Morte en voiture, jusqu'à sa pointe extrême à Sodome.

Au nord de Jérusalem

Comme d'innombrables voyageurs l'ont fait avant vous, vous pourrez commencer votre expédition en empruntant la route de Naplouse (Nablus) qui part de la Porte de Damas. Tandis que Jérusalem se dilue dans les faubourgs, on aperçoit vers la gauche, un haut minaret planté sur une hauteur considérable. C'est *Nebi Samwil* « le prophète Samuel » où, dit-on, le faiseur de rois visionnaire est enterré. Du haut de la mosquée (qui à des époques diverses fut tour à tour église et synagogue), on peut contempler toute l'étendue de la Terre Sainte, de la Méditerranée à la mer Morte et aux montagnes de Moab. C'est de ce point de vue à plus de 900 m au-dessus du niveau de la mer — baptisé *Mons Gaudii*, mont de la Joie — que les pèlerins médiévaux apercevaient souvent pour la première fois le but de leur voyage : Jérusalem.

A droite de la route de Naplouse, on voit l'emplacement de la Gibeah biblique où le roi Saül avait sa capitale. Le roi Hussein de Jordanie était en train de se construire un palais d'été sur les restes de la forteresse de Saül quand éclata la Guerre des Six Jours.

Avant Ramallah, une route secondaire mène à gauche jusqu'à l'aéroport qui relie la capitale à Tel-Aviv, Eilat et Rosh Pina. Ramallah signifie « Hauteur de Dieu » en arabe. Elle domine la région de son altitude de 880 m. Son air sec et vivifiant en avait fait un des séjours d'été préférés du monde arabe et on y voit de nombreuses villas entourées de beaux jardins bien entretenus.

Si de Ramallah, vous prenez la route de Tel-Aviv vers l'ouest, vous passerez par ce qui était autrefois le saillant de Latrun, un petit appendice du territoire jordanien qui rendit nécessaire la construction d'une nouvelle route — la « Route de Birmanie » — entre Tel-Aviv et Jérusalem. Près de l'ancienne frontière, se trouve l'impressionnant monastère de Latrun, construit il y a quelque 40 ans pour l'ordre des Trappistes italiens. Les moines, qui ont fait vœu de silence, sont des viticulteurs accomplis et mettent en bouteille de bons vins blancs et rouges. On peut les acheter au monastère où quelques membres d'un kibboutz voisin aident les frères à les commercialiser.

A environ un kilomètre au nord de Ramallah, une petite route mène vers la droite au village arabe de Beitin, le Beth-El (Maison de Dieu) de la Bible. Il est mentionné à plusieurs reprises dans la Genèse; d'abord comme la localité auprès de laquelle Abraham planta ses tentes et bâtit au Seigneur un autel au pays de Canaan; ensuite lorsque Abraham, venant d'Egypte, arriva ici avec son neveu Lot.

Beth-El est cependant le plus étroitement associé à l'histoire de Jacob, telle qu'elle est relatée dans la Genèse (28) : « Jacob se coucha là. Il eut un songe : il voyait une échelle posée à terre, dont le sommet touchait le ciel... Au sommet se tenait le Seigneur, qui lui dit : « Je suis Yahweh, le Dieu d'Abraham, ton père et le Dieu d'Isaac. La terre sur laquelle tu es couché, je te la donnerai ainsi qu'à ta postérité... Je suis avec toi, je te garderai partout où tu iras et je te ramènerai dans ce pays. » Le lendemain matin, Jacob prit la pierre dont il s'était fait un chevet pour y rêver et l'érigea en stèle. Mais ne cherchez pas la pierre à Beth-El; on raconte qu'elle se trouve à l'Abbaye de Westminster à Londres, sous le Fauteuil du Couronnement!

La route qui serpente à travers les collines pastorales de la Samarie traverse une gorge connue sous le nom de *Wadi el-Haramiye* — le Défilé des Voleurs. Le village arabe de Sinjil, un peu plus loin, tire son nom de l'appellation attribuée par les Croisés à l'endroit : Saint-Gilles.

Sur le côté droit de la route, on aperçoit une étendue occupée autrefois par l'antique Silo. C'est à Silo que reposèrent le Tabernacle et l'Arche d'Alliance avant d'être transférés à Jérusalem. Les hommes de la tribu de Benjamin ne trouvant pas de femmes à épouser, tournèrent leurs regards vers Silo et les anciens leur donnèrent ce conseil : « Allez vous placer à l'affût dans les vignes. Quand vous verrez les filles de Silo sortir pour mener leur danse, emparez-vous chacun de votre femme d'entre les filles de Silo; après quoi, vous regagnerez le pays de Benjamin. » (Livre des Juges, XXI, 19). Des fouilles récentes ont mis au jour des restes d'habitation remontant à l'époque de la Bible, des mosaïques d'époque byzantine et les vestiges d'une synagogue vieille de plus de 1 000 ans.

L'ancienne cité de Sichem était située au sud et à l'est de

l'actuelle ville de Naplouse. A proximité, vous trouverez le puits de Jacob, qui est encore utilisé par les gens de l'endroit. On considère que c'est ici qu'eut lieu l'entretien de Jésus avec la Samaritaine (Jean, IV, 5-9). Une église grecque orthodoxe, commencée en 1914 mais pas encore terminée, signale l'emplacement du puits, profond de 30 m.

A environ 200 m au nord du puits, se trouve le Tombeau de Joseph. Les Enfants d'Israël emportèrent ses ossements lors de leur exode hors d'Egypte et les ensevelirent de nouveau ici, comme le rapporte le Livre de Josué (XXIV, 32). Le petit édifice au dôme blanc, a été restauré au siècle dernier.

Derrière le village arabe de Balata (à un km du tombeau) s'élevait autrefois la Sichem biblique. C'est ici et dans les montagnes d'Ebal et de Garizim — en face — que furent écrits certains des chapitres les plus dramatiques de l'Ancien Testament. C'est par ici qu'Abraham pénétra dans le pays de Canaan; Jacob campa près de Sichem; Moïse, bien qu'il ne dût pas mettre le pied sur la Terre Promise, dit à son peuple : « Quand le Seigneur, ton Dieu, t'aura introduit dans le pays dont tu vas prendre possession, tu prononceras la bénédiction sur le mont Garizim et la malédiction sur le mont Ebal. » (Deutéronome XI, 29). En réponse à ce commandement, Josué répartit les tribus d'Israël sur les deux montagnes et fit lire les malédictions tirées de la Loi de Moïse vers le mont Ebal et les bénédictions vers le mont Garizim.

Les Samaritains

Le mont Garizim est la Montagne Sainte des Samaritains. Les Samaritains, dont la plupart des gens se souviennent vaguement à cause de leur association avec certains récits du Nouveau Testament, constituent une secte de Juifs renégats dont l'histoire remonte à l'époque de l'exil à Babylone. Les Samaritains descendaient des Hébreux qui avaient échappé à l'exil ainsi que des Assyriens qui étaient venus coloniser leur pays. Ils s'en tenaient à la lettre de la Loi de Moïse, mais y introduisirent aussi certaines pratiques qui leur étaient propres. Quand les Juifs revinrent d'exil, ils considérèrent que les Samaritains avaient quitté la communauté juive et ne voulurent pas de leur aide pour reconstruire le Temple. Un schisme grave en résulta. Les Samaritains firent du mont Garizim leur centre spirituel et évitèrent Jérusalem.

Quoique le nombre des Samaritains en Palestine et dans les régions adjacentes s'élevât au Moyen Age à des dizaines de milliers, leur secte était presque éteinte au début du 20e siècle. Aujourd'hui, leur nombre s'accroît lentement. Il y en a au total à peu près 500, dont la moitié vit de nouveau dans les environs du mont Garizim et le reste à Holon, près de Tel-Aviv.

Les Samaritains célèbrent la semaine pascale au sommet du mont Garizim, en suivant à la lettre toutes les prescriptions de la Loi de Moïse; c'est ainsi qu'ils abattent, rôtissent et mangent l'Agneau Pascal la nuit de la fête. La secte ne reconnaît comme Écriture Sainte que les Cinq Livres de Moïse. Dans leur synagogue, ils conservent leur ancienne Torah écrite en caractères samaritains apparentés à ceux de l'hébreu. Ils affirment qu'elle a été écrite à l'époque de Josué, mais les autorités en la matière pensent que le rouleau n'a qu'une dizaine de siècles.

Les Samaritains montrent un rocher du mont Garizim où, disent-ils, Abraham se préparait à sacrifier Isaac, bien qu'on considère généralement que l'événement se déroula sur le mont Moriah à Jérusalem.

Naplouse et la Samarie

Naplouse est la ville la plus peuplée et la plus moderne de la Cisjordanie. L'agriculture et la petite industrie sont les soutiens de son économie et la ville est connue pour son savon et pour une pâtisserie sucrée appelée *kenafa*. Le nom de Naplouse est une variante arabe de *Neapolis* — Nouvelle Ville — le nom gréco-romain de la localité.

A environ 15 km à l'ouest de Naplouse, se trouve Sébaste, l'ancienne Samarie. Une route étroite mène au village de Sebastia, où s'élevait jadis une ville puissante, gloire de la région. Samarie qui couronnait une montagne protégée par des gorges profondes, fut achetée par Omri — le sixième roi d'Israël — et devint sa capitale, donnant son nom à la contrée. Le fils d'Omri, le mauvais roi Achab (874-852 av. J.-C.) embellit la ville pour son plaisir et pour celui de sa femme, la célèbre Jézabel.

Détruite et reconstruite au cours des siècles, Samarie finit par connaître un autre « Age d'Or » sous le règne du roi Hérode, qui rebaptisa la ville Sabastia, en l'honneur de César Auguste (Sebastos en grec). Même en ruines la ville inspire le respect. On y voit les restes d'un énorme hippodrome, une longue rue aux colonnades majestueuses, une basilique-tribunal et un amphithéâtre. On peut aussi y contempler les restes des palais d'Omri et d'Achab ainsi que des objets qui y ont été retrouvés.

En descendant des hauteurs de Samarie, d'où l'on jouit d'une vue remarquable dans toutes les directions, on peut voir au village de Sebastia une belle cathédrale du 12e siècle, construite par les Croisés (les murs de la cathédrale abritent une mosquée). On raconte que l'église a été bâtie sur les tombes des prophètes Élisée et Abdias.

Ostrakon (tuile) du 9e siècle av. J.C.

LES HAUTEURS DE GOLAN

La rive gauche du cours inférieur du Jourdain et la côte orientale de la Mer de Galilée sont bordées d'un glacis de collines de quelque 300 m de hauteur, qui forme la limite ouest des Hauteurs de Golan. Du point de vue militaire, celles-ci constituent une position idéale pour quiconque veut tenir tout le territoire en contrebas sous le feu de ses canons. Pendant 19 ans, les Syriens ne s'en firent pas faute; les établissements agricoles et industriels israéliens furent des cibles faciles pour les artilleurs et les tireurs isolés. Base de départ rêvée aussi pour les saboteurs arabes qui harcelaient sans trêve les colons israéliens. Pendant les premiers jours de la campagne de 1967, à l'abri de tout danger — du moins le croyait-elle — grâce aux nombreux retranchements construits depuis 1948, l'armée syrienne envoya des milliers d'obus sur les villages de la vallée.

La surprise n'en fut que plus grande lorsque le 9 juin, l'infanterie israélienne soutenue par les blindés et l'aviation, attaqua les Hauteurs de Golan. Cette opération avait tout l'apparence d'une mission-suicide, car le terrain garni de « bunkers » était en outre semé de mines et protégé par des kilomètres de fil de fer barbelé. Sous une canonnade ininterrompue, les Israéliens arrivèrent à faire une percée dans deux secteurs mais les pertes furent lourdes. Kuneitra, la ville principale, tomba le samedi 10 juin. Les Syriens acceptèrent le cessez-le-feu dans la soirée, alors que les troupes israéliennes n'étaient plus qu'à 65 km de Damas.

La plupart des 80 000 habitants de Golan s'enfuirent avec les forces syriennes en retraite, laissant environ 6 000 Druzes et quelques Circassiens derrière eux. Les Druzes du Golan, pour la plupart des fermiers, ont depuis lors renoué des liens avec leurs 30 000 frères d'Israël.

Quoique le sol de la région soit très riche — il est constitué en grande partie de terrains volcaniques fertiles — l'agriculture y avait été négligée : de 1948 à 1967, le Golan n'était plus qu'un immense camp militaire qui reprit ce triste aspect en 1973.

Il fut un temps où le Golan était une des régions agricoles les plus riches du Croissant Fertile. Il faisait partie du Bashan biblique, renommé pour sa variété locale de « vaches grasses », ses vastes forêts de chênes et ses fruits succulents. Encore aujourd'hui les pommes du Golan sont magnifiques; ne manquez pas d'y goûter si vous êtes de passage en automne. Les fameux vaisseaux de Tyr étaient construits avec des chênes amenés de Bashan, mais tout ce qui subsistait des grandes forêts fut abattu il y a 60 ans.

La région de Golan est étroitement associée à l'histoire juive. La contrée fut attribuée en héritage à la tribu de Mannassah, une des 12 tribus d'Israël. Elle devint partie intégrante du royaume au cours du règne du roi David (environ 1000 av. J.-C.), alors que ses frontières s'étendaient jusqu'à Damas. La population juive s'accrut, surtout à l'époque d'Alexandre Yannai (Jannaeus) et d'Hérode le Grand. Au cours de la révolte contre Rome (66-73 après J.-C.), les juifs du Golan combattirent courageusement; leur résistance à Gamla est parfois comparée à celle mieux connue de Massada.

Golan compta parmi les villes proclamées cités de refuge des Hébreux par Moïse. Son nom fut employé pour la première fois pour désigner la partie ouest du Bashan à l'époque du Second Temple. Les Romains eux l'appelaient *Gaulanitis*; dans le Talmud, on la désigne sous le nom de *Gïblan* ou *Gïbluna* et les Arabes la connaissent sous le nom de *Jaulan*.

Le Golan a de tous côtés des frontières naturelles : la mer de Galilée et le Jourdain à l'ouest; les pentes du mont Hermon au nord; la rivière Yarmouk au sud et la rivière Rakkad à l'est. Son territoire s'étend sur une largeur de 25 à 32 km.

RENSEIGNEMENTS PRATIQUES - HAUTEURS DE GOLAN

VOIES D'ACCÈS. La façon la plus pratique de visiter les Hauteurs de Golan est probablement de participer à une excursion en autocar. *United Tours* et *Egged Tours* organisent des visites guidées quotidiennes de la région. Vous pourrez choisir pratiquement n'importe quel point de départ : Tibériade ou l'un des *kibboutzim* de Galilée pour une excursion d'une demi-journée ou d'une journée; ou encore une ville aussi éloignée qu'Haïfa, Tel-Aviv ou Jérusalem pour une excursion d'un, deux ou trois jours qui comprend le Golan dans son programme.

ATTENTION! N'explorez pas seul les abords des « bunkers » abandonnés par l'armée syrienne, ou les régions fortifiées. Des centaines de mines non explosées et d'engins piégés sont encore enterrés ou dissimulés dans ces parages.

CLIMAT. Les hauteurs de Golan sont principalement constituées par un plateau de 900 à 1200 m au-dessus du niveau de la mer. En dehors du plus fort de l'été, il est conseillé d'emporter un chandail ou une veste; la température est souvent de 5 à 10 degrés inférieure à celle qui règne dans les vallées surchauffées d'où l'on arrive. En hiver, il faut s'emmitoufler.

LOGEMENT ET REPAS. Sur les Hauteurs de Golan, quelques établissements vous serviront un snack rapide ou un modeste repas. L'ancien Club des Officiers syriens de Baniass est devenu un restaurant ouvert au public. Excellents repas et confortable logement au kibboutz *Hagoshrim*, en Haute Galilée, près de Baniass. Vous pourrez prendre un repas ou même passer la nuit au kibboutz *Hagolan* près de Kuneitra. A El Al (un nouveau *moshav* adopté par la compagnie d'aviation du même nom) à quelque 16 km au nord de El Hamma, un restaurant sert des snacks et des repas légers. L'Hôtel *Golan* vous propose de nouvelles chambres d'où la vue est superbe; tél. 067-21901.

SPORTS. Le kibboutz *Hagoshrim* en Haute Galilée, est la première « station » de ski d'Israël. C'est la base d'où on peut gagner les pistes (qui montent sur plus de 1500 m) du mont Hermon sur les Hauteurs de Golan. La saison du ski s'étend de novembre à fin avril. Il n'est pas nécessaire d'emporter son propre équipement — on peut en louer un sur place.

A la découverte des hauteurs de Golan

On peut accéder aux Hauteurs de Golan par trois voies naturelles différentes — en franchissant le Baniass au nord ou le Jourdain au pont de Bnot Yaakov (pont des Filles de Jacob), ou encore le Yarmouk au sud près de El Hamma.

Supposons que vous ayez exploré la Haute Galilée dans toute sa longueur et que vous vous trouviez au kibboutz Dan, à l'extrême nord du pays. En prenant vers le nord-est une route nouvellement refaite, il n'y a pas cinq minutes jusqu'au Baniass. Une cascade et des sources aux eaux claires et rapides y alimentent le Jourdain; le Baniass est un de ses trois affluents. Levez les yeux et vous verrez d'où provient cette eau — de la fonte des neiges du mont Hermon.

Baniass est la forme arabe du nom grec de l'endroit : *Paneas*. Les Grecs, charmés par la beauté des forêts, consacrèrent le lieu au dieu rustique Pan. A l'époque romaine, il était connu sous le nom de Caesarea Philippi (à ne pas confondre avec la Césarée du littoral méditerranéen) et mentionné dans les deux premiers Évangiles. Flavius Josèphe l'appelle *Panium* dans ses écrits. Sans doute destinées à abriter la statue du dieu cornu et de sa suite de satyres, des niches ont été jadis creusées dans la petite falaise qui sert de toile de fond au minuscule étang. L'entrée des niches est ornée de coquillages tandis que des inscriptions grecques encore lisibles figurent à la base.

Tout près des eaux jaillissantes, vous verrez le Club des Officiers syriens où vous pourrez faire halte pour un repas léger — c'est aujourd'hui un restaurant.

Plus loin, sur les pentes du mont Hermon, se trouve le village druze de Majdel Shams (Tour du Soleil). Les fermiers druzes y vendent les produits de leurs vignobles et de leurs vergers. Depuis l'hiver de 1967, ils ont trouvé une nouvelle source de revenus auprès des skieurs israéliens auxquels ils vendent vivres et boissons chaudes.

Le sommet de la partie israélienne du Mont Hermon s'élève à près de 2 200 m, mais les plus hauts pics — en territoire libanais — atteignent plus de 2 700 m. Le Club de Ski israélien, fondé après la Guerre des Six jours, a son centre ici et compte déjà plusieurs centaines de membres.

Un peu en dehors de la route secondaire qui relie Baniass à Majdel Shams, vous pourrez apercevoir le château de Nemrod *(Kalaat Namrud)*. Cette forteresse des Croisés — dans un très bon état malgré huit siècles de guerres et d'intempéries — remonte au 12e siècle et vaut un coup d'œil (même si vous devez faire la dernière partie du chemin à pied). Le panorama y est remarquable.

En reprenant la route principale et en la suivant en direction de l'est, nous arrivons à la curiosité géologique de Birket Ram (Lac d'en-haut). L'altitude y est de près de 1 000 m au-dessus du niveau de la mer : le lac est en fait d'origine volcanique, enserré dans un cratère de deux km de longueur.

Le nœud de communication du Golan, Kuneitra, à 25 km au sud de Birket Ram, était la ville principale de la région et l'armée syrienne y avait son quartier général. La population, en majeure partie circassienne, est partie en même temps que l'armée syrienne. Il ne reste plus que quelques habitants et la cité n'est désormais qu'une gigantesque ville fantôme.

Aux abords de Kuneitra, des soldats-fermiers juifs ont établi un nouveau poste agricole. Dans ce kibboutz *nahal* dénommé Hagolan, vous pourrez passer la nuit au « Kuneitra Hilton » — une ancienne villa des officiers syriens qui est devenue un modeste hôtel.

Quatre routes partent de Kuneitra : celle de Baniass, que nous avons déjà suivie; une autre mène vers le sud-ouest au pont de Bnot Yaakov qui franchit le Jourdain (c'est l'itinéraire le plus fréquenté); la troisième s'incurve vers le sud pour gagner les sources chaudes d'El Hamma (Hammat Gader) et la quatrième conduit vers le nord-est en direction de Damas.

Tout autour de Kuneitra, de même que dans d'autres régions du Golan, vous rencontrerez un certain nombre de villages détruits et abandonnés. Pour empêcher que les maisons ne soient utilisées comme abri par des commandos arabes, les Israéliens les rasèrent, n'épargnant que les mosquées.

La campagne entre Kuneitra et Bnot Yaakov, plate et fertile, autrefois très peu cultivée, offre aujourd'hui un aspect d'une froide beauté. Sur presque toute l'étendue de la route, on peut voir de chaque côté les installations de l'armée syrienne et ses casernes. Au fur et à mesure qu'on se rapproche du Jourdain, on remarque davantage de traces de balles et de trous d'obus ainsi que des champs de mines clôturés. A l'ancienne maison de la douane syrienne, bâtie sur une éminence juste avant la rivière et puissamment fortifiée, on peut voir les effets de la bataille dans toute sa violence. Des tanks d'origine russe avaient été enterrés jusqu'à la tourelle pour assurer une puissance de feu maximum tout en offrant une cible minimale. Certains de ces tanks, ravagés par le feu, sont encore visibles aujourd'hui.

La route qui part de Kuneitra vers le sud, parcourt des plaines désertes pendant des kilomètres. A un moment donné, vous franchirez l'oléoduc du TAP qui transporte le pétrole en provenance de l'Iraq jusqu'au Liban. Les Israéliens débonnaires ne s'opposent pas à son fonctionnement.

Dans cette contrée, même un œil inexpérimenté peut voir que de vastes étendues de terres n'attendent que le passage de la charrue. Tandis que la route se rapproche de la mer de Galilée, vous constaterez que les colons du nouveau *moshav* d'El Al ont répondu avec enthousiasme à cette attente. Les jeunes couples établis ici dans cet endroit désertique n'ont guère besoin d'encouragement en la matière, mais tout juste pour les stimuler, El Al — la compagnie nationale d'aviation — a adopté la colonie et a promis un voyage gratuit à tout enfant né ici la première année, lorsqu'il aura atteint l'âge de treize ans.

Comme vous vous rapprochez du Lac de Génézareth, les vestiges de postes avancés syriens apparaissent à nouveau. Au-delà du carrefour de Fiq, vous pourrez vous arrêter à l'ancien camp d'instruction de l'artillerie syrienne où, dans un bâtiment criblé de balles, vous verrez une maquette très détaillée du Lac de Génézareth et des établissements juifs qui l'entourent.

Plus loin, vous aurez l'occasion de visiter quelques-uns des abris syriens (sous escorte s'il vous plaît, pour éviter les mines) creusés profondément dans l'escarpement qui domine la mer de Galilée. En regardant par une meurtrière juste assez large pour permettre le passage du canon d'une pièce d'artillerie, vous vous demanderez comment ces positions fortifiées ont jamais pu être prises.

La route commence à s'incurver et à descendre du plateau vers le bassin de la rivière Yarmouk. Après que votre voiture ou votre bus ait brusquement pris un virage serré, vous apercevrez tout à coup El Hamma qui s'étale devant vous plus de cent mètres en contrebas. Ses sources chaudes sont connues depuis l'Antiquité et les Romains en firent usage, il y a 2 000 ans. On trouve ici quelques vestiges de constructions romaines et notamment d'un petit théâtre. On a découvert à El Hamma (Hammat Gader en hébreu), un pavement en mosaïque d'une synagogue du 6e siècle qui porte des inscriptions hébraïco-aramaïques. Les anciens bains turcs sont actuellement remis en état par des agents des Sources chaudes de Tibériade, et bientôt on pourra transpirer comme un pacha au sein de leur cadre d'un romanesque tout oriental.

A partir d'ici, la route oblique vers l'ouest et vous amène à la rive sud de la mer de Galilée. Un petit pont franchit un cours d'eau qui coule vers le sud, c'est le Jourdain qui se dirige vers la mer Morte. Vous êtes ici à près de 210 m sous le niveau de la mer.

GAZA ET LE SINAÏ

Un des buts d'excursion habituels au départ d'Achkelon, avant juin 1967, était le kibboutz Yad Mordechai, à 13 km au sud d'Achkelon; c'était le dernier établissement israélien avant la Bande de Gaza. On lui associait le poste de contrôle d'Erez — le poste frontière de l'ONU au passage d'Israël vers l'Égypte.

La Bande de Gaza est la langue de terre qui s'étend le long de la côte méditerranéenne depuis la pointe nord-est de la péninsule du Sinaï. Longue d'environ 50 km et large de 6,5 km, elle est la position la plus septentrionale occupée par les armées égyptiennes au cours de la guerre israélo-arabe de 1948. Cette bande de terre paraît pointée vers Tel-Aviv, à moins de 80 km. La distance sembla encore plus courte après que Nasser eut signifié leur congé aux forces de l'ONU de la Bande de Gaza, en mai 1967, éliminant ainsi le tampon qui depuis 1957, avait assuré le calme dans cette région frontalière.

La route qu'on emprunte aujourd'hui pour aller d'Achkelon à Gaza est une section de l'ancienne *Via Maris*. C'est une des plus antiques cités mentionnées dans l'Histoire qui fait remonter ses origines à plus de 4 000 ans; son nom provient probablement du mot hébreu *az*, signifiant fort, et encore maintenant, le nom hébreu de la ville est Azza. La plupart des gens associent Gaza à l'histoire de Samson telle qu'elle est relatée dans le Livre des Juges. C'est ici que les Philistins l'amenèrent après qu'il eut été dépouillé de sa toison (et donc de sa force) par la rusée Dalilah. Mais Samson eut le dernier mot, faisant s'écrouler le temple des Philistins, écrasant ainsi ceux qui l'avaient capturé, aveuglé et tourmenté, et périssant lui-même sous les décombres.

Gaza devint une étape importante du commerce entre l'Égypte et la Syrie mais tomba ensuite sous la domination de tous les conquérants qui traversèrent la région : Grecs, Romains, Arabes, Croisés et Turcs. C'est notamment de la fabrication d'un tissu léger et peu serré — la gaze — que Gaza a tiré sa renommée. Plus récemment, Napoléon y bivouaqua en 1799, et, au cours de la première Guerre Mondiale, les Britanniques enlevèrent la ville aux Turcs et aux Allemands — au prix de 10 000 morts.

RENSEIGNEMENTS PRATIQUES - BANDE DE GAZA

VOIES D'ACCÈS. Il n'y a pas de couvre-feu à Gaza et aucun permis n'est exigé à l'entrée. Il n'y existe pratiquement pas d'endroit où loger et il n'est pas conseillé de s'abriter dans des installations improvisées. Nous vous signalerons néanmoins *Marna House* qui possède 25 ch. et un restaurant. Un certain nombre de voyages organisés ont Gaza à leur programme. Vous pouvez aussi vous y rendre en voiture privée (veillez à vous munir de vos papiers d'identité). On peut traverser toute la Bande de Gaza en voiture jusqu'à El Arish dans le nord du Sinaï (beaucoup d'Israéliens le font pour atteindre les plages qui n'y sont pas encombrées), mais il est impossible d'aller plus loin en voiture privée.

QUE VOIR? A *Gaza* : un manuscrit hébreu du 16e siècle décrit Gaza comme « la ville de Samson, une belle ville ». Elle est encore connue comme la ville de Samson, mais elle n'est vraiment pas belle. Choses à voir : le *Tombeau de Samson* dont l'authenticité est douteuse, se trouve près de la gare. La *Grande Mosquée*, au centre de la ville, est construite sur les restes d'une église du 13e s., bâtie par les Croisés. Un des piliers provient d'une ancienne synagogue et porte l'image d'un candélabre à sept branches, avec une inscription en hébreu et en grec. Près de la mosquée, se trouve une église grecque du 19e s., construite sur des fondations du 5e. A la limite sud de la ville, on peut voir une partie du pavement en mosaïques d'une synagogue du 5e siècle. *Khan Yunis*, ville située dans une oasis, renferme les ruines d'un caravansérail *(khan)*, d'où son nom. *Rafah*. Juste avant la frontière du Sinaï, elle fut le théâtre de violents combats pendant la Guerre des Six Jours. Étape sur la Via Maris, Rafah est connue depuis l'époque biblique.

A la découverte de la région

Il y a moins d'une demi-heure de voiture d'Achkelon à Gaza, en suivant la route principale vers le sud. Une fois dépassé Yad Mordechai, c'en est fini des champs cultivés des kibbutzim. Un endroit en friche marque l'emplacement de l'ancien poste frontière d'Israël; plus loin, on voit se succéder les alignements d'arbres des vergers d'orangers (les agrumes constituent la production principale de la Bande de Gaza). Si vous vous trouvez à Gaza pendant la « saison » (décembre-avril), vous pourrez observer les gens de l'endroit qui chargent les fruits sur les vapeurs en attente — transport des caisses sur le dos jusqu'aux barques, puis jusqu'aux navires et transbordement à l'aide de filets.

Avant d'atteindre Gaza, vous verrez en vente des deux côtés de la route, deux sortes d'objets fabriqués par les artisans de la ville — des poteries rouges ou noires décorées à la main et des paniers de roseaux tressés. En général, les premières sont assez laides, les seconds vraiment jolis.

Gaza est d'un aspect plutôt lugubre; une déception si on

songe à sa longue et brillante histoire. Après avoir vu les quelques curiosités de l'endroit (voir renseignements pratiques) vous pourrez aller à la plage pour observer les pêcheurs et peut-être vous baigner.

En allant plus au sud, vous verrez les camps des réfugiés palestiniens où les Égyptiens les laissèrent pendant près de 20 ans. Les Palestiniens étaient pratiquement privés de tout droit et n'avaient guère l'occasion de quitter les camps. Pendant 19 ans, un couvre-feu leur fut imposé. Il est assez ironique que ce couvre-feu ait été levé par les forces d'occupation israéliennes.

Plus bas le long de la côte, s'étend Khan Yunis dont l'aspect est des plus attirants (comme il se doit pour une oasis), avec ses palmiers majestueux. Le dernier arrêt avant le Sinaï est à Rafah, une localité aussi ancienne que les sables qui l'entourent. Un des combats décisifs de la Guerre des Six Jours s'y déroula et les pertes furent lourdes des deux côtés.

Le Sinaï

Rassemblez toutes les sortes de désert imaginables — dunes de sable mouvantes, rochers nus, terre brûlée, montagnes dénudées — ponctuez-les de quelques bouquets de palmiers et de quelques oasis et vous commencerez à vous faire une idée de la péninsule du Sinaï. Est-il besoin de mentionner les tempêtes de sables irritantes et le soleil brûlant qui peut faire grimper le mercure à 50° les jours d'été ? Et l'air glacial de la nuit quand les étoiles semblent aussi volumineuses que des balles de ping-pong et que vous frissonnez sous votre couverture ? Depuis des temps immémoriaux, ce coin d'enfer a vu passer un courant de commerce continu. Si vous avez votre Bible présente à l'esprit, vous vous souviendrez qu'Abraham et Sara traversèrent le Sinaï, de même que Joseph, bien malgré lui d'ailleurs. Marie et Joseph emmenèrent l'enfant Jésus dans leur fuite à travers le Sinaï, afin d'échapper aux ordres furieux d'Hérode. Et, le plus miraculeux de tout, les Enfants d'Israël — sous la conduite de Moïse — errèrent dans le désert du Sinaï pendant 40 années pleines.

En moins de 30 ans, le Sinaï a été le théâtre de quatre batailles. La dernière date d'octobre 1973 : elle donna lieu au plus grand affrontement de blindés de l'histoire. Cet immense territoire constitue la partie principale des quelque 70 000 km² tombés sous juridiction israélienne à la suite de la campagne des Six Jours. La population, inférieure à 35 000 habitants, est composée en majorité de Bédouins nomades.

RENSEIGNEMENTS PRATIQUES - SINAI

VOIES D'ACCÈS. En principe le meilleur moyen de visiter le Sinaï est de participer à un voyage organisé. Base de départ habituelle : Tel-Aviv ou Eilat. Un tel périple, au demeurant très intéressant, s'effectue dans des conditions de confort assez relatives.

Egged organise un voyage circulaire de 4 jours au départ de Tel-Aviv. (On peut également joindre le car à Beerchéba ou à Eilat). Il existe aussi des services réguliers de car *Egged :* hebdomadaire Tel-Aviv — Sharm et Sheikh et quotidien Eilat — Sharm el Sheikh.

Une autre possibilité consiste en un voyage de 5 jours en voiture tous terrains à partir d'Eilat. Informations à *Neot Hakikar Desert Tours,* Merkaz Miskhari Khadash à Eilat, tél. 2933; *Johnny Desert Tours* et *Ya'alat* proposent également diverses formules.

Pour ceux qui veulent « faire » le Sinaï en un temps minimal avec le maximum de confort au départ d'Eilat, de Tel-Aviv ou de Jérusalem, la solution idéale peut être fournie par ce que propose *Arkia Airlines* (à Tel-Aviv : 88, rue Ha'hashmonaim, tél. 262105 et 11 rue Frishman, tél. 226640; à Jérusalem : 19 rue Jaffa, tél. 225888/234855; à Eilat : Aéroport, tél. 3143-4). *A partir d'Eilat :* 1 journée au Monastère de Sainte Catherine et à Sharm el Sheikh, avec baignade en Mer Rouge et visite d'Ophira (départ : merc./sam.). *A partir de Tel-Aviv et de Jérusalem,* il existe 4 possibilités : 1 journée à Sainte Catherine et à Sharm el Sheikh (départ : merc./sam.), 1 journée à Sainte Catherine et à Eilat (départ : lundi/mardi), 2 journées à Sainte Catherine, Sharm el Sheikh et Eilat (départ : merc./sam.), enfin 2 journées à Sainte Catherine et Eilat (départ : lundi/mardi/jeudi/sam.). Les tarifs sont raisonnables. Il s'agit d'un périple inoubliable, à ne pas manquer!

Quant aux « aventuriers » qui veulent voyager en liberté à bord de leur — robuste — véhicule de location, ils retiendront qu'on peut aller partout dans le Sinaï sans permis spécial sauf aux abords immédiats du Canal. Un minimum de matériel de réparation, une réserve d'eau et d'essence sont de rigueur. Sur la récente route Eilat-Sharm el Sheikh, on pourra faire halte à Nueiba — 80 km au sud d'Eilat — qui possède une station service, quelques bars, un restaurant et une « guesthouse »; possibilités de baignade et de plongée.

Quelle que soit la formule choisie, vous n'aurez pas oublié un couvre-chef et des lunettes solaires (le soleil tape dur), votre maillot de bain et un gilet de laine car les nuits sont froides. En été, un insecticide, crème ou spray, est indispensable.

HOTELS. Sainte Catherine : encore que quiconque n'a pas vu ce monastère du 6e siècle a manqué un attrait important du voyage (en raison notamment de l'excursion locale) on notera que les installations sanitaires ne sont guère brillantes, pis, quasi inexistantes. Dortoirs. Le service « hôtelier » est assuré par des Bédouins. Les moines, peu empressés auprès des touristes, ferment chaque soir la porte à 18 heures précises. A Sharm el Sheikh : le *Caravan Hotel,* chalets en bois près de la plage, des Bédouins en costume traditionnel servent les repas dans une immense tente de plastique climatisée. *Sharem Hotel,* tél. (057/99226), 30 ch. avec douche et air conditionné : de quoi faire la fine bouche! Localisé à Ophira. A Nueiba, sur la route Eilat-Sharm el Sheikh : *Neviot Hotel,* tél. (059/3667), 50 ch. de bonne tenue; possibilités d'excursions et de plongée.

A la découverte du Sinaï

La route qui part de la Bande de Gaza vers le sud, s'incurve dès le départ en direction de l'ouest, en suivant la ligne de la côte. La première localité sur votre route est El Arish, qui semble pratiquement faite de bouquets de palmiers. C'est une oasis bienvenue, avec une belle plage qui attire même des gens de Tel-Aviv. El Arish est le carrefour de la région nord du Sinaï; de là, une route continue jusqu'à Port Saïd et Kantara sur le canal de Suez, tandis qu'une autre va vers le sud à Abu Aweila et Jebel Libni. A l'emplacement de l'actuelle El-Arish, s'élevait jadis l'antique cité de Rhinokorura (ville des Nez Coupés), colonie égyptienne peuplée de prisonniers mutilés et d'esclaves.

En continuant par la route de l'ouest, on rencontre un nouvel établissement, Nahal Yam, installé par des soldats-fermiers après la Guerre des Six Jours. Ils y expérimentent de nouvelles méthodes de pisciculture et d'agriculture. Romani est le dernier poste important sur la route du canal de Suez.

Kantara est sur le canal de Suez. C'est maintenant une étape habituelle pour les touristes et au restaurant local, vous coudoyerez d'autres touristes, des soldats israéliens et le personnel de l'ONU. On trouve à Kantara un débit d'essence et même un bureau de poste dont le cachet porte la mention « Canal de Suez ».

Si on ne vous permet pas de longer le Canal de Suez, il vous reste à emprunter la nouvelle route intérieure qui démarre direction sud un peu à l'ouest de Romani et vous mène à Suder sur le Golfe de Suez. Cet itinéraire vous permet de parcourir la passe de Mitla. Cette gorge peu étroite qui s'étend sur des kilomètres, a joué un rôle important lors des deux confrontations israélo-arabes. En 1956, des parachutistes israéliens y furent lâchés derrière les lignes égyptiennes. En 1967, une force considérable d'infanterie et de blindés se laissa surprendre dans le défilé par l'aviation israélienne. De nombreuses épaves du charroi égyptien jonchent en effet les bas-côtés de la route. Elles y ont été repoussées lors des travaux d'asphaltage de la route.

A l'ouest du Sinaï, sur la côte du Golfe de Suez, se trouvent les centres pétrolifères de Ras Suder et de Ras Abu Rudeis. Entre les deux, le port d'Abu Zneima traite et charge la production minière de l'arrière-pays. L'intérêt touristique de ce parcours réside notamment dans une ambiance qui

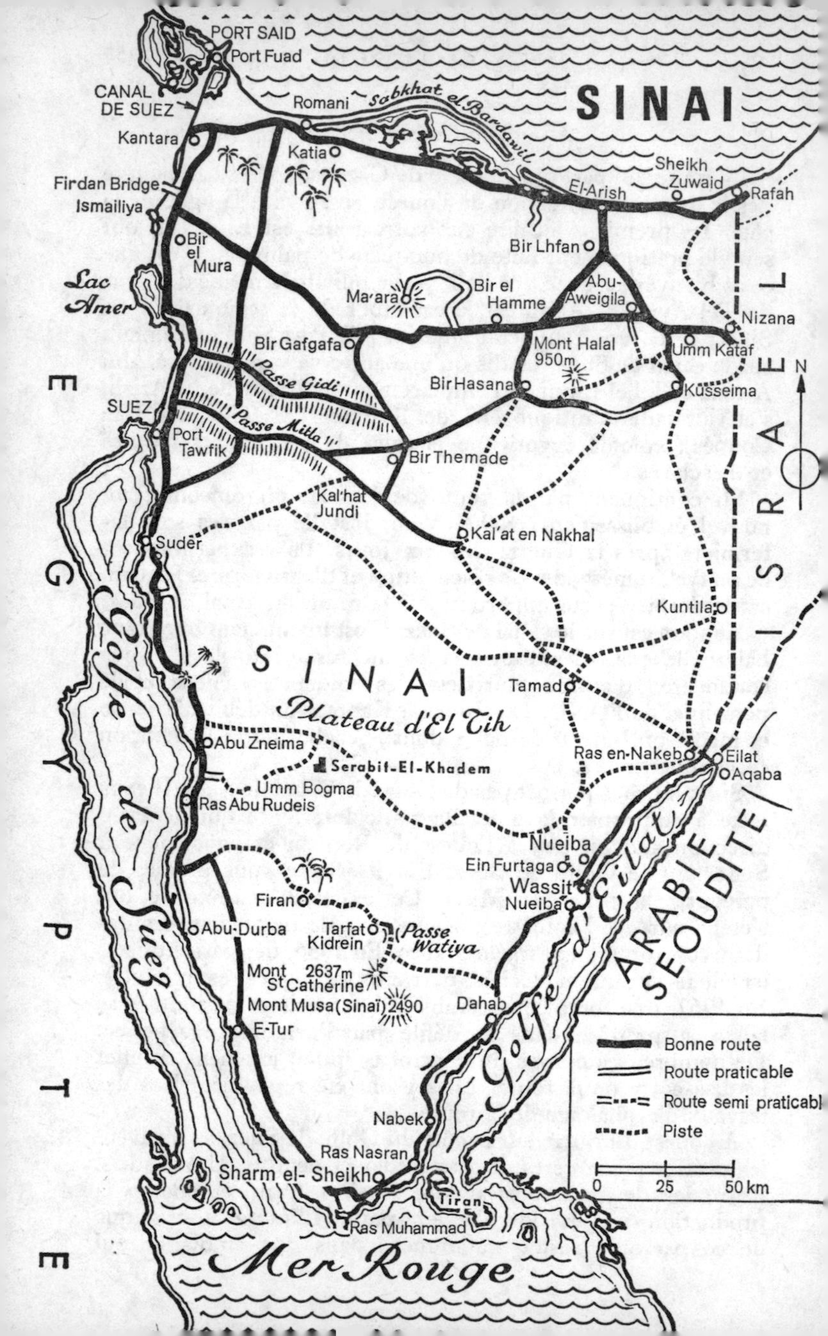
SINAI
PORT SAID
Port Fuad
CANAL DE SUEZ
Romani
Sabkhat el Bardawil
Kantara
Katia
Firdan Bridge
Ismailiya
Sheikh Zuwaid
El-Arish
Rafah
Bir el Mura
Bir Lhfan
Lac Amer
Ma'ara
Bir el Hamme
Abu-Aweigila
Nizana
Bir Gafgafa
Mont Halal 950m
Umm Kataf
Passe Gidi
Bir Hasana
Kusseima
SUEZ
Port Tawfik
Passe Mitla
Bir Themade
Kal'hat Jundi
Kal'at en Nakhal
Suder
Kuntila
SINAI
Plateau d'El Tih
Tamad
Abu Zneima
Serabit-El-Khadem
Ras en-Nakeb
Eilat
Aqaba
Umm Bogma
Ras Abu Rudeis
Nueiba
Ein Furtaga
Wassit
Nueiba
Firan
Abu-Durba
Tarfat Kidrein
Passe Watiya
Mont St Cathérine 2637m
Mont Musa (Sinaï) 2490
Dahab
E-Tur
Golfe de Suez
Golfe d'Eilat
ARABIE SEOUDITE
ISRAEL
EGYPTE
N
Bonne route
Route praticable
Route semi praticabl
Piste
0 25 50 km
Nabek
Ras Nasran
Sharm el- Sheikh
Tiran
Ras Muhammad
Mer Rouge

évoque le Texas, début du siècle. Animées par les soins d'une compagnie italienne, les installations pétrolières tant égyptiennes qu'israéliennes voisinent dans les eaux du Golfe. Un spectacle des plus captivants, le soir, est la présence des travailleurs bédouins attablés aux terrasses des cafés, la tête couverte de la traditionnelle *kefiya*, dernier vestige, hélas, du costume ancestral.

Peu au nord d'Abu Zneima, une piste à main gauche part en direction d'Umm Bogma, dépasse ce poste minier et mène à la colonne de Serabit El Khadem. Il s'agit d'un reliquat, décoré d'hiéroglyphes, du temple pharaonique connu sous le nom de Tchatchor.

Quant au port de pêche d'Et-Tur, c'était avant les événements, une importante étape sur la route du pèlerinage à La Mecque. La localité, ignorée par les Israéliens, est à présent quasi inhabitée. A la pointe sud du Sinaï, un éperon rocheux porte le nom de Ras Muhammad (Tête de Mahomet). Une plage boisée y apporte quelque fraîcheur bienvenue en ces lieux.

En pivotant vers le nord et en remontant la côte est, on arrive à Sharm-el-Sheikh, à l'embouchure du détroit de Tiran. Aujourd'hui, en survolant le détroit du regard, on aperçoit un décor paisible où scintillent les eaux bleues de la mer Rouge et où les deux îles — Tiran et Sinafir — paressent, abandonnées entre le Sinaï et l'Arabie Séoudite. Ce fut cependant le blocus du détroit de Tiran par les forces égyptiennes de Sharm-el-Sheikh (après l'expulsion de la garnison de l'ONU) qui contribua le plus directement au déclenchement de la Guerre des Six Jours. Aujourd'hui, une garnison israélienne y assure le libre passage de tous les navires, y compris les bâtiments arabes qui se dirigent vers l'Arabie Séoudite et la Jordanie. Malgré l'absence de confort (ou peut-être pour cette raison), la plage de Sharm-el-Sheikh a en quelque sorte absorbé une partie de la clientèle d'Eilat. Il y règne une atmosphère de Far West propre à séduire les jeunes qui s'y adonnent, nombreux, à la plongée sous-marine. Un peu plus loin le long de la côte, on trouve Ras Nasran, autre point fortifié contrôlant le détroit. La baignade est également des plus agréables sur ces plages encore intactes.

La route du retour (récemment asphaltée) ne manque pas non plus d'attrait. Une halte conseillée est le petit *moshav* de Dahab (belle plage). Tout le monde y parle le français, les tenanciers — camping, restaurant et café — étant d'origine marocaine. Après la traversée des deux localités du nom de

Nueiba (Nuweiba) où des Bédouins semi-nomades vivent surtout de la pêche en mer, la route file vers Eilat. Avant d'y arriver, vous apercevrez sur votre droite une jolie petite baie curieusement baptisée le Fjord — sans doute parce qu'elle est enserrée dans un théâtre de collines rocheuses — et quelques km plus loin, l'Ile de Corail (I-Almogim). Sur l'île on distingue les ruines d'une forteresse des Croisés.

Une excursion à ne pas manquer

La visite du monastère de Ste-Catherine est le véritable « clou » du circuit du Sinaï. Dans la région montagneuse du sud de la péninsule, c'est l'un des plus anciens monastères du monde. Sainte-Catherine, qui lui a donné son nom, fut martyrisée au premier siècle et décapitée à Alexandrie, pour n'avoir pas voulu renier sa foi chrétienne. La tradition veut qu'elle ait été enlevée par les anges, qui déposèrent son corps sur les imposantes hauteurs du mont Catherine. Vieux d'environ 1 400 ans, ce monastère grec-orthodoxe est situé sur le flanc du mont Sinaï à l'emplacement où Moïse aperçut « le buisson ardent qui brûlait sans se consummer ». Toujours suivant la Bible, c'est au sommet du mont que Yahweh remit les 10 Commandements à Moïse. Les Musulmans qui eux aussi révèrent ce dernier comme prophète, nomment la montagne *Djebel Musa* (le mont de Moïse).

A quelque 25 km au sud de Ras Abu Rudeis, sur la côte ouest de la péninsule, la route tourne à main gauche en direction de l'est et, devenue peu après une piste de sable, vous mène à travers une région montagneuse et désertique vers l'oasis de Firan, puis à Tarfat et au monastère ensuite par la passe de Watiya. Que ces lieux vous semblent inhabités, ne vous y trompez point. Les Bédouins possèdent à un rare degré l'art d'intégrer leur habitat au site. En dépit d'un air parfois peu engageant, ils sont très hospitaliers et ne manquent pas — littéralement surgis des sables ou des rochers — de secourir le voyageur en proie à une difficulté mécanique ou autre.

Le monastère — construit au 6e siècle par Justinien — auquel ses murailles donnent l'aspect d'une forteresse, renferme des trésors d'art inestimables. Il est desservi par une dizaine de moines d'origine grecque, qui honorent la mémoire de leurs prédécesseurs en conservant leurs restes dans un ossuaire. Le squelette d'un abbé, revêtu de ses ornements sacerdotaux, veille sur son troupeau sans vie. Ouvert plus ou moins à contrecœur au touriste, le monastère ferme sa porte inexorablement chaque jour à 18 heures précises. L'enceinte étant plutôt difficile à franchir, le voyageur attardé s'expose à passer la nuit à la belle étoile... Le séjour à Sainte-Catherine dépassant rarement 24 heures, les touristes feront de bon cœur leur deuil de certaines facilités. Les compensations ne leur manqueront pas.

A l'intérieur de l'enceinte, un entassement de bâtisses hétéroclites coupé de ruelles et de passages voûtés restitue en plein 20e siècle un saisissant décor du monde byzantin disparu. L'extraordinaire collection d'icônes unique au monde permet de reconstituer de siècle en siècle l'évolution de la peinture religieuse dans l'antique Empire d'Orient, influencée à l'époque des Croisades par les apports occidentaux. L'art de la mosaïque est également présent sur le plafond de l'église du monastère : une Transfiguration du Christ composée de personnages en grandeur nature. Aussi paradoxal qu'il paraisse, c'est à l'occupation musulmane que l'on doit de pouvoir de nos jours contempler de telles merveilles. En effet, lorsqu'au 8e siècle, l'empereur de Byzance ordonna de brûler les icônes et de faire disparaître les décorations murales des églises, les moines de Sainte-Catherine, isolés en pays musulman, ne tinrent aucun compte des injonctions impériales.

Un mot encore sur l'inimaginable richesse de la bibliothèque — hélas peu accessible au public — qui contient plusieurs milliers de manuscrits, certains datant du 4e siècle de notre ère, rédigés dans la plupart des anciens idiomes du Moyen-Orient. Fin 1971 un incendie a détruit une aile du logis des moines. Maîtrisé avec l'aide de militaires israéliens stationnés dans les environs, le sinistre a épargné les précieuses collections d'icônes et de manuscrits.

Il existe une autre bonne raison d'arriver durant la journée au monastère. Par l'intermédiaire du « moine de liaison », vous pourrez louer les services de chameliers bédouins pour l'excursion au sommet du mont Sinaï, dont le départ est d'habitude fixé à 3 h 30 du matin. Une condition sine qua non est d'être en bonne forme physique. Après avoir parcouru les deux tiers du chemin à dos de chameau, il vous restera environ une heure d'ascension à pied pour atteindre la chapelle du sommet (2 219 m) d'où vous assisterez à un inoubliable lever de soleil sur une mer de granit rouge et brun. Une halte de repos passée à contempler ce spectacle quasi surnaturel, puis vous entreprendrez la descente par un autre itinéraire. Il s'agit d'une sorte d' « escalier » de 3 000 degrés environ de hauteurs assez variables... Soyez sans illusions, cette construction séculaire n'a qu'un lointain rapport avec le grand escalier de l'Opéra et vos mollets seront mis à rude épreuve.

Atteignant une altitude encore supérieure à celle du mont Sinaï, le mont Sainte-Catherine voisin s'élève à 2 637 m au-dessus du niveau de la mer. Pour le retour, pas d'hésitation ; mieux vaut revenir sur vos pas et rallier par Firan la route côtière du départ.

Au centre du Sinaï, à l'est de la passe de Mitla, Kal'at-en-Nakhel est un carrefour important et servait autrefois d'étape aux pèlerins faisant le *Hadj* vers La Mecque, tout en étant un point d'eau pour les caravanes de chameaux. La localité avait aussi la réputation plus douteuse d'être un centre du commerce du haschisch entre la péninsule arabe, la Jordanie et l'Égypte.

LEXIQUE TOURISTIQUE

NOTE : Ceux qui s'intéressent à la langue hébraïque se reporteront à un livre spécialisé. L'étude de l'hébreu est trop compliquée pour se contenter des quelques rudiments (comme l'alphabet) qui pourraient figurer ici.

Le lexique ci-dessous est rédigé dans le respect de la phonétique française. Toutefois : le *kh* se prononce gutturalement comme dans le son arabe que les Français connaissent s'ils ont séjourné en Afrique du Nord; les signes diacritiques indiquent la syllabe sur laquelle il convient de mettre l'accent.

GÉNÉRALITÉS

Parlez-vous français, anglais, allemand ?	Ha-im atà m'dabér tsarfatîte anglîte, guermanîte ?
Merci beaucoup !	Todà rabà !
Je ne comprends pas	Ani lo m'vinne (fem. m'vinnà)
s'il vous plaît !	B'vakachà !
je suis touriste	Ani tayàr (fem. tayèret)
Oui - non	Ken - lo
Bonjour - bonsoir	Bôker tov - erev tov
Bonne nuit	Laila tov
Au revoir !	L'hitra'òth
Salutation en toutes circonstances qui signifie « Paix »	Chalóm
Monsieur - madame - mademoiselle	Adón - guevèreth - almá
Excusez-moi	Slikhà
Ceci - cela	Zéhou - zotte (f.)
Enchanté de vous connaître	Na'im me'od
A votre santé	L'khâyim !
Quelle jolie fille !	Ézo bakhourá yafá !
Vous êtes seule ?	Até lévadé ?
Puis-je vous inviter à danser ?	Ha-moutâr li l'hazminne otakh lirkod iti ?
Attendez-moi	Khakéli
Hier - aujourd'hui - demain	Etmól - hayóm - makhár

VOYAGES — DOUANE

Taxi - à la gare - au port - à l'aéroport	Monîte - le'takhanàtte ha'rakèveth - le'namál le'sdé ha't'oufá
Billet	Kartîs
Porteur	Sabál
Quel est le chemin pour... ?	Ekh holkhîm le... ?
Dames - Hommes	Gouvéròtte - Gouvarîm
Entrée - Sortie	Knîsà - Yitsià
J'arrive pour mes vacances	Ani me'valé (fem. me'vala) ette khoufchati

Rien à déclarer	Ei'ne li ma l'hats'hîr
Usage personnel	Le'chimoùche îchî
Dois-je payer la taxe ? Combien ?	Ha'im alài l'chalèm ette ha'mèkhes ? Kàma ?

CIRCULATION

Tout droit	Yachàr
A droite - à gauche	Ye'mîna - s'móla
Montrez-moi le chemin pour...	Na l'har'òtte li ette ha'dèrékh le...
Carrefour	Hitstalvoùth
Où se trouve ?	Efo nimtsá ?
Arrêt de l'autobus	Takhanàtte ha'autobous
Arrêtez ici, s.v.p.	Atsor kan, b'vakachá

EN VILLE

Poste de police	Takhanàtte ha'michtarà
Voulez-vous me montrer... ?	Na l'har'otte li... ?
Voulez-vous me conduire... ?	Na lakakhatte oti le...
Rue - place - avenue - route	Re'khov - kîkár - sderote - kvîche
Consulat français - belge - suisse	Konsoul'ya tsarfatîte, belguîte, chvétsarîte
Théâtre - cinéma	Téatronne - Kol-nóa
Où se trouve l'Office de Tourisme	Hekhanne nimtsét lichkatte ha'tayarouth
Où se trouve le bureau de voyages	Hekhanne nimtsá misrad ha'nisiòtte
Pharmacie	Béth ha'mirkákhatte
Docteur - dentiste	Rofé - rofé chénáyim

EMPLETTES

Je voudrais acheter	Ani rotsé (f. rotsa) liknòtte
Quel est le prix ?	Káma zé olé ?
C'est trop cher	Zé yakàr midai
Avez-vous des sandales ?	Ha-im yéche sandalîm ?
Avez-vous des journaux français ?	Ha-im yéche îtonîm tsarfatiim ?
Montrez-moi cette blouse	Na l'har'otte li ette ha'khoultsá ha'zotte
Papier et enveloppes avion	N'yar ve ma'atéfótte do'ar avîr
Rouleau de pellicule	Gulîl séret le'tsîloùm
Un objet artisanal	M'lèkhette makhchèvette
Cigarettes, des allumettes	Siguariótte, guafrourîm
Pain - beurre	Lèkhem - khem'à
Fruits	Péròtte
Charcuterie	Naknik, basàr m'ouchànne

A L'HÔTEL

Avez-vous une chambre libre ?	Yéche lakhèm khè der panoùi ?
A un lit - à deux lits	Khèder le'yakhîd - khèder kafòul
Avec salle de bain - douche	Im ambatya - im miklàkhatte

Combien par jour?	Ma ha'm'khîr le'yòm?
Avec vue sur la mer	Im mar'é al ha'yàm
Pour une nuit, deux nuits	Le'laila ekhàd, le'chté lélòtte
Voici le passeport	Hiné ha'darkònne
La clef s.v.p.	Ha'maftéakh, b'vakachà
Petit déjeuner, déjeuner, souper	Aroukhàt bôker, aroukhàt tsohoràyim, aroukhàt érev
La note s.v.p.	Ha'khechbònne, b'vakachà
Je pars demain	Esà makhàr

AU RESTAURANT

Où est le restaurant?	Efo ha'mis'adà
Garçon, le menu s.v.p.	Meltsàr, ha'tafrît b'vakachà
Potage	Maràk
Du pain - beurre - confiture	Lèkhem - khem'à - rîbà
Hors d'œuvre	Manà richonà
Omelette	Khavîtà
Poulet	Basàr of
Viande	Basàr
Escalope de veau	Nètakh b'sàr èguel
Salade	Salàd tarî
Œuf	Bétsà
Poisson	Dag
Légumes	Irakòtte
Dessert	Manà akhronà, liftàn
Fruits - fromages	Péròtte - gouvinòtte (Sing. Prî - Gouvinà)
Servez le repas sur la terrasse	Na l'haguîche ette ha'aroukhà al ha'gusoustrà
Vin rouge - vin blanc	Yayinne adóm - yayinne lavànne
Eau, eau minérale, jus de fruit, bière	Màyim, màyim minéràliim, mîts, bîra
Café turc - thé - glace	Café tourkî, té - glida
Café crême - lait	Café im khalàv - khalàv
L'addition	Ha'khechbònne

À LA BANQUE — À LA POSTE

Où est la banque?	Efo ha'bànk
Où est la poste?	Efo ha'do'ar
Je voudrais encaisser un chèque	Ani rotsé (f. rotsa) ligue'votte chèque
Je voudrais changer de l'argent	Ani rotsé (f. rotsa) l'hakhlîf kèsef
Timbres, carte postale, lettre	Boulîm (sing. boul), glouyà, mikhtàv
Par avion	B'do'ar avîr
Je voudrais envoyer un télégramme	Ani rotsé (f. rotsa) lichlòakh mivràk

AUTOMOBILISME

Garage - essence	Mousàkh - dèlek
Pompe à essence	Mach'évàtte dèlek

De l'huile s.v.p.	Chèmen, b'vakachà
Changer d'huile	L'hakhlîf chèmen
Revoir les pneus	Livdók ette ha'tsmîguîm
Laver la voiture	Lirkhóts ette ha'mekhounît
Faire un graissage	La'asótte sikà
Panne	Tèker
Remorquer - réparer	Ligu'rór - l'takèn
Bougie d'allumage	Slîl ha'tsatà
Freins	Balamîm
Changement de vitesse	Hakhlafàtte hiloukhîm
Carburateur - radiateur	Me'ayéd - makrenne
Phares	Panasîm
Allumage	Ha'tsatà
Essieu	Sérèn, tsîr
Ressort	Kfîts
Pièce de rechange	Khalké khiloùf

CHIFFRES ET JOURS DE LA SEMAINE

1 Akhàd	7 Chèva	40 Arba'îm	100 Méa
2 Ch'yàyim	8 Ch'móné	50 Khamichîm	200 Matàyim
3 Chàlóche	9 Técha	60 Chichîm	300 Ch'lóche m'ót
4 Arba	10 Eser	70 Chiv'îm	1000 Elef
5 Khaméche	20 Esrîm	80 Ch'monîm	
6 Chèche	30 Ch'lóchîm	90 Tich'îm	

Les jours de la semaine n'ont pas de nom; ils portent des numéros

dimanche	:	yom richonne	premier jour
lundi	:	yom chénî	deuxième
mardi	:	yom ch'lîchî	troisième
mercredi	:	yom revî'î	quatrième
jeudi	:	yom khamichî	cinquième
vendredi	:	yom chîchî	sixième
samedi	:	yom chabàth	sabbath

INDEX

Les renseignements concernant les hôtels sont signalés par la lettre H, ceux relatifs aux restaurants par la lettre R, enfin les maisons d'accueil de kibboutz par (k).

Dépôt légal 3e trimestre 1977

Imprimé en Belgique sur les presses de GEDIT S.A., Tournai